LE ROMAN DU MONDE

LÉGENDES PHILOSOPHIQUES

Henri Pena-Ruiz

LE ROMAN DU MONDE

Légendes philosophiques

FLAMMARION

Pour Claude

Préface

Le roman du monde

« *Il y avait un grand volume d'écriture... C'est l'histoire de ce monde où nous sommes maintenant en visite : c'est le livre de ses destinées.* »

Leibniz, *Essais de théodicée*, § 415.

Le roman du monde, c'est l'aventure même des hommes, quand la pensée en éclaire le sens. Le spectacle des choses et les tourments de l'action s'y fixent en images et en symboles, en personnages mythiques et en exemples familiers, en allégories et en métaphores. La pensée se donne à voir. Ses figures sensibles habitent désormais la culture, qui se nourrit de leur mémoire. Dans cette étonnante poésie de la réflexion, tout se passe comme si la compréhension du réel inventait ses propres légendes.

Le roman du monde, c'est donc aussi le grand livre imaginaire où se raconte la vie de la conscience, scandée par ses découvertes. Philosophes, poètes, romanciers, auteurs tragiques, ont su donner à une telle inspiration ses figures exemplaires en recueillant le meilleur des traditions mais aussi en inventant, littéralement, les légendes les plus suggestives. À l'instar d'Homère pour les Grecs, ils sont devenus les « instituteurs de l'humanité ». Ce livre est conçu comme un florilège, destiné à recueillir la richesse d'un tel imaginaire dans une sorte d'anthologie poétique de la pensée. La littérature y côtoie la philosophie, ainsi que les textes religieux et mythologiques.

Toutes les formes d'expression sensible de la pensée se retrouvent dans ces légendes. Personnages mythiques, comme Prométhée qui dérobe le feu aux dieux pour tracer la promesse de la culture humaine ; personnages tragiques, comme

Œdipe s'aveuglant lui-même après avoir été aveuglé par les jeux
secrets du destin ; figures de l'imaginaire religieux, comme Job
endurant sur son fumier la souffrance du juste ; héros de romans
initiatiques, comme Robinson recréant sur son île toute une
civilisation ; images vives de l'existence consumée par le désir,
comme la peau de chagrin qui se rétracte ; exemples philosophiques célèbres, comme la rame plongée dans l'eau et que le
mirage de l'expérience immédiate fait paraître rompue ; allégories, comme la statue de Glaucus, devenue méconnaissable
au fil des érosions qui l'altèrent, comme le serait l'homme
corrompu ; paraboles communes, comme la fameuse maxime
de la paille et de la poutre, qui dit toute la difficulté de juger
autrui ; symboles, comme la chouette de Minerve, l'oiseau
dont l'envol suggère le temps difficile de la sagesse ; métaphores, comme celle du lion et du renard, force et ruse agissantes de la politique ; exemples historiques intégrés à la méditation, comme la traversée du Rubicon par César, décision
hésitée où l'histoire bascule.

Toutes ces figures sensibles sont devenues de véritables
légendes philosophiques. Elles invitent à comprendre la condition humaine et l'expérience, les passions, le désir et l'idéal, les
tourments de la vie et de l'histoire. On peut prendre la mesure
de leur actualité toujours renaissante. Elles sont présentées ici
sous des titres choisis pour leur pouvoir évocateur, et les textes qui
les ont d'abord exposées sont rappelés. Ainsi s'ouvre l'accès à des
références essentielles qui permettent de les connaître dans leur
contexte originel. Chacune fait l'objet d'un éclairage soucieux de
montrer son intérêt philosophique.

Le choix proposé ne peut évidemment prétendre à
l'exhaustivité, mais il entend illustrer des interrogations philosophiques fondamentales. Les titres des dix chapitres sont
conçus pour indiquer l'orientation thématique des légendes
qu'ils regroupent. Quant aux inévitables limites des représentations sensibles, qui souvent n'éclairent qu'un aspect des
thèmes qu'elles permettent d'aborder, elles peuvent être
dépassées par le voyage imaginaire qui va de l'une à l'autre, et
permet ainsi de saisir la part de vérité que comporte chacune.
C'est aussi le pari d'un tel livre, qui invite à des parcours multiples à travers la centaine de figures qu'il propose. Les dix
chapitres qui se succèdent articulent toutes les évocations dans
un itinéraire choisi parmi bien d'autres cheminements pos-

sibles. Chaque figure est présentée et commentée de telle façon qu'une lecture autonome en soit possible.

La rédaction de ce livre ne s'est pas souciée des frontières qui séparent les genres. Son écriture ne relève donc à proprement parler ni de la philosophie ni de la littérature. Elle s'adresse à tous ceux qui entendent avoir accès à des légendes et à des expressions symboliques où s'est jouée l'aventure de la pensée, en même temps que se constituait l'imaginaire de la culture.

Puisse l'émotion des découvertes racontées dans les pages qui suivent contribuer à promouvoir le plaisir de philosopher.

Les légendes réunies ici sont ordonnées selon un itinéraire conçu comme un récit d'initiation philosophique. Pour faciliter la lecture, la trame de ce récit est présentée explicitement dans la table des matières (p. 445). Un répertoire des légendes évoquées (p. 427) ainsi qu'un index des notions et des thèmes qu'elles permettent d'aborder (p. 439) sont également proposés. Un répertoire succinct des personnages (p. 431) et un index des principaux auteurs cités (p. 443) complètent l'ensemble.

Prologue

Le miel et l'absinthe

et puis, sur un sujet obscur, je compose des vers
si lumineux, imprégnant tout de charme poétique.
Encore ce choix n'est-il pas sans raison :
quand les médecins veulent donner aux enfants
l'absinthe rebutante, auparavant ils enduisent
les bords de la coupe d'un miel doux et blond
pour que cet âge étourdi, tout au plaisir des lèvres,
avale en même temps l'amère gorgée d'absinthe
et, loin d'être perdu par cette duperie,
se recrée au contraire une bonne santé.

Lucrèce, De la nature, I, vers 933-942,
trad. J. Kany-Turpin, GF-Flammarion.

La pensée difficile, et la douceur de la poésie qui la dit. Les choses abstraites sont rendues accessibles, quand l'absinthe amère coule sur le miel.

Lucrèce imagine. Et il dessine les images pour suggérer les concepts. Un peu vite peut-être, cette poétique de la pensée se vit comme l'alliance des contraires. L'amertume de l'absinthe, ce serait la réflexion engagée sur des chemins arides. La douceur sucrée du miel flatte le palais et couvre l'amertume. La réflexion advient, qui éclaire. Ainsi est surmontée la répulsion première pour la théorie et son apparence d'opacité. L'enfant qui boit le remède, c'est chaque homme d'abord soumis à la façon dont le monde l'affecte et se déliant d'une telle emprise. Les exigences propres de la pensée sont alors graduellement acceptées. Mais l'image va plus loin peut-être. Elle devient une légende philosophique, un commentaire par la pensée de ses propres figures.

Si la philosophie est la médecine de l'âme, comme le dit Épicure, elle se doit d'agir sur la façon de vivre le rapport au monde. Rien ne peut faire que les choses apparaissent autrement. Cependant la réflexion peut déjouer l'apparence et lui ôter son pouvoir d'illusion. La raison n'est pas simple décret, mais travail quotidien d'affranchissement. Sans nier la présence sensible, elle s'en délivre pour en changer le sens. Ni douce ni amère, la pensée restitue le monde à ce qu'il est, indépendamment de la manière dont il touche les hommes, ou dont ceux-ci se l'approprient. Elle s'affirme en son ordre propre, connaissance d'un autre genre que la connaissance sensible.

Il y a bien une joie de la pensée, d'une espèce originale. Mais elle est difficile d'accès. À une certaine distance des choses, la chaleur de la vie et des émotions semble s'oublier. Il faut pourtant cette distance, qui donne au souci de comprendre le loisir et le recul qu'il requiert. Le poète et le philosophe, chacun selon son style, placent la conscience en retrait du spectacle des choses, pour que s'en manifeste la vérité.

Descartes, dont la pensée n'a rien du rationalisme étriqué qu'on lui prête trop souvent, n'oppose nullement poésie et philosophie par la nature du but qu'elles viseraient. Il les distingue bien plutôt par la façon dont l'une et l'autre assument le souci de vérité et le rapport au langage que cela implique. La fulgurance de l'intuition n'a rien d'irrationnel quand sont neutralisés les faux-semblants du vécu. L'empire du préjugé doit se dissoudre. L'expression poétique traduit alors une certaine présence du vrai.

C'est que l'imagination poétique n'est pas tributaire des images sensibles qui composent l'expérience ordinaire. Elle les réinvestit, en délivre le sens des captations ordinaires de la conscience. Elle les détache pour cela de leurs effets usuels sur une vie hantée par ses attentes et ses craintes, trop prise au piège des apparences immédiates. Et si la poésie semble atteindre d'emblée une profondeur que la philosophie rejoint à la longue par la seule patience du concept, l'une et l'autre visent la même lumière de vérité. Lumière étincelante dans l'instant poétique : grâce de ce qui semble s'offrir. Lumière plus diffuse dans la lente progression de l'étude philosophique : compréhension conquise par le travail théorique. Descartes le dit lui-même de façon poétique : « De même que l'imagination se sert de figures pour concevoir les corps, de même l'intelligence, pour figurer les choses spirituelles, se sert de certains corps sensibles, comme le vent, la lumière. D'où il suit que, philosophant de façon plus élevée, nous pouvons conduire l'esprit, par la connaissance, dans les hauteurs [...]. Il peut paraître étonnant que les pensées profondes [graves] se rencontrent plutôt dans les écrits des poètes que dans ceux des philosophes. La raison en est que les poètes ont écrit sous l'empire de l'enthousiasme et de la force de l'imagination. Il y a en nous des semences de science (*semina scientiae*), comme en un silex des semences de feu ; les philosophes les extraient par raison ; les poètes les arrachent par imagination : elles brillent alors davantage » (*Olympiques*, *Œuvres philosophiques*, Classiques Garnier, 1988, éd. F. Alquié).

Reste la difficulté de transposer dans la forme sensible de l'image toutes les choses de la pensée. Platon la rappelle avec d'autant plus de force que lui-même n'a cessé d'habiter, comme une terre natale dont on ne peut se déprendre, les mythes et les poèmes, les tragédies et les hautes figures des épopées d'antan, les allégories traditionnelles ou façonnées, mais aussi les exemples tirés de la vie familière. La pensée ne se joue pas dans un autre monde, et c'est bien à la réalité sensible ordinaire qu'elle a d'abord affaire. Socrate ne quitte la caverne audiovisuelle où séjourne tout homme que par l'effort de la réflexion, qui toujours met à distance. À un certain moment, cette expérience de la contemplation théorique en vient à déborder toute possibilité de représentation imagée.

Seuls alors peut-être les symboles, qui usent d'analogies, peuvent relayer le travail de la pensée pour en exprimer l'acquis. Encore faut-il que la raison soit à l'œuvre. Si la hauteur égale des deux plateaux de la balance traditionnelle symbolise la justice comme égalité devant une loi identique pour tous, elle ne fait qu'exprimer un principe général de droit. La règle de plomb, qui épouse les contours de la pierre, symbolise aussi la justice, cette fois-ci comme équité, impliquant l'adaptation du jugement à la singularité du cas. Les deux symboles font sens.

Platon : « Il y a des réalités accessibles à une compréhension aisée, pour lesquelles tout naturellement se présentent des images ressemblantes, en des objets qui s'adressent aux sens ; et il n'est pas du tout difficile de les montrer, à ceux qui en demandent une explication, lorsqu'on désire la leur procurer en toute facilité, sans les embarras de l'argumentation rationnelle. Mais, en ce qui concerne les réalités les plus hautes et les plus précieuses, il n'y a pas d'images créées propres à en donner une intuition claire aux hommes, et qu'il suffirait d'exhiber, après adaptation à l'un des sens, pour assouvir la curiosité de l'âme qui interroge. Il faut donc s'exercer à être en mesure, pour toute chose, de rendre raison et d'entendre raison ; car les réalités incorporelles, qui sont les plus belles et comptent le plus, ne peuvent s'appréhender avec clarté qu'à travers le recours à la raison, et rien d'autre... » (*Le Politique*, 285e-286a, traduction inédite).

Chapitre premier

L'invention de l'homme

Chapitre premier

L'invention de la solitude

1

Le feu de Prométhée

Comme Épiméthée n'était pas parfaitement avisé, il avait déjà, sans même s'en rendre compte, distribué toutes les aptitudes disponibles pour doter les animaux, et bien sûr, il lui restait l'espèce humaine à pourvoir ; il ne savait que faire. Dans sa perplexité, il voit venir Prométhée pour contrôler la répartition. Celui-ci remarque alors que si les espèces animales sont pourvues de tout dans de bonnes proportions, l'homme est nu, sans couverture, sans armes ; or le jour fixé par le destin pour que l'homme sortît de la terre et parût au jour était arrivé. Tourmenté par la difficulté de savoir comment sauver l'humanité, Prométhée se décide à dérober la maîtrise des arts d'Héphaïstos et d'Athéna en même temps que le feu – sans lequel une telle maîtrise serait impossible à acquérir et inutile – et à en faire cadeau à l'homme.

Platon, *Protagoras*, 321c-d, traduction inédite.

D'abord le feu déchire le ciel, et tue les hommes. Le dieu des dieux, Jupiter, tient le sceptre d'éclairs, et foudroie. L'humanité gît dans ses ténèbres striées, sans comprendre. Que peut-elle sans ce feu qu'elle ne sait produire ? Il faut qu'elle se découvre elle-même en découvrant un tel art. Aux éléments déchaînés elle prendra ainsi la secrète force qui les maîtrisera. Un jour, le feu divin façonnera son monde.

Qu'y a-t-il de divin dans l'homme ? Son humanité même. Celle-ci n'est advenue que par un geste mémorable : Prométhée, « le prévoyant », a pris le feu dans le ciel, afin de l'apporter aux hommes. Ce don légendaire inaugure l'aventure humaine. Le feu et les arts, d'abord divins, sont devenus humains par la résolution d'un dieu ami des hommes.

Prométhée, dit-on, avait lui-même façonné l'homme en le pétrissant dans la glaise. Il l'avait également muni du meilleur dans le partage des animaux sacrifiés à Zeus : au dieu suprême, les os et la graisse, à l'humanité, la viande nourricière. De colère, Zeus avait privé l'humanité du feu salvateur. Une autre légende rejoint cette image d'une faiblesse première de l'humanité.

Le frère de Prométhée s'appelait Épiméthée, dont le nom même dit l'imprévoyance. Chargé de pourvoir les différentes espèces vivantes en moyens de survie, Épiméthée avait dilapidé toutes les ressources disponibles en les distribuant aux animaux : vitesse sans la puissance aux uns, puissance sans la vitesse aux autres, le tout s'agençant en un équilibre subtil au sein duquel toutes les espèces animales peuvent coexister sans se détruire. D'où le dénuement de l'homme, pour lequel ne restait rien de ce qui permet l'adaptation spontanée aux dures exigences de la vie. Ni dieu ni bête, l'homme ne jouissait en fin de compte d'aucune prérogative vitale. Ni dieu, car il ne pouvait se suffire à lui-même par le seul fait d'exister. Ni bête, dans la mesure où ses qualités natives ne permettaient pas plus une survie spontanée. Bref, la vie ne lui était d'abord offerte que pour être ensuite conquise. Et la conquête serait à réitérer, indéfiniment.

L'oubli légendaire d'Épiméthée n'est peut-être pas simple inadvertance, car il appelle pour l'homme une autre façon d'être, qui signe sa véritable nature, en l'engageant dans les tourments d'une histoire.

Il y avait le feu dans la forge d'Héphaïstos, et le savoir-faire habile du Dieu artisan, également partagé par Athéna, déesse de la sagesse. Prométhée les dérobe, et les porte aux hommes. « J'ai pris dans la tige d'une férule la semence du feu que j'ai dérobée, semence qui est pour les mortels la maîtresse de tous les arts et une auxiliaire sans prix » (Eschyle, *Prométhée enchaîné*). L'aventure de la culture commence.

Prométhée fait aux hommes le présent qui leur permet de produire eux-mêmes leur existence, au lieu de déployer les ressources déjà constituées d'une adaptation sélective. La vie n'est pas donnée, elle est à conquérir, à produire et à reproduire dans le travail sur la nature mais aussi sur soi. Culture. Soin que l'homme prend de ce qui l'entoure pour y élire sa demeure. Soin qu'il prend de lui-même et de ses pensées, pour construire ce monde sien où s'affermit sa liberté première : celle de décider de son être. Prométhée refonde en quelque sorte la condition humaine, en l'arrachant à la détresse d'abord voulue par Zeus. Le jeune Goethe lui fait dire en des termes forts ce défi à Dieu qui est aussi une nouvelle naissance de l'humanité :

Me voici, je pétris des hommes
À mon image,
Une race qui me ressemble,
Qui souffre, qui pleure,
Qui goûte le plaisir et la joie,
Et qui te méprise,
Comme moi !

Ainsi comprise, l'humanité s'affranchit de sa faiblesse supposée. En sa capacité de se produire elle-même, elle gagne quelque chose de divin : le fait de se suffire à soi, qui libère des peurs et des superstitions, sans que la finitude soit pour autant oubliée ou occultée. Il faut dès lors apprendre à vivre en « dieu mortel », comme Aristote le dira. Et à délier ses pensées des limites quotidiennes. La connaissance scientifique et le savoir technique ont à s'inscrire dans un projet de sagesse qui leur donne sens en dernier ressort. Prométhée ne délivre pas les hommes pour les enchaîner à leurs propres productions, ou les conduire à se nuire à eux-mêmes. Nul malentendu n'est ici possible, sauf ressentiment superstitieux contre l'émancipation.

La vocation prométhéenne n'est défi aux Dieux qu'en leur inquiétante figure de puissances envieuses et tatillonnes, réactives et cruelles. La superstition, qui engendre de tels Dieux, est davantage une offense à la divinité que le défi prométhéen. La foudre de Zeus ou le déluge de Yahvé révèlent une humanité qui doute d'elle-même, et s'invente un type de culpabilité bien étrange, en s'imaginant des dieux vengeurs qui instrumentalisent la nature contre les hommes. Le feu qui tue et l'eau qui submerge disent une démesure divine et par là une crainte proprement humaine. Le seul fait d'exister, et de faire ce qu'il faut pour persévérer dans l'être, serait-il déjà une faute ?

La transgression de l'interdit divin marque le refus d'une condition simplement octroyée et assortie aussitôt d'une injonction qui appelle soumission. C'est une étrange liberté en effet que celle dont l'usage est immédiatement associé au mal, ou même ne semble acquérir de consistance que par la symétrie forcée du bien et du mal. La révolte prométhéenne exprime le rejet d'une telle malédiction. Reste que celle-ci accable la condition humaine de façon redoublée, si l'on en croit une autre légende où la première femme joue un rôle singulier : le mythe de Pandore.

Pandore, dans la mythologie grecque, c'est la première femme, dont Hésiode raconte qu'elle a reçu la vie d'Héphaïstos. Modelée avec de la terre et de l'eau, elle est conçue aussi séduisante que trompeuse, pour jouer le rôle ingrat que lui assigne la vengeance divine. Épiméthée l'épouse malgré les avertissements de son frère Prométhée. Pandore ouvre la jarre que Zeus lui avait confiée. Tous les maux de l'humanité s'y trouvaient contenus, et ils se répandent sur la Terre ; seule l'espérance reste au fond, solitaire. La malédiction divine semble donc poursuivre les hommes, jusqu'à inscrire le mal – ou les maux, dans leur condition même. Le thème chrétien du péché originel s'inscrira en écho avec cette vision pessimiste.

Prométhée, c'est le refus de penser l'humanité uniquement par défaut. Par le feu et les arts, l'homme advient à lui-même. Il se découvre, dans toute la richesse de son accomplissement potentiel. Observer la façon dont la nature produit ses effets, et choisir, consciemment, ceux des effets naturels qui concourent à la réalisation de soi. Puis, par l'invention féconde, produire des effets nouveaux, que la nature ne produisait pas spontanément. Telle est la créativité technique, dont Descartes soulignera la valeur.

L'homme n'est à l'image de la divinité que par la maîtrise du geste vital grâce auquel il s'affirme, et non par la puissance aveugle dont il userait sans retenue. Liberté. Son pouvoir n'est pas de domination de la nature à la façon dont un maître dominerait un esclave. La vocation prométhéenne n'implique aucune cécité aux limites présentes et futures, aucune méconnaissance des exigences à respecter pour vivre une sagesse humaine.

Prométhée n'est pas Frankenstein, ce héros d'épouvante imaginé dans le roman de Mary Shelley en 1818 (*Frankenstein ou le Prométhée moderne*). La fiction romanesque montre un savant dépassé par son invention, en l'occurrence un organisme inanimé auquel est insufflée la vie. Mais elle témoigne autant pour un défaut de science que pour un excès : si le savant avait prévu le monstre, c'est-à-dire s'il avait disposé d'un savoir mieux maîtrisé, l'aurait-il produit ? Son imprévoyance l'apparente plutôt à Épiméthée qu'à Prométhée. L'épouvante devant la « hideuse momie ressuscitée » du héros de Shelley rend manifeste une surprise qui signe une part d'ignorance. Peut-on dès lors parler d'un « Prométhée moderne » à propos de Frankenstein, aventurier peu avisé d'une science inachevée ? Rien n'est moins sûr.

Le feu qui chauffe et nourrit brûle et détruit : foudre des guerres humaines et des artifices de mort. La vocation prométhéenne sera vite disqualifiée au nom des dérives que les hommes ne savent ou ne veulent maîtriser. Mais ce sera méprise, par erreur de diagnostic. Les moyens de la puissance et de la désolation n'existent dans l'histoire qu'au sein des cadres sociaux de leur appropriation, ce qu'oublie l'abstraction qui met en cause la « Science » ou la « Technique » comme telles, nouvelles déesses malignes pour les obscurantismes modernes. Hiroshima, Auschwitz et Tchernobyl ne sont pas les rejetons de Prométhée, ou d'une Humanité en général ivre de sa puissance, mais les effets que le pouvoir de certains hommes peut produire par une technique captive de leurs seuls intérêts.

2

Le tesson de Job

Et Iahvé dit à Satan : « D'où viens-tu ? » Et Satan répondit à Iahvé et dit : « De rôder sur la terre et d'y circuler ! » Et Iahvé dit à Satan : « As-tu porté ton attention sur mon serviteur Job ? Il n'y a personne comme lui sur la terre : c'est un homme parfait et droit, craignant Élohim et se détournant du mal. Il s'attache encore à sa perfection et c'est sans raison que tu m'as excité contre lui pour le ruiner. » Satan répondit à Iahvé et dit : « Peau contre peau ! tout ce qui est à l'homme, il le donne pour sa vie. Mais veuille étendre ta main et touche à son os et à sa chair ! À coup sûr, il te maudira à ta face ! » Et Iahvé dit à Satan : « Le voici à ta discrétion ! Sauvegarde seulement sa vie ! » Alors Satan sortit de devant Iahvé et il frappa Job d'un ulcère malin de la plante du pied au sommet de la tête. Lors Job prit un tesson pour se gratter et il était assis au milieu de la cendre. Et sa femme lui dit : « Tu t'attaches encore à ta perfection ? Maudis Élohim et meurs ! » Et il lui dit : « Comme parlerait une des femmes folles, tu parles ! Si d'Élohim nous acceptons le bien, n'accepterons-nous pas aussi le mal ? »

Ancien Testament, Livre de Job, 2, trad. É. Dhorme,
Gallimard, Bibliothèque de la Pléiade.

Souffrance. La vie a donné. Elle reprend. Les biens perdus, les proches disparus, la santé brisée. *Pauvre comme Job.* Comment comprendre ? C'est pourtant la « *forme entière de l'humaine condition* », comme disait Montaigne.

La souffrance brute, sans explication, sans justification, vient blesser l'être. L'enfant qui ne peut encore parler (*infans*), mais qui donne les signes de la souffrance, est cette blessure vive. Figure de l'innocence. Le risque de la vie qui déchire. Il y a aussi la souffrance du juste. Job. Lui peut parler, mais ne protestera pas. Pourtant, il ne peut rien comprendre de ce qu'il vit. Il doit souffrir, sans savoir pourquoi. C'est alors que se joue l'inconditionnalité de l'assentiment à la vie. Ou à Dieu, pour ceux qui y croient. On saura bien accepter la vie, au risque du malheur, ou, plus sim-

plement, des retournements qui enchaînent les peines aux joies.
Accepter sans condition.

Une sorte de foi essentielle, comme celle dans laquelle
Nietzsche voit l'affirmation fervente de la vie, se révèle à jamais,
sans calcul ni ressentiment. Dieu, ou la vie même, se montre en
son infini jaillissement. Et les blessures prochaines succèdent
aux enchantements premiers. Tu as repris ce que tu as donné.
Ce qui avait été gagné se trouve perdu. Tout ne dépendait pas
de moi. « *Fais de ton mieux, et advienne que pourra.* » Une manière
de stoïcisme prend acte des limites et refuse la parole amère.

Un douloureux partage se trace entre le pouvoir de l'homme
et celui des circonstances dont il n'a pas la maîtrise. La foi sans
condition sera mise à l'épreuve de diverses façons. Perdre des
biens, des êtres chers, la santé, le simple fait de vivre sans douleur. Job déclinera tragiquement toutes les figures possibles de
la souffrance. Et il ne lui restera que la vie elle-même, dénudée
et crue sous le mal multiforme, mais acceptée malgré tout,
jusqu'au doute le plus ravageur.

> Mon âme est dégoûtée de ma vie !
> J'exhalerai sur moi ma plainte,
> Je parlerai dans l'amertume de mon âme !
> Je dirai à Éloah : ne me condamne pas !
> Fais-moi savoir à propos de quoi tu me querelles !
> Est-ce un bien pour toi d'être violent,
> de mépriser l'œuvre de tes mains ?

Le moment de Job et de sa plainte, le moment du tesson
dont il se gratte, sur la cendre et le fumier où toute chose finit,
est aussi celui de la révolte à peine esquissée, sourdement
mêlée à l'incompréhension. La gale démange et fait de la vie
supplice. Conjurer la douleur et s'étonner. Pourquoi avoir
donné la vie ? Moment de plainte et de souffrance parlée. Et
Job d'entrevoir l'élision première de sa vie même :

> Pourquoi donc m'as-tu fait sortir du sein ?
> J'aurais expiré et aucun œil ne m'aurait vu :
> J'aurais été comme n'ayant pas été,
> J'aurais été conduit du ventre à la tombe !
> N'est-ce pas peu de chose que les jours de mon existence ?
> Retire-toi de moi pour que je sois un peu gai,
> Avant que j'aille, pour n'en plus revenir,
> À la terre de ténèbres et d'ombre,
> Terre de noirceur et de désordres,
> Où la clarté est comme l'obscurité !

Ce moment de plainte ne préjuge pas de l'issue – l'acceptation apaisée ou l'imprécation définitive. Suggérée au Dieu de
Job par celui qui veut le faire douter de son pouvoir, la mise à
l'épreuve, d'intensité croissante, rend manifeste la dissociation
entre la foi pure, inconditionnelle, et le bonheur qui advient à
l'homme lorsque sont satisfaites ses principales aspirations
temporelles. Dieu, qui donna la vie, a laissé le diable soustraire
à Job, dans une gradation dramatique, ces biens qui sem-
blaient couronner une longue conduite de vertu. On pourrait
dire aussi que la vie même en sa puissance donatrice a laissé la
place à la force noire du malheur pour reprendre ce qu'elle
avait accordé.

Job maudira-t-il Dieu ? Mais ce qui nie et détruit ne se sépare
pas de ce qui affirme et construit. Les métaphores religieuses
– Dieu et le Diable – expriment les principes mêmes de la vie
tragique et gaie, folle et contradictoire. Lecture de la condition humaine. Heureuses chances et heures douloureuses ne
se jugent pas seulement à ces fluctuations, mais à la façon dont
l'homme les assume et par là porte le risque de vivre. Maudire
l'existence, ou maudire Dieu, serait en quelque sorte mon-
nayer l'acceptation de la vie, en la refusant comme aventure.

Misère de l'homme, et silence de ce qui est.

> Dieu m'a fait compagnon de Job,
> Qui m'a ôté en un seul coup
> Ce que j'avais
> (*Complainte* de Rutebeuf).

Nature ou Dieu. Justice immanente ou injustice manifeste.
Questions prématurées peut-être, quand il s'agit d'abord de
vivre. Dieu juste, donc Job coupable… Job innocent, donc
Dieu injuste… La première hypothèse est fausse, la seconde
impensable. Le livre de Job est celui de la souffrance du juste,
et il faut bien qu'il fasse scandale. Mais un Dieu injuste est-il
encore un Dieu ? Il faut revenir au mystère de la vie qui donne
et qui reprend, sans raison, car il n'y a en elle ni raison ni
motif, sauf à lui prêter ce qu'elle n'a pas. La foi « qui sauve »,
c'est-à-dire qui fait vivre, n'est pas en question, qui remonte à
la présence inconditionnelle de l'être, ou du Dieu qui en est la
source. Job ne maudira pas Dieu, ou, si l'on veut, la vie. Leçon
d'une confiance à jamais déliée de ce qui en brouille l'évidence. La lumière survit sur le carreau embué où le soleil
s'absente.

Kant a souligné ce qui fonde le courage de Job : ne pas soumettre aux doutes légitimes sur le pourquoi de ses misères une foi qui ne pose pas de condition. Sa piété n'est pas atteinte par les interrogations surgies de ses souffrances. Sa confiance non plus, qui laisse à Dieu, en somme, le bénéfice du doute : « au demeurant, la foi qui naquit en lui d'un éclaircissement si déconcertant de ses doutes, à savoir du seul fait d'être convaincu de son ignorance, ne pouvait également advenir que dans l'âme d'un homme qui pût dire au milieu de ses doutes les plus aigus : "Jusqu'à ce que vienne une fin, je ne veux pas fléchir dans ma piété." Par cette disposition intérieure, en effet, il témoignait qu'il ne fondait pas sa moralité sur la foi, mais la foi sur sa moralité : et, en ce cas, la foi, si fragile qu'elle puisse être, est cependant d'une espèce plus pure et plus estimable, c'est-à-dire de celle qui ne se fonde pas sur une religion qui brigue la faveur, mais sur une religion de la bonne conduite » (*Sur l'insuccès en matière de théodicée*, trad. A. Delamarre, *Œuvres philosophiques*, t. II, Gallimard, Bibliothèque de la Pléiade).

La mise à l'épreuve s'achèvera par le rétablissement de la situation de Job, en mieux. Pourquoi donc ce détour, cette vive expérience du négatif ? Pour rappeler, peut-être, ce qui peut fonder vraiment l'estime de soi et des autres. Mettre la chance ou la malchance hors jeu, pour dégager la posture de courage, qui assume sans forcément s'asservir. Lecture limite, que désavouerait une éthique de la soumission souffrante et résignée. La religion de la finitude est intraitable avec toute marque un peu forte d'autonomie humaine. Du moins l'homme peut-il éprouver en lui le principe de sa « perfection », dès lors que ne dépendent pas de lui certains hasards – heureux ou malheureux – de l'existence qui lui advient, mais que l'effort de résistance ou de sérénité lui appartient.

L'expérience intérieure de la liberté se fait *sentiment tragique de la vie*, disait Unamuno. Les deux sources mêlées tendent la conscience vers son émotion la plus intime.

3

Le rocher de Sisyphe

À cet instant subtil où l'homme se retourne sur sa vie, Sisyphe, revenant vers son rocher, contemple cette suite d'actions sans lien qui devient son destin, créé par lui, uni sous le regard de sa mémoire et bientôt scellé par sa mort. Ainsi, persuadé de l'origine tout humaine de tout ce qui est humain, aveugle qui désire voir et qui sait que la nuit n'a pas de fin, il est toujours en marche. Le rocher roule encore. Je laisse Sisyphe au bas de la montagne ! On retrouve toujours son fardeau. Mais Sisyphe enseigne la fidélité supérieure qui nie les dieux et soulève les rochers. Lui aussi juge que tout est bien. Cet univers désormais sans maître ne lui paraît ni stérile ni futile. Chacun des grains de cette pierre, chaque éclat minéral de cette montagne pleine de nuit, à lui seul forme un monde. La lutte elle-même vers les sommets suffit à remplir un cœur d'homme. Il faut imaginer Sisyphe heureux.

Camus, *Le Mythe de Sisyphe*, Gallimard.

Sisyphos – en grec *le très sage* – était légendairement connu pour son intelligence, mais aussi pour la démesure (l'*hubris*) par laquelle il voulait en quelque sorte s'égaler aux Dieux. D'où le châtiment qui lui rappelle à la fois sa force et sa faiblesse, et le rive à l'effort sans cesse répété des mortels. Conscience éprouvée des limites : il faut porter le fardeau quotidien, et il en coûte de le faire. Dans le onzième chant de l'*Odyssée*, Homère décrit l'effort de Sisyphe, et son inexorable recommencement : « Ses deux bras soutenaient la pierre gigantesque, et, des pieds et des mains, vers le sommet du tertre, il la voulait pousser ; mais à peine allait-il en atteindre la crête, qu'une force soudain la faisant retomber, elle roulait au bas, la pierre sans vergogne ; mais lui, muscles tendus, la poussait derechef ; tout son corps ruisselait de sueur, et son front se nimbait de poussière. » On reconnaît là le châtiment de la tâche sans cesse recommencée, comme celle des Danaïdes, nymphes des sources que la légende représente aux Enfers, versant indéfiniment de l'eau dans des tonneaux sans fond.

Pourquoi ? La question du sens des actions s'étend bien vite à celle du sens de la vie. Dans le ciel dont les dieux s'absentent, nul signe désormais n'est adressé aux mortels, seuls devant leur tâche. La simple reconduction de la vie, de jour en jour, appelle effort. L'homme s'invente les moyens de persévérer dans l'être, et la vie n'est plus ce don accordé pour toujours par les Dieux. Sisyphe, un instant, s'arrête, au moins intérieurement. Alors s'esquisse la sagesse simple d'une interrogation première. Quelle vie voulons-nous vivre ? Et quel bien mérite d'être recherché pour lui-même ? Questions fondatrices, dont Aristote fait l'ouverture de l'*Éthique à Nicomaque*. Ce livre est bien d'éthique, en son sens grec et originaire tout à la fois. Quelle est la *façon d'être* des hommes ? Et comment régler cette façon d'être qui à la longue singularise la version qu'un individu donne de l'humanité ? Peut-on vivre comme si on avait déjà répondu, comme si tout allait de soi ? Le *modus vivendi* appelle un *ars vivendi*, un art de vivre, une éthique au sens premier.

La tâche de la vie se redéfinit. Non la morne extériorité semblable à elle-même en raison des travaux qui la composent en se reproduisant, mais la décision proprement humaine de choisir un trajet, de donner sens en osant la liberté. Sisyphe est seul, comme tous les hommes au moment du choix. Loin de disqualifier toute perspective d'accomplissement, l'identité des jours, des nuits, des saisons, des époques de la vie, des gestes quotidiens, ouvre à chaque homme le champ de son affirmation, de la création de soi. Le temps se proportionne aux élans de la vie, aux jaillissements qui l'inventent, et peu importe alors le désir d'éternité qui voudrait le soustraire à l'aventure sous le prétexte que prend fin, un jour, ce qui avait été rêvé, construit, soigné : la finitude est là, qui invite à recommencer, mais sans mépriser l'éphémère destin des actions et des espoirs, des patiences vives et de ténacités accomplies, apaisées dans leur ouvrage.

Sisyphe ne peut se réconcilier avec la vie qu'en prenant la mesure de ce monde où il doit inscrire sa destinée. Sa force renaîtra toujours s'il décide de vivre sa vie d'homme, de se passer de dieux tour à tour protecteurs et menaçants. La peur n'est plus de mise, ni la lassitude. C'est que les rythmes quotidiens ne sont pas l'essentiel. Ils rendent la vie possible, simple-

ment, sans préjuger de la direction qui l'accomplira. Sauf à
aliéner en elle le ressort de l'initiative dans la résignation grise
où se tarit l'espoir. On se lève, on part, puis on revient, la
journée de travail écoulée. La scansion morne des habitudes a
tôt fait d'installer une lassitude ; oubli de l'homme et de sa
chance première, quand se résorbe toute joie dans la nuit des
façades obliques. Un jour surgit la question « pourquoi ? ». La
justice alors ne peut attendre.

À l'homme de construire son monde et de dessiner les
contours de son bonheur, de façon inédite. « Si Dieu n'existe
pas tout est permis », écrivait Dostoïevski. Rien n'est moins sûr.
L'humanité maîtresse d'elle-même porte seule son fardeau.
Ainsi abandonnée, elle ne rend pas ou plus compte à la divinité. Mais ne s'en rend-elle pas désormais à elle-même, dans
l'accomplissement risqué des possibles qu'elle fait advenir par
ses choix ? Il lui faut alors maintenir l'exigence d'un épanouissement véritable, sans atrophie de l'être. Un nouveau bonheur
prend forme, promesse faite à l'audace de vivre, et d'accepter
pour cela l'humaine condition. Sans accepter pour autant
toute réalité.

Un humanisme sans illusion se fonde sur la patience. Celle-
ci n'a rien à voir avec la mortification où s'accomplit le désistement envers l'au-delà. *Patientia* : souffrance et endurance à la
fois. Vertu stoïcienne par excellence. Sénèque, dans la treizième lettre à Lucilius, en évoque la leçon d'espoir : « Tu as
une grande force d'âme, je le sais ; car, avant même de te
munir des préceptes salutaires qui triomphent des moments
difficiles, tu te montrais, face à la fortune, suffisamment
décidé ; tu l'es devenu beaucoup plus après avoir été aux
prises avec elle et avoir éprouvé tes forces. »

En l'homme, en tout homme, se dresse donc la « citadelle
intérieure », dont Marc Aurèle fait le principe inexpugnable
de la liberté : « aussi est-ce une acropole que l'intelligence
(*dianoïa*) affranchie des passions » (*Pensées pour moi-même*,
livre 8, 48).

4

Le vol d'Icare

Je te conseille, dit-il, Icare, de te tenir à mi-distance des ondes, de crainte que, si
tu vas trop bas, elles n'alourdissent tes ailes, et du soleil, pour n'être pas, si tu vas
trop haut, brûlé par ses feux : vole entre les deux. Et je te recommande de ne pas
regarder le Bouvier, ni l'hélice, ni l'épée nue d'Orion. Prends-moi pour guide de
la route à suivre. Et, tout en lui enseignant à voler, il ajuste à ses épaules ces ailes
que l'homme ignorait. Pendant qu'il travaillait, tout en prodiguant ses conseils, les
joues du vieillard se mouillèrent et ses mains paternelles tremblèrent. Il donna à
son fils des baisers qu'il ne devait pas renouveler, puis, se soulevant au moyen de
ses ailes, il s'envole le premier, anxieux pour son compagnon, comme l'oiseau qui
du haut de son nid vient de faire prendre à sa tendre couvée son vol à travers les
airs. Il l'encourage à le suivre et l'initie à son art dangereux ; il meut lui-même ses
propres ailes, l'œil fixé, derrière lui, sur celles de son fils. Quelque pêcheur, occupé
à surprendre les poissons au moyen de son roseau qui tremble, un pasteur appuyé
sur son bâton ou un laboureur au manche de sa charrue, qui les vit, resta frappé de
stupeur et pensa que ces êtres qui pouvaient voyager dans les airs étaient des dieux.
Et déjà, sur leur gauche, avaient été laissées Samos, l'île de Junon, Délos et Paros ;
à leur droite était Lébinthos et Calymné au miel abondant, lorsque l'enfant se prit
à goûter la joie de ce vol audacieux, abandonna son guide et, cédant au désir
d'approcher du ciel, monta plus haut. Le voisinage du soleil dévorant amollit la
cire odorante qui retenait les plumes. La cire ayant fondu, l'enfant n'agite plus que
ses bras nus, et, manquant désormais de tout moyen de fendre l'espace, il n'a plus
d'appui sur l'air ; et sa bouche criait le nom de son père, quand l'engloutit l'eau
céruléenne ; c'est de lui qu'elle a tiré son nom. Quant au père infortuné, qui n'était
plus père : « Icare, dit-il, où es-tu ? En quel endroit me faut-il te chercher ? »
« Icare », répétait-il, quand il aperçut des plumes sur l'eau.

Ovide, *Les Métamorphoses*, VIII, 192-230,
trad. J. Chamonard, GF-Flammarion.

Qui ne rêve de surmonter les limites de sa force présente ?
L'homme oiseau découvre la terre à ses pieds, loin et si relative
d'un seul coup. Ivresse des hauteurs où s'exalte le désir de
vivre, et jubile la présence à soi d'un pouvoir inédit. Du lieu où

l'homme s'inscrivait, il franchit les bornes, indifférent aux limites de son corps et oublieux de l'artifice qui les a surmontées. Et la montée vers le ciel se poursuit.

> Nos yeux furent premiers à voir
> les nuages plus bas que nous,
> et l'alouette à nos genoux
> (Aragon).

Le risque alors est de confondre les limites, fixées en soi par la nature ou la façon dont on accroît pour un temps son pouvoir, et les bornes, semblables aux lignes d'horizon d'un paysage où l'on serait tenu immobile. Confusion mortelle. Icare monte toujours plus haut, malgré le pressentiment de l'inventeur, qui avertit suffisamment. La faiblesse est oubliée, graduellement, à mesure que fait merveille l'artifice. L'homme-oiseau la croit transcendée. Il poursuit sa montée folle et douce dans les sillages indéfinis où le ciel s'offre à lui. Une force neuve permet de s'élever encore et au-delà ; pourtant, la limite silencieuse et inexorable, qui tient à la nature des choses, ne peut se laisser oublier.

La cire a collé les plumes. Les ailes d'Icare font corps avec lui, au point qu'il n'y pense plus et bat les airs sans retenue. Et le soleil, approché de trop près, détruit l'artifice. Les ailes fondent et les bras nus agités en vain disent la fin brutale de l'illusion. Par la pensée pourtant, vigilance affranchie des transes du corps exalté, la chose était prévisible. C'est compter sans la hâte de vivre, qui prend les devants, et transgresse. Les ailes de la pensée déjouent le piège du bel envol. Mais les ailes du moment répondent trop au rêve pour freiner l'élan.

Dans la lumière tiède où s'ouvre un beau ciel d'homme, Icare s'élevait porté par sa propre joie, et ne pouvait imaginer alors la fin du chemin aérien. Poésie, déliée des ancrages. L'homme-poète, lui, est maladroit sur terre, ayant battu le grand large venté, et sillonné le monde bleu des nuages. L'ordre quotidien de l'utile semble interdire l'envol, et les exigences réifiées de la survie terrestre brident l'esquisse lyrique. *L'albatros*. « Ses ailes de géant l'empêchent de marcher » (Baudelaire).

L'homme-oiseau retombe dans la mer, et ses plumes éparses, bientôt perdues dans les vagues, sont l'épilogue d'un vol contre-nature. S'approcher du soleil sans franchir les limites. Ces limites étaient devenues invisibles. On avait cru pouvoir les effacer en se jouant des bornes, survolées puis dépassées. Le progrès, tendu vers son idéal, ne peut méconnaître sa dimension propre, et ses conditions. L'exigence de liberté porte l'homme au-delà de sa condition présente, mais celle-ci ne peut être oubliée, en sa consistance, par le mouvement qui la transcende. La vraie conscience assume jusqu'au bout les conditions matérielles de l'envol.

L'oubli tragique des conditions et des médiations n'atteste aucune infirmité de l'idéal, mais la seule façon qu'il a d'exister pour avoir valeur émancipatrice. Celle d'une exigence qui se sait telle, et qui ne confond jamais la propension même de l'espoir à voir le monde réel à son image avec un programme d'action. Le rêve n'est que rêve, ce qui est déjà beaucoup pour agir, mais encore trop peu pour réussir.

5

Le pacte de Faust

Méphistophélès
À suivre tes désirs ici-bas je m'engage
Et je n'oublierai rien de ce que tu voudras ;
Quand nous nous reverrons près de l'autre rivage,
Alors viendra ton tour et tu m'obéiras !
Faust
Que m'importe, à moi, l'autre monde !
Renverse les piliers où celui-ci se fonde
Et l'autre, s'il le veut, déploiera ses couleurs.
Ma joie appartient à la terre.
Le soleil d'ici-bas éclaire mes malheurs.
Si je puis oublier ce séjour de douleurs,
Advienne que pourra, je ne m'en trouble guère,
Je n'en veux rien savoir et ne m'informe pas
Si l'au-delà connaît des amours et des haines
Et si, dans ces sombres domaines,
Il existe un haut et un bas.

Goethe, *Faust*, première partie,
trad. J. Malaplate, GF-Flammarion.

La vie du monde serait-elle de tous les dangers ? En goûter les plaisirs, en admettre aussi les peines, c'est prendre le risque de vivre, tout de suite. Et l'on peut bien invoquer l'au-delà de l'aventure, l'arrière-monde, pour faire souffler la peur sur celui-ci, peu importe à l'homme que saisit l'urgence de vivre, de vivre pleinement, et dont l'impatience a raison des frayeurs suggérées. *Nourritures terrestres*. Faust a choisi, et nulle malédiction ne l'intimide. Marché de dupes ou défi proprement humain, qui refuse le chantage de l'équation sinistre entre bonheurs ici-bas et malheurs au-delà ? La mort viendra bien assez tôt, et le sens de la menace n'est guère lisible, quand l'existence ici frémit de toutes ses promesses.

Spinoza le rappelle : la méditation de l'homme libre est de la vie, non de la mort. L'éternité pèse-t-elle si peu ? C'est que la balance est fausse peut-être, quand un plateau se charge des seules frayeurs inventées ou suggérées, condensées dans les scénarios imaginaires d'un lieu de souffrance éternelle. Et l'instant de bonheur n'atteint-il pas à sa façon une autre éternité, véritable : celle d'une plénitude de présence, qui monte à l'absolu d'un accomplissement sans ombre ? Faust écarte le trafic des âmes, parce qu'il ne peut pas vraiment y croire. Méphisto évoque sans y insister la clause néfaste du pacte, comme on fait avant la signature de contrats léonins. Qui accepterait de se perdre en échange de quelques jouissances éphémères ? La question, masquée en sa gravité, paraît artificielle au regard d'une éthique du bonheur. La lecture dépend de la perspective. La ruse du diable contre la résolution de l'homme. Pourquoi masquer un danger imaginaire ? Pour insinuer que le choix qui livre Faust à Méphisto a quelque avantage pour Faust lui-même. Mais l'ardeur de vivre, attachée à la conviction qu'il n'est pas d'autre monde que celui-ci, se moque d'une telle ruse, qu'elle tient pour inutile.

Cette frénésie se veut salutaire. Mais elle peut sembler maladive. Est-ce la conscience qu'inquiète une vie incertaine ? S'agit-il d'échapper à la fragilité des contentements ? Ayant le choix entre vie longue sans gloire et vie brève mais glorieuse, Achille, dit-on, n'avait pas hésité. Ce serait la gloire et l'éphémère. Et le talon vulnérable a permis au destin de s'accomplir. Faust doit-il se rallier au diable pour affirmer simplement le désir de vivre, et de jouir de la vie ?

L'alternative est étrange et cruelle. Le type d'évaluation qui la sous-tend est une sorte de démission. Nietzsche évoque les contempteurs de la vie, qui en culpabilisent l'assouvissement au point de l'assortir des pires malédictions. Paradoxe d'un dieu qui nous dote d'une propension naturelle au plaisir pour en condamner aussitôt la mise en œuvre. Des choses du corps il faut seulement user, et de celles de l'esprit il faut jouir, dit saint François de Sales. Et il condamne sans appel les plaisirs charnels. L'éléphant lui semble à ce titre exemplaire : « je vais vous dire un trait de son honnêteté : il ne change jamais de femelle, et aime tendrement celle qu'il a choisie, avec laquelle néanmoins il ne parie que de trois en trois ans, et cela pour cinq jours seulement, et si secrètement, que jamais il n'est vu en cet acte… C'est le grand mal de l'homme, dit saint Augustin, de vouloir jouir des choses desquelles il doit seulement user, et de vouloir user de celles desquelles il doit seulement jouir » (*Introduction à la vie dévote*, chapitre 39, § 7).

Voilà bien la superstition de l'abstinence, remarque Spinoza, qui ne voit guère pourquoi il faudrait proscrire certains types de plaisirs pour mieux assurer les autres. Sauf à prévenir le déséquilibre d'une âme captive, enlisée dans une jouissance unidimensionnelle et exclusive. Le plaisir de vivre se loge dans l'usage même des choses : « user des choses, et en tirer plaisir autant qu'il est possible de le faire (non, bien sûr, jusqu'à la nausée, car ce n'est plus alors de plaisir qu'il s'agit), est d'un homme sage » (*Éthique*, IV, proposition 45, scolie).

Faust n'hésite guère. Lance-t-il un défi au Dieu qui assignerait les hommes à l'abstinence, voire à la mortification ? Ou incarne-t-il la figure inversée de la vertu, exaltée par l'image des tourments propres au vice ? Il y a dans Faust une dramatisation propre à inspirer l'effroi et la distance. Seule une religion de la peur, qui manie des épouvantails, et prend les hommes pour des enfants, peut ainsi diaboliser le choix de jouir, de cueillir à même la vie toutes les promesses qu'elle rend sensibles. La figure de Faust côtoie celle de Prométhée dans l'imaginaire de l'accomplissement comme dans celui de la dégradation. Une fois encore, se joue l'interprétation de la condition humaine.

Diaboliser le désir d'être et les désirs qui le déclinent dans la dynamique de la conduite humaine, c'est jeter le discrédit sur une vie qui serait à elle-même sa propre référence et son propre principe. Et qui de ce fait trouverait en elle la source suffisante de son accomplissement. Savoir bien vivre, et non se contenter de vivre, n'a rien à voir avec une quelconque faute. S'en tenir à soi, pour l'humanité, serait présomption et orgueil. Faute impardonnable pour une religion qui bâtit la puissance de son dieu sur la faiblesse supposée de l'homme. Une telle religion ne peut reconnaître aucune vertu à l'*immanence*. L'humanité restant chez elle (ce que veut dire exactement la notion d'immanence) peut se suffire à elle-même pour peu qu'elle découvre et assume ses richesses. Celles-ci se déploient dans l'ordre de la jouissance réglée comme dans celui du pouvoir de connaître qui signe une excellence propre, et s'assortit de joies particulières.

En revanche, s'il s'agit de mettre en garde non contre la fin visée, le plaisir, mais contre la modalité débridée de sa recherche, Faust représentant la figure d'un hédonisme sauvage, la signification critique de son personnage peut apparaître. La dérive faustienne ne se situerait pas tant dans la visée des plaisirs que dans la démesure qui en hypothèque toute véritable maîtrise. Elle appellerait donc une refondation lucide de l'art de vivre : la sagesse paradoxale de Faust serait alors le premier pas vers une version profane du salut, au-delà des superstitions de l'abstinence.

Loin des frayeurs de celui qui joue sa vie avec la diabolisation des ses désirs, une philosophie joyeuse et tendre, sans arrière-pensée, délivre l'homme. Les Grecs parlaient d'hédonisme, le plaisir (*hédonè*) devenant une façon d'être autant qu'un art de vivre.

6
La victoire d'Épicure

La vie humaine, spectacle répugnant, gisait
sur la terre, écrasée sous le poids de la religion,
dont la tête surgie des régions célestes
menaçait les mortels de son regard hideux,
quand pour la première fois un homme, un Grec,
osa la regarder en face, l'affronter enfin.
Le prestige des dieux ni la foudre ne l'arrêtèrent,
non plus que le ciel de son grondement menaçant,
mais son ardeur fut stimulée au point qu'il désira
gorcer le premier les verrous de la nature ;
Donc, la vigueur de son esprit triompha, et dehors
s'élança, bien loin des remparts enflammés du monde.
Il parcourut par la pensée l'univers infini.
Vainqueur, il revient nous dire ce qui peut naître
ou non, pourquoi enfin est assigné à chaque chose
un pouvoir limité, une borne immuable.
Ainsi, la religion est soumise à son tour,
piétinée, victoire qui nous élève au ciel.

Lucrèce, *De la nature*, I, vers 62-79,
trad. J. Kany-Turpin, GF-Flammarion.

La peur des dieux, de la mort, de la douleur, et les vaines agitations de l'âme privent les hommes de la sérénité qui fait le plaisir de vivre. Il faut dès lors mobiliser les ressources de la pensée pour les délivrer. La philosophie trouve là une de ses raisons d'être.

Le regard d'Épicure fait monter au ciel la terre des hommes, tandis que s'effondrent à leurs pieds les dieux menaçants d'hier. Épicure le Grec – en latin *graius*, selon le nom épique des héros – ose faire appel de la condition première, que hantent les spectres de l'ignorance et les frayeurs qui en proviennent. Il surgit, lève la tête, se dresse, et redresse avec lui toute l'humanité. Ses yeux mortels fixent désormais sans faiblir le visage céleste d'une religion écrasante.

Prisonnière de son ignorance, l'humanité ne peut que subir son rapport au monde. « Si tous les autres phénomènes que sur terre et dans le ciel voient s'accomplir les mortels, tiennent souvent leurs esprits suspendus dans l'effroi, les font s'humilier dans la crainte des dieux, les abattent et les courbent vers la terre, c'est que leur ignorance des causes les contraint de tout remettre à l'autorité des dieux, et de leur accorder le royaume du monde » (Lucrèce). Le feu du ciel, la tempête qui menace, la nuit qui en plein jour étouffe en quelques instants la lumière du soleil, ouvrent à une religion de peur son emprise. Cette peur, il faut à la fois montrer sa vanité et la comprendre par sa cause. La connaissance de la nature, ou physique, est alors une sorte de devoir, dont relève la quête du bonheur.

Comment se représenter la plus petite particule de matière, voir l'énergie qui la constitue ? La langue grecque dit « *atome* », littéralement ce qui est insécable. Les choses seront faites de ces atomes, que Cicéron, selon l'étymologie, appelle « *individua* » (indivisibles), et qui se combinent indéfiniment.

Par quelle image évoquer la genèse du monde ? Les atomes tombent en pluie, inlassablement. Toute forme semble se dissoudre dans ces traits serrés et parallèles de lumière, ou s'y esquisser pour en surgir bientôt. Comme si les mondes passés et à venir naissaient de la pluie elle-même. Une nouvelle image vient alors. Un souffle oblique coupe la pluie et précipite les gouttes de lumière les unes sur les autres. Les choses se composent et forment l'ordre d'un paysage. Les atomes sont crochus, pour pouvoir tenir ensemble. Ainsi s'agencent les particules élémentaires et durent les objets issus de leurs rencontres.

Il faut penser le mouvement des petits corps matériels comme un jeu aléatoire, sans finalité particulière. C'est ainsi le jeu indéfini des possibles qui compose les mondes successifs. Le hasard des rencontres et la nécessité des lois d'agencement trament l'ordre réel. L'histoire sans fin de l'univers déroule en elle la succession des mondes qui se font et se défont. Nulle finalité, nulle création *ex nihilo* ne sont requises pour comprendre. La pensée découvre un ordre intelligible, quoique provisoire, une dynamique naturelle déterminée mais aléatoire.

Et comment se figurer la formation d'un monde entier, d'un paysage complexe, par les combinaisons variées de ces atomes invisibles ? Le génie grec imaginera l'alternance du chaos et de l'ordre, le jeu cosmique de Dionysos qui noie les limites et d'Apollon qui dresse les formes.

Mais Épicure affronte pour l'heure une religion de peur, et ses yeux fixent la demeure céleste où se tient son visage menaçant. Dieu jaloux, Dieu cruel, Dieu imprévisible. Et la nature, entre ses mains, se fait foudre ou tourmente glacée. La terre tremble soudain pour tout ensevelir ; déluge sombre ou sécheresse implacable. De ce dieu-là, il faut congédier l'invention maladive, en restituant la nature à l'indifférence de ses lois. Nature profonde et neutre, que ne hante aucun esprit malin ni aucune bienveillance mystérieuse. Nulle fin n'habite ce qui se produit, que ce soit en bien ou en mal.

C'est pourquoi le débat sur la Providence est faussé dès que les hommes inquiets veulent lire une intention divine dans les manifestations de la nature. La nature est d'ailleurs source vive de plaisir, pour peu qu'on lui porte attention. Vénus, déesse des désirs et du plaisir d'amour, est naissance et renaissance, célébration voluptueuse. Née des écumes marines, elle dispense le printemps des choses et la floraison indéfinie des vies. Botticelli la peint comme le cœur même de la nature, c'est-à-dire de ce qui naît sans cesse des amours multiformes. *Nascita di Venere*. Naissance de Vénus. Mais Vénus ainsi représentée n'exprime rien d'autre que la fécondité naïve de la Nature, que rien n'oriente, et qui n'obéit à aucune intention cachée.

La pluie qui tombe enfin après la prière, sur la terre assoiffée, ne confirme pas la présence divine ou une providence naturelle. Le tremblement de terre qui dévasta Lisbonne en 1755 ne les infirme pas non plus. Voltaire en fait un poème célèbre, dont le titre se borne à les mettre en doute : *Poème sur le désastre de Lisbonne, ou examen de cet axiome : Tout est bien.* Seule une conception déjà soucieuse de trouver une fin et une justification dans l'ordre des choses peut lire les phénomènes naturels en les vantant ou en les déplorant. Les hommes, occupés à vivre et à survivre, n'ont pas d'emblée ce regard neutre.

> Ce monde, ce théâtre et d'orgueil et d'erreur,
> Est plein d'infortunés qui parlent de bonheur
> (Voltaire, poème cité).

Pourquoi la nature devrait-elle se régler sur les constructions humaines ? La terre qui tremble et engloutit les innocents ne choisit pas de trembler ici plutôt que là, mais ceux qui souffrent sont enclins à le croire. Quant à la divinité, c'est l'idée même de son intervention finalisée qui disparaît sans appel. Spinoza rejoindra Épicure dans le refus de l'anthropocentrisme naïf qui s'invente des dieux à la mesure des désirs et des craintes.

La piété philosophique, aux antipodes de la religion superstitieuse, entend émanciper des vaines angoisses l'appréhension de l'univers et sa connaissance. Elle met en jeu la volonté de vivre ce qui mérite de l'être, d'affirmer et non de nier, de délivrer le temps dévolu à la vie des hantises qui projettent leur ombre sur elle. Ainsi, la présence au monde, enfin goûtée pour elle-même, reçoit le sens joyeux qui peut être le sien.

Vaincre la peur, non en niant le danger, mais en en prenant l'exacte mesure. Vaincre la mort, non en la taisant par l'ignorance délibérée de la fin qui attend tout homme, mais en dédramatisant le rapport que l'homme entretient avec elle : soigner pour cela la vie intérieure en la libérant des représentations sans réel fondement, des imaginations qui la troublent. « *La mort n'est rien pour nous* », rappelle Épicure, qui s'en tient à ce dont l'homme peut vraiment avoir l'expérience. Vaincre la crainte des dieux, non en les niant nécessairement, mais en s'affranchissant de la fantasmagorie qui leur prête les pires travers humains, la puissance en plus, ce qui aggrave la peur. Tout le programme de la philosophie est là, qui accorde la raison et le désir, l'audace et la sagesse qu'on appelait prudence pour y voir la sagacité qui sait agir.

L'expérience, purifiée des obsessions tristes et des divagations, émancipée des servitudes que l'homme déraisonnable s'inflige à lui-même, émerge alors dans sa vive beauté, festival sensible qu'aucun soupçon ne trouble. Le regard est rendu à sa fraîcheur native, et réinvente le monde. Le matin prolongé de la vie reprend forme, en deçà des angoisses et des anticipations inutiles. Le présent est revenu. Il est présence au monde, toute simple. Il est plénitude, et son évidence éprouvée pour elle-même a quelque chose d'une offrande légère. La vie est rendue à sa source première, à sa capacité spontanée de jouissance.

« Comme un dieu parmi les hommes », Épicure délie le monde des dieux et les dieux du monde : saine séparation qui libère la connaissance des affres de la superstition, et l'éthique de vie du tremblement que provoquait la seule idée de la divinité. Le regard humain sur la nature se transforme, et l'évocation des dieux s'apaise. « La piété, ce n'est point de se montrer à tout instant couvert d'un voile et tourné vers une pierre, et s'approcher de tous les autels [...], mais c'est plutôt pouvoir tout regarder d'un esprit que rien ne trouble » (Lucrèce).

L'humiliation superstitieuse de l'homme est bien renversée, tandis que la victoire d'Épicure élève l'humanité au ciel. Non pour y tenir la place des dieux évanouis, mais pour s'y découvrir elle-même, sous la forme de modèles vivants de la sérénité accomplie, et de la liberté. Figures de sagesse et de plénitude, ces nouveaux immortels se tiennent loin des angoisses humaines, pour être au plus près de la délivrance imaginée. Vers eux tendent tous les hommes qui osent connaître et agir, penser et jouir.

Alors peut fleurir un autre rapport à la vie, dévolue au plaisir comme à sa fin et à son principe. Lucrèce le rappelle : « *voluptas, dux vitae* ». Le plaisir, guide de vie. L'hymne à Vénus, qui ouvre le poème de la pensée, prend alors son sens plein. La vie vaut d'être vécue quand le plaisir fait goûter sa présence.

7
Le choix d'Ulysse

Enfin l'âme d'Ulysse, à qui le sort avait fixé le dernier rang, s'avança pour choisir ; dépouillée de son ambition par les fatigues passées, elle tourna longtemps à la recherche de la condition tranquille d'un homme privé ; avec peine elle en trouva une qui gisait dans un coin, dédaignée des autres ; et quand elle l'aperçut, elle dit qu'elle n'eût point agi autrement si le sort l'avait appelée la première, et, joyeuse, elle la choisit.

Platon, *La République*, X, 620b,
trad. R. Baccou, GF-Flammarion.

Quelle vie voulons-nous vivre ? Jamais peut-être la question ne se présente aussi explicitement. Le choix légendaire d'Ulysse la met à nu, dans sa forme radicale. C'est bien une vie entière qu'il s'agit de choisir, et non tel moment particulier. Fiction saisissante, où se donne à voir la condition humaine, en deçà des versions et des figures qui la singularisent.

Il faut imaginer tous les choix essentiels comme si leur ensemble engageait la vie dans une certaine version de l'humanité. Symboliquement, ces choix semblent relever d'un choix général qui les fonde, et s'accomplit en amont de l'existence. Le mythe évoque donc ce qui se passe avant même la naissance, point de départ de l'expérience vécue. C'est hors du temps et de ses emprises qu'il s'agit de *se* choisir, plus que d'effectuer des choix qui n'engageraient que les exigences d'un moment et d'un lieu, circonstances transitoires.

Mais après la naissance, lorsque se déroule l'aventure temporelle d'une présence au monde, peut-on faire autre chose que des choix concrets, qui n'ont de sens qu'en rapport avec leur contexte ? Tout se passe comme si l'invention de soi s'exprimait selon deux temporalités : celle du vécu singulier et des actions qu'il enchaîne selon un cheminement qui se dessine à mesure, et celle de l'option fondamentale qui se révèle en fin de compte avoir sous-tendu la conduite de l'existence, et se dégage de sa logique.

Pour les hommes pris dans les tourments des espoirs et des peines, une telle option ne se révèle qu'à la fin, quand la mort fait de la vie tendue vers elle un destin. Le mythe transporte en amont de l'existence ce qui se révèle à son terme, comme pour signifier que chacun de nos choix engage la tournure de notre être, et réalise la vie singulière que nous avons choisi de faire advenir.

Ulysse, pourtant, n'aborde pas les choses en homme abstrait, dépourvu de toutes références. L'expérience du monde l'a déjà marqué, qui habite sa mémoire. Il a vécu tous les tourments de la vie humaine, toutes les joies. Il a éprouvé souvent la vanité des choses. *Odyssée.* Le nom d'un voyage essentiel. Le nom d'un homme aussi, se racontant lui-même en quelque sorte : les aventures d'Ulysse semblent désormais indissociables de lui. Comme si l'identité personnelle, narration intérieure, naissait du chemin suivi par l'existence : histoire personnelle où la quête de soi s'accomplit à travers les risques du périple. Ulysse retrouvant Pénélope est à la fois le même et un autre. Lui seul peut bander son arc, comme il le faisait jadis. Méconnaissable après le long périple qui l'a vieilli, il garde en lui le souvenir des lieux et des êtres. D'Ithaque à Troie, de Troie en flammes à Ithaque, la vie s'est inventée. Aller et retour de soi à soi, dans l'étrange dialectique de l'être et de l'aventure.

Le caractère d'Ulysse, néanmoins, a fixé le cadre et suscité les péripéties d'une telle quête. Athéna dit de lui, dans le treizième chant de l'*Odyssée* : « Tu es *civilisé* [*épètès*, c'est-à-dire aussi raffiné], *plein d'intuition* [*anchinoos*, dont la sagacité saisit d'emblée la chose] et *réfléchi* [*echephron* : capable de tenir à distance]. » L'odyssée de la vie est aussi celle de la conscience, du silencieux récit qui épouse le scénario de l'aventure et profile l'inspiration des décisions futures.

La dialectique de la volonté, entre l'élan et la crainte, entre l'impulsion et la distance à soi, porte en elle la mémoire, comme un jeu d'ombres et de lumières. Le passé pèse, mais la conscience, même alourdie, est aussi distance. De chaque moment de la vie, elle fait effort pour se délier, comme pour le juger à partir d'un point situé en dehors du cours des choses.

L'âme peut-être n'est autre chose que ce principe de vie et de distance, où se sédimente et se réfléchit tout à la fois la mémoire du vécu. Celle d'Ulysse est réfléchie et avisée. L'homme « *aux mille tours* » cultive donc la distance, et mesure les impasses d'un certain mode de vie. Il incarne la conscience où la sagesse inscrit sa marque.

L'expérience vécue instruit-elle ? La méditation du passé peut-elle éclairer les choix à venir ? Chaque choix de la vie antérieure avait esquissé un choix d'ensemble, qui marque en fin de compte son homme. C'est bien l'âme d'Ulysse, et non une autre, qui s'avance maintenant pour choisir. Comment choisir ? Par différence, ou par simple imitation d'un modèle envié ? L'âme qui précède Ulysse a fait un choix catastrophique : celui qu'a inspiré la précipitation vers la condition d'un tyran riche et puissant. Attrait de ce qui brille, et dont l'éclat pourtant occulte des maux terribles, impliqués par une telle condition. Examinant d'un peu plus près ce tout complexe que constitue une vie, l'âme irréfléchie a vu ce qui d'abord lui avait échappé, et s'est lamentée. Trop tard. Le visible et l'invisible, noués par des liens cachés, forment une trame singulière. La sagacité du choix consiste à discerner et à distinguer, en neutralisant les faux-semblants de l'apparence.

Le choix d'Ulysse est à l'évidence antihéroïque. Achille, lui, héros de l'*Iliade*, avait voulu la vie courte et glorieuse, brutale et passionnée. Vie faite de partis extrêmes et de démesures qui signent la force brutale des héros guerriers : Achille, par exemple, exacerbe sa vengeance au point d'outrager le cadavre d'Hector après l'avoir tué. Le héros de l'*Odyssée* se porte à l'existence modeste et cachée, que n'illumine pas la geste homérique, ni la « *belle mort* » (*kalos thanatos*). Comme Candide, le héros de Voltaire, après avoir couru le monde et ses risques multiples : « Cultivons notre jardin. » Aspiration d'un simple particulier, de guerre lasse. Ulysse choisit dans le sillage de la sagesse qui était déjà la sienne dans sa vie antérieure, mais il entend disposer cette fois d'une condition qui ne l'expose pas aux tourments traversés. Illusion ? Un roi peut user modestement de sa puissance, et un simple berger concevoir des atrocités – ou des merveilles. L'essentiel n'est-il pas dans l'usage que l'on fait de sa condition plus que dans la nature de celle-ci ? Peut-être.

8

L'île de Robinson

Ce qui est étranger, ce qui est lointain, renferme un intérêt dont l'attrait nous incite à nous occuper et à nous mettre en peine de lui, et ce qui est désirable est inversement proportionnel à la proximité dans laquelle il se tient et qui le relie à nous. La jeunesse se représente comme une chance de quitter son chez-soi et d'habiter, avec Robinson, une île lointaine. C'est une illusion nécessaire, de devoir chercher ce qui a de la profondeur, d'abord, dans la figure de l'éloignement ; mais la profondeur et la force que nous obtenons ne peuvent être mesurées que par l'étendue avec laquelle nous avons fui le centre où nous nous trouvions d'abord absorbés et vers lequel nous tendons à retourner.

C'est bien sur cette tendance centrifuge de l'âme que se fonde, en somme, la nécessité d'offrir à celle-ci même la scission qu'elle recherche d'avec son essence et d'introduire dans le jeune esprit un monde éloigné, étranger.

Hegel, Discours du 29 septembre 1809,
Textes pédagogiques, réunis et traduits par B. Bourgeois.

Le cercle familier de l'enfance, et du paysage accoutumé, cesse un jour de nourrir la conscience. Elle y avait pris ses marques. Elle en éprouve les limites, confusément. Les lieux habituels s'organisent autour d'un centre, comme un village autour de sa place majeure. On pressent le caractère tout relatif de ces repères, et ce soupçon émancipe déjà du préjugé, qu'il met à distance. Il faut partir, et l'imagination offre le voyage. La soif de décentrement n'est pas désir d'exil, mais souci de libération intérieure.

Il est une île lointaine, sortie d'un roman. Le rêve y installe son décor. Battue des flots qui l'isolent, elle déploie le beau rivage d'un cadre vierge. Il la faut coupée de tout, pour que la nouvelle aventure humaine y recommence vraiment, de façon radicale. Mais n'est-ce pas illusion ? Robinson, le héros du récit de Daniel Defoe, y fait naufrage. Et il faut bien survivre.

L'humanité nue, ou presque, se raconte l'histoire de son recommencement.

Robinson sera seul d'abord. Mais cette solitude est toute relative, puisqu'il porte avec lui l'acquis de toute une civilisation, qui fit de lui un homme. Savoirs et savoir-faire, croyances et sensibilité, langage et vision du monde, habitent son regard et pèsent dans ses gestes. La vie réinventée sera donc encore héritage, mais elle fera retour à la construction exemplaire d'un univers. Tour à tour chasseur et cultivateur, éleveur et jardinier, tisserand et menuisier, maçon et vannier, Robinson se démultiplie et vit la division du travail. L'île devient sienne, par cette appropriation active qui en fait une demeure humaine. Du désert initial surgit un nouveau cadre familier.

L'île se rêve et se réinvente. Rousseau, en écrivant l'*Émile*, a voulu voir dans Robinson une figure exemplaire, notamment sur le plan de l'éducation. La fiction d'un recommencement absolu serait bien sûr naïve, et dépourvue de crédibilité. Robinson recrée les conditions d'une existence humaine, mais la vie sociale antérieure à son naufrage ne peut être oubliée. L'histoire de son rapport pratique aux choses met sous les yeux une sorte de genèse idéale des valeurs et des critères de jugement. Elle met à nu les préjugés ordinaires, qui sont davantage des habitudes mentales que d'authentiques jugements. Rousseau en apprécie ainsi la portée : « Cet état n'est pas, j'en conviens, celui de l'homme social ; vraisemblablement il ne doit pas être celui d'Émile ; mais c'est sur ce même état qu'il doit apprécier tous les autres. Le plus sûr moyen de s'élever au-dessus des préjugés et d'ordonner ses jugements sur les vrais rapports des choses, est de se mettre à la place d'un homme isolé, et de juger de tout comme cet homme en doit juger lui-même, eu égard à sa propre utilité » (*Émile, ou de l'éducation*, III). La démarche d'identification imaginaire à Robinson est bien celle d'un décentrement, qui assigne les limites de l'heure ou du lieu. Elle permet par exemple de reconsidérer la valeur réelle des travaux et des métiers : « il y a une estime publique attachée aux différents arts en raison inverse de leur utilité réelle […]. Robinson eût fait beaucoup plus de cas de la boutique d'un taillandier que de tous les colifichets de Saïde. Le premier lui eût paru un homme très respectable, et l'autre un petit charlatan » (*ibid.*).

L'île rêvée, ou inventée par l'idéal, peut être si lointaine qu'elle n'est nulle part. Utopie : lieu sans lieu réel, car la mesure des exigences idéales dépasse toute réalité donnée.

Ainsi de l'utopie de Thomas More, où la justice règne. C'est une île de nulle part, que l'espérance humaine s'est donnée, comme une utopie nécessaire. Le monde réel s'y met à distance de lui-même, pour que s'éprouvent ses limites. Le voyage de décentrement libère de l'illusion toute proche, masquée par l'ordinaire des habitudes, voire des préjugés auxquels, par définition, on ne prend pas garde. Il concrétise et symbolise des aspirations qui font référence. Ce décentrement, on pourrait indéfiniment le décliner, selon les registres d'insatisfaction ou d'asservissement de la conscience.

Mais quel est le vrai voyage de délivrance ? L'envol vers d'autres terres peut n'être qu'une permutation des illusions. L'*autre*, pour être autre, n'en est pas moins particulier, et le charme exotique dont il me fascine n'a pour seul mérite que de faire surgir l'étonnement, prélude à toute mise à distance. Étonnement vital, dont Aristote fait la disposition première à la pensée. *Pourquoi les choses sont-elles comme elles sont ?* Le familier devient étrange, avant que l'étrange ne devienne un jour familier. Le voyage hors quotidien rend même l'étrange nécessaire, comme dimension inaperçue de l'humanité : celle-ci s'éprouve en sa variation, et se découvre déliée de chaque version que donne d'elle-même une certaine façon de vivre, toute relative. L'île et le désert figurent les lieux mythiques d'un recommencement, où l'écriture humaine s'apprête à disposer à nouveau de ses possibles.

Un tel voyage est cette fois-ci de pure pensée. Il rejoint les promesses de la culture. Celle-ci n'est pas enfermement dans les traditions passivement reconduites, ni servitude à l'égard des façons d'être consacrées par une civilisation donnée. Le proche n'est par soi-même ni vrai ni juste du seul fait qu'il est proche. *Voir midi à sa porte*, c'est rester borné, par confort ou paresse. La culture se veut émancipation par rapport à un tel donné, selon un dépassement critique où l'art d'assumer est aussi celui de mettre à distance.

Les premières amarres du sens, les représentations usuelles du monde ambiant, n'ont que trop marqué l'existence native : l'habitude est prise, insensiblement, de juger à partir d'elles, sans percevoir le caractère particulier de telles références. Et c'est d'une telle habitude qu'il faut se départir. Socrate et Descartes, entre autres, accomplissent le geste radical du doute, qui ne statue pas d'abord sur la vérité, mais ouvre le moment de l'indispensable mise à l'épreuve pour que la pensée fasse

valoir ses exigences. La pensée prend le large, s'embarquant
pour les lointains de la culture, hors des limites du quartier. Et
le monde est la vraie patrie de l'homme sitôt que se bannit
toute étroitesse de vision.

Mais Robinson, héros du décentrement et de la mise à distance, peut incarner tout aussi bien une illusion. Celle d'une
reconstitution idéale de l'état social à partir d'individus isolés,
supposés séparés les uns des autres avant les conventions communes qui vont les unir. Marx ironise à ce propos sur cette
vision individualiste qu'il appelle « *robinsonnade* ». Le chasseur
et le pêcheur primitifs isolés annonceraient la société capitaliste, règne de la libre initiative délivrée de toute entrave... Le
cercle vicieux de l'idéologie se referme alors dans une apologie qui se prend pour une mise à distance. Marx dénonce le
voyage immobile des idéologues qui s'inventent un temps où
les prémisses du capitalisme surgissent de la nature. Imaginer
des individus isolés d'abord, et construisant la vie sociale, c'est
céder à une illusion rétrospective : on croit pouvoir déduire la
nature première de l'homme à partir de ce qu'il est devenu
dans un contexte déterminé, celui du capitalisme naissant. Et
l'on oublie le caractère constitutif de la vie sociale, même
lorsqu'il s'agit de libérer l'individu comme tel. Une telle fiction croit pouvoir trouver dans un passé idéal, et idéalisé, les
traits essentiels et l'esquisse de la société ambiante. Tout se
passe alors comme si la reconstitution du passé obéissait à une
vision apologétique du présent. « Le chasseur et le pêcheur
individuels et isolés, par lesquels commencent Smith et
Ricardo, font partie des plates fictions du dix-huitième siècle »
(Marx, *Introduction à la critique de l'économie politique*).

La reconstruction de l'histoire peut donc relever d'une
simple projection des données familières : l'enfermement
idéologique assigne à résidence. L'illusion est alors de concevoir la nature supposée de l'homme en projetant dans l'idée
que l'on s'en forme ce qui est advenu dans la société du lieu et
du moment. Cette idée de l'homme est le condensé des préjugés d'une époque : si la guerre et le souci du gain y font rage,
alors la nature humaine sera par essence belliqueuse et acca-
pareuse. Voilà bien l'« homme de l'homme », dont Rousseau
dit qu'il ne représente guère, par ses caractères, l'« homme de
la nature ».

Le décentrement authentique concentre en lui toutes les
difficultés de la pensée émancipée. Il faut rompre non seule-

ment avec les habitudes mentales et les faux-semblants ordinaires, mais aussi avec les intérêts qui valorisent une conception plus qu'une autre. Ainsi la figure de l'éloignement et de la distance, grâce à laquelle l'âme d'abord installée dans l'horizon de références familières, se sépare de ce qui l'a marquée, permet d'*apprendre à se déprendre*. Hegel pense aux vertus de la culture la plus ouverte, celle qui donne accès au patrimoine universel. La gratuité des études, en tous les sens, est alors essentielle : les « Humanités » si bien nommées opèrent dans la représentation la rupture décisive, qui permet de découvrir les dimensions insoupçonnées d'une vie humaine aux repères diversifiés. La rupture avec l'environnement immédiat est alors essentielle à l'émancipation intellectuelle : elle déverrouille l'horizon, et fournit d'autres références. C'est en représentation qu'elle s'opère, et non par l'arrachement douloureux aux cadres de la vie ordinaire. Elle ne change pas le monde, mais le rapport au monde, qu'elle transfigure en l'élargissant.

L'école ouverte sur le quartier en intériorise les bornes ; indépendante de celles-ci, elle peut pratiquer la grande ouverture intérieure, par le voyage d'une culture affranchie. La pensée fait ainsi l'expérience des différences et des virtualités qui les rendent possibles, les rapportant par là même à leur source vive. Elle goûte sa propre libération, non dans l'exil illusoire hors du séjour habituel, mais dans une certaine façon de se réapproprier le monde pour comprendre ce qu'il est et la façon dont il a pu devenir ce qu'il est. Il ne s'agit pas alors de troquer le familier contre l'étrange, ou de rejeter l'étrange au nom du familier, mais de savoir que le familier ou l'étrange – qui est le familier d'un autre – n'a pas de légitimité du seul fait qu'il existe.

Il s'agit simultanément d'apprendre à distinguer les registres de l'existence, en ne confondant pas la mémoire d'une aventure singulière – dont la valeur esthétique et affective reste à jamais inscrite dans l'histoire personnelle – et les références d'une pensée appelée par vocation à se délier de toute emprise idéologique des représentations les plus familières. La coexistence des deux registres est alors possible sans que l'un perturbe l'autre. Nulle trahison de soi dans Robinson. Nulle projection naïve non plus.

9

La maïeutique de Socrate

Or, à mon métier à moi de faire des accouchements, appartiennent toutes les autres choses qui appartiennent aux accoucheuses, mais il en diffère par le fait d'accoucher des hommes, et non des femmes, et par le fait de veiller sur leurs âmes en train d'enfanter, mais non sur leurs corps [...].

J'ai au moins cet attribut, qui est propre aux accoucheuses : je suis impropre à enfanter un savoir, et ce que beaucoup m'ont déjà reproché, se référant au fait que je questionne les autres, mais que moi-même je ne réponds rien sur rien parce qu'il n'y a en moi rien de savant, est tout à fait juste. Et la cause de ce fait, la voici : procéder aux accouchements, le dieu m'y force, mais il me retient d'engendrer.

Le fait est donc que je ne suis moi-même absolument pas quelqu'un de savant, pas plus qu'il ne m'est survenu, née de mon âme, de découverte qui réponde à ce qualificatif ; quant à ceux qui se font mes partenaires, au début, bien sûr, quelques-uns paraissent même tout à fait inintelligents, mais tous, quand nos rapports se prolongent, ceux-là auxquels il arrive que le dieu le permette, c'est étonnant tout le fruit qu'ils donnent : telle est l'impression qu'ils font, à eux-mêmes, et aux autres. Et ceci est clair : ils n'ont jamais rien appris qui vienne de moi, mais c'est bien par eux-mêmes, et de leur propre fonds, qu'ils ont tiré une foule de belles choses, qu'ils possèdent désormais véritablement.

Platon, *Théétète*, 150b-d
trad. M. Narcy modifiée, GF-Flammarion.

La plus grande richesse des hommes leur est souvent inconnue. Ils l'ont en eux-mêmes, ressource muette du possible. Ainsi de l'enfant que l'école instruit parce qu'elle le crédite du meilleur. Générosité de principe, qui fait du petit homme le dépositaire virtuel de toute la culture humaine. De l'élève qui remonte ainsi aux principes des choses, on dirait plus justement qu'il s'instruit lui-même, grâce au maître qui lui montre les signes, qui lui *enseigne* le savoir afin qu'il le reconnaisse. On n'apprend jamais rien que de soi : s'il faut comprendre, et pas seulement mémoriser, la présence à soi de la conscience est décisive. Nul ne peut faire à ma place ce qui appelle mon implication personnelle. Le sentiment de découvrir ce qu'on avait toujours su sans y prendre garde exprime bien cette exigence de la véritable instruction. Comprendre un principe, une relation, un théorème, une cause, c'est d'une certaine façon se révéler à soi-même une vérité que l'on ne pouvait remarquer tant qu'on ne lui prêtait pas attention. Il s'agit là d'une sorte de réminiscence, de reconnaissance intérieure. La pire amnésie serait l'oubli de soi comme source du savoir.

La langue espagnole dit d'une femme qui accouche qu'elle fait advenir à la lumière du jour (« dar a luz »). La maïeutique, art d'accouchement, a trait d'abord, et avant tout, à la naissance d'un être humain. Elle peut valoir symbole pour l'idée que l'humanité existe d'abord en puissance. La révéler à elle-même, ce n'est donc pas la créer de toutes pièces, mais lui permettre de prendre conscience de ce qu'elle est. Socrate met en œuvre cette démarche, qui fait de lui un accoucheur, afin que tout esprit découvre, en quelque sorte, qu'il est son propre maître, et qu'il dispose en lui des ressources pour comprendre, pour savoir, pour juger. Cette belle leçon de liberté reconduit chaque homme à la source vive de la pensée, comme à la décision d'en user. Elle est une invitation expresse à l'autonomie.

Une démonstration exemplaire en est proposée par Platon. Dans le dialogue intitulé *Ménon*, Socrate fait découvrir à un jeune esclave – dont la situation sociale n'est donc pas la plus favorable qui soit – la solution du problème de la duplication du carré. Certes, la conduite proprement magistrale de la recherche dialoguée est pour beaucoup dans cette découverte. Mais au moment où le jeune homme « découvre » la solution (adopter la diagonale comme côté du nouveau carré), tout se passe comme s'il ne l'apprenait que de lui-même : le moment de l'appropriation du savoir ne consiste pas à ingurgiter une donnée extérieure, comme on consommerait un aliment, mais à faire œuvre personnelle d'intellection, selon une démarche intérieure qui fait advenir la connaissance.

Leibniz, plus tard, commentera ce moment célèbre dans le *Discours de métaphysique*. La leçon est la même : si pour apprendre il faut comprendre, c'est de soi que vient la vraie lumière. Ce qui veut dire que tous les savoirs, toutes les idées, sont virtuellement en nous, et qu'il suffit de s'en aviser. Mais cette remémoration d'un nouveau genre va de pair avec une intense activité de l'intelligence, développée en première personne. Ce n'est donc pas tant la solution qui préexiste, toute faite, comme un trésor caché au fond de l'âme, que la possibilité de la découvrir, de l'inventer, par la mise en œuvre méthodique du pouvoir de réflexion. L'évidence rationnelle survient pour qui s'attache à restituer l'esprit à sa puissance intérieure de dévoilement, après l'avoir débarrassé des captations qui le détournent de lui-même. « *Inspectio mentis* », inspection de l'esprit par lui-même, dira Descartes pour décrire ce mouvement.

L'esprit humain héberge donc les vérités avant même de s'en rendre compte. Lorsqu'il travaille, réfléchit, s'élève au concept, il ne fait que déployer par sa puissance de comprendre les vérités formulées en lois, relations, constantes. La forme savante et la complexité apparente de ces vérités peuvent jeter un doute sur l'idée qu'on les tire de son propre fonds. Mais ce doute relève d'une confusion entre la démarche qui conduit au vrai et les résultats auxquels elle aboutit. C'est cette démarche, inconcevable sans un travail exigeant, qui est rendue possible par la puissance de la pensée cultivée avec soin. Ainsi l'accoucheur Socrate élève-t-il l'humanité au meilleur d'elle-même.

Chapitre deux

Le temps de vivre

1

Le silence éternel des espaces infinis

Quand je considère la petite durée de ma vie, absorbée dans l'éternité précédant et suivant le petit espace que je remplis et même que je vois, abîmé dans l'infinie immensité des espaces que j'ignore et qui m'ignorent, je m'effraie et m'étonne de me voir ici plutôt que là, car il n'y a point de raison pourquoi ici plutôt que là, pourquoi à présent plutôt que lors. Qui m'y a mis ? Par l'ordre et la conduite de qui ce lieu et ce temps a-t-il été destiné à moi ? *Memoria hospitis unius diei praeteruntis* (« Souvenir de l'hôte d'un jour qui passe »). Le silence éternel de ces espaces infinis m'effraie.

Pascal, Pensées, Brunschvicg 205 et 206.

Qui n'a rêvé d'un monde à sa mesure ? Les hommes scrutent le ciel, et n'y trouvent nul point d'arrêt. La voûte se tient sans support, et son silence glacé est d'un miroir sans fond. La nuit qui vient efface les repères ici-bas. Paysages engloutis, qui ne témoignent plus de leur existence que par des lumières chétives. Les horizons se dissolvent dans l'ombre profonde. Noirceur d'un firmament où les étoiles semblent pour toujours hors d'atteinte. Et le regard dérive en son vertige : aucune limite assurée ne le repose. La disproportion évidente et muette de nos existences et de cet infini sans mémoire devient vite mesure de faiblesse. Un grand vent de hasard transit les choses et les êtres. Suffit-il de penser l'immensité pour se la rendre plus familière ? La fin prochaine, et l'impuissance à en sauver ceux qu'on aime, conduisent à en douter.

Le retour à soi est comme un vertige, quand la confiance native en un cadre familier a disparu. Que vaut la durée d'une vie humaine, au regard de l'éternité, le petit espace occupé au regard de l'immensité ? Le temps et le lieu se mêlent, quand l'ombre portée de la mort se profile déjà sur la maison

d'enfance. L'univers m'ignore, et pèse pourtant sur ma solitude, perdue en lui. Le bégaiement du pourquoi reste sans
écho, sans trace vive. L'eau noire s'est refermée, où grelotta un
instant la passion de vivre. C'est que l'univers est une « sphère
infinie dont le centre est partout, la circonférence nulle part »
(*Pensées*, Brunschvicg 183).

Dans l'auberge ventée, loin de tout, perdue dans la neige et
la nuit, un hôte sombre est passé puis reparti, presque aussitôt.
La trace de ses pas s'est effacée, sans tarder. Ainsi s'évanouit
l'éphémère vision. Pascal décrit cette évanescence : « *Souvenir
de l'hôte d'un jour qui passe.* » Le séjour n'est bien sûr que provisoire, et l'on se découvre toujours en partance. Les choses
nous sont comme prêtées, et il semble dérisoire de s'attacher
à leur propriété, qui de toute façon nous sera bientôt soustraite. La terre habitée, grande auberge où les hommes ont fait
escale, apparaît à son tour bien petite, dans l'univers que
Copernic et Galilée ont découvert. Le frisson de l'infini habite
le temps de vivre.

L'univers est silencieux. Nulle voix d'un Dieu qui pourrait
rassurer. Nulle voix non plus d'un Dieu lourd de menace pour
les hommes. Ce monde rendu à lui-même, indifférent aux
hommes, est donc neutre. Ni menace ni recours. La découverte attribuée au libertin. Il y a paradoxe malgré tout, puisque
le libertin de Pascal ne prend conscience de la condition
humaine qu'en la mesurant par défaut. Sa demande inquiète
a de quoi étonner, car elle fait référence à l'idée d'un être
créateur qui aurait disposé les choses et les hommes dans
l'aventure cosmique, et constate aussitôt son absence, pour la
déplorer. L'homme se trouve donc reconduit à sa nudité, à
cette sorte d'abandon qui signerait la pensée d'un monde sans
fin ni sens, privé de puissance tutélaire veillant sur lui.

Pascal décrit un tel sentiment de façon saisissante : « En
voyant l'aveuglement et la misère de l'homme, en regardant
tout l'univers muet, et l'homme sans lumière, abandonné à
lui-même et comme égaré dans ce recoin de l'univers, sans
savoir qui l'y a mis, ce qu'il y est venu faire, ce qu'il deviendra
en mourant, incapable de toute connaissance, j'entre en
effroi, comme un homme qu'on aurait porté endormi dans
une île déserte et effroyable et qui s'éveillerait sans connaître
où il est, et sans moyen d'en sortir » (*Pensées*, Brunschvicg 693).

Mais le vrai libertin se satisfait du monde tel qu'il est, et il
n'en relativise pas la plénitude par la référence à autre chose

dont il serait en manque. Il ne peut donc concevoir ce genre de frayeur, même s'il s'avoue sensible à la fragilité humaine, ce qui peut ouvrir à une métaphysique de l'absurde. La condition humaine n'est plus dès lors mesurée à ce qui en soulignerait extérieurement, et par contraste, la dérisoire faiblesse. Le seul fait de se demander ce qui fonde sa raison d'être, pour souligner d'emblée sa contingence, présuppose déjà une conception religieuse et finaliste implicite. Celle-ci semble donc préexister à l'interrogation qui est censée la démontrer. Le cercle vicieux est étrange.

Reste le sentiment indépassable de l'insigne fragilité humaine au regard de la nature. L'infini et l'éternité, même sans le deuil obsédant de la protection divine, ont de quoi éprouver le désir de vivre et la soif d'espérance qui en féconde les impulsions. La seule force dont il dispose, l'homme la tient de lui-même, et déjà la mémoire des êtres disparus, des choses révolues, alourdit le temps de vivre. Cette déréliction est d'abord furtive, vécue au sein des premières peines. Elle se fait inexorable ensuite, à mesure que se consume le temps, accéléré par la conscience d'un passé dont grandit l'ombre sur le monde.

L'infini et l'éternité sont aussi bien les horizons d'une action inscrite dans l'espace et le temps, mais soucieuse de s'en affranchir autant qu'il est possible, que les cadres démesurés où l'homme se sait tout petit et se croit irrémédiablement impuissant. Effets de perspective. Silence. Rien ne répond à l'homme lorsqu'il croit devoir interroger la nature à partir de ses seules attentes, de ses angoisses et de ses désirs. Rien ne répond, sinon l'écho de son cri, ou de son chant. Si le monde ainsi découvert est absurde, si les choses ne s'ordonnent d'emblée à aucun principe donateur de sens, le tracé de la vie se libère de tout ce qui pourrait l'assujettir. Le *risque* est la rançon inévitable de la liberté la plus profonde, et la plus grave : celle de choisir la façon dont se réalise en soi l'humanité, de *se* choisir.

2

Les temps de l'aurore

Je contemple l'aurore, j'annonce d'avance que le soleil va se lever. Ce que je contemple est présent ; ce que j'annonce est à venir : non pas le soleil qui est déjà, mais son lever qui n'est pas encore. Mais ce lever même, si mon esprit ne m'en représentait l'image, comme en ce moment même où je parle, je ne pourrais le prédire. Or, cette aurore que je vois dans le ciel n'est pas le lever du soleil, quoiqu'elle le précède, non plus que l'image qui s'en forme dans mon esprit ; mais je les vois toutes deux comme présentes, et je puis annoncer le phénomène qui va se produire. Ainsi l'avenir n'est pas encore ; s'il n'est pas encore, il n'*est* pas, et n'étant pas il ne peut se voir, mais il peut se prédire d'après les réalités présentes qui *sont* déjà et peuvent être observées.

Saint Augustin, *Confessions*, livre XI, XVIII,
trad. P. de Labriolles, Les Belles Lettres.

L'aurore au loin commence à blanchir la nuit. Comment penser la vie de la conscience, en son rythme propre ? La lumière en naissant touche la mémoire, capte l'attention, comble l'attente. Fluidités mêlées. Chaque instant, de sa frontière indéfinie, semble faire signe vers l'étrange réalité du temps. Le temps est-il en nous, ou hors de nous ?

La nature contemplée change et demeure, et le temps s'y nourrit de régulières métamorphoses. Aristote en décrit le mouvement familier, tel qu'il se déroule hors de nous : la croissance des êtres qui vivent est à la fois développement et transformation. Ainsi du bouton de fleur, étape première, puis de la floraison, étape seconde ; et du fruit enfin, étape ultime. Le temps se définit bien comme le « *nombre du mouvement* », scandant la vie et sa spontanéité. Il semble ici se fonder dans les choses, dont il épelle le développement selon leur façon d'être et d'advenir. Mais quelle disposition proprement humaine permet à la fois de dénombrer et de saisir la continuité ?

L'expérience temporelle atteste un étonnant pouvoir du sujet qui la vit et en fixe le cadre intérieur.

L'expérience de la temporalité est d'abord très subjective. L'enfant croit l'année plus longue que l'adulte : il la réfère à sa petite vie, dont elle constitue peut-être la moitié... Toute durée, même en cette limite inférieure qu'est l'instant, met en jeu le rapport à soi du désir d'être et des émotions qui composent son histoire. Se souvenir, attendre, regretter, espérer. Et faire enfin retour au présent, souffle retenu entre mémoire et anticipation. Ce présent est si dense qu'il héberge les trois temps, au cœur même de la conscience. Augustin le rappelle : il y a trois temps, le présent du passé, le présent du présent, le présent du futur. On conçoit des promenades imaginaires dans ce qui fut, dans ce qui sera peut-être, à partir d'un foyer unique. L'évidence du présent s'emplit d'échos et d'attentes. Il est ce foyer vif et constant d'où rayonne l'attention portée aux moments de la vie.

La nostalgie est bien présente et son halo déréalise les formes. Le temps s'émeut dans l'être qui se souvient, dans l'être révolu qui glisse en traces vives au-delà de lui-même. Marcel Proust : « Mais, quand d'un passé ancien rien ne subsiste, après la mort des êtres, après la destruction des choses, seules, plus frêles mais plus vivaces, plus immatérielles, plus persistantes, plus fidèles, l'odeur et la saveur restent encore longtemps, comme des âmes, à se rappeler, à attendre, à espérer, sur la ruine de tout le reste, à porter sans fléchir, sur leur gouttelette presque impalpable, l'édifice immense du souvenir » (*Du côté de chez Swann*). Dans chaque vie intérieure, le sentiment crée ses propres jalons. La tension de l'âme et sa détente se succèdent lorsqu'elle attend puis accueille une rencontre espérée, lorsqu'elle cherche et jouit d'avoir trouvé.

Telle est la présence au monde. L'attention est comme une prière au spectacle des choses. Elle se fait tension ferme du regard vers les formes surgies après la pluie, si vives dans la lumière qu'elles dessinent nette. L'instant est plein, et semble se suffire à lui-même. Mais la perception vacille déjà dans le souvenir. Du plaisir le présent a été différé, comme pour en soustraire la fragile émotion aux heures trop hâtives. Déjà pourtant la trace douce de ce qu'il fut à l'instant s'inscrit dans la mélancolie naissante. La conscience chavire sans cesse entre espoir et mémoire, impuissante à fixer la présence dont elle rêvait la plénitude. Un étrange ballet se déploie entre la mémoire (*memoria*) et l'attente (*exspectatio*). La perception (*per-ceptio*) les mêle et s'enfuit aussitôt. Il y a là comme un souffle régulier : attente et détente, inspiration et expiration. L'âme respire.

Les premiers rayons du soleil ont révélé l'horizon d'attente : ligne de nuages insoupçonnés, confondus en deçà de l'aurore. Ils ont surgi des formes secrètes où le regard guettait l'avant-garde de la lumière. Vecteurs de feu presque étonnants dans la nuit défaite. Le spectacle est là, familier, mais si beau que c'est la première fois. L'aurore s'annonce, sûre déjà de ses prémisses, et du jour dont elle promet l'éclat. Le souvenir d'un autre matin se profile : un matin différent et pourtant si proche qu'on hésite à le distinguer. La conscience bientôt s'emplit d'une mémoire d'aurore, dans l'attente graduellement comblée par le jour banal qui se lève. L'avenir entre silencieusement dans le présent : la campagne frémit et s'éclaire.

Augustin dit le temps comme la respiration de la conscience. Sourdement habitée de mémoire, la conscience est aussi tendue vers l'avenir. Elle vit le présent comme l'eau mêlée du souvenir et de l'attente. Les temps de l'aurore se conjuguent alors comme le font la mélancolie et l'espérance, la crainte et le regret, la nostalgie et la confiance.

Le jour se lève. Le dernier jour d'un condamné. La der des ders. Ce temps est bien des hommes et la conscience intime ne cesse de le recomposer. Aurores tristes, par contraste avec tant d'autres, où le rêve de vivre prenait corps, en harmonie avec l'idée que le jour qui vient, comme la naissance elle-même, est promesse. Il faut alors relire l'aurore finale de *Germinal*, quand la moisson naissante dit l'espoir d'un monde nouveau, justice en germe dans le sillage des douleurs encore présentes. La campagne parcourue est murmure montant de la promesse. D'hier et des souffrances, il reste la mémoire inquiète, qu'assume une nouvelle confiance. De demain, l'espérance hésite à s'esquisser, qui reste suspendue au présent incertain d'une lueur timide, surgie à peine de la nuit. Les temps de l'aurore s'accomplissent dans une annonce ensoleillée, où brille midi le juste.

Zola : « De toutes parts, des graines se gonflaient, s'allongeaient, gerçaient la plaine, travaillées d'un besoin de chaleur et de lumière. Un débordement de sève coulait avec des voix chuchotantes, le bruit des germes s'épandait en un grand baiser. Encore, encore, de plus en plus distinctement, comme s'ils se fussent rapprochés du sol, les camarades tapaient. Aux rayons enflammés de l'astre, par cette matinée de jeunesse, c'était de cette rumeur que la campagne était grosse. Des hommes poussaient, une armée noire, vengeresse, qui germait lentement dans les sillons, grandissant pour les récoltes du siècle futur, et dont la germination allait bientôt faire éclater la terre » (*Germinal*).

3

De la terre sur la tête

Le dernier acte est sanglant, quelque belle que soit la comédie en tout le reste : on jette enfin de la terre sur la tête, et en voilà pour jamais.

Pascal, *Pensées*, Brunschvicg 210.

Le beau visage aimé ne peut déserter la mémoire. Il y avait cette blancheur du teint. Et les baisers prolongeaient les paroles au léger souffle des lèvres. La terre noire se décompose dans la main qui la serre, comme un sanglot dans la gorge. Les grains glissent des doigts, poussière lente au vent d'hiver. Et le mouvement s'esquisse vers les yeux fermés. De la terre sur la tête. On ne peut rester plus longtemps, figé au-delà des larmes, et les pas de retour crissent à nouveau dans l'allée. Remontée sourde et retenue vers le sillage à peine discerné des souvenirs. C'est notre vie qui s'est tue soudain, comme un chemin sans paroles de repère. Le paysage familier se défait, ainsi qu'une toile se détisse. Ville froide, si longtemps habitée, qu'on ne reconnaîtra plus aujourd'hui.

Vivre. La comédie se savait pourtant tragédie. Le chemin allait du théâtre au cimetière.

« *Se prendre au jeu.* » Et à la longue, ne plus trop savoir que l'on joue. L'oubli de soi n'est pas loin dans cet oubli. Comme si l'euphorie du rôle, les frissons qu'il engendre et les transes qu'il fait naître, détournaient l'homme de lui-même, compris dans sa nudité, saisi sans fard. Pascal décrit ainsi le divertissement, oubli de soi dans la frénésie mondaine, quand les feux de la rampe donnent à l'humanité, sur le miroir de lumière qui lui est tendu, le spectacle dérisoire de son agitation. Celle-ci était vécue comme essentielle. À travers leurs captations bruyantes, les intérêts de ce monde déploient sans retenue leur empire. Jusqu'à vivre dans l'intimité des hommes comme des passions qu'ils tireraient d'eux-mêmes. Le roi est nu pourtant, loin des yeux éblouis par tant de luxe et de pompe. On se souvient du grinçant rappel de Montaigne : « Au plus élevé trône du monde, si ne sommes assis que sur notre cul » (*Essais*, III, XIII).

La condition humaine s'investit dans les rôles, entre exaltation et dérision. La comédie est belle, que ponctuent les rires et les assouvissements, les attentes et les consécrations. Mais l'heure est venue de mourir. Pourquoi ce rappel intraitable ? S'agit-il d'insister sur la finitude humaine, comme à plaisir, pour dresser le tableau sinistre d'une « misère de l'homme sans Dieu » ? Pascal s'y emploie, jusqu'à fonder une sorte de nihilisme où s'invalide toute entreprise humaine qui ne relèverait pas de la déférence soumise à un Dieu caché, sensible au cœur, introuvable à qui ne se retire pas un tant soit peu des affaires du monde. Même ceux qui savent et méditent, se fiant au pouvoir de la raison pour comprendre et mettre à distance, pour esquisser une sagesse dont l'action en ce monde pourrait s'éclairer, ne sont pour Pascal que des « demi-habiles ». Ils n'ordonnent pas tout à la foi inconditionnelle, et à la conscience vive que nulle pensée humaine ne peut valoir en fin de compte au regard de l'ordre ultime et premier des choses vers lequel fait signe cette foi.

La parole de l'Ecclésiaste (I, 1) est ici mémorable : « Vanité des vanités, vanité des vanités, tout est vanité [...]. Ce qui a été, c'est ce qui sera, et ce qui s'est fait, c'est ce qui se fera, il n'y a rien de nouveau sous le soleil [...]. J'ai vu tout ce qui se fait sous le soleil ; et voici, tout est vanité et poursuite du vent. J'ai appliqué mon cœur à connaître la sagesse, et à connaître la sottise et la folie ; j'ai compris que cela aussi était la poursuite du vent. Car avec beaucoup de sagesse on a beaucoup de chagrin, et celui qui augmente sa science augmente sa douleur. »

En cette étrange et radicale disqualification se prépare le terrain d'une apologie chrétienne outrée. Tant de misère et de faute, tant d'illusions et de ferveur mal placée, quand l'homme tourné vers le monde est absent de lui-même, appellent un geste radical. Et il vient. Image glacée de la mort, qui forcément jette son ombre noire sur toutes les choses, même les plus belles. On reconnaît ici la vieille condamnation augustinienne du

« *mundus* » des hommes pécheurs, où ne régnerait que la
« *libido dominandi* », la soif de puissance. Mort promise, et *Deus
ex machina*. Dieu en dehors du monde. Car le sens perdu est
retrouvé si la conversion opère.

> Oubli du monde et de tout, hormis Dieu.
> Il ne se trouve que par les voies enseignées dans l'Évangile.
> Grandeur de l'âme humaine,
> « Père juste, le monde ne t'a point connu, mais je t'ai connu. »
> Joie, joie, joie, pleurs de joie
> (Pascal, *Le Mémorial*).

L'image pascalienne, séparée de l'acte de foi qui lui donne
un tel sens, mérite une autre lecture, recevable également
pour qui n'a pas la foi – ou du moins cette foi-là. Peut-on vivre
en effet autrement qu'en jouant des rôles ? L'humanité reste
pure virtualité tant qu'elle ne s'incarne pas dans une figure
concrète, où le rapport à soi passe par le rapport aux autres.
Le tout est de savoir prendre une distance suffisante avec le
rôle assumé, selon une sorte de paradoxe du comédien cher à
Diderot. Cette capacité de distanciation, qui permet d'éviter
l'esprit de sérieux et la morgue des dominants, restaure le sens
de ce qui importe à l'humanité, en faisant retour à sa condition originaire. La pensée du « dernier acte » est dès lors salutaire, qui invite à tenir les rôles à distance. Il faut démasquer
les masques. L'horizon de la mort vient relativiser toutes les
petitesses. « En tout le reste, il peut y avoir du masque », avait
dit Montaigne, en écho à Lucrèce :

> Il faut donc observer l'homme à l'épreuve du danger
> Et dans l'adversité apprendre à le connaître ;
> Car enfin la vraie voix du fond de sa poitrine
> jaillit : tombe le masque, la réalité demeure
> (*De la nature*, III, vers 55-58).

Tous les hommes sont mortels. La conscience de la fragilité
native des hommes, de leur condition commune, permet de
reconsidérer toutes les évaluations qui règlent la vie. Elle est
donc utile pour prévenir les dérives mesquines et les passions
dérisoires. Le nécessaire retour à soi ne désavoue pas les engagements de l'heure, mais il les tient à distance en remontant à
la liberté première de tout être. Ce rappel interdit de réduire
les hommes à ce qu'ils montrent d'eux-mêmes en certaines circonstances : générosité, qui fait signe vers une humanité
accomplie, délivrée des limitations produites par un contexte.

C'est dire qu'un tel rappel n'implique pas l'invalidation globale de l'existence dans le monde, ni le relativisme outré où se donne à entendre que quoi qu'il fasse l'homme s'égare et trébuche. Il s'agit bien de jouer son rôle, mais sans se méprendre ni s'aliéner à lui.

La conscience tragique, ainsi repensée, mise sur une humanité susceptible de se ressaisir en elle-même, en amont de toute différenciation sociale, de tout principe hiérarchique, de tout facteur d'affrontement. Le rappel de l'identité de condition de tous les hommes, y compris par référence à leur finitude commune, n'a rien dès lors d'une humiliation éthique et métaphysique. Il est le prélude au jugement lucide qui évalue toute chose à hauteur d'homme, selon l'idée la plus exigeante qui puisse en être formée.

« Nous qui mourrons un jour, disons l'homme immortel au foyer de l'instant » (Saint-John Perse, *Éloges*).

4

La balance de Zeus

Tel un homme rêvant qu'il fait de vains efforts pour saisir un fuyard qui, vainement aussi, s'efforce d'échapper à la folle poursuite : Achille ainsi ne peut joindre Hector à la course, et le Troyen non plus ne peut se dérober.
Comment Hector eût-il évité le trépas, si Phoebos, cette fois encore – la dernière – ne s'était approché pour stimuler sa fougue et ses genoux rapides ? Cependant le divin Achille aux Achéens fait un signe de tête, pour les dissuader de lancer sur Hector leurs cruels javelots : il craint que de l'atteindre un autre n'ait la gloire et ne lui laisse, à lui, qu'un rôle de comparse.
La quatrième fois qu'ils passent dans leur course à côté des fontaines, Zeus, le père des dieux, fait pendre les plateaux de sa balance d'or : de l'horrible trépas il y met deux génies, ceux d'Achille et d'Hector aux chevaux bien domptés. Il prend par le milieu la balance, la lève, et c'est le jour fatal d'Hector qui soudain penche et descend vers l'Hadès.
Lors Phoebos abandonne Hector à son destin…

Homère, *Iliade*, XXII, trad. R. Flacelière,
Gallimard, Bibliothèque de la Pléiade.

La mort fait de la vie un destin. C'est dire que l'heure vient où nul ne peut plus changer son existence. Elle se fige alors dans son au-delà, bilan d'un voyage arrêté.

D'un événement à l'autre, la destinée dévide son cours. L'ami d'Achille, Patrocle, a succombé au combat sous les coups d'Hector. L'heure est venue pour Hector de mourir à son tour. Il se bat, il résiste, il fuit. Au point que la mort, différée, ne semble plus certaine. Mais de chacun, le destin est scellé, et de tous, les destins sont tramés dans le scénario d'ensemble. C'est le monde entier, et le destin qui s'accomplit par son ordonnancement, ou Zeus lui-même, arbitre suprême, qui appelle la mort d'Hector. L'heure est venue. La fuite est vaine, comme les derniers gestes d'une liberté farouche, d'un désir de vivre intact, mais que le sens déserte. L'affrontement des hommes est lancé, selon sa mécanique propre, comme réglé de l'intérieur.

Les trois Parques, étranges déesses transdivines, avaient tissé les vies et l'histoire qui les mêle. Elles-mêmes filles de la déesse Nécessité furent engendrées de la nuit. Clotho tient le fuseau d'où se dévide le fil de la vie. Lachésis, celle qui mesure le fil, ajuste chaque destinée à ce qui est prévu pour elle. Atropos, celle à qui nul ne peut échapper, tient les ciseaux fatidiques, et coupe le fil quand le moment est venu. En attendant, la vie se déroule et s'accomplit, instant après instant.

Les dieux doivent-ils – peuvent-ils ? – intervenir encore, pour produire un effet non prévu ? vont-ils réécrire l'histoire à venir ? Cela ne se peut. Le travail des Parques est irrévocable, et les Dieux eux-mêmes ne peuvent faire appel : l'ordre du monde et des êtres qui y nouent leurs vies et leurs morts a sa logique. Le destin ne permet pas à ses ouvrières de se dédire, ni au dieu d'invalider le roman du monde. Hector triomphant d'Achille, ou lui échappant, dérangerait à l'évidence le scénario, dont la mort prochaine d'Achille lui-même sera l'épisode suivant.

Le lecteur au spectacle prend spontanément Hector en sympathie : c'est que la mort s'apprête autour de lui, et que les moments présents sont lourds déjà de sa souffrance finale. On ira donc vérifier, auprès de Zeus, ce qu'il en est. La balance est prête, dont les deux plateaux forment l'alternative dramatique. Ce n'est pas à Zeus de décider, selon son bon vouloir. Il consulte la balance, et cette pesée attentive dit bien ce qui échappe au père des dieux lui-même. Qui pèsera plus lourd ? Qui rejoindra la terre alors béante pour s'y engloutir, passant dans le séjour de l'ombre ? Zeus n'apprend rien lorsque le fléau s'incline vers la mort d'Hector. L'évidence propre du symbole ne fait que rappeler comment l'entrelacs des vies règle le devenir. La flèche de la balance, droite par l'équilibre qui fixe l'équinoxe, s'est inclinée. La pesée des actes est pesée des vies, et pesée des âmes des morts, comme le faisait Osiris, divine justice en Égypte ancienne. La balance païenne sera reprise par les trois religions du Livre, mais aussi sur les frontons de la République.

Le temps ne nous appartient pas, qui coule de nos actions combinées. Il trace son sillage dans la fragilité de nos corps, et par elle. Destin. La mort d'Hector devait suivre celle de

Patrocle, qu'elle vengeait, et Achille bientôt périra, au terme d'une courte vie haute en faits d'armes. Se dévide le temps d'une histoire, dont le récit déjà se préparait dans le livre du monde. Et les hommes mêlés dans la lutte parcourent le chemin final.

Le monde est un tout qui transite par la succession des situations singulières. Entrelacement d'histoires personnelles dont se compose le devenir commun. Chaque destinée peut bien se produire comme le déroulement d'une liberté qui enchaîne action après action. La cohorte des destinées n'en esquisse pas moins la grande aventure de l'Humanité entière. À cela, les dieux mêmes ne peuvent rien. Ce qui est doit être, et les hommes, héros ou non, prennent secrètement les places qui leur sont dévolues.

Quand Zeus repose la balance, équilibre matériel des vies, la mort ne tarde pas à saisir Hector, et le temps se déplace vers d'autres hommes pour y réitérer l'aventure de la vie.

5

Le fleuve d'oubli

Lorsque toutes les âmes eurent choisi leur vie, elles s'avancèrent vers Lachésis dans l'ordre que leur avait fixé le sort. Celle-ci donna à chacune le génie qu'elle avait préféré, pour lui servir de gardien pendant l'existence et accomplir sa destinée. Le génie la conduisait d'abord à Clotho et, la faisant passer sous la main de cette dernière et sous le tourbillon du fuseau en mouvement, il ratifiait le destin qu'elle avait élu. Après avoir touché le fuseau, il la menait ensuite vers la trame d'Atropos, pour rendre irrévocable ce qui avait été filé par Clotho ; alors, sans se retourner, l'âme passait sous le trône de la nécessité ; et quand toutes furent de l'autre côté, elles se rendirent dans la plaine du Léthé, par une chaleur terrible qui brûlait et qui suffoquait : car cette plaine est dénuée d'arbres et de tout ce qui pousse de la terre. Le soir venu, elles campèrent au bord du fleuve Amélès, dont aucun vase ne peut contenir l'eau. Chaque âme est obligée de boire une certaine quantité d'eau, mais celles que ne retient pas la prudence en boivent plus qu'il ne faudrait. En buvant on perd le souvenir de tout.

Platon, *La République*, X, 620e-621a,
trad. R. Baccou, GF-Flammarion.

Héraclite fait remarquer la fuite de soi comme des choses. « Dans les mêmes fleuves nous entrons et n'entrons pas. Nous sommes et ne sommes pas. »

Pourrions-nous vivre sans oublier ? Il faut se le demander, lorsque s'enracine la blessure du temps, et qu'on ne peut revoir, ou réentendre, sans que la gorge se serre. L'être humain vit de mémoire, jusqu'à en faire, d'une certaine façon, sa richesse intérieure : c'est l'identité même qui se précise à mesure que l'histoire vécue s'écrit en silence au fond de la personne, récit de soi unique. Mais cette construction intime ne peut se figer dans la reconduction des premières expériences et des émotions qui les accompagnent. Le souvenir devenu obsession tue l'audace de vivre.

L'oubli est souvent inconscience, comme lorsqu'il conduit à incriminer le sort ou les dieux pour les conséquences malheureuses de choix dont on est pourtant responsable. Mais souvent il est aussi délivrance. Entre mémoire et oubli, la destinée dessine sa courbe. Chacun porte la nostalgie de la vie sans retour. Pour tous, la naïveté ressourcée redonne sa chance à la faculté de bonheur, en évitant la morne rumination des échecs. Nietzsche évoque ce désir d'oubli quand l'automne recompose le paysage de la disparition : « Sans arrêt, une feuille après l'autre se détache du rouleau du temps, tombe, voltige un moment, puis retombe sur les genoux de l'homme. L'homme dit alors : "je me souviens" et il envie l'animal qui oublie aussitôt et qui voit vraiment mourir l'instant dès qu'il retombe dans la brume et s'éteint à jamais » (*Considérations inactuelles*).

Il y a mémoire et mémoire. Celle du vécu qui blesse et rétracte les élans ; celle du sens qui délivre des aléas. La première mémoire héberge les torsions des sentiments : crispations et nostalgies, préférences et répulsions. De sa présence obsessive peut résulter comme un refus d'accueillir le présent, d'en reconnaître la valeur nouvelle ou la beauté. La mémoire est malade alors, et rend malade, qui rature la fraîcheur de la vie inédite à force d'y projeter l'ombre obstinée du passé. Les traces crues des souffrances et des plaisirs, des fautes qui hantent, affectent encore la conscience présente par les tensions qu'elles y installent. Le fleuve du Purgatoire coule dans *La Divine Comédie* : la punition du Chrétien est le remords dont la brûlure persiste dans la conscience. Et le geste de pardon sera la possibilité de boire au fleuve d'oubli. En amont de ce chemin qu'obscurcit l'ombre des hantises, l'enfance est rappelée comme le pur accueil du présent : « Les enfants n'ont ni passé ni avenir et, ce qui ne nous arrive guère, ils jouissent du présent » (La Bruyère, *Les Caractères*, § 51, « De l'Homme »).

L'oubli est salutaire : il signifie régénération du regard, et ressource la joie. S'abreuver d'oubli, avec mesure, c'est aussi libérer la conscience, et restaurer son étonnement natif devant le surgissement des choses, l'invention de la vie. Une telle libération intérieure affranchit des rancœurs et des ressentiments. Elle pardonne sans effacer. Ainsi le souvenir se guérit du tourment qui l'affecte.

La soif de vivre est aussi soif d'oubli. Nietzsche le rappelle : « Dans le plus petit comme dans le plus grand bonheur, il y a toujours quelque chose qui fait que le bonheur est un bonheur : la possibilité d'oublier, ou pour le dire en termes plus savants, la faculté de se sentir pour un temps en dehors de l'histoire » (*Considérations inactuelles*).

L'autobiographie vacille entre repères joyeux et traces tristes, entre mauvaise conscience et souvenance radieuse. On ne peut tout oublier. Mais il faut oublier ce qui peut l'être, ou assumer ce qui blessa en se déliant des passions moroses. Que retenir, et comment s'y exercer ? On ne peut faire que ce qui a été vécu ne l'ait pas été. C'est alors le rapport à soi qui doit changer de registre et se mettre à l'épreuve de la pensée.

Il est une autre mémoire, qui se noue à la réflexion et met à distance, sans abolir pourtant l'émotion qui fut et dont persiste la trace. Si rien ne peut retenir l'eau du devenir, comme le dit le mythe, si rien ne peut soustraire les choses qui passent au destin de leur disparition, la pensée quant à elle peut tenter d'élucider l'expérience, d'en comprendre le sens. Des choses qui meurent, il lui faut remonter à la vérité du mouvement qui les produit. C'est alors à un autre genre de remémoration qu'elle procède. Principe de la pensée, l'âme se délivre du temps, se concentre en elle-même, se sépare autant qu'il est possible du devenir tumultueux, et des affections par lesquelles il la touche. Exercice difficile, exercice de mort si la vie se réduit à la rhapsodie des désirs et des affections. Exercice de vie accomplie, si la vie avec la pensée est le propre de l'homme.

Platon oppose les deux mémoires, dont l'une peut entraver l'autre. Celle qui retient de simples signes extérieurs à l'esprit, ou les sensations fortes qui rendent à la longue la conscience captive de leurs attraits, est tournée vers l'ordre sensible des réalités éphémères. C'est cette mémoire qui peut tourner à l'obsession qui paralyse, ou à la lassitude. Celle qui émerge du fleuve du temps et se soustrait à ses courants s'efforce de rendre conscientes les vérités que l'esprit découvre en lui dès qu'il exerce sa faculté propre. Mémoire vive de l'intellection, qui retient ce qui est essentiel, et remonte à la source de toute chose qui advient et disparaît, pour en dire la vérité. Réminiscence où la pensée se souvient d'elle-même, et pour cela se fait oublieuse des tourments ordinaires. Culture.

Ainsi s'éprouve la présence forte des découvertes et des savoirs, des œuvres qui ont façonné les paysages et forgé les références d'une humanité enrichie, comme la sensibilité qui s'y sent chez elle. Cette mémoire muette est essentielle. L'humanité s'y nourrit de ses œuvres. Quant aux oublis qui lui permirent de vivre ses aventures temporelles en dissipant les hantises qu'elles faisaient naître en elle, une telle mémoire les transcende : réconciliée par elle avec le passé qui l'habite, la conscience lui doit sa sérénité nouvelle.

6

Le grand rouleau

Le maître : Et qu'est-ce que c'est qu'un homme heureux ou malheureux ?

Jacques : Pour celui-ci, il est aisé. Un homme heureux est celui dont le bonheur est écrit là-haut ; et par conséquent celui dont le malheur est écrit là-haut est un homme malheureux.

Le maître : Et qui est-ce qui a écrit là-haut le bonheur et le malheur ?

Jacques : Et qui est-ce qui a fait le grand rouleau où tout est écrit ? Un capitaine, ami de mon capitaine, aurait bien donné un petit écu pour le savoir ; lui, n'aurait pas donné une obole, ni moi non plus ; car à quoi cela me servirait-il ? En éviterais-je pour cela le trou où je dois m'aller casser le cou ?

Le maître : Je crois que oui.

Jacques : Moi, je crois que non ; car il faudrait qu'il y eût une ligne fausse sur le grand rouleau qui contient vérité, qui ne contient que vérité, et qui contient toute vérité. Il serait écrit sur le grand rouleau : « Jacques se cassera le cou tel jour », et Jacques ne se casserait pas le cou ? Concevez-vous que cela se puisse, quel que soit l'auteur du grand rouleau ?

Diderot, *Jacques le Fataliste.*

Un coup de feu, au café du Croissant, a mis fin à l'espoir. Jaurès est mort. Bientôt, la mobilisation générale. Le mythe de la guerre courte, et l'image de soldats partant la fleur au fusil, seront noyés dans le feu et le sang.

La guerre de 1914, que Jaurès voulait éviter, a un nom et une réalité dans l'histoire. Elle semble s'être produite à partir de multiples causes, dont l'entrelacement est évoqué par les historiens pour « expliquer ». Était-elle donc écrite, comme dans un rouleau de parchemin, où l'humanité se raconte à elle-même sa propre errance ? Après coup, on essaie de comprendre, ne serait-ce que pour conjurer la prochaine guerre. On se penche alors sur les causes supposées, et l'historien écrit en tête de chapitre : « Les causes de la Première Guerre mon-

diale ». Dénombrera-t-il exhaustivement toutes les causes ? En
restituera-t-il la terrible dialectique, jusqu'au premier coup de
canon ? Peut-être. Mais son point de vue est d'historien, observateur extérieur, et non d'acteur.

L'acteur, c'est d'abord Jaurès, persuadé que pour faire la
guerre il faut le vouloir, et que la gâchette du fusil ne part pas
toute seule. La guerre n'est pas un tremblement de terre subi
en raison des lois de la nature. Jusqu'au premier affrontement,
la paix reste toujours possible, sauf à confondre le probable et
le nécessaire. Si l'on considère cette différence, qui ouvre à
l'initiative sa liberté, rien de ce qui touche les hommes ne peut
se trouver déjà écrit. Le livre de l'histoire est d'abord fait de
pages blanches. Sauf à imaginer une encre invisible dont la
teinte apparaît à mesure, découvrant un texte secret, ponctué
jusqu'à l'épilogue.

Il est une certaine façon de saisir la cohérence du monde,
de son roman tragique, qui le voit écrit par un Dieu romancier
ou dramaturge. Dieu sait-il ce qu'il écrira au dernier chapitre ?
Assurément, si l'ensemble de l'argument exprime sa perfection optimale par un scénario qui le réalise dans une histoire
temporelle. Sachant le « fin mot de l'histoire », Dieu agence le
tableau du monde et finalise l'aventure totale par l'aboutisse-
ment ultime. De cette logique immanente, mais d'origine
transcendante, les hommes ne savent rien, car ils sont assignés
à la particularité de leurs destins individuels, et leur libre
arbitre même accomplit à leur insu l'itinéraire fixé. Compren-
draient-ils vraiment la logique d'ensemble qu'ils se situeraient
du point de vue de Dieu lui-même : ils auraient alors à régler
leurs actions selon l'idée de ce qui doit advenir, dénouant ainsi
le conflit entre un libre arbitre qui n'aurait plus rien d'arbitraire et une nécessité qui cesserait de leur être extérieure,
c'est-à-dire d'être vécue comme une contrainte.

Mais une telle situation n'est tout au plus qu'un cas idéal,
réalisant sans restriction la lucidité agissante. Celle-ci articule
liberté et nécessité assumée. Jacques et son maître n'évoquent
le « grand rouleau » qu'à la façon dont on se réfère à un livre
inaccessible. Allégorie de l'histoire humaine en ses enchaînements mystérieux, qui ont tout l'air pourtant d'obéir à une
logique, même si celle-ci se cache sous l'absurdité apparente
des événements. Une telle évocation relève-t-elle du fatalisme ?
On y verra plutôt la conscience de l'entrelacement des vies et
des séries de phénomènes. Ce qui adviendra n'est nullement

arbitraire, mais se déploiera comme conséquence, comme si le récit en était déjà écrit. Marc Aurèle, l'empereur stoïcien, voyait le temps comme « un fleuve que formeraient les événements » (*Pensées*, IV, 43).

Mais un récit est un récit, et il ne fait que raconter ce qui a eu lieu, ou mettre en scène une fiction, débarrassée des exigences du réel. Une illusion de perspective peut naître de la position occupée dans le temps : la certitude de l'historien qui se penche sur les faits diffère évidemment de l'incertitude de l'acteur qui cherche à produire certains faits plutôt que d'autres. D'un côté, l'inventaire et l'analyse ; de l'autre, le risque et le courage.

Avant l'événement, rien ne saurait le donner comme certain, sinon l'assimilation des hommes à de simples marionnettes actionnées par les Dieux ou l'impersonnelle force du destin. Après l'événement, et selon ce qu'il a été, il est toujours possible de répertorier les séries causales et la façon dont elles se sont croisées dans le nœud inédit qu'elles ont formé. La certitude naît alors de détenir l'explication de ce qui a été.

La permutation subreptice des deux points de vue peut conduire à une sorte de fatalisme : projetant la conscience des faits advenus sur le moment où ils n'étaient encore que possibles, car suspendus à l'initiative humaine, on subit le mirage de l'illusion rétrospective. L'alternative qui pouvait provoquer d'autres faits se trouve alors effacée, ou occultée, comme le serait la fourche formée par deux routes une fois qu'on se trouve engagé sur l'une d'elles. Et pour susciter le fatalisme, une autre projection s'accomplit. En prenant l'habitude d'expliquer méthodiquement tout ce qui est advenu, on en vient, presque insensiblement, à penser l'histoire présente, ou à venir, comme aussi déterminée que l'histoire passée. Et l'on oublie que les séries causales connues comportent la capacité de choix et d'initiative des hommes. L'attention portée au passé donne le sentiment que tout est écrit, mais cette écriture ne se fait qu'après coup.

Le fatalisme peut s'enraciner dans une telle illusion. Et donner lieu au fameux « argument paresseux » (*argos logos*). Si tout est écrit, c'est-à-dire déterminé, à quoi bon agir pour contrer le destin ? La question est ici ambiguë, car elle ne distingue pas l'écriture comme image de l'agencement réel des événements, tel que le destin ou un dieu le met en œuvre, de l'écri-

ture comme récit explicatif ou simplement descriptif rédigé
après coup.

Il n'est donc pas juste d'invalider toute initiative sous prétexte qu'elle serait inutile. La confusion de la genèse réelle des
faits et de leur compréhension *a posteriori* est irrecevable. Les
Stoïciens eux-mêmes eurent l'occasion de récuser l'« argument paresseux » qui en résulte. C'est à tort en effet qu'on
leur avait attribué une sorte de passivité attentiste sous prétexte qu'ils insistaient sur l'interdépendance des séries causales, alors qu'ils incluaient dans celles-ci l'initiative raisonnée
des hommes. La lucidité agissante appelle donc l'analyse du
champ de possibles, alors qu'une lecture *a posteriori* ne verra
plus qu'une série causale, celle qui a eu lieu, et sera tentée par
un déterminisme rétrospectif.

Si le malade doit succomber à son mal, pourquoi donc appeler le médecin ? Et s'il doit guérir, un tel recours n'est-il pas
inutile ? Sophisme paresseux, qui méconnaît la vraie nature de
la causalité : aucune série causale n'existe en effet séparée des
autres. Le fait de recourir au médecin, initiative du malade ou
de ses proches, joue un rôle dans l'issue finale. Que la guérison advienne, et l'on n'en doutera pas ; que les soins prodi-
gués soient en fin de compte inefficaces, et l'on sera porté à
juger le recours inutile, mais ce sera illusion rétrospective. La
guérison, si elle advient, ne met pas en jeu la seule intervention du médecin, mais l'état général du malade, son histoire
personnelle, la prévenance de l'entourage, le moment des
soins, etc. Écrite dans le grand rouleau, cette guérison ne l'est
qu'à partir de cette conjonction complexe, en laquelle s'insère
la puissance causale de l'initiative humaine, la liberté. Mais
après coup, une possibilité et une seule s'étant réalisée, le récit
du scénario causal prendra nécessairement l'allure d'un
enchaînement inexorable.

Le songe de la vie

Qu'est-ce que la vie ? Un délire.
Qu'est-ce que la vie ? Une illusion,
une ombre, une fiction,
et le plus grand bien est tout petit,
car toute la vie n'est que songe,
et les songes ne sont que des songes.

Que es la vida ? Un frenesi
Que es la vida ? Una ilusión,
una sombra, una ficción,
y el mayor bien es pequeño,
que toda la vida es sueño,
y los sueños sueños son.

Calderón de la Barca, *La vida es sueño* [*La vie est un songe*],
deuxième journée, vers 2288-2293, traduction originale.

La vie est songe. La trace des choses et des êtres se dissout déjà,
comme un sillage fragile que la mer efface inlassablement en
elle. Prise en flagrant délit de naïveté, la conscience vacille : on
a cru aux décors, on s'y est même installé pour vivre, on a joué
le jeu et les jeux, sans savoir peut-être le sens de la pièce, s'il en
est un. Et l'on se retrouve seul, quand tout est détruit, quand la
mort a précipité l'évanouissement des choses, avec cette hâte
appliquée qu'on lui découvre après coup. La terrible sentence
vient alors sur les lèvres : « le crime majeur de l'homme est
d'être né » (*La vie est un songe*, vers 121 et 122).

Nul ne peut transiger avec un tel rappel. C'est que la lenteur
apparente du temps ne doit permettre de nourrir aucune illusion. On se réveille au petit matin final, sans pouvoir prolonger le rêve, sevré brutalement des jouissances imaginées,

des bonheurs entrevus. *Theatrum mundi* : le « théâtre du monde », au siècle d'or espagnol, désigne la scénographie divine des apparences, agencées par l'auteur des choses. Thème baroque où se conjuguent la conscience déjà tragique et le souci de lucidité agissante.

Les hommes jouent leurs rôles comme ils peuvent, sans savoir vraiment leur texte, qu'ils inventent à mesure sous quelque dictée intérieure. Descartes le disait aussi avec force au seuil de son itinéraire philosophique : « Les comédiens, appelés sur la scène, pour ne pas laisser voir la rougeur sur leur front, mettent un masque. Comme eux, au moment de monter sur ce théâtre du monde (*theatrum mundi*) où, jusqu'ici, je n'ai été que specta-teur, je m'avance masqué *(larvatus prodeo)* » (*Préambules*, *Œuvres philosophiques*, Garnier, p. 45).

La fin d'un rêve peut se faire cauchemar éveillé. On ne cesse alors de penser aux choses détruites, aux êtres disparus, et les bras se referment sur une ombre. Ce qui fut s'embrume dans les incertitudes de la mémoire, comme le souvenir de ce qui s'est rêvé. Trop vite, le temps s'est dérobé, et l'on s'effare de le voir continuer, comme indifférent aux vies qui s'y noient. Étrange songe de la vie. L'errance n'est plus récit sensé. De déchirures en discontinuités s'est troublée la possibilité de reconnaître, de resituer, de recomposer. Le récit du vécu se brouille à jamais.

La vie est labyrinthe, et théâtre d'ombres. Sigismond et Rosaura, les héros de Calderón, ne jouent leurs rôles incer-tains qu'en traversant leurs propres métamorphoses. Ainsi de Rosaura, qui erre dans un « labyrinthe confus » de rochers, et doit revêtir plusieurs déguisements successifs pour se rendre à la Cour de Pologne. Nul fil d'Ariane pour trouver l'issue. Le palais-prison du Minotaure, c'est la vie même en son dédale sans fin.

Les registres de l'expérience mêlent leurs eaux : rêve et espoir, attente et cauchemar, blessure brutale et solitude ren-contrée. On se frotte les yeux, pour s'assurer que le paysage est bien présent. Et les écluses l'engloutissent. Tant de ruptures mettent l'identité au défi d'avoir une conscience assurée d'elle-même. Le songe n'est qu'un songe. Et ce moment de mains unies, quand l'amour se rêva dans la fête de la vie, n'était qu'un moment si loin déjà.

Le héros de Calderón peut-il croire que la vie est autre chose qu'un songe ? Les ambitions et les passions génèrent la violence, et celle-ci donne à l'existence l'allure d'un scénario imaginaire, où se déclinent toutes les figures de la condition humaine. L'alternance de la détresse et du prestige, moments aussi vite abolis qu'advenus, donne à toute expérience vécue la couleur passée d'un beau rêve ou d'un mauvais cauchemar. Et la conscience qui ressaisit tout cela, le tumulte passé, s'étonne presque de redécouvrir l'écoulement silencieux du temps sous l'écume de l'aventure.

Desengaño : désillusion, ou désenchantement. De la puissance à l'impuissance, de la richesse à la pauvreté, de l'honneur à l'indignité : les hommes s'agitent sur la scène, et proportionnent leurs rêves dérisoires à ce qu'ils sont un moment. La vie s'attache pourtant à les détromper sur le sens des possessions dont ils s'enorgueillissent, en se rappelant tôt ou tard comme un voyage précaire. « Rien n'est jamais acquis à l'homme ni sa faiblesse ni sa force – et quand il croit serrer son bonheur il le broie – sa vie est un étrange et douloureux divorce » (Aragon). Sigismond, le héros de Calderón, entend l'avertissement : « Ne te hâte pas, Sigismond, de t'éveiller pour voir ta déchéance ; la chance a tourné en effet, et ta gloire illusoire n'était qu'une ombre de la vie et une flamme de la mort » (vers 2126 à 2131).

Pascal s'étonne de ces prisonniers du monde, qui aiment à ce point leurs chaînes qu'ils semblent les oublier et prisent le divertissement qui les tient captifs. Calderón pourrait lui faire écho, en montrant que bien des rêves se proportionnent aux conditions vécues : « C'est décidé, nous agirons ainsi, puisque nous habitons un monde si étrange que la vie n'est rien d'autre que songe ; et l'expérience m'apprend que l'homme qui vit, songe ce qu'il est, jusqu'à son réveil. Le roi songe qu'il est un roi. Le riche songe à sa richesse, qui ne lui offre que soucis ; le pauvre songe qu'il pâtit de sa misère et de sa pauvreté. Et dans le monde, en conclusion, chacun rêve ce qu'il est et nul cependant ne le sait » (vers 2258 à 2283). Ainsi, le songe de la vie est envahi par la vie, et n'est peut-être rien d'autre que cette vie même, avec ses éclipses et ses lumières, ses ombres et ses mirages, ses fortunes et ses retournements. Tant de bouleversements font douter de ce qui est vraiment. Fable du monde, ou comédie sans vraie conclusion.

Retour à soi. Descartes évoque la traversée des illusions et des fausses certitudes. Il y eut d'abord la petite enfance, sous l'emprise entière des sens, que ne corrige pas encore une faculté de juger immature. L'ordre de la représentation immé-

diate régnait. Et avec lui, le préjugé. La vie, en sa réalité première, n'est pas vérité mais illusion subjective, dépendance
inaperçue à l'égard des évidences sensibles. C'est ainsi que les
prisonniers d'une caverne, dans le clair-obscur des ombres et
des échos qui hantent la roche humide, sont pris d'emblée au
jeu d'une fantasmagorie première. Une sorte de rêve éveillé,
de sommeil les yeux ouverts. Le terme en est une partance
douloureuse, car il s'agit alors de renoncer à la familiarité des
premières choses et des émotions qui en respirent la présence
initiale.

Au-delà de l'enfance, d'autres illusions prendront le relais.
La tromperie de l'apparence sensible restera vivace, mais la
toute-puissance des désirs et des ressentiments, des ambitions
et des passions tristes, viendra fausser plus encore le rapport
au vrai. Si bien que l'enfance, « âge des préjugés », à peine
dépassée par l'« âge de raison » qui inaugure la salutaire mise
à distance intérieure, peut apparaître aussi comme celui de
l'innocence naïve et native, en amont des soifs sociales de puissance. Les rêves de l'enfant ne sont pas encore hantés par la
tourmente des ambitions mondaines. Un nouvel âge de préjugés, d'une autre nature, advient avec ces ambitions. Et avec
lui, l'illusion ne fait que changer de forme : elle habite les jeux
indéfinis de la vie sociale. Pascal radicalise l'amertume d'un tel
constat : « La vie humaine n'est qu'une illusion perpétuelle :
on ne fait que s'entre-tromper et s'entre-flatter » (*Pensées*,
Brunschvicg 100).

La raison peut bien retenir l'assentiment aux faux-semblants
du vécu ; elle se fait pour cela volonté de vérité. Mais peut-elle
s'assurer d'elle-même, et se déprendre des sujétions muettes
qui tissent l'aventure du sujet humain ? Celui-ci se construit
dans la multiplicité des rapports changeants de l'expérience
affective, et l'opacité qui en résulte envahit la vie intérieure, au
point de troubler le rapport à soi. Le souci du moi, tel que la
dialectique avec le monde peut l'orienter, peut alors troubler
la connaissance de soi. Et ce trouble atteindre la conscience.
La folie borde la raison. Et le rêve obsédant interroge la certitude.

Descartes : « Comment est-ce que je pourrais nier que ces
mains et ce corps-ci soient à moi ? Si ce n'est peut-être que je
me compare à ces insensés, de qui le cerveau est tellement
troublé et offusqué par les noires vapeurs de la bile, qu'ils assurent constamment qu'ils sont des rois, lorsqu'ils sont très

pauvres ; qu'ils sont vêtus d'or et de pourpre, lorsqu'ils sont tout nus ; ou s'imaginent être des cruches, ou avoir des corps de verre. Mais quoi ? Ce sont des fous, et je ne serais pas moins extravagant si je me réglais sur leurs exemples » (*Première Méditation*). Envisagée un instant comme cas limite, la folie est aussitôt congédiée. Mise en cause du sentiment de soi et de la conscience lucide, elle est jugée non pertinente pour un homme qui s'appartient, c'est-à-dire qui dispose de son bon sens. Peut-être ne faut-il pas voir ici une raison qui s'assure d'elle-même en excluant son autre. Dans l'esprit de Descartes, il ne s'agit que d'invoquer ce qui caractérise tout homme en tant que tel. Il serait donc paradoxal de régler le doute proprement philosophique sur un cas de dénégation délirante du réel. Nulle pensée raisonnable ne pourrait en ce cas se former. C'est pourquoi l'argument du rêve retient davantage l'attention de Descartes que celui de la folie.

Dans le rêve, mes propres chimères me sollicitent en exerçant sur moi un ascendant aussi fort, voire plus, que les perceptions quotidiennes. Elles emportent mon adhésion aussi sûrement qu'elles. La fiction concurrence donc la réalité au point d'en être indiscernable. Certes, elle est elle-même une réalité, mais le registre dont elle relève ne peut être confondu avec celui de l'expérience diurne. Descartes raconte son expérience, qui est celle de tous : « Combien de fois m'est-il arrivé de songer, la nuit, que j'étais en ce lieu, que j'étais habillé, que j'étais près du feu, quoique je fusse tout nu dedans mon lit ? Il me semble à présent que ce n'est point avec des yeux endormis que je regarde ce papier ; que cette tête que je remue n'est point assoupie ; que c'est avec dessein et de propos délibéré que j'étends cette main, et que je la sens : ce qui arrive dans le sommeil ne semble point si clair ni si distinct que tout ceci. Mais en y pensant soigneusement, je me ressouviens d'avoir été souvent trompé, lorsque je dormais, par des semblables illusions » (*ibid.*).

Le scepticisme antique avait déjà souligné la fragilité des évidences concernant le monde sensible, telle que la révèle la difficulté renaissante de distinguer le rêve et la réalité. Descartes ne tire pas de cet argument l'idée que la réalité est un simple songe, mais la conviction que la croyance perceptive n'est pas un témoignage plus fiable et plus certain que le vif sentiment qui dans le rêve m'attache aux scénarios qui s'y déroulent.

Freud ne verrait là rien d'étonnant, puisque la continuité de la vie affective donne son unité aux différentes formes qui l'expriment : appréhension subjective des choses, fantasmes qui donnent vie aux désirs en inventant des événements qui leur correspondent, rêves qui réalisent de façon travestie les pulsions refoulées. Pour Descartes, il s'agit de justifier la nécessité de révoquer en doute la certitude naïve qui dérive des sens. Et de parfaire ainsi le travail de mise à distance qui prélude à la reconquête du vrai.

Le songe de la vie se dépasse dans le rêve de la philosophie, tel qu'il s'accomplit à haute voix, les yeux grands ouverts. Descartes fit ce rêve-là, et le vécut jusqu'au bout, comme ceux qui s'efforcent de conduire lucidement leurs pensées mais aussi leurs actions.

L'éternel retour

Et si un jour ou une nuit, un démon se glissait furtivement dans ta plus solitaire solitude et te disait : « Cette vie, telle que tu la vis et l'a vécue, il te faudra la vivre encore une fois et encore d'innombrables fois. Et elle ne comportera rien de nouveau ; au contraire, chaque douleur et chaque plaisir, chaque pensée et chaque soupir, et tout ce qu'il y a dans ta vie d'indiciblement petit et grand doit pour toi revenir, et tout suivant la même succession et le même enchaînement – et également cette araignée et ce clair de lune entre les arbres, et également cet instant et moi-même. L'éternel sablier de l'existence est sans cesse renversé, et toi avec lui, poussière des poussières ! » Ne te jetterais-tu pas par terre, en grinçant des dents et en maudissant le démon qui parla ainsi ? Ou bien as-tu vécu une fois un instant formidable où tu lui répondrais : « Tu es un dieu et jamais je n'entendis rien de plus divin ! »
Si cette pensée s'emparait de toi, elle te métamorphoserait, toi, tel que tu es, et, peut-être, t'écraserait ; la question, posée à propos de tout et de chaque chose, « veux-tu ceci encore une fois et encore d'innombrables fois ? », ferait peser sur ton agir le poids le plus lourd ! Ou combien te faudrait-il aimer et toi-même et la vie pour ne plus aspirer à rien d'autre qu'à donner son approbation et apposer ce sceau ultime et éternel ?

Nietzsche, Le Gai Savoir, § 41,
trad. P. Wotling, GF-Flammarion.

« *Jamais plus.* » Voilà le cri lugubre d'un vent noir qui efface les vies. *Nevermore*, dit le corbeau d'Edgar Poe. Et l'instant, qui chantait si bien son insouciance, vacille déjà dans la hantise de l'oubli. La dérision semble trop prompte à renvoyer l'homme à sa faiblesse. A-t-il seulement goûté le plaisir de jouir des choses et de soi, dans l'intense émotion de la présence ? *Chronos*, le temps des mythes grecs, dévore ses propres enfants : ainsi passent les hommes, leurs gestes, leurs désirs, leurs espoirs. Vanité, dit aussi l'Ecclésiaste, qui inscrit tout souffle de bonheur dans la douleur finale du révolu. Alors c'est la joie de vivre naïve et native, l'affirmation pure de ce qui est, sans arrière-pensée, qui semble se disqualifier. Et avec elle ce qui fait vouloir vraiment, ce qui donne aux choix le poids de l'éternel.

Ne faut-il pas vouloir toute chose comme si elle devait advenir pour toujours, et situer ainsi la responsabilité à son niveau le plus radical ? C'est peut-être aussi la seule façon de donner valeur et sens aux décisions. Fiction de l'Éternel retour : fiction pour vivre et lester chaque conduite de sa force propre. Nietzsche y insiste. L'être réel ne peut se dire que du devenir, car il n'y a pas d'autre façon de vivre ; et le devenir, c'est l'action elle-même, telle qu'elle se déploie en sa réalité multiple, source de figures différentes. C'est la richesse de ces différences qui vaut, sans autre horizon que le temps de vivre. Rien de négatif n'affecte cette richesse, pourvu qu'on l'assume à la fois comme une chance et comme un risque.

La vie est un labyrinthe, dont il n'est nul besoin de s'échapper. Les multiples détours du hasard, semblables aux entrelacs du palais construit par Dédale, sont le lieu même de l'accomplissement. Pourquoi vouloir en sortir ? Ariane a donné son fil à Thésée, qui l'a abandonnée. C'est un bonheur illusoire que la sortie du labyrinthe existentiel. Ariane rencontre enfin Dionysos, dieu de la vie sans autre référence qu'elle-même, et leur couple dira l'éternité réconciliée avec le temps. « Nous avons pour le labyrinthe une curiosité particulière, nous tâchons, pour cela, de faire connaissance de Monsieur le Minotaure dont on raconte des choses si terribles. Que nous importe votre chemin qui monte, votre corde qui aide à sortir ! Qui aide à parvenir au bonheur et à la vertu... Vous voulez nous sauver au moyen de votre corde ? Et nous nous vous supplions de vous pendre avec ! » (*La Volonté de puissance*, § 167). Le véritable labyrinthe, c'est Dionysos lui-même. Il invite à y vivre dans l'ivresse native des multiples expériences osées. Le vrai fil est celui de l'affirmation existentielle. Et il s'enroule sur lui-même au lieu de conduire vers l'exil.

Que sont les hommes et que sont leurs actions, ombres furtives dont s'absente déjà la lumière ? D'éphémères dessins se noient dans les sables. Chaque moment se resserre, et disparaît bientôt. Traces courtes, effacées sans retour. Degré zéro du travail de mémoire. « *Carpe diem* » : cueille le jour, vive présence à soi de l'instant qui ne vit que de passer, mais condense en lui la force pure des ferveurs nouvelles.

Vivez, si m'en croyez, n'attendez à demain :
Cueillez dès aujourd'hui les roses de la vie
(Ronsard, *Sonnets pour Hélène*, II, sonnet 24).

Il s'agit bien de se réconcilier avec la fragilité qui fait vivre autant que mourir. Les horizons et les rivages ne doivent plus alourdir le regard. Ne sont-ils pas eux-mêmes fruits du temps qu'ils semblent border ou encadrer ?

Pourquoi ce qui passe ne mériterait-il pas d'exister ? Opposée aux instants qui sont la pulsation même de la vie, la morne éternité leur devient écrasante. Une certaine pensée de l'être également, qu'on croit devoir distinguer du devenir, comme l'un du multiple. Derrière l'apparence, un fantôme se cache, dont la religion fait bien vite un arrière-monde : une eau de nuit, surface immobile et glacée, que trouble seulement l'agitation éphémère d'insectes aussitôt noyés. Source invisible des vies qui surgissent pour s'évanouir déjà, quand se dissolvent leurs formes fragiles dans un silence sans mémoire.

Retour à la vie. Amour sans condition du destin : *amor fati*. Il est de l'homme de vivre et de mourir, de jouir et de souffrir, et nulle malédiction ne s'attache à un tel constat, sinon celle que pourrait suggérer l'improbable référence à une félicité éternelle, ou l'épouvantail d'un enfer de toujours. Amour des choses qui vont et viennent, des corolles et des senteurs, des rumeurs de mer et des caresses d'un jour, de tout ce qui vit et qui danse, mais disparaît aussi. Aimer ce qui passe, en y décelant quelque chose de l'être essentiel qui advient. Jeux d'enfants, pour recomposer indéfiniment le geste qui crée, le temps qui chante, les paysages familiers.

Dans l'infini du temps et sa béance, les dés jetés forment des combinaisons en nombre fini, comme les jours à vivre des hommes. Ces combinaisons, figures dessinées où l'humanité témoigne d'elle-même, reviendront bien dans la loterie du monde. C'est tout un art de vivre qui s'attache à cette vision, joyeuse et tragique à la fois. Ainsi l'éternité relève du courage qui prend au sérieux la beauté inscrite dans les esquisses de la mort, et assume, par-delà le risque de perdre, la confiance qui crée.

Héraclite : « Le temps est un enfant qui joue au trictrac. » Le jeu quotidien crée ses œuvres vives. L'ombre profilée de la mort ne peut les éteindre au moment où elles jaillissent. Et elles survivent à leur présence, par l'éclat sans âge de l'innocence rieuse. La danse de l'artiste et de l'enfant se délie de toute lourdeur par la conscience tragique. C'est qu'elle assume la nudité de sa vie, par un amour vrai que n'altèrent en rien la souffrance, ni l'amertume de perdre. L'instant brille et respire de sa beauté première, qui monte à un genre nouveau d'éternité. Rien ne peut faire désormais que ce qui a été senti et vécu ne l'ait pas été, dans cette expérience singulière que chacun fait de son existence. Telle est la vérité des choses vécues, qui rejoint toujours une certaine expérience de l'éternité, dans l'intimité même de ce qui passe. Le sillage des soleils révolus a laissé sa lumière dans les yeux étonnés qui ne les oublieront jamais.

Le temps retrouvé. On goûte la mémoire d'instants dans l'instant, quand la présence au monde se répond à elle-même, et sort déjà du temps pour s'éprouver. Il y a comme une revanche des moments révolus, qui font retour dans l'émotion de la mémoire. Vient le retour du même, que l'on croyait pourtant effacé à mesure. On découvre ou redécouvre ce qu'on a vécu, avec le regret parfois de ne pas l'avoir voulu ou senti par davantage de ferveur.

La *vie d'alors*, la *vie d'autrefois* semble bien faire retour, et les mouvements du vouloir-vivre lui font écho, comme s'ils se préparaient à renaître. Le dire ou l'écrire, en ce récit à voix haute qu'on appelle littérature, c'est mettre en mots la fiction essentielle du sens. On se délivre ainsi de l'angoisse de l'oubli, en cette distance à soi qui est aussi retour à soi. Proust : « Rien qu'un moment du passé ? Beaucoup plus, peut-être ; quelque chose qui, commun à la fois au passé et au présent, est beaucoup plus essentiel qu'eux deux. » La littérature, ou la mémoire intérieure qui en tient lieu, c'est la vraie vie : conscience cruciale du rapport singulier de l'homme aux choses, où l'être-au-monde se délivre enfin du temps.

Il ne reste plus qu'à vivre, à calmer en soi le vain désir d'immortalité. L'instant lui-même se charge alors de ce qui fait sa valeur, de ce qui lui donne le poids de l'éternité. Vouloir l'instant, comme la vie mortelle, comme la fragilité même de l'être qui vacille, mais brûle de sa force intense dans les vents glacés du hasard. Le vouloir comme s'il devait toujours revenir. Toute la mesure des choses se tend alors dans la conscience, comme la corde vibrée d'un mouvement d'espoir. On peut alors, on veut enfin, agir par raison impérieuse, en éprouvant la nécessité de faire ce que l'on fait.

9

Le chant du cygne

Les cygnes, dès qu'ils sentent qu'il leur faut mourir, le chant qu'ils chantaient déjà auparavant, ils le chantent alors de façon plus fréquente et plus éclatante, tout à la joie d'aller retrouver le dieu qu'ils servent. Mais les humains, à cause de la peur qu'ils ont de la mort, calomnient même les cygnes, disant : « ils se lamentent sur leur mort, c'est la douleur qui inspire leur dernier chant » ; sans réfléchir qu'aucun oiseau ne chante quand il a faim, quand il a froid, quand il souffre d'une peine quelconque, pas même le rossignol, ni l'hirondelle, ni la huppe, eux dont le chant serait, à ce qu'on raconte, une lamentation inspirée par la souffrance. Mais, pour moi, il me paraît que ce n'est pas la souffrance qui les fait chanter, ni eux, ni les cygnes qui sont, que je sache, les oiseaux d'Apollon et possèdent donc le don de la divination : c'est la prescience des biens qu'ils trouveront chez Hadès qui les fait chanter et se réjouir ce jour-là bien plus que jamais auparavant. Or j'estime juste-ment que je partage avec les cygnes la même servitude et que je suis consacré au même dieu…

Platon, *Phédon*, 84e-85b, trad. M. Dixsaut, GF-Flammarion.

Le chant du cygne tient-il de la mélancolie d'un pressen-timent ? Se veut-il chant sublime d'être le dernier, que l'on n'entendra plus, et qui pour la dernière fois signe une voix, un art, comme une offrande ultime aux confins de la vie ?

Nul ne sait le terme de son existence. Y a-t-il un moment pour y songer, tant que l'être s'affirme et façonne sa vie ? De fait, le sens qui s'en esquisse à mesure que les jours passent exprime quelque chose comme un projet. À tout moment, ne sommes-nous pas en train de répondre, au moins implicite-ment, à la question de savoir quelle vie nous voulons vivre ? Réponse heurtée souvent, qui fait douter de sa propre unité. La trajectoire existentielle, même tourmentée de ruptures et de redéfinitions, ne s'oriente, au fond, que de cette façon. Mais il est un moment crucial, un crépuscule d'abord imprévisible : quelque chose comme une mise à l'épreuve qui confirmera, ou invalidera le sens d'une vie. La mort qui menace et surviendra en fixe la direction pour toujours : une telle orientation se révèle enfin. C'est alors que toute action se charge de son propre sens, dans cette gravité qui fait qu'elle semble répondre de l'être tout entier et en exprimer la nature profonde.

Le chant du cygne se comprend d'abord comme l'œuvre ultime et le sommet d'une existence. Le cygne habitué à chanter le fait de façon plus belle encore, plus tragique peut-être, lorsque la mort s'annonce. Comme Molière, jouant si bien son dernier rôle avant de mourir sur la scène. Comme Mozart, composant le *Requiem* avant de disparaître.

La légende raconte que le musicien Cycnos, roi des Ligures, fut métamorphosé en cygne à la fin de sa vie. Le cygne est l'oiseau d'Apollon, dieu mâle de la beauté, de la musique, et de l'excellence éthique. Mais aussi dieu de la prophétie comme de la lumière (*Phoebos*, « le brillant »). L'homme musicien, ou philosophe, devenu cygne, est dévolu au dieu, dont il honore la grandeur. Le chant du cygne n'est pas de douleur, mais de confiance, dès lors qu'avec la mort se brisent les limites qui séparent encore du dieu honoré.

Hadès, outre-tombe, figure un idéal vers lequel se tend la vie, dans son effort pour s'affranchir de tout ce qui entrave sa réalisation accomplie. La philosophie est ainsi comme la musique et tout art des muses. Allégorie de l'idéal, ou de l'exigence qui transcende le donné, pour mieux l'élever par cette distance à soi qu'esquisse l'aspiration à l'absolu. Musicien, poète, ou philosophe, en leur inspiration respective, sont ainsi porteurs d'une exigence qui fait de l'au-delà un horizon, mais aussi une source. Les voici instituteurs de l'humanité.

Socrate a choisi. Sa vie sera de recherche du vrai et du juste, quoi qu'il lui en coûte. Une exigence désormais lui donne sens. Ne pas transiger avec les titres du vrai, c'est d'abord récuser les prétentions du vraisemblable et du faux, du séduisant qui trompe, du facile qui arrange et conforte. Le juste n'est pas non plus ce qui plaît dans le moment, ni ce qui va dans le sens des intérêts immédiats. Ainsi, la vie se place dans l'horizon d'une double recherche. Et se heurte, comme par nécessité, à tout ce que dérange une telle résolution.

Socrate est insupportable aux sophistes, aux rhéteurs, à tous les illusionnistes. Insupportable peut-être aussi à lui-même, lorsqu'il applique un tel régime aux désirs qu'il ne manque pas d'éprouver. Il l'est également à certains hommes politiques. Ceux qui veulent vivre de leur verbe et de leur art de flatter privilégient chez les hommes qu'ils entendent dominer la soumission et la passivité. L'ambition ne rencontre ainsi aucune résistance. Ils voient donc d'un mauvais œil ce choix de liberté, qui vaut exemple et s'enseigne : c'est que l'émancipation universelle de l'humanité s'engage alors en chacun, dans le rappel méthodique de la pensée à sa force vive. Les calomnies et le procès contre Socrate annoncent la condamnation. L'injustice prend forme légale, car le droit n'a pu empêcher la rumeur, ni annuler les effets de l'ignorance et du discours propre au préjugé.

L'heure est venue. La survie ne peut être une fin en soi. Vaut-elle qu'on lui sacrifie le sens de toute une vie ? Ce qu'on a décidé d'être et le temps accordé à l'existence sont deux choses distinctes. Le mélange des registres aboutirait à confondre les deux sens du verbe être. C'est donc bien se perdre, en un sens plus grave, que de démentir toute une vie, pour la prolonger seulement. Socrate ne fuira pas, malgré les instances de ses amis.

Socrate saisit l'occasion de confirmer, une dernière fois, le choix qu'enveloppait sa façon d'être, son *style*, si l'on veut. Et ce choix, désormais, se fait au regard de la mort. *Chant du cygne* : la plus belle façon de mourir est de faire de sa mort l'ultime affirmation d'un sens, d'une volonté, d'une certaine façon d'être. Socrate ne fuira pas. Ses amis bouleversés ne peuvent que consentir à sa mort prochaine, qui pourtant les révolte : Socrate ne serait plus Socrate s'il n'absorbait pas le poison mortel.

Pour le philosophe, qui a cultivé la sagesse en ses significations indissociables de savoir et de lucidité, de remontée aux principes des choses, c'est bien le sens de toute une vie qui s'exalte au seuil de la mort. Symbolique déliaison du principe de vie et de pensée, appelé âme, et de la pesanteur des situations concrètes, qu'incarne le corps toujours impliqué ici et là, travaillé par le dur désir de durer. Socrate ne peut craindre une mort ainsi comprise : il en fait le cas limite de la sagesse philosophique.

La ciguë fait son œuvre, et raidit les membres. La mort est là, imminente. Socrate s'en va, parce qu'il l'a choisi. Un dernier signe, qui prolonge à jamais d'un silencieux témoignage les dialogues qu'il s'attachait à promouvoir. On se souvient alors d'un autre courage, au moment de la bataille des Arginuses. Les généraux grecs l'avaient remportée, sauvant Athènes. Mais des calomnies intéressées exigèrent leur exécution, sous le prétexte qu'ils n'avaient pu relever tous les morts. Socrate seul avait alors résisté aux pressions démagogiques, refusant l'illégalité de la procédure de condamnation globale, comme d'ailleurs l'injustice de fond. Choix risqué, comme celui d'inciter toujours au dépassement du préjugé. La réhabilitation des innocents quelque temps après leur mort avait montré l'aberration de la dictature de l'opinion, dont Socrate lui-même, à son tour, sera victime.

L'habitude de sagesse fait désormais partie de la conduite. Elle recouvre une attitude autant qu'une certaine façon de juger. Elle se fait courage en acte de la pensée libre qui règle la conduite. Cavaillès, philosophe et résistant, tué par les nazis, le rappela plus de deux millénaires après Socrate. Jean Moulin également, dont le silence dans les tortures fut le chant du cygne. Cette haute exigence de vivre transcende et surmonte l'intransigeance de la mort. L'engagement qui la traduit et l'incarne, en ce sens, élève à l'éternité. Les héros de la Résistance devaient vivre le choix impérieux qui les destinait à la mort comme une nécessité d'ordre éternel. Sentiment de devoir faire, pour toujours, ce qu'on fait. L'être fragile fait en quelque sorte l'expérience de l'éternité au moment même où la mort va s'emparer de lui. Spinoza le dit en termes d'une étrange grandeur : « Nous sentons et nous éprouvons que nous sommes éternels » (« *Sentimus experimurque nos aeternos esse* », *Éthique*, V, proposition 23, scolie).

Socrate vit encore.

Venue de l'Hadès, une sorte de parole métaphysique déploie la métaphore d'une Humanité se souvenant de ceux qui la firent, la sauvèrent, l'élevèrent.

Chapitre trois

L'aventure des sens

1

L'étoffe du monde

Visible et mobile, mon corps est au nombre des choses, il est l'une d'elles, il est pris dans le tissu du monde et sa cohésion est celle d'une chose. Mais, puisqu'il voit et se meut, il tient les choses autour de soi, elles sont une annexe ou un prolongement de lui-même, elles sont incrustées dans sa chair, elles font partie de sa définition pleine et le monde est fait de l'étoffe même du corps. Ces renversements, ces antinomies sont diverses manières de dire que la vision est prise ou se fait du milieu des choses, là où un visible se met à voir, devient visible pour soi et par la vision de toutes choses, là où persiste, comme l'eau mère dans le cristal, l'indivision du senti et du sentant.

Merleau-Ponty, *L'Œil et l'Esprit*, Gallimard.

La peau est nue sous le sable qui souffle. Au loin la mer semble enfouie dans sa rumeur de toujours. La présence au monde se concentre dans un effleurement mêlé de lumière, quand le soleil se brouille entre paupières closes. Une brise parcourt la chair surprise, jusqu'au frisson où tout se rend indistinct. Émotion matérielle, où la douceur des choses efface sa frontière : le monde entier s'éprouve ici et maintenant, conscience de lui-même en ces êtres qu'il irrigue. Le passé remonte dans la torpeur du présent. Il y a l'eau verte du printemps, et les senteurs d'enfance où un peu de soi se prolonge. Il y a la main ramenée au visage, d'un mouvement habituel. Une mémoire d'automne habite les formes qui se mêlent et se frôlent : vague mélancolie de l'air qui vibre et s'alourdit, feuillages tristes sous la marche furtive.

Le paysage tout entier remonte en chacun des regards, et s'absorbe lentement dans le corps. Comme s'il n'était fait que pour lui, tant la perception qui le livre semble unique. Il n'y a pas d'autre instant pareil à celui-là, et le souvenir, plus tard, en portera le deuil secret.

Tous les sens témoignent. La vie respire dans toutes les transparences, sensible et forte. La flamme et le vent, la blessure froide où la nuit s'installe, la brise lente qui va de la campagne noire au corps tendu. L'attention, dit Malebranche, est comme une prière. On voudrait remonter à la source des choses, et retrouver les souvenirs qui s'y cachent. Dialogue de chair et de mémoire secrète, de vie sensible et de sourde conscience.

Entre le corps et le milieu qui l'héberge, la perception se tend et se fige, puis s'ouvre et s'exalte. Le corps est visible et voyant tout à la fois, comme dans le premier rêve des objets familiers, où l'enfant se découvre lui-même par chacune des sensations que lui livre le monde. Les échos forment bientôt souvenir, et la trame du réel mêle aux émotions écloses une histoire intérieure. C'est que le milieu de l'homme, comme de tout être vivant, est d'abord celui qui organise l'ambiance des choses et des mouvements à partir des besoins et des désirs qui lui donnent sens et l'orientent. L'impatience de vivre accueille les sensations, qu'elle organise et distribue par ses attentes.

La perception s'inscrit au cœur des choses, comme en un champ magnétique dont se tendent les lignes d'attraction et de répulsion. La vie frissonne en son étoffe mouvante, et le corps s'aventure. L'expérience de soi s'accomplit dans l'invention d'un monde. En ce premier stade l'instant répond à l'instinct, et les repères immédiats fixent le territoire intime de la conscience. Mais ces repères déjà portent trace de la mémoire humaine, et de la culture ainsi léguée silencieusement : dans cette expérience première, c'est l'humanité qui se répond à elle-même par l'émotion secrète d'un dialogue sensible. Une sorte d'extase matérielle se déploie, que Le Clézio décrit ainsi : « Les objets épars, immobiles, étaient debout sur eux-mêmes, comme des flammes… Les bruits, les odeurs, les sensations de distance ou de dureté, la présence, tout cela s'était mêlé à la vision. Tout était devenu spectacle étalé, spectacle que je faisais plus que voir, que j'étais, que j'étais… Délicat, ciselé, minutieux dans le moindre détail, le miracle se construisait sans bouger » (*L'Extase matérielle*, Gallimard).

Merleau-Ponty dit l'étrangeté du monde comme « *chair universelle* ». On pourrait évoquer la sensation vive d'un vent glacé, ou d'un soleil démultiplié sur la mer. Qui ne ressent aussi l'émotion esthétique de la mélodie qui porte son écho dans les choses, ou des couleurs dont s'irisent les formes peintes ? C'est que s'exprime alors la présence charnelle au monde, comme la force éveillée qui le rend sensible au corps et au cœur. La chair, en ce sens, donne vie et conscience à l'être lui-même, qui s'y éprouve comme en son élément. Le paysage inscrit ses horizons dans l'attention aux choses : « Dans la vision, j'appuie mon regard sur un fragment du paysage, il s'anime et se déploie, les autres objets reculent en marge et entrent en sommeil, mais ils ne cessent pas d'être là. Or, avec eux, j'ai à ma disposition leurs horizons, dans lesquels est impliqué, vu en vision marginale, l'objet que je fixe actuellement » (*Phénoménologie de la perception*).

Bachelard, évoquant l'imaginaire qui organise les polarités affectives autour des éléments matériels, en pensera aussi la poétique essentielle.

Poétique de l'eau qui glace et qui glisse, qui absorbe et reflète. Fascination muette pour l'eau sombre des douves comme pour la source claire des torrents.

Poétique du feu qui frémit et fascine, qui réchauffe et consume. Lumière dansante au plafond des veillées, quand vacille et reprend vie la flamme d'une chandelle.

Poétique de l'air qui vole et délivre, qui mêle aux brises les sillages et la fraîcheur d'ailes surprises. Les vents vont et viennent et la vie enivrée s'y évade.

Poétique de la terre grave et sourde où s'enfoncent les rêveries du repos. Vient la mélancolie du temps qui s'alourdit.

Le corps se sait parmi les choses, visible en elles et les voyant. La conscience incarnée navigue dans l'extase matérielle. Elle s'éprouve alors comme une sorte de foi perceptive unique, en amont de toute réflexion. Là prendront source les mots qui diront l'aventure étonnante, et les livres où chaque vie trouvera son lendemain. L'univers sensible s'épelle en présence éprouvée puis décantée. La mémoire charnelle y joue ses connivences. Et le chant secret des saisons offre sa terre natale au vrai, qui toujours s'y pense et s'y invente. Ainsi bientôt les mots s'assembleront, et l'évidence accomplie des sens y résonnera sans fin.

Rimbaud dira le rêve en dérive et la fête sensuelle :

J'ai rêvé la nuit verte aux neiges éblouies,
Baiser montant aux yeux des mers avec lenteurs,
La circulation des sèves inouïes,
Et l'éveil jaune et bleu des phosphores chanteurs !
(*Le Bateau ivre*).

2

Les vagues de la mer

Pour juger encore mieux des petites perceptions que nous ne saurions distinguer dans la foule, j'ai coutume de me servir de l'exemple du mugissement ou du bruit de la mer dont on est frappé quand on est au rivage. Pour entendre ce bruit comme l'on fait, il faut bien qu'on entende les parties qui composent ce tout, c'est-à-dire les bruits de chaque vague, quoique chacun de ces petits bruits ne se fasse connaître que dans l'assemblage confus de tous les autres ensemble, c'est-à-dire dans ce mugissement même, et ne se remarquerait pas si cette vague qui le fait était seule. Car il faut qu'on en soit affecté un peu par le mouvement de cette vague et qu'on ait quelque perception de chacun de ces bruits, quelque petits qu'ils soient ; autrement on n'aurait pas celle de cent mille vagues, puisque cent mille riens ne sauraient faire quelque chose.

Leibniz, *Nouveaux Essais*
sur l'entendement humain, Préface.

Tout commence par l'inattention, ou l'engourdissement de la conscience dans la rumeur indistincte des choses. On s'abandonne à l'ambiance visuelle et sonore, au charme indéfini de mille senteurs mêlées, à la symphonie recommencée des sensations infimes. Sur le sable où la mer recompose la blancheur de ses orbes éphémères, toute trace de forme est bue aussitôt que née. Avant la perception claire et distincte, il y a comme les prémices d'un éveil, l'esquisse d'une conscience. Ce moment sourd prépare l'attention. De l'orchestre va surgir un pupitre, une voix, un archet tendu. Dans le fondu des couleurs et des sons la mer semble respirer secrètement.

« La mer, la mer toujours recommencée. » Un rocher noir arrête et retient le regard ; émergence nette et sonore d'un clapotis, qui se détache et attire l'attention. « La vague en poudre ose jaillir des rocs » (Valéry). Le fond et l'événement se distinguent. Puis vient le retour au moment d'indistinction.

Ce violon qui s'envola soudain au-dessus de l'orchestre y a fait retour aussitôt, et s'y est déjà enfoui, laissant le souvenir mélodieux de son arabesque.

Les yeux parcourent le flot multiple, tendu à l'horizon comme une ligne droite. Limite. Va et vient entre l'unité du ciel, doucement marbrée de nuages, et celle de la mer, indéfiniment recomposée. Une multitude fondue se déploie dans la tension des sens. Qu'une vague se lève et creuse son mouvement, comme un sillon où la mer se prend à frémir. L'attention renaît alors, qui suit le sillage à la trace, et lui associe l'onde sonore d'une rumeur distincte.

Percevoir, c'est éprouver pour elle-même la présence des choses et des êtres. De l'imperceptible frisson à la perception confuse, et de celle-ci à la conscience nette, un éveil s'accomplit. Le tout indistinct qui en était comme le sommeil et l'attente se détache en quelque sorte de lui-même, par l'un des mille événements qui le composent. Cette vague enroulée, un peu plus forte qu'une autre peut-être, sort de la rumeur et se fait présente. Cet oiseau blanc confondu avec l'écume en émerge soudain, et le regard suit son envol.

Des petites perceptions innombrables se forme l'impression présente et vive, moment composé comme un tout et riche des multiples événements qu'il absorbe. Ce tout est irréductible à la somme des parties, si l'on veut dire ainsi qu'aucun dénombrement complet ne peut en restituer l'impression unique. Mais si « cent mille riens ne sauraient faire quelque chose », un presque rien, au regard de l'univers, en esquisse l'étincelante réalité.

Soleil levant : la peinture impressionniste de Monet a rappelé la force et l'évidence d'une telle intuition. Mille touches de soleil sur la toile, distillées dans mille petites vagues, disent la splendeur unique de l'aurore sur la mer. Et l'émotion surgit de ce paysage débordant, de cette symphonie totale où toute perception finie se transcende. Ce moment de rêve est sans mesure commune avec l'impression furtive et infime que le reflet d'un instant a inscrit dans un frisson d'eau et de lumière. C'est la conscience qui se lève alors, par-delà les sensations secrètes où elle était encore comme en sommeil, tendue déjà vers le spectacle des choses.

3

Les perspectives de la ville

Et, comme une même ville regardée de différents côtés paraît tout autre, et est comme multipliée perspectivement ; il arrive de même, que par la multitude infinie des substances simples, il y a comme autant de différents univers, qui ne sont pourtant que les perspectives d'un seul selon les différents points de vue de chaque monade.

Leibniz, *Monadologie*, § 57.

Voir.

On raconte qu'à Florence, en 1415, Filippo Brunelleschi présente une peinture du baptistère San Giovanni si fidèlement réalisée qu'un observateur ne la distingue pas, par le regard, de l'édifice réel. Pour que l'illusion soit parfaite, il faut qu'il s'installe en un endroit précis du parvis de la cathédrale, unique par la perspective qu'il ménage sur le baptistère. La vision des volumes est alors littéralement mise en scène. Sur la surface plane du tableau, en deux dimensions, la perspective artificielle (*perspectiva artificialis*) a permis de construire une image de la profondeur et des trois dimensions de l'objet.

Les perspectives se font et se défont d'une place à l'autre. Le paysage en mouvement ne cesse de les changer, comme il change les ombres projetées sur le sol au fil des heures. Les yeux le réinventent.

La promenade commence à travers la campagne ouverte, où les lignes se tendent sous le bleu vif du ciel. Les rails se rejoignent dans le miroitement grisé de l'horizon. Perspective.

Du haut de la colline, on surplombe les brumes lentes qui se déchirent, et les toits de la ville qui en émergent dans la clarté matinale. Tout change depuis la berge du fleuve qui traverse la même ville. Façades obliques, chargées d'histoire, aux lumières doucement jaunes. Du bateau qui glisse à mesure, le décor évolue encore au gré d'un mouvement continu, enchaînement de points de vue sous les arches de pierre.

Les yeux suivent les métamorphoses silencieuses des objets. Ainsi vont les hommes, porteurs de perspectives qui changent. Quel lieu permettra d'observer la ville totale ? Aucun sans doute. Un être au vol immobile, à l'aplomb du centre géographique, ne saisirait encore qu'une perspective. Voilà une étrange ville en somme, car elle n'est visible nulle part de façon absolue. Et il semble vain de chercher à construire la somme de toutes les perspectives, en une sorte de plan synoptique où toutes se conjuguent et s'accordent. Il le faudrait pourtant, ne serait-ce qu'en idée, pour saisir le cœur de toutes les perspectives, dans lequel Leibniz voyait le point qui permettrait de les concevoir et de les reconstruire par la pensée, pour les engendrer concrètement. Ce principe explicatif des variations de points de vue ne serait lui-même tributaire d'aucune des perspectives possibles : il définirait plutôt l'horizon de référence dans lequel elles s'inscrivent.

Existe-t-il un promontoire universel qui permettrait de saisir d'un seul regard l'organisation du réel ? Pour un être situé, ici et maintenant, qui toujours perçoit le monde en y occupant une place définie, il ne peut y avoir d'abord qu'une *perspective*. Et cela s'applique dans les différents registres de sa vie.

Son existence personnelle, ayant son horizon propre et son histoire singulière, définit déjà un point de vue original. Leibniz appelle l'être ainsi compris *monade* : substance unique d'une vie, qui n'est pareille à nulle autre, et source irremplaçable de toute vision du monde. Que toutes les monades forment ensemble un même monde, et que leurs perspectives s'articulent ainsi selon un plan de référence qui les situe et les comprend ne change rien à la relativité de chacune d'elles : le monde est vécu avant d'être pensé.

Chaque homme est un centre d'où rayonne la perception. Une multiplication volontaire des perspectives peut bien sûr être recherchée, qui diversifiera les repères et les références, au gré des déplacements effectués pour les faire varier. La réflexion sur le rapport entre ces points de vue permet d'échapper à leur relativité, mais en changeant le registre de l'appréhension du monde : raison pensante et non regard sensible. Il ne s'agit plus alors d'observer seulement, mais de s'abstraire et de comprendre.

Copernic embarqué dans un vaisseau spatial aurait-il pu
« voir » enfin son système, selon lequel la Terre gravite autour
du Soleil, et non l'inverse ? Sans doute aurait-il assisté à la métamorphose des apparences, mais celles-ci resteraient des apparences. Tout regard est placé en un lieu, et nul lieu n'est par
définition extérieur à tous les autres. La théorie qui explique les
apparences n'échappe aux faux-semblants du vécu qu'en rompant leur emprise. Comprendre le réel n'est pas le voir en lui-
même, indépendamment de toute position, mais se délivrer des
limites de la perception.

Dans la nuit des étoiles, l'astronome s'imagine à distance de
la Terre. Affranchi du regard de ceux qui l'habitent, ne croit-
il pas pouvoir s'élever en un lieu de vérité, délivré de tout
point de vue particulier ? L'effort ici est de recul par rapport
aux illusions quotidiennes, si ordinaires qu'on n'y prend pas
garde. Et le voyage n'est qu'en pensée. La vérité n'est pas un
lieu où l'on pourrait s'installer enfin, comme en un belvédère
qui surplomberait toute chose, et déploierait, dans l'amplitude
d'un regard absolu, le panorama total de ce qui est.

On dit du point de vue de Sirius, extérieur et supérieur à la
Terre, qu'il est délivré des petitesses liées aux intérêts humains
et des illusions de perspective qui en dérivent. Mais c'est
encore un point de vue, si libre de toute attache qu'on l'imagine. La distance, par elle-même, n'est que dépaysement, et
symbole peut-être d'ouverture comme de désintéressement.
Cependant il n'existe aucune géographie du vrai qui puisse
échapper à la nécessité de trouver un point d'ancrage dans le
monde des repères quotidiens.

Toute vision est donc assignée à un temps, à un lieu, mais
aussi aux conditions intérieures. Elle est bien *perspective*. Le
regard enfiévré du malade, la tristesse qui embrume ou le bonheur qui exalte singularisent également la perspective. Comme
le fait l'intérêt du moment, ou la position sociale, source des
opinions et des préférences. Spinoza dit qu'une même musique
est triste ou gaie selon l'état de celui qui l'entend.

Cette perspective intérieure à chacun ne lui permet de voir
le monde que de la façon dont il l'affecte, qu'il le réjouisse ou
qu'il l'attriste, qu'il serve ses intérêts ou qu'il les entrave. D'où
la transposition commune, qui fait de la perspective un point
de vue, et du point de vue la préférence plus ou moins consciente qui valorise une certaine appréhension des choses.
« Changer de point de vue », c'est souvent apprendre à voir

autrement, pour éprouver enfin la relativité d'un regard et du lieu d'où il se tient, voire de la disposition dans laquelle on l'appréhende.

Lacordaire soulignait à sa manière la différence des perspectives selon le rapport de force, lorsqu'il affirmait : « Entre le fort et le faible, c'est la liberté qui opprime et la loi qui affranchit. » Et Marx rappelle que c'est bien une perspective particulière qui dicte le regard du capitaliste sur l'économie : celle-ci est dite « libérale » en ce que nulle loi n'y fait obstacle à sa logique d'exploitation. Qu'elle apparaisse au même moment comme oppressive à celui qui subit le rapport de force, par exemple l'ouvrier « librement » licencié, relève d'une autre perspective particulière. L'un vit comme liberté ce que l'autre éprouve comme contrainte. Les tensions internes au rapport social expliquent donc la contradiction des approches et des points de vue. Les perspectives sont souvent exclusives les unes des autres, du moins sur le plan subjectif où elles s'affrontent. Elles sont pourtant objectivement complémentaires.

Le Quattrocento italien appela perspective la construction réglée qui ordonne l'espace en lignes de fuite et plans graduels. Il fallait que le peintre, attentif à la profondeur des lieux et des choses, aux proportions des volumes selon les angles de visée, fixât un point source du regard, et un point de mire autour duquel les lignes devaient s'organiser. L'artifice du tableau, pour donner l'illusion de la profondeur, présente toujours son sujet sous un certain angle, qui règle la construction de l'espace. Une savante esthétique de l'apparence se met en place. Apprendre la diversité des perspectives, c'est se délier de l'illusion d'une perception absolue, et de la méprise qui la produit. Les faux-semblants du vécu, et même peut-être les tendances qui induisent l'opinion spontanée, sont ainsi mis à distance ou tenus pour suspects.

Un tel soupçon libère la connaissance des postures naïves. Mais il ne signifie pas qu'on soit toujours prisonnier d'une perspective, ni que le dernier mot reste au relativisme intégral. Il s'agit bien plutôt de rendre manifeste la cohérence des perspectives possibles, mais aussi le principe de leur variation. Et cette démarche, critique par excellence, engage une élucidation essentielle du rapport au monde. Le perspectivisme philosophique consiste à souligner combien les opinions et les attitudes dépendent des situations existentielles particulières et des polarités qu'elles suscitent. Mais à cet égard il constitue

déjà une interprétation des perspectives. Il propose donc une
théorie qui s'excepte elle-même de la relativité des perspectives.

Peut-on s'affranchir des perspectives particulières, et s'élever à l'universalité ? Kant invite chaque homme à penser en se
mettant à la place de tout autre, pour mettre à l'épreuve ce
qu'il se prépare à affirmer. L'universalisation fictive d'une opinion ou d'une attitude est une bonne expérience intérieure,
qui conduit par exemple le menteur à découvrir qu'il n'aime-
rait guère être lui-même victime d'un mensonge. Dès lors que
l'on ne peut vouloir s'appliquer à soi-même le traitement qu'il
inflige aux autres, celui-ci se manifeste comme illégitime. C'est
qu'il n'est pas universalisable, et s'éprouve de ce fait en sa relativité.

Les pensées libres ne sont pas filles du vécu – ou pas seulement : elles marquent un travail sur soi qui permet d'habiter
une perspective sans en être le jouet, et de penser vraiment
l'unité du monde, comme celle de l'humanité par-delà les
perspectives qu'elle transcende. Jouet des sens, l'homme peut
s'en affranchir sans détruire leur témoignage. Captif d'abord
de ses affects et de ses intérêts, il peut aussi s'en émanciper.

4

Le bâton rompu

Quand on dit qu'un bâton paraît rompu dans l'eau à cause de la réfraction, c'est de même que si l'on disait qu'il nous paraît d'une telle façon qu'un enfant jugerait de là qu'il est rompu, et qui fait aussi que, selon les préjugés auxquels nous sommes accoutumés dès notre enfance, nous jugeons la même chose. Mais je ne peux demeurer d'accord de ce que l'on ajoute ensuite, à savoir, que cette erreur n'est point corrigée par l'entendement, mais par le sens de l'attouchement : car bien que ce sens nous fasse juger qu'un bâton est droit, et cela par cette façon de juger à laquelle nous sommes accoutumés dès notre enfance, et qui par conséquent peut être appelée sentiment, néanmoins cela ne suffit pas pour corriger l'erreur de la vue, mais outre cela, il est besoin que nous ayons quelque raison qui nous enseigne que nous devons en cette rencontre nous fier plutôt au jugement que nous faisons ensuite de l'attouchement qu'à celui où semble nous porter le sens de la vue ; laquelle raison, n'ayant point été en nous dès notre enfance, ne peut être attribuée aux sens, mais au seul entendement ; et partant, dans cet exemple même, c'est l'entendement seul qui corrige l'erreur des sens, et il est impossible d'en apporter jamais aucun dans lequel l'erreur vienne pour s'être plus fié à l'opération de l'esprit qu'à la perception des sens.

Descartes, Réponses aux sixièmes objections adressées
aux *Méditations Métaphysiques*.

La barque est détachée de l'amarre ; la rame lentement plongée dans l'eau semble s'y rompre ; elle se redresse à mesure qu'on l'en sort. Le saule alourdit ses branches sur la rive ; le bois immergé brise ses lignes dans le miroir liquide où tremble un soleil naissant. Sur la surface indécise du lac, le ciel s'anime des lumières de l'aurore et des jeux multiples qu'y projettent les choses.

« La même rame paraît brisée dans la mer et droite en dehors » (Sextus Empiricus, *Esquisses pyrrhoniennes*, I, 14, 119).

La rame n'est donc pas rompue : le mouvement qui la plonge et replonge sous la surface semble déjouer l'illusion première. Un enfant se laisserait-il prendre à l'apparence dès lors qu'il la verrait se faire et se refaire à loisir ? Magie étrange des formes et des milieux, de l'air et des eaux.

La pluie tombée sur la campagne a ciselé les formes, dont les arêtes vives semblent dessiner un nouveau paysage. L'arc-en-ciel vient de sourdre dans la fraîcheur de la lumière. Fusion et séparation des couleurs dessinent la courbe étrange qui unit le ciel et la terre.

Désert. La vibration brûlante de l'air semble mêler les dunes et le ciel. Surgissent alors dans le miroitement indistinct qui trouble l'horizon des villes célestes et des statues improbables, des arbres nus aux torsions étranges. Mirages qui se décomposent et se recomposent à mesure que changent le regard et l'angle de visée. Magie des sables, quand la lumière se fait captive de la chaleur et s'échappe en rayons fous, réinventant le monde entre les couches d'air qui miroitent.

Expérience.

D'où viennent les phénomènes optiques du bâton rompu, de l'arc-en-ciel, des mirages ? Les rayons lumineux traversent des milieux qui leur résistent plus ou moins. Dans l'eau, ils progressent plus vite que dans l'air. Dans le désert, ils donnent naissance à des formes de proportions et de reliefs insoupçonnés. Snellius, puis Descartes, ont remarqué la déviation des rayons de lumière qui franchissent la ligne de séparation de deux milieux différents, comme l'air et l'eau. Ils ont formulé la loi de réfraction, qui pose un rapport constant entre le sinus de l'angle d'incidence et celui de l'angle de réfraction.

Comment se déprendre de l'illusion ? Rousseau suggère qu'il est possible de faire varier les points de vue, activement, afin de préparer une réflexion distanciée. Mais il met en évidence que celle-ci est elle-même nécessaire pour inventer les dispositifs de cette variation : « ce bâton qui trempe à moitié dans l'eau est fixé dans une situation perpendiculaire. Pour savoir s'il est brisé, comme il paraît, que de choses n'avons-nous pas à faire avant de le tirer de l'eau ou avant d'y porter la main ! D'abord, nous tournons autour du bâton et nous voyons que la brisure tourne comme nous ; c'est donc notre œil seul qui la change, et les regards ne remuent pas les corps. Nous regardons bien à plomb sur le bout du bâton qui est hors de l'eau ; alors le bâton n'est plus courbe, le bout voisin de notre œil nous cache exactement l'autre bout. Notre œil a-t-il redressé le bâton ? Nous agitons la surface de l'eau ; nous voyons le bâton se plier en plusieurs pièces, se mouvoir en zigzag, et suivre les ondulations de l'eau. Le mouvement que nous donnons à cette eau suffit-il pour briser, amollir et fondre ainsi le bâton ? Nous faisons écouler l'eau, et nous voyons le bâton se redresser peu à peu, à mesure que l'eau baisse. N'en voilà-t'il pas plus qu'il ne faut pour éclaircir le fait et trouver la réfraction ? » (*Émile*, III).

Rousseau met hors de cause la vue elle-même, en tant que sens, et souligne que les variations provoquées enveloppent déjà des raisonnements muets, propres à corriger certaines apparences. Ce n'est donc pas des sens proprement dits que provient l'erreur, mais du jugement qui accorde à leur témoignage incertain une valeur qu'il n'a pas. D'ailleurs, seul un jugement est susceptible d'erreur, et sur ce point Rousseau rejoint Descartes. De même, le fait qu'un sens corrige en apparence un autre sens ne peut relever que d'une décision de l'entendement, propre à tenir son témoignage plus véridique. Dans l'exemple du bâton brisé, on peut bien dire que le toucher invalide la vue, mais pourquoi lui faire davantage confiance, si ce n'est par un raisonnement implicite, opération de l'entendement ? Rousseau tire la conclusion : « La conscience de toute sensation est une proposition, un jugement. Donc, sitôt que l'on compare une sensation à une autre, on raisonne » (*ibid.*).

On peut donc expliquer l'illusion qui fait paraître rompu le bâton plongé dans l'eau, sans bien sûr la faire cesser. Il n'appartient pas au savoir de changer les perceptions, mais il lui revient de leur ôter leur pouvoir d'illusion. Le conflit de deux témoignages sensoriels ne peut être tranché dès lors que rien n'incite à se rendre davantage à l'un qu'à l'autre. Le toucher, certes, me permet de « vérifier » que le bâton n'est pas rompu ; mais la décision de lui faire confiance plutôt qu'à la vue suppose une activité de jugement, si élémentaire soit-elle. Je *sais* que le bâton n'est pas rompu, et je ne peux dès lors me laisser jouer par l'effet d'optique. Le sortilège familier de la rame rompue dans l'eau garde sa consistance, mais ne peut me tromper. Inaperçue peut-être, la douce rectification du jugement a opéré.

5

Les raisins de Zeuxis

Zeuxis peignait des raisins qui avaient une apparence tellement naturelle que des pigeons s'y trompaient et venaient les picorer, et Praxeas peignit un rideau qui trompa un homme, le peintre lui-même. [...] Au lieu de louer des œuvres d'art, parce qu'elles ont réussi à tromper des pigeons et des singes, on devrait plutôt blâmer ceux qui croient exalter la valeur d'une œuvre d'art en faisant ressortir ces banales curiosités et en voyant dans celles-ci l'expression la plus élevée de l'art. On peut dire d'une façon générale qu'en voulant rivaliser avec la nature par l'imitation, l'art restera toujours au-dessous de la nature et pourra être comparé à un ver faisant des efforts pour égaler un éléphant. Il y a des hommes qui savent imiter les trilles du rossignol, et Kant a dit à ce propos que, dès que nous nous apercevons que c'est un homme qui chante ainsi, et non un rossignol, nous trouvons ce chant insipide. Nous y voyons un simple artifice, non une libre production de la nature ou une œuvre d'art.

Hegel, *Introduction à l'Esthétique*,
trad. S. Jankélévitch, Flammarion.

On imagine la beauté peinte d'un raisin si gorgé de lumière et de saveur qu'on en mangerait. Ce réalisme est confondant. Le dessin et la couleur sont magiques, comme le volume suggéré, et l'oiseau se prend au piège de l'artifice comme au relief d'un fruit réel. Il a fallu, pour donner corps à ce relief, produire sans faute l'impression de profondeur. D'une certaine façon, c'est le regard qu'il faut tromper. L'art de la perspective est là, qui d'un ovale effectivement dessiné fait un cercle perçu, et d'un simple reflet de surface une sphère subtile. Sont en jeu des règles géométriques, dont l'art de faire vrai tire sa force. « *On s'y croirait.* »

L'illusion peut cependant être goûtée pour elle-même : elle s'assortit de la conscience qu'on se trouve bien en présence d'une *représentation*. Celle-ci, pour l'artiste, ne peut se réduire à une simple reproduction, car elle reconstruit pour rendre présent, comme dans la restitution de la perspective. L'art ne peut imiter la nature qu'en la créant à son tour, en la recréant. La nature elle aussi semble imiter l'art, lorsque sa perfection invite à la regarder comme si elle était l'œuvre d'une disposition créatrice.

Platon s'en prend à ces illusionnistes qui modifient les colonnes des temples, légèrement inclinées pour la perspective, en amincissant leur partie haute afin qu'elles paraissent droites à l'œil qui les perçoit d'en bas. Il refuse le simulacre et préfère la simple imitation de ce qui apparaît, car au moins elle ne donne pas à saisir ce qui n'est pas, et ne dissimule pas ce qui est. Ainsi la peinture égyptienne n'aboutit pas à un trompe-l'œil qui confond le modèle et la copie. Il faut donner à voir la représentation pour ce qu'elle est. Le simple effet d'illusion, quelle que soit l'habileté dont il relève, est alors mis en cause, et l'on peut s'interroger sur sa raison d'être.

À quoi bon cependant reproduire les objets sensibles, et faire de la peinture un miroir stérile du réel immédiat ? Platon ferait remarquer que les objets sensibles eux-mêmes ne sont que des copies imparfaites des modèles idéaux où se resserre l'essence des choses. Tout mimétisme à leur égard serait donc nécessairement voué à reproduire leur imperfection. Il faut rappeler ici la fameuse image des *trois lits* (Platon, *La République*, X, 597b-d) :

Ainsi, il y a trois sortes de lits ; l'une qui existe dans la nature des choses, et dont nous pouvons dire je pense, que Dieu est l'auteur – autrement qui serait-ce ?...

Personne d'autre, à mon avis.

Une seconde est celle du menuisier.

Oui.

Et une troisième, celle du peintre, n'est-ce pas ?

Soit.

Ainsi, peintre, menuisier, Dieu, ils sont trois qui président à la façon de ces trois espèces de lits.

Oui, trois. [...]

Veux-tu donc que nous donnions à Dieu le nom de créateur naturel de cet objet, ou quelque autre nom semblable ?

Ce sera juste, dit-il, puisqu'il a créé la nature de cet objet et de toutes les autres choses.

Et le menuisier ? Nous l'appellerons l'ouvrier du lit, n'est-ce pas ?

Oui.

Et le peintre, le nommerons-nous l'ouvrier et le créateur de cet objet ?

Nullement.

Qu'est-il donc, dis-moi, par rapport au lit ?

Il me semble que le nom qui lui conviendrait le mieux est celui d'imitateur de ce dont les deux autres sont les ouvriers.

Soit. Tu appelles donc imitateur l'auteur d'une production éloignée de la nature de trois degrés.

Quel serait donc l'enjeu d'un dédoublement artistique du réel ? La question ne peut recevoir de réponse univoque. Hegel trouve vaine la virtuosité du peintre soucieux seulement de « redoubler, avec des techniques humaines, ce qui existe, dans le monde extérieur, tel qu'il existe ». Un tel projet, au demeurant, n'est-il pas voué à l'échec ? La matière et la forme du tableau font signe vers la vie, mais ce renvoi, par sa seule existence, signifie que la vie n'est qu'invoquée, et non effectivement présente. Le naturalisme, en voulant copier et restituer fidèlement les formes réelles, ne peut échapper à leur contingence, et il risque bientôt de s'y enliser. Sauf à rendre manifeste une certaine façon de regarder, de faire revivre. C'est alors la nature du rapport aux choses, de leur représentation, qui retient l'attention. Ce qui compte, ce n'est pas « une représentation d'objet, mais la représentation d'une représentation humaine » *(Esthétique,* III, 1, 1).

« Quelle vanité que la peinture, qui attire l'admiration par la ressemblance des choses dont on n'admire pas les originaux. » Cette pensée de Pascal peut paraître ambiguë, soit qu'elle méconnaisse l'art requis par la démarche réaliste, soit qu'elle réduise toute peinture à une telle démarche. La ressemblance est en même temps, par définition, différence, écart où s'affirme le geste humain du sens. La jouissance esthétique véritable implique l'indifférence au fait de posséder ou de consommer l'objet représenté. Le fruit de la nature morte, si appétissant soit-il, n'est l'objet d'aucune convoitise.

L'émotion artistique affranchit le beau de l'agréable, la beauté libre de la beauté adhérente, comme le rappelait Kant. D'où l'intérêt pour la seule *représentation,* que l'art soit figuratif ou abstrait. Le détachement propre à la contemplation est aussi une sorte d'ironie, de distance à soi. C'est que dans l'art l'esprit se prend pour objet : il ne peut rester captif d'un objet extérieur qui lui serait radicalement étranger. Ainsi, selon l'exemple de Hegel, l'enfant qui lance une pierre plate sur l'eau pour jubiler des ricochets qu'elle accomplit est-il fier des effets qu'il provoque, et dans lesquels il se ressaisit lui-même comme agissant.

Une simple reproduction, pour produire l'illusion qu'elle vise, doit se soucier de l'activité des sens et de la façon dont naît la croyance perceptive. Celui qui se tient devant le tableau et en admire la maîtrise est attentif à un certain style, à un art, véritablement. Et s'il est joué par l'apparence, il sait aussi qu'il est joué. Conscience muette d'un jeu gratuit, qui accompagne la jouissance propre à la sensibilité. On peut voir sa vision, penser son propre regard. C'est que le plaisir de la contemplation dit quelque chose d'essentiel sur la façon dont l'homme existe, et se penche sur l'offrande première des choses que lui livra la perception. Aristote : « des êtres dont l'original fait peine à la vue, nous aimons contempler l'image exécutée avec la plus grande exactitude » (*Poétique*, 4, 1448b10-11).

Aristote ne concevait pas l'imitation poétique – la fameuse mimésis – sans une sélection préalable de ce qui, dans le réel, a valeur exemplaire et condense le sens. L'imitation poétique propre à la tragédie antique construit elle aussi des fictions plus vraies que nature, car elle retient les événements où se resserre l'essentiel de la condition humaine, et donne à voir des situations qui font de même. Imitation épurée de tout détail anecdotique, mais non de ce qui atteste la vie. « La poésie est plus philosophique que l'histoire » (*Poétique*, 9, 1451b). Elle ne se contente pas, en effet, de décrire et de raconter ce qui s'est passé, comme le faisaient les historiens soucieux de fixer la mémoire de ce qui a été vécu. Elle vise « ce qui pourrait se passer », c'est-à-dire l'essentiel.

Que la vie d'Œdipe resserre en elle les drames du parricide et de l'inceste, de l'aveuglement moral puis physique, de la puissance et de la misère humaine extrême, cela peut paraître invraisemblable. Mais ce n'est qu'en raison du cumul des circonstances dramatiques, non de chacun des événements eux-mêmes. Simplement, la forme saisissante de la tragédie livre la quintessence du drame humain. Nulle vie d'homme ne verrait survenir tant de gloires et de malheurs mêlés, mais il s'agit là d'une existence pour ainsi dire universelle, comme celles d'Oreste ou d'Antigone, de Robinson ou de Jean Valjean, d'Ulysse ou d'Achille. Le spectateur s'identifie tout en demeurant à distance, s'émeut tout en restant maître de lui-même : il se libère de ses passions en les extériorisant de façon

contrôlée, selon un processus dit de « catharsis » par Aristote :
libération et assouvissement à la fois, qui donnent à la représentation participée toute sa couleur affective. À ressentir
« terreur et pitié », il sait, au fond, qu'on lui parle de lui.

   « Insensé qui crois que je ne suis pas toi ! » (Victor Hugo).

6

Le morceau de cire

Prenons pour exemple ce morceau de cire qui vient d'être tiré de la ruche : il n'a pas encore perdu la douceur du miel qu'il contenait, il retient encore quelque chose de l'odeur des fleurs dont il a été recueilli ; sa couleur, sa figure, sa grandeur, sont apparentes ; il est dur, il est froid, on le touche, et si vous le frappez, il rendra quelque son. Enfin toutes les choses qui peuvent distinctement faire connaître un corps se rencontrent en celui-ci.

Mais voici que, cependant que je parle, on l'approche du feu : ce qui restait de saveur s'exhale, l'odeur s'évanouit, sa couleur se change, sa figure se perd, sa grandeur augmente, il devient liquide, il s'échauffe, à peine le peut-on toucher, et quoiqu'on le frappe, il ne rendra plus aucun son. La même cire demeure-t-elle après ce changement ? Il faut avouer qu'elle demeure et personne ne peut le nier.

Descartes, *Méditations métaphysiques, Seconde Méditation.*

Comment connaissons-nous les choses ? L'expérience première en est tout à la fois sensible et sensuelle. Elle héberge les émotions douces ou vives des saveurs et des bruits, des parfums et des contacts, des formes vues. Comment douter de ces réalités extérieures qui « *tombent sous les sens* » ? Les certitudes les mieux établies s'installent dans la mémoire frémissante des objets qui touchent, et que l'on touche. Au plus près des sensations familières, les choses peu à peu sont devenues des choses. Elles ont un nom, elles s'organisent dans le paysage du sens, elles sont comme évidentes. Leur matière et leur forme, leur couleur et leur éclat, leur prêtent en quelque sorte une vie sensible, enrichie de tout ce qui s'évoque en elle par le jeu des associations secrètes, des sensations que retient la mémoire quotidienne.

Le témoignage des sens est irrécusable. Mais de quoi les sens témoignent-ils ? La cire assurément se laisse décrire et saisir par ses propriétés matérielles du moment : d'une certaine cou-

leur, d'une consistance définie, odorante et sonore à sa façon.
Elle garde encore quelque chose de la saveur du miel, et des
senteurs florales qui l'habitèrent. Matière et forme, éclat et
couleur, sonorité singulière et toucher propre, signent en
quelque sorte la présence de l'objet.

Un morceau de cire, donc. La chose et le mot semblent
avoir fixé dans la mémoire et la conscience qui la relaie une
appréhension familière, qui ne doute pas d'elle-même. Pourtant, l'ordinaire certitude ne va pas de soi. On croit tenir des
sens un savoir assuré, qui a la couleur et l'intensité de la vie
réelle, et semble échapper à toute fantaisie de la pensée
comme à toute mise à distance arbitraire. Mais cette assurance,
qui se croit ainsi fondée sur la réalité indubitable des sensations, d'où vient-elle effectivement ?

Que l'on chauffe le morceau de cire jusqu'à le fondre. Il perd
tout ce par quoi il était jusqu'à présent connu, ou reconnu. Ses
qualités sensibles disparaissent, sans que soit altérée pourtant la
certitude qu'il s'agit bien de la même cire… Est-ce pourtant la
même ? La certitude sensible demeure, alors que ses repères
manifestes ont changé. Peut-on prétendre encore la tirer du
seul témoignage des sens ? Penser la permanence de la cire, ce
n'est pas oublier ce morceau de cire, mais marquer la place du
jugement au cœur de la certitude sensible. Il n'y a pas deux
cires, l'une de nature sensible, l'autre d'essence intelligible,
mais une seule, connue comme telle dans le moment même où
elle est sentie et perçue tout à la fois.

L'unité de la cire reste posée par la conscience, alors que la
variation de ses propriétés sensibles semble l'avoir effacée. Elle
l'atteste pourtant. Troublante évidence, qui incite à se
demander d'où vient la certitude ainsi affirmée. Les impressions sensibles dont elle semblait dériver ne peuvent, elles
seules, la susciter et la maintenir. Dans le moment même où
l'unité de la cire est posée, le morceau de cire qui de façon si
singulière touchait les sens a disparu. N'est-ce pas une image
sensible de la cire qui hante ainsi la mémoire, et non la cire
elle-même ? La question reconduit à ce qui se joue dans la perception ordinaire. Descartes y insiste : il n'y a pas deux cires,
mais une seule, que l'esprit saisit comme présente dans la certitude sensible, mais irréductible à aucune des images sensibles qui l'expriment.

Voir, c'est en fait juger. Le soleil de l'astronome est bien le
même soleil que le soleil sensible. Mais en voyant celui-ci, je

peux juger que l'image immédiatement présente exprime autant le caractère relatif de ma situation que la réalité objective du soleil. Le sensible n'est donc pas tromperie, car il exprime un rapport réel. La cire demeure, puisque aucune substitution n'a eu lieu à mesure qu'elle devenait méconnaissable. Le texte latin des *Méditations* insiste sur la force d'une telle évidence : « *Nemo negat ; nemo aliter putat* ; Personne ne le nie ; personne ne pense autre chose. »

Le jugement se délivre des variations sensibles, dont l'imagination elle-même ne saurait faire le tour. C'est qu'en quelque sorte il affranchit la cire des fluctuations sensorielles qui l'expriment et l'attestent, mais ne la font pas connaître pleinement, sinon sous un certain rapport. Le même objet demeure, et le témoignage sensoriel n'est pris en défaut que si on lui accorde une portée qu'il n'a pas : nous livrer une copie fidèle d'un tel objet, alors qu'aucune image momentanée, située, n'en épuise la variation possible. L'idée de la cire n'est pas la copie d'une impression sensible, mais elle ne lui est pas non plus étrangère. Ainsi, la certitude sensible n'est pas d'origine sensible, puisqu'elle n'existerait même pas sans le jugement qui en est le principe.

Descartes rappelle que depuis ma fenêtre je vois des hommes, alors que je ne perçois que des chapeaux et des manteaux, qui pourraient fort bien couvrir des automates. « Et cependant que vois-je de cette fenêtre sinon des chapeaux et des manteaux, qui peuvent couvrir des spectres ou des hommes feints qui ne se remuent que par ressorts, mais je juge que ce sont de vrais hommes » (*Seconde Méditation*). C'est donc que ce jugement règle la perception de l'intérieur, ce qui est la condition pour qu'elle fasse sens.

« Je comprends par la seule puissance de juger qui réside en mon esprit, ce que je croyais voir de mes yeux » (*ibid.*).

7

La table rase

Supposons donc qu'au commencement l'âme est ce qu'on appelle une table rase, vide de tout caractère, sans aucune idée, quelle qu'elle soit. Comment vient-elle à recevoir des idées ? Par quel moyen en acquiert-elle cette prodigieuse quantité que l'imagination de l'homme, toujours agissante, et sans bornes, lui présente avec une variété presque infinie ? D'où puise-t-elle tous ces matériaux qui font comme le fonds de tous ces raisonnements et de toutes ses connaissances ? À cela je réponds en un mot : de l'expérience.

Locke, *Essai philosophique concernant l'entendement humain*, trad. P. Coste.

Sur la tablette de cire vierge, parfaitement lisse, le stylet du scribe inscrivait les signes. Comme sur une planche de bois polie ou une page blanche, l'écriture dessine les marques vives du sens. Ces tables sont nues et ces feuilles sont blanches, avant que l'humanité y raconte son aventure.

L'esprit humain peut-il se comparer à une table rase ? On entrevoit ici l'image simple d'un esprit que rien ne marque avant les premières expériences, et qui de ce fait peut d'autant mieux recevoir ce qu'elles apportent. L'esprit ainsi conçu est d'abord vierge de toute idée, de tout savoir. Dans l'attente des premières sollicitations sensibles et des réflexions qui en naissent, il peut de la sorte se comprendre comme une disponibilité pure. Nul préjugé, nulle idée préconçue ne l'entache. Tirée de la seule expérience, la connaissance exclut toute présupposition arbitraire. « Il n'y a rien dans l'esprit qui ne vienne des sens. » L'adage de ce qu'on a appelé la philosophie *empiriste*, parce qu'elle reconnaît un rôle majeur à l'expérience, complète la métaphore de la table rase. La statue sensible imaginée par Condillac permet de concevoir en termes sensua-

listes les apports successifs constitués par les diverses impressions sensibles : « Nous imaginâmes une statue organisée
intérieurement comme nous, et animée d'un esprit privé de
toute espèce d'idées. Nous supposâmes encore que l'extérieur
tout de marbre ne lui permettait pas l'usage d'aucun de ses
sens, et nous réservâmes la liberté de les ouvrir à notre choix,
aux différentes impressions dont ils sont susceptibles » (Condillac, *Traité des sensations*).

Soit un regard pur et naïf, au bon sens du terme, c'est-à-dire
prêt à accueillir, sans prévention d'aucune sorte. Bientôt
pourra s'inscrire en lui le spectacle du monde, sans rien qui
préjuge ou présume, déforme ou obscurcisse : la présence des
choses se donne en pleine lumière. La sensation ne ment pas,
comme le rappelle Épicure. Mais il faut bien comprendre ce
qu'elle atteste. Si la même musique paraît triste au mélanco-
lique et gaie à l'homme heureux, il est clair que la façon dont
elle est « reçue » dépend de l'état du sujet qui l'écoute. La sensation, alors, n'est pas simple impression auditive : sa coloration subjective est indissociable du phénomène sonore. En ce
sens, ce dont elle témoigne met autant en jeu le sujet humain
et sa façon de sentir, puis de croire, que les propriétés mêmes
de la chose. Ainsi surgit le doute sur la transparence supposée
du rapport à l'objet, et de la réceptivité propre à l'accueillir.

Comment dès lors comprendre le rôle de l'expérience,
ambigu par cela même qu'il semble associer passivité et activité du sujet qui l'appréhende ? Kant dira fortement que si
toute connaissance commence *avec* l'expérience, cela ne signifie pas qu'elle en dérive entièrement. La table rase est bien
constituée d'une certaine manière, dont on ne peut faire abstraction pour rendre compte de son étonnant pouvoir de
réceptivité. L'évidence authentique elle-même n'est pleinement accessible qu'à un esprit non captif, prêt à la recevoir
sans la confondre avec les faux-semblants du vécu. C'est pourquoi Descartes en prépare l'accueil par l'intense travail du
doute, qui vaut retour à soi de la lumière naturelle.

Aristote déjà était frappé par une telle capacité de l'esprit,
sorte de plasticité qui se manifeste dans la remarquable adéquation du pouvoir de connaître à la consistance propre des
multiples savoirs qui exprimeront fidèlement la réalité. *Adé-
quatio rei et intellectus, « adéquation de la chose et de l'esprit »* : la
conformité de l'objet et de ce qui se trouve dans l'esprit au
moment où il le saisit définit l'idéal de la connaissance. Cela

signifie que la vérité des choses, littéralement, s'inscrit dans l'esprit, comme une écriture essentielle, d'autant plus exacte que ce qui l'accueille se prête à elle sans résistance. Comme si tous les savoirs possibles, les intelligibles, étaient virtuellement inscrits dans l'intellect, sans s'y trouver réellement, sa virginité effective étant bien une condition essentielle et native. « L'intellect est en puissance, d'une certaine façon, les intelligibles mêmes, mais il n'est, actuellement, aucun d'eux, avant d'avoir pensé. Et il doit en être comme d'une tablette (*grammateïon*) où il n'y a encore rien d'écrit effectivement » (Aristote, *De l'âme*, III, 4, 430a).

Reste l'*activité* de l'esprit, dont il faut comprendre la possibilité. Le fait de penser, Aristote le rappelle, est requis pour que la réceptivité soit totale à l'égard des connaissances produites par l'expérience. C'est une façon de dire que pour accueillir ces connaissances à la façon dont la table de cire vierge accueille ce qui s'inscrit en elle, l'esprit doit *agir*, exercer sa fonction critique et constructive. La passivité à l'égard du vrai n'est donc qu'apparente ; elle a pour condition l'intense activité de la pensée. De fait, être sans préjugé ni prévention, sans illusion ni présupposé trompeur, cela requiert un effort, tant les premières impressions, liées aux premiers désirs et aux appréhensions immédiates, sont prégnantes dans le rapport spontané aux choses. La distance à soi est décisive pour que l'évidence reconquière sa légitimité en s'assurant de ne pas être confondue avec les apparences premières. L'objet, en somme, ne se donne qu'à un esprit libérant son pouvoir d'attention des captations qui le troublent d'abord.

Il n'est donc de *table rase* que par et pour une conscience retrouvant son pouvoir natif d'accueillir les choses telles qu'elles sont en elles-mêmes, et non en les réduisant à la façon dont elles l'affectent. Descartes rappelle que nous avons d'abord été enfants avant d'être hommes. Nous sommes donc tributaires de quantité d'impressions, de préjugés formés comme à notre insu dans les violences d'un rapport au monde subi avant d'être pensé. Et de cela il faut faire table rase. Le doute méthodique, invalidation de principe de tout ce qu'on croit savoir d'abord, constitue l'indispensable préalable au retour à soi de la raison première : celle-ci s'affirme alors comme puissance première d'un esprit réceptif au vrai, accueillant à l'évidence, mais délié de tout ce qui offusque d'emblée une telle capacité.

« *Du passé faisons table rase.* » Cette parole vient d'une humanité qui veut renouer avec la richesse de son accomplissement
potentiel. Elle n'appelle à aucune destruction nihiliste des
acquis de la culture, mais à une refondation sociale radicale,
sur la base d'une authentique justice. Comme l'esprit cultivant
sa distance et sa liberté à l'égard de ce qui l'a trompé, afin
d'assumer sans servilité un héritage, la conscience révolutionnaire ne fait *table rase* que de ce qui effectivement consacre ou
génère l'injustice, et de ce fait dessaisit l'humanité d'elle-
même. Restaurer, en quelque sorte, la disponibilité et la
pureté native de la vie, la réouvrir à toutes ses promesses, ce
n'est pas construire une humanité artificielle, mais reconstruire la possibilité qu'elle s'exprime et s'épanouisse. S'il faut
faire table rase de ce qui entravait cette régénération, c'est
pour que l'esprit et le corps soient aussi en un sens *table rase* à
l'égard des multiples possibilités d'accomplissement que la vie
ne manque pas de faire surgir. Dangereuse naïveté ? Ou rappel
d'un idéal qui peut stimuler l'action et la pensée en nourrissant l'espoir qui les habite, comme leur raison d'être ? La
deuxième réponse, on le voit, dépend d'une approche lucide
et résolue.

8

La chaîne de Socrate

Socrate se redressa alors pour s'asseoir sur son lit, replia la jambe, se mit à la frotter longuement de la main, et, tout en la frottant : « Quelle chose déconcertante, mes amis, dit-il, semble être ce que les hommes appellent l'agréable, et quel étonnant rapport sa nature entretient avec ce qu'on tient pour être son contraire, le pénible : en l'homme, aucun des deux ne consent à coexister avec l'autre, mais si on poursuit l'un et qu'on l'attrape, on peut presque dire qu'on est obligé d'attraper toujours aussi l'autre ; comme si, bien qu'étant deux, ils étaient attachés à une unique tête. » Et il ajouta : « Il me semble que si Ésope avait réfléchi à cela, il en aurait fait une fable : *le dieu, voulant faire cesser cette guerre entre eux et ne pouvant y parvenir, attacha leurs deux têtes pour en faire un seul morceau. Moralité : quand l'un vous arrive, l'autre accourt à sa suite*. Voilà justement qui paraît bien être mon cas : dans ma jambe, à cause de la chaîne, il y avait le douloureux et, à présent, c'est l'agréable qui semble venir à la suite. »

Platon, *Phédon*, 60b-c,
trad. M. Dixsaut, GF-Flammarion.

La douleur, physique et morale, par son intensité brutale, semble quelquefois submerger la conscience, et la vie qui s'éprouve en elle. Moins vive, elle peut aussi être endurée en silence, jusqu'à s'inscrire dans une habitude résignée. Dans un cas comme dans l'autre, en être soulagé, c'est délivrance. Mais que signifie cette succession, qui en fin de compte est le lot de tout homme ?

Le désespoir surgit, quand l'enfermement dans les limites du moment efface tout horizon. Nulle distance n'est effective alors à l'égard de la souffrance, qui se vit par son intensité passagère comme l'oubli de l'avenir. C'est que la puissance propre de l'âme libre – le principe de la pensée – semble s'éteindre dans la passion qui la submerge. Le rapport au monde est subi comme une violence, et l'expérience vécue rappelle à l'âme qu'elle est aussi expression du corps : elle ne se délie de lui que par un effort. Cela est vrai même lorsque le corps lui-même s'épanouit suffisamment, et qu'elle en accomplit la puissance d'agir par la puissance de comprendre qu'elle manifeste. La blessure est morale autant que physique, car elle manifeste un monde hostile ou simplement difficile à vivre.

« La joie venait toujours après la peine » (Apollinaire). La chaîne, lourde et froide aux membres meurtris, avait peu à peu créé sa propre accoutumance. Elle se faisait oublier, comme les maux avec lesquels on apprend à vivre. Mais voilà qu'on l'a ôtée. Le corps est restitué à sa liberté native, le mouvement à son aisance. Plaisir. Et sur la chair délivrée, ne demeure que l'esquisse d'une trace muette, cicatrice où survit la mémoire de la souffrance qui fut.

Douleur et douceur de l'agrément qui vient surprendre apparaissent mystérieusement liées. Il en est de même, dans l'autre sens, pour la maladie qui ajourne la santé. Se révèle alors, au-delà de son élision, le bien que l'on possédait sans le savoir. Héraclite : « C'est la maladie qui fait la santé agréable et bonne, comme la faim la satiété, la fatigue le repos. »

Les tourments et les fluctuations de la puissance d'agir, périodiquement muée en puissance de pâtir, peuvent-ils avoir raison de la force propre de penser ? Celle-ci s'est inscrite dans une sorte d'histoire intérieure, où l'expérience vécue se fait mémoire d'elle-même. Elle a donc une autre temporalité que l'instant qui submerge et semble offusquer l'avenir par son poids de détresse.

La distance à soi, décalage des temps, est le rappel du devenir comme succession et alternance : douleur et plaisir, peine et joie, s'y enchaînent pour le meilleur et pour le pire. Un jour survient l'interrogation sur le sens final de toute cette succession. L'effort de volonté pour s'échapper de l'instant, si le mal subi le permet encore, en relativise la violence par le rappel des autres moments de la vie. Ainsi, selon Épicure, le souvenir des jours heureux tempère-t-il les souffrances présentes et peut-il faire la douceur de l'âge avancé. La mémoire intérieure est délivrance, qui joue la temporalité de la conscience contre l'obsession du jour.

Remémorée, la succession des contraires ne soulage pas le corps tant qu'il subit et qu'il souffre. Mais elle fait valoir un autre registre de l'existence, qui la rend proprement humaine. La pensée du devenir et de l'alternance qui le rythme a bien quelque chose de tragique, puisqu'elle vient hanter la perspective d'un bonheur indéfini jusqu'à la dissoudre peut-être.

Cependant cette nouvelle forme de désespoir, ou de lucidité, permet au moins de transcender les bornes étroites du présent. La finitude s'est placée sous le signe d'une contradiction sans cesse renaissante ; mais elle s'assume comme l'audace de vivre, quel qu'en soit le prix. Socrate pour sa part puise dans un tel constat l'idée que tout plaisir est relatif et fugace, et toute peine aussi. C'est alors un autre registre de la vie, celui d'une raison affranchie, qui peut d'autant mieux s'affirmer qu'on prend conscience d'une telle inconstance.

Il faut empêcher la succession des affections contraires de disposer des pensées, car la lucidité serait dès lors inaccessible. Cela ne signifie pas que la vie du corps soit négligeable, mais qu'elle doit être suffisamment tenue à distance pour que l'intellect puisse faire valoir ses exigences propres. Cet exercice ne va pas de soi, tant il semble congédier les fascinations douces et amères de la vie sensible et affective, de la vie elle-même, telle que la modèle l'aventure du désir. Platon a pu parler d'un exercice de mort pour désigner une telle ascèse : il voulait dire ainsi que l'esprit ne peut pleinement naître à soi qu'en s'absentant des tourments du corps, et des affections qui s'y succèdent. Cette mort symbolique est semblable à une sagesse qui cultive l'absence d'excitation et de trouble, pour tourner la vie vers ce qui l'élève au-dessus d'elle-même. Une autre façon de s'accomplir se révèle alors, qui peut consoler des ravages du temps. Une telle mort-renaissance n'est bien sûr qu'un cas limite, car la vie humaine ne peut être ni totalement sublimée dans celle d'un pur esprit, ni entièrement résorbée dans la condition animale. Socrate délivre la pensée du cycle des souffrances et des jouissances, pour faire éprouver une vie capable de se donner ses joies propres.

9

Les cérémonies de la caresse

Le désir est une tentative pour déshabiller le corps de ses mouvements comme de ses vêtements et de le faire exister comme pure chair : c'est une tentative d'incarnation du corps d'Autrui. C'est en ce sens que les caresses sont appropriation du corps de l'Autre : il est évident que, si les caresses ne devaient être que des effleurements, des frôlements, il ne saurait y avoir de rapport entre elles et le puissant désir qu'elles prétendent combler : elles demeureraient en surface, comme des regards, et ne sauraient m'approprier l'Autre [...]. C'est que la caresse n'est pas simple effleurement : elle est façonnement. En caressant autrui, je fais naître sa chair par ma caresse, sous mes doigts. La caresse est l'ensemble des cérémonies qui incarnent autrui.

Sartre, *L'Être et le Néant*, Gallimard, p. 440-441.

Les mains qui effleurent le corps, dans la chambre où le couple chavire, inventent lentement les formes. D'être touchées, métamorphosées en frissons, celles-ci naissent et renaissent, se tendent à l'envi dans la douce fermeté de leur surface. Le corps se révèle par la caresse, comme s'il n'était fait que par elle et pour elle. Fête première où la vie ruisselle comme une pluie striée de soleil. Une sorte de printemps charnel réinvente le monde. L'émotion sensible chante alors la chair silencieuse. Le baiser exalte les lèvres dans l'attente suspendue, et sa respiration douce recueille l'odeur blanche de la nuit.

Les mains dessinent et inventent, redessinent et réinventent, dans les volutes renouvelées, le corps aimé, le corps si vrai de se savoir désir, et désir désiré. Les amants se découvrent et s'absorbent dans la cérémonie renouvelée. L'intention vive, esprit pensif où rayonne la chair, se projette dans l'amour. Nulle possession, dans cette montée tout de respect et d'extase, comme si la vie se faisait art. Conscience incandescente à la pointe des gestes. Les doigts subtils esquissent l'imaginaire dans la chair touchée, recomposée, comme reformée de toutes ces caresses.

Cérémonie lente et tendue, effacement graduel des distances. L'air est plus vif, qui découvre la nudité offerte et son frisson immobile. Le dialogue silencieux des corps et des cœurs libère son mouvement. L'attente s'accomplit, et toute pensée s'incarne, pour vivre l'aventure de la rencontre.

Caresse. Dans le mouvement charnel de la conscience, deux moitiés du monde se blottissent contre la parfaite frontière qui les sépare et les unit. Le corps est à la fois sentant et senti, quand l'expérience enfin n'est plus simple rencontre extérieure, mais incarnation mutuelle de la présence à l'éclosion de la lumière. Qui est sujet ? Qui est objet ? Une étrange fusion maintient distingué ce qu'elle unit, mais y fait vivre la chaleur dense d'une émotion commune, source étonnée du paysage des choses.

Objet du désir, le corps le vit comme conscience. C'est lui qui l'éprouve et il se sait entièrement habité par lui. Vécue dans la chaleur intime du plaisir, cette distance intérieure fait aussitôt du corps un sujet qui advient en quelque sorte comme la forme sensible de la pensée. Les êtres qui se mêlent s'appartiennent à eux-mêmes tout en vivant comme une magie l'élision des limites. Cette expérience toujours première n'a qu'un temps, mais elle inonde l'existence de sa mémoire. Elle restera, vertige d'une dialectique sensible où les consciences se répondent à jamais. L'amour porte au-delà, furtive expérience d'éternité. Dans la nuit profonde, il affirme un envol fragile mais définitif.

Le désir est bien ce qui révèle la chair à elle-même, par-delà les gestes utiles et les habitudes quotidiennes. C'est qu'il porte la conscience à son point d'incandescence, en stimulant la faculté d'éprouver où le corps fait l'expérience de l'intention qui l'exalte. Cérémonial de la rencontre, par laquelle prend vie le partage projeté. Deux êtres découvrent qu'ils existent pour eux-mêmes dans le moment précis où ils accèdent l'un à l'autre. Expérience précieuse que fait l'humanité de son accomplissement natif, de sa conscience révélée à nouveau. L'autre, sans cesser d'être mon autre, reste mon semblable dans cette façon de vivre le désir et de révéler la chair, de m'incarner en s'incarnant lui-même.

L'aventure des sens touche ici à la pensée la plus vive et la plus légère.

Chapitre quatre

Les sortilèges des passions

1

Le breuvage d'amour

Iseut posa son bras sur l'épaule de Tristan ; des larmes éteignirent le rayon de ses yeux, ses lèvres tremblèrent. Il répéta :

« Amie, qu'est-ce donc qui vous tourmente ? »

« L'amour de vous. »

Alors il posa ses lèvres sur les siennes.

Mais, comme pour la première fois tous deux goûtaient une joie d'amour, Brangien, qui les épiait, poussa un cri, et, les bras tendus, la face trempée de larmes, se jeta à leurs pieds :

« Malheureux ! arrêtez-vous, et retournez, si vous le pouvez encore ! Mais non, la voie est sans retour, déjà la force de l'amour vous entraîne et jamais plus vous n'aurez de joie sans douleur. C'est le vin herbé qui vous possède, le breuvage d'amour que votre mère, Iseut, m'avait confié. Seul, le roi Marc devait le boire avec vous ; mais l'ennemi s'est joué de nous trois, et c'est vous qui avez vidé le hanap. Ami Tristan, Iseut amie, en châtiment de la mâle garde que j'ai faite, je vous abandonne mon corps, ma vie ; car, par mon crime, dans la coupe maudite, vous avez bu l'amour et la mort ! »

Les amants s'étreignirent ; dans leurs beaux corps frémissaient le désir et la vie. Tristan dit :

« Vienne donc la mort ! »

Et, quand le soir tomba, sur la nef qui bondissait plus rapide vers la terre du roi Marc, liés à jamais, ils s'abandonnèrent à l'amour.

Joseph Bédier, *Le Roman de Tristan et Iseut*,
Édition d'art Piazza.

L'amour et la mort. Tristan et Iseut ont étanché leur soif. Ils ont partagé le « vin herbé », étrange drogue par laquelle un destin scelle à jamais l'union des corps et des cœurs. Ayant bu dans la même coupe, ils vivront la magie d'une passion définitive. Les pensées de l'un iront vers l'autre, à jamais. La passion sera douce et violente, heureuse et tragique, libérée des distances quotidiennes et des prudences ordinaires. Se mêlent les vies et les regards, les battements et les souffles, les éveils et les extases. L'univers témoigne à tout moment d'un engagement qui transcende toute chose, qui traverse les sens et les espoirs, lien secret de deux êtres par-delà les jours et les lieux, par-delà les temps multipliés. De la vie nul ne pourra être soustrait que l'autre ne le rejoigne.

Le breuvage désaltère et comble le manque. Mais il ne le fait qu'en suscitant ce manque indéfini du désir de l'autre, assoiffé sans cesse et sans cesse renaissant de ce qui l'étanche un moment. « *Boire la coupe jusqu'à la lie.* » La version tragique du sortilège originaire dit la souffrance obsédante et inlassable, celle qui ravine la vie et lui fait toucher le fond. Ainsi des hommes que leurs amours fous vouent au cycle des plus grandes douleurs et des plus vives jouissances, que leurs passions conduisent bientôt à la mort. Comme si l'expérience de l'absolu anticipait déjà la fin ultime de la vie où toute chose se découvre relative, où se font et se défont les liens précaires des consciences.

Marie de France conte la folle aventure des inséparables.

> Belle amie, ainsi de nous.
> Ni vous sans moi, ni moi sans vous
> (*Le Lai du chèvrefeuille*).

« À la vie, à la mort. » L'allégresse liée à la présence de l'être aimé prend d'abord place dans la multitude des émotions et des affections. Polyphonie de la vie, elle esquisse l'équilibre des joies comme des sollicitations de la conscience. Mais la passion tend à rompre l'équilibre, et se fait exclusive. Elle investit et capte la personne entière. Elle absorbe tout, et fait du manque de l'autre une obsession sans fin. « C'est Vénus tout entière à sa proie attachée » (Racine).

Descartes a exprimé quelque chose de cette incomplétude ressentie : « avec la différence de sexe, que la nature a mise dans les hommes ainsi que dans les animaux sans raison, elle a mis aussi certaines impressions dans le cerveau, qui font qu'à un certain âge et en un certain temps, on se considère comme défectueux et comme si on n'était que la moitié d'un tout dont une personne de l'autre sexe doit être l'autre moitié : en sorte que l'acquisition de cette moitié est confusément représentée par la nature comme le plus grand de tous les biens imaginables » (*Les Passions de l'âme*, 90). Et Descartes ajoute avec malice que « la nature ne fait point imaginer qu'on ait besoin de plus d'une moitié ».

L'amour comme conscience d'inachèvement dépasse la finitude individuelle. Il invite l'humanité à son mode propre d'accomplissement. Le mythe de l'androgyne primitif – créature asexuée ou plutôt riche des attributs des deux sexes – donne à l'amour-passion le sens métaphysique d'une quête de l'unité perdue : coupé en deux par la volonté de Zeus, l'androgyne est comme un symbole et une référence d'accomplissement. La légende grecque situe dans cet androgyne primitif (l'homme-femme selon l'étymologie) une puissance primordiale, dont le Dieu des dieux ne pouvait que prendre ombrage. Il réunit les deux figures essentielles de la vie, et leurs attributs respectifs : principe féminin et principe masculin sont alors fondus dans l'évidence d'une réalité naturelle. Après avoir été disjoints par Zeus, les deux êtres feront sans cesse retour l'un vers l'autre, comme hantés par l'unité première. Enlacés jusqu'à ne faire qu'un, ils disent la plénitude d'une existence forte, qui se suffit à elle-même.

L'amour des amants séparés vise toujours à reconstituer ce modèle, où s'abolit toute distance. Il se vit comme une sorte de promesse divine, à prolonger dans l'au-delà, ou dans la mémoire des hommes comme un exemple de passion indestructible. Héphaïstos, selon Platon, s'adresse aux amants en ces termes : « Votre souhait n'est-il pas de vous fondre le plus possible l'un avec l'autre en un même être, de façon à ne vous quitter l'un l'autre ni le jour ni la nuit ? Si c'est bien cela que vous souhaitez, je consens à vous fondre ensemble et à vous transformer en un seul être, de façon à faire que de ces deux êtres que vous êtes maintenant vous deveniez un seul… » (*Le Banquet*).

L'amour de Tristan et Iseut, quelles qu'en soient l'évidence et la force, ne s'inscrit pas dans l'ordre des choses tel que l'avaient organisé les promesses humaines et les arrangements qui les nouent. Il surgit dans un scénario qui ne lui faisait pas de place et la violence de son irruption ne peut avoir raison du monde comme il va. Iseut n'était pas promise à Tristan, mais l'amour impossible en ce monde semble malgré tout plus vrai que lui. S'il conduit à la mort aussitôt qu'il s'affirme, il entre dans la belle légende qui le fait survivre pour tous ceux qui s'aiment. Comme s'il s'agissait de rappeler que l'élan d'un être vers un autre ne se commande pas, ne se prévoit pas : avène-

ment exemplaire d'un imprévisible destin, d'une passion sans
ancrage dans les calculs quotidiens. L'essence même de l'amour
s'est trouvé sa figure et son récit.

Vivant séparés comme les deux moitiés de l'androgyne,
Tristan et Iseut, Iseut et Tristan, n'ont de cesse qu'ils ne
s'unissent à nouveau. Morts, ils donnent naissance au rosier et
à la vigne aussitôt entrelacés, au chèvrefeuille et à la ronce
dont les volutes se mélangent, comme naguère les courbes de
leurs corps abandonnées aux joies tragiques de l'amour. Le vin
herbé, même substance nourricière absorbée par deux êtres
différents, a fait advenir en eux le désir de fusion intime et
tendre, par-delà les vertiges et les fragilités de la vie, dans une
communauté physique et métaphysique. Ainsi, d'une même
coupe, se conçoit un type d'union qui surmonte et transcende
la différence des êtres sans la supprimer. L'amour ne dissout
pas les identités, même dans la figure fusionnelle qu'incarnent
Iseut et Tristan. Thomas Mann : « Le Toi et le Moi, le Tien et
le Mien, réunis pour toujours dans un bonheur sublime. »

Un autre couple légendaire, celui d'Orphée et Eurydice,
illustre la passion mortelle, qui cette fois-ci sépare dès lors
qu'elle ne respecte pas l'ordre des choses et la patience qu'il
appelle. Orphée pleurant son Eurydice perdue avait ému les
dieux, et pu descendre aux enfers, pour la ramener. Réunion
symbolique, imaginée à la frontière de la mort et de la vie, à la
condition que celles-ci ne se mélangent pas, et que les yeux des
vivants n'osent pas regarder les morts en face. Pour la
retrouver vraiment, Orphée doit laisser Eurydice dans l'ombre
jusqu'à sa renaissance, au grand jour des vivants. Mais son
impatience le conduit à se retourner vers elle avant la sortie du
Royaume des Morts, et à la perdre à tout jamais. Son amour
même n'a su garder la mesure fixée : ses yeux de chair ne pouvaient voir le fantôme sans le dissiper aussitôt, au moment
précis où il allait reprendre vie. L'amour sans patience a dérivé
en folie oublieuse de la chance offerte.

2

La fille louche

Les objets qui touchent nos sens meuvent par l'entremise des nerfs quelques parties de notre cerveau, et y font comme certains plis, qui se défont lorsque l'objet cesse d'agir ; mais la partie où ils ont été faits demeure par après disposée à être pliée derechef en la même façon par un autre objet qui ressemble au précédent, encore qu'il ne lui ressemble pas en tout. Par exemple, lorsque j'étais enfant, j'aimais une fille de mon âge, qui était un peu louche ; au moyen de quoi, l'impression qui se faisait par la vue en mon cerveau, quand je regardais ses yeux égarés, se joignait tellement à celle qui s'y faisait aussi pour émouvoir en moi les passions de l'amour, que longtemps après, en voyant des personnes louches, je me sentais plus enclin à les aimer qu'à en aimer d'autres, pour cela seul qu'elles avaient ce défaut ; et je ne savais pas néanmoins que ce fût pour cela. Au contraire, depuis que j'y ai fait réflexion, et que j'ai reconnu que c'était un défaut, je n'en ai plus été ému.

Descartes, *Lettre à Chanut du 6 juin 1647.*

Le pli est pris. L'expression commune peut se décliner dans les différents domaines de l'imaginaire philosophique. Les émotions premières de la vie, sources de polarités affectives, façonnent la sensibilité. La succession de rencontres répétées fait de même, comme les habitudes contractées, qu'elles concernent la pratique d'un instrument ou la lecture, un jeu familier ou un sport. Musiques de l'enfance et parfums de jadis, passions furtives et sentiments tenaces, disent la vie passée, histoire lente de la conscience et de la personne, cadre d'accueil de tout événement présent. On se souvient de Proust, et de cette madeleine qui rappelait tout un monde. Mais comment opère ce façonnement qui va de l'expérience sensible à la mémoire affective, transitant par les traces et la matière des sensations ?

Il y a le premier amour, et cette surprise d'un sentiment inconnu, que précédait peut-être une rumeur confuse, ou une image d'abord mal comprise, véhiculées par les mots des conversations ordinaires. Une rencontre trouble lorsqu'elle fait naître un sentiment qui engage la conscience et son jugement intérieur. L'impression ressentie lors de la présence de l'être aimé est à la fois effet du sentiment qui lui préexiste, et source d'émotions singulières. Dans le sillage de la rencontre, le paysage se fait lui-même atmosphère affective. C'est que la naissance du souvenir et du sentiment qui l'habite en gagne les contours. L'absence s'y déchiffre et prend valeur secrète. Un horizon s'offre à l'attente : l'amour éveille les choses à leur faculté de prendre sens, et d'émouvoir. Une image, un détail qui évoque et attendrit, toute circonstance associée peut alors raviver l'impression première.

Elle louchait. L'émotion de l'amour mettait en jeu, si l'on peut dire, la totalité de l'être aimé, sans relation particulière avec un tel défaut, fondu dans le charme indistinct d'une présence. Simplement, le fait de loucher, détail singulier, lorsque Descartes y prêtait attention, était associé à l'émotion de l'amour, sans en être séparé d'abord. Les rencontres réitérées allaient faire de cette association la source originale des émotions à venir. Les années ont passé, comme l'épisode lui-même, moment révolu où s'offrait le « vert paradis des amours enfantines ».

Reste alors l'étrange émotion chaque fois que Descartes rencontre une personne « louche ». Le détail cette fois-ci est séparé du contexte qui suscitait d'abord le trouble, et il trouble pourtant, sans que la conscience puisse en rendre compte. Le pli est pris, et par association, les « yeux égarés » suscitent l'émotion en restituant de façon voilée l'atmosphère d'une secrète tendresse. Il y a comme une constante affective, une disposition inscrite dans l'intériorité, trace vive d'une histoire personnelle. Elle fait irruption dans le cours quotidien de l'existence chaque fois que celle-ci est de nature à la réveiller par le pouvoir qu'elle a d'évoquer le passé. Et Descartes d'avouer qu'il subissait alors comme un sortilège, n'étant ni maître de ses sentiments, ni conscient de ce qui les déterminait : « je ne savais pas néanmoins que ce fût pour cela ».

Le pli évoque la marque laissée par le passé, mais aussi la permanence relative de cette marque, et la propension qu'elle détermine à la faire renaître. Dans une lettre à Arnauld, Des-

cartes parle de « vestiges » du passé, comme il parle ici de
« plis » : c'est dire l'importance à ses yeux de cette conservation du passé par et dans le corps. Le mécanisme de l'association est parfaitement décrit, comme celui de la réactivation du
passé par le présent. Réactivation sélective, puisque l'impression présente ressuscite une certaine impression passée, elle-
même associée à un sentiment. Ce mécanisme existe aussi
chez les animaux, dont il explique les réflexes conditionnés.
Bien avant Pavlov, Descartes le fait remarquer, comme en
témoigne une lettre à Mersenne du 18 mars 1630, évoquant la
singulière association d'une danse joyeuse et d'une « gail-
larde », puis d'un fouet et d'un violon : « la même chose qui
fait envie de danser à quelques-uns, peut donner envie de
pleurer aux autres. Car cela ne vient que de ce que les idées
qui sont en notre mémoire sont excitées : comme, ceux qui
ont pris autrefois plaisir à danser lorsqu'on jouait un certain
air, sitôt qu'ils en entendent de semblable, l'envie de danser
leur revient ; au contraire, si quelqu'un n'avait jamais ouï
jouer des gaillardes, qu'au même temps il ne lui fût arrivé
quelque affliction, il s'attristerait infailliblement, lorsqu'il en
ouïrait une autre fois. Ce qui est si certain, que je juge que si
on avait bien fouetté un chien cinq ou six fois, au son du
violon, sitôt qu'il ouïrait une autre fois cette musique, il com-
mencerait à crier et à s'enfuir. »

L'émotion ressentie à la vue des « personnes louches » est
une sorte d'écho, où se joue la réminiscence d'un sentiment
oublié, mais non rayé de l'histoire personnelle. Il faut
comprendre cependant les conditions d'une telle mémoire.
Descartes esquisse l'idée de trace mnésique, en insistant
d'abord sur le caractère matériel du phénomène qui se joue. À
la sollicitation sensorielle correspond un effet physiologique,
qu'exprime la métaphore du pli. Celle-ci dit bien la matérialité
de la trace, même si elle n'instruit pas sur la modalité précise
dont elle s'effectue. Marqué dans le cerveau comme sur un
linge, le pli évoque une modification proprement corporelle.
Mais cette dernière se serait-elle seulement produite, et aurait-
elle été fixée pour constituer le souvenir, si elle n'avait pas
d'abord de sens pour la conscience ? C'est dire déjà qu'un
mouvement intérieur, donateur de sens, préside à l'expérience affective et permet d'en fixer les épisodes.

Descartes ne tombait pas amoureux de toutes les jeunes
filles qu'il rencontrait, et le fait d'être plus sensible à l'une

d'entre elles mettait en jeu un jugement intérieur, réalité spirituelle si l'on veut, car donatrice de sens. C'est d'un mouvement propre à la conscience qu'émerge le sentiment d'amour, et que relève la disposition à fixer certaines impressions parmi toutes celles qui surgissent. Celles-ci seraient vouées sinon à l'oubli, car non signifiantes pour la subjectivité personnelle. La trace réactivée ne met donc pas en jeu la seule mémoire matérielle, mais elle fait aussi écho, en dernière instance, au moment d'amour originel et au jugement de la conscience qu'il enveloppait. Mémoire intellectuelle et mémoire matérielle sont ici indissociables.

Pour retenir ce qui touche, il faut en effet un jugement attentif à la nouveauté, et susceptible de la valoriser en fonction d'une disposition singulière de la personne. « Pour se ressouvenir, toutes sortes de vestiges ne sont pas propres, mais seulement ceux qui n'ont pas toujours été en nous, mais ont été autrefois nouvellement imprimés » (Lettre à Arnauld du 29 juillet 1648). Selon Descartes, seule peut jouer ici une observation de nature intellectuelle, c'est-à-dire une « *conception pure* », indépendante de toute trace cérébrale. Le sentiment de nouveauté est admiration, au sens premier de conscience aiguë du caractère inédit d'une expérience. C'est une mémoire proprement intellectuelle qui se forme alors. Toute la difficulté est de concevoir la façon dont elle s'articule avec la réalité matérielle du cerveau, et de la mémoire dont il est le support physiologique. « La mémoire intellectuelle a ses espèces à part, qui ne dépend nullement de ces plis dont je ne juge pas que le nombre doive être fort grand » (Lettre à Mersenne du 11 juin 1640). Il n'est pas étonnant que Descartes retrouve ici les problèmes propres à l'union de l'âme et du corps, conçues comme deux substances rigoureusement distinctes. La médiation entre l'âme purement spirituelle et le corps purement matériel apparaît problématique : sera-t-elle elle-même spirituelle ou matérielle ? Dans un cas comme dans l'autre, elle reste étrangère à l'une des substances avec laquelle elle doit permettre d'établir une communication, ce qui compromet sa fonction médiatrice.

On dit d'une rencontre qu'elle marque. Et d'un premier amour également. Métaphore de l'impression, tout à la fois signe matériel, vestige ou trace, et retentissement dans la conscience. Même incertaine en raison des difficultés propres à la conception dualiste, l'analyse cartésienne élucide de façon forte la vie intérieure. La remémoration finale, qui dénoue l'association et fait disparaître l'émotion, semble se faire sans problème, puisque la seule décision de faire un examen réflexif, inspection intérieure qui vaut anamnèse, permet de l'accomplir. Le registre de la conscience change : les inclinations s'y placent dans la lumière produite par la compréhension de ce qui les fit naître. La pensée qui juge peut alors s'affirmer. La prise de conscience qui intervient fait paraître le détail émouvant pour ce qu'il est : un « défaut ». L'émotion cesse, le charme se rompt. Demeure alors un vestige sans lendemain affectif. Le trouble suscité par les « personnes louches » a disparu.

La psychanalyse freudienne est d'une autre nature, car elle met en jeu des traumatismes dont l'inscription dans le psychisme est autrement tenace. Les plis sont dans ce cas des traces vives qui tourmentent, rétives à leur élucidation. Demeurent des culpabilisations qui blessent et font écran, sources de résistance intérieure au travail de mémoire. Un jugement délié n'est guère facile ici, n'ayant aucune prise accessible. L'auto-analyse, entendue comme processus volontaire de remémoration des données enfouies du passé, est également problématique, voire impossible. La conscience ne dispose plus d'elle-même : son rapport à soi s'est déchiré dans la hantise d'un conflit opaque et oppressant.

Le problème de Descartes est sensiblement différent. La lucidité sur soi, pour ce qui dépend de l'activité consciente et de la réflexion, passe par un travail intérieur. Elle requiert une attention soutenue aux émotions qui orientent la vie affective, en amont de tout jugement sur la valeur des êtres et des choses. Prendre soin de ses pensées, comme y invite la philosophie, c'est peut-être s'attacher d'abord à mettre en lumière les ressorts de ses passions secrètes, pour en émanciper la conduite de la vie.

3

Le miroir de Narcisse

Il était une source limpide aux eaux brillantes et argentées, que ni les bergers, ni les chèvres qu'ils paissent sur la montagne, ni nul autre bétail n'avait jamais approchée, que n'avait troublée nul oiseau, nulle bête sauvage, nul rameau tombé d'un arbre. Elle était entourée de gazon qu'entretenait la proximité de l'eau ; et la forêt empêchait le soleil de jamais réchauffer les lieux. C'est là que Narcisse, fatigué par l'ardeur de la chasse et par la chaleur, vint s'étendre, attiré par l'aspect du lieu et par la source. Mais, tandis qu'il tente d'apaiser sa soif, une autre soif grandit en lui. Pendant qu'il boit, séduit par l'image de sa beauté qu'il aperçoit, il s'éprend d'un reflet sans consistance, il prend pour un corps ce qui n'est qu'une ombre. Il reste en extase devant lui-même, et, sans bouger, le visage fixe, absorbé dans ce spectacle, il semble une statue faite du marbre de Paros. Il contemple, couché sur le sol, deux astres, ses propres yeux, et ses cheveux, dignes de Bacchus, dignes aussi d'Apollon, ses joues imberbes, son cou d'ivoire, sa bouche charmante, et la rougeur qui colore la blancheur de neige de son teint. Il admire tout ce par quoi il inspire l'admiration. Il se désire, dans son ignorance, lui-même. Ses louanges, c'est à lui-même qu'il les décerne. Les ardeurs qu'il ressent, c'est lui qui les inspire. Il est l'aliment du feu qu'il allume. À combien de reprises il prodigua de vains baisers à l'onde trompeuse ! Que de fois, pour saisir le cou aperçu, il plongea dans l'eau ses bras, sans les refermer sur soi. Que voit-il donc ? Il l'ignore. Mais ce qu'il voit l'embrase, et la même erreur qui abuse ses yeux excite leur convoitise. Crédule enfant, à quoi bon ces vains efforts pour saisir une fugitive apparence ? L'objet de ton désir n'existe pas ! Celui de ton amour, détourne-toi et tu le feras disparaître. Cette ombre que tu vois, c'est le reflet de ton image. Elle n'est rien par elle-même, c'est avec toi qu'elle est apparue, qu'elle persiste, et ton départ la dissiperait, si tu avais le courage de partir !

Ovide, *Les Métamorphoses*, III,
trad. J. Chamonard, GF-Flammarion.

Qui ne se penche un jour sur soi, non pour se contempler d'abord, mais pour éprouver sa présence au monde et la façon dont elle se donne ? Il s'agit alors de s'imaginer dans le regard d'autrui, de se déprendre un moment des visions intérieures

devenues trop familières. On se met à distance pour se ressaisir comme on le ferait pour un objet, et l'on s'invente un
miroir où l'on se voit regardant, pour avoir idée du visage et de
l'allure sous laquelle on se présente aux autres.

L'image de soi pour soi-même est aussitôt mise en perspective par l'image de soi pour les autres. Sortie de soi tentée pour
se délivrer d'une solitude où le sujet serait tout à lui-même,
seul avec lui-même, comme dit si bien la notion de *solipsisme*.
Ce décentrement pratiqué est d'abord imaginaire puisque les
références qu'il met en jeu viennent de soi. Mais il rencontre
bientôt l'évidence de l'altérité : la réalité extérieure a sa vie
propre, les réactions d'autrui sont souvent imprévisibles, le
monde ne se plie guère au désir qui le faisait à son image.
Divorce de principe, et retour à soi lourd de ces normes
découvertes et d'une conscience inédite de ce qui est. Mais ce
« soi » auquel on a conscience de faire retour existait-il en
amont de l'aventure existentielle et des premières rencontres
qui la marquent ?

S'il n'est de vie d'homme que dans le contexte d'une vie
sociale nourricière, de relations intersubjectives toujours déjà
présentes, l'émergence du sujet qui dit « je » ne peut se comprendre sans référence à ce qui apparaît ainsi comme constitutif. Le corps lui-même, unité ressentie des schémas physiques, n'est pas une référence suffisante. L'image que chacun
acquiert de soi ne lui vient-elle pas de modèles auxquels il se
réfère et se compare, par un jeu secret d'identifications et
d'oppositions ? La quête qui commence alors est bien de soi à
travers les autres : l'identité est à construire ; elle n'est pas
simple déploiement d'une essence singulière qui préexisterait
à l'aventure.

Narcissisme : amour porté à l'image de soi-même. Valéry : « Je
prétends à l'extrême douceur d'être tout à moi-même. » Mais
quel est ce soi, sinon d'abord l'apparence physique découverte
avec surprise dans un miroir d'eau claire ? Narcisse en extase
devant son image ne sait pas qu'il poursuit un rêve inconsis-
tant, puisqu'il n'a pas conscience que l'onde ne lui renvoie
que sa propre image. La source n'est pas comprise comme un
miroir, mais comme un élément semblable à d'autres, comme
l'air ambiant où se frôlent les formes de multiples objets, où se
rencontrent les êtres. L'illusion est ici une contrefaçon de
l'extériorité, qui se dissout dès que Narcisse veut serrer dans
ses bras la forme chérie. Dans ce miroir étrange s'invente une

réalité qui n'est qu'une ombre, un reflet, une projection vaine. Et le risque est d'embrasser des chimères, d'étreindre des fantasmes. Ainsi s'exprime peut-être l'incapacité à saisir le monde tel qu'il est en lui-même, à sortir de soi et de cette coloration subjective de toute réalité appréhendée que détermine ce singulier enfermement.

Le narcissisme exprime alors la propension à tout rapporter à ce qu'on éprouve d'abord, sans recul ni distance, sans conscience même d'une telle centration subjective. L'altérité réelle des choses et des êtres se trouve effectivement méconnue, avec les graves déconvenues que suscite une telle cécité. Vivre, c'est s'ouvrir au monde en tant que tel, et le découvrir dans son amplitude comme dans sa réalité propre, résistant aux illusions narcissiques. Il faut oser le décentrement, et s'affranchir des limites liées à la singularité d'une existence et d'une personne.

Freud a insisté sur la fonction affective d'un tel décentrement. L'énergie du désir – en latin la *libido* – est selon lui d'abord confusément tournée vers soi, dans une sorte de « stade du miroir » : « Le sujet commence par se prendre lui-même, son propre corps, comme objet d'amour » (*Trois essais sur la sexualité*). Elle s'investit ensuite sur un objet d'amour extérieur et se libère ainsi de sa captation narcissique. L'image que le sujet acquiert de lui-même ne peut dès lors méconnaître ce qui est de l'ordre des exigences de la vie sociale, et de la reconnaissance par autrui : l'idéal du moi se construit comme une référence nouvelle, assumant le souci d'accomplissement personnel par la médiation de telles exigences. Ainsi est dépassé le narcissisme primaire, assez proche en somme du moment primitif où l'enfance se trouvait encore en deçà de toute socialisation.

Le souci légitime de la survie personnelle, et d'une vie authentiquement humaine, reste à distinguer de l'attitude en jeu dans le complexe de Narcisse. Celui-ci n'est-il pas l'exemple légendaire d'un égoïsme de principe, d'un amour propre hypertrophié et obsessionnel ? Rousseau parle d'*amour de soi* dans le premier cas, et il en fait si peu une donnée narcissique, qu'il l'ouvre sur la pitié, entendue comme répugnance à voir souffrir autrui. Augustin, pour sa part, vise sous le nom d'*amour-propre* le second cas. Il y voit une tendance irrépressible de l'humanité déchue : une inflation maladive de l'ego, qui n'appréhende l'autre qu'en se projetant sur lui et

reste pathologiquement captif de sa concupiscence. Verdict
sévère, solidaire d'un pessimisme anthropologique significatif,
que conditionne la présupposition du péché originel.

La figure malheureuse de Narcisse, transformé en fleur,
invite plutôt à penser, de façon plus générale, le risque de la
naïve assurance dans l'appréhension purement subjective du
monde, et de la froideur qui fait rejeter tout attachement réel
à un être autre. Après avoir obstinément dédaigné l'amour de
la nymphe Écho, comme de toute autre prétendante, Narcisse
allait connaître, par la volonté de la déesse Némésis, un châtiment exemplaire : celui d'aimer et de ne pouvoir jamais posséder l'objet de son amour. Épris, sans le savoir, de son image,
il en oublie la faim et le repos, et meurt. Il a voulu, en refusant
son amour à tout autre personne que lui-même, se soustraire
à la loi commune à tous les hommes. C'est la justice universelle, en somme, qui a opéré par la médiation de la déesse.

L'humanité ne se vit comme rapport à soi en chacun que
dans l'ouverture à l'autre. La volonté d'assumer la conscience
du monde en s'affranchissant autant que possible de tout égocentrisme est bien volonté de reconnaître, voire d'aimer, le
visage d'autrui respecté comme tel, et contemplé comme une
chance offerte de s'élever vraiment au-delà de toute solitude.

Valéry le suggère dans sa *Cantate de Narcisse* :

Si Narcisse ne peut, si Narcisse ne veut
Aimer d'amour quelque autre que soi-même,
Rien d'humain n'est en lui, sa beauté le condamne.

4

Le clou de l'âme

Lorsqu'on a ressenti la violence d'un plaisir ou d'une peine, d'une peur ou d'un appétit, le mal qu'on subit en conséquence n'est pas tellement celui auquel on pourrait penser – la maladie ou la ruine qu'entraînent certains appétits par exemple ; non, le plus grand de tous les maux, le mal suprême, on le subit, mais sans le prendre en compte.

En quoi consiste-t-il, Socrate ? dit Cébès.

En une inférence inévitable, qui s'impose à toute âme d'homme au moment où elle éprouve un plaisir ou une peine intenses : elle est conduite à tenir ce qui cause l'affection la plus intense pour ce qui possède le plus d'évidence et de réalité véritable, alors qu'il n'en est rien. Or ces objets-là sont, par excellence, ceux qui se donnent à voir, tu ne penses pas ?

C'est certain.

Or n'est-ce pas quand elle est ainsi affectée qu'une âme est le plus étroitement enchaînée par son corps ?

Que veux-tu dire ?

Ceci. Chaque plaisir, chaque peine, c'est comme s'ils possédaient un clou avec lequel ils clouent l'âme au corps, la fixent en lui, et lui donnent une forme qui est celle du corps, puisqu'elle tient pour vrai tout ce que le corps lui déclare être tel.

Platon, *Phédon*, 83c-d, trad. M. Dixsaut, GF-Flammarion.

L'enfant battu dès son premier souffle lève un regard qu'emplit infiniment une tristesse indélébile. Saura-t-il retrouver la joie espiègle qui pétille dans les yeux ?

Un frisson a prolongé pour toute la chair l'intense chaleur du plaisir, et la mémoire s'en propage au plus profond de la conscience. Demain, les désirs ne pourront renaître sans son écho secret et insistant.

Le corps n'est pas chose inerte. Il vit de l'effort qui le tend vers son accomplissement. Son désir d'être et de vivre s'affirme et retentit dans la volonté qui le relaie avec une résolution fluctuante. Et les circonstances le serviront plus ou moins bien. La vie s'anime bientôt des souvenirs laissés par les frustrations et les assouvissements. Une décantation originale tend à modeler l'appréhension des choses au gré des aventures du désir. Les douleurs ressenties et les joies éprouvées tissent en effet une mémoire dense, qui s'installe durablement au cœur des choses, et marque l'intériorité de chacun. Brûlures et blessures y forment leurs cicatrices, plaisirs et bonheurs y inscrivent leurs traces.

Dans l'ombre portée des moments de peine ou de jouissance, le cheminement de la conscience se charge ainsi d'inquiétudes et de craintes, de désirs et d'espoirs. Rivée aux aléas de la vie, clouée aux angoisses du scénario qui s'écrit en partie à son insu, l'âme pâtit. Le risque dès lors est que le jugement ne soit réglé que par les intérêts existentiels immédiats, ou par l'imaginaire qui perpétue les fascinations d'une histoire singulière. Risque grave, puisque se joue la survie de la pensée comme telle, puissance de jugement distancié et non simple reflet des épisodes vécus et de leurs vestiges affectifs.

Platon veut d'autant plus voir dans l'âme une réalité distincte du corps qu'il entend dégager de toute servitude la fonction propre à la pensée. Celle-ci, pour lui, est distincte de tout ce qui, dans la vie du corps, tient à la façon dont il est affecté par le monde.

Il reste que l'âme peut se trouver captive de l'aventure corporelle au point d'en être intimement marquée. Crucifiée, en quelque sorte, à une réalité dont les affections la touchent si vivement qu'elle en vient à se confondre avec elle, à lui aliéner la distance de principe qui devrait l'en séparer. L'âme se perd alors dans les tourments du corps, qui deviennent ses tourments, comme si désormais un mélange inédit l'absorbait et gommait sa fonction propre.

Chaque épisode un peu dramatique de la vie affective tend à accentuer cet envoûtement et à fausser en conséquence le principe de la pensée : l'attrait des plaisirs et la peur des souffrances substituent leurs critères à ceux de la vérité. L'âme finit par tenir pour vrai ce qui répond le mieux au système d'attentes et de répulsions qu'elle détient de son ravissement corporel. Bref, elle évalue au lieu de s'attacher à connaître, et ses évaluations entrent en résonance étroite avec tout ce qui l'a affectée.

Captif de ses émotions, de ses craintes et de ses désirs, l'homme peut-il l'être si totalement de ses plaisirs et de ses

peines qu'il leur aliène jusqu'à la pensée ? Nos pensées sont-
elles simplement filles de notre vécu et de ses limites ? Une
telle perspective est difficile pour la philosophie, qui oscille
entre le souci d'une pensée libre, sans sujétion, et le soupçon
qu'un tel souci ne recouvre en fin de compte qu'un vœu
pieux.

La difficulté de concevoir l'autonomie de la pensée, pour lui
reconnaître un rôle propre, tient sans doute à celle de la délier
effectivement de l'aventure du corps. Difficulté d'abord vécue
par tout homme, lorsqu'il doit contenir ses impulsions et ses
passions – emportements soudains ou attirances violentes. Il
lui faut affranchir alors son pouvoir de réflexion des multiples
affections qui l'investissent et le troublent, le sollicitent et
l'abusent, au point de l'asservir. Le corps, c'est aussi le point
d'où est reçu le monde, la situation toute relative d'un être singulier dans la totalité du réel. S'émanciper du corps, ce n'est
pas tant refuser ses exigences que se délivrer des limitations de
points de vue qui en découlent.

Ce n'est donc pas le corps lui-même qui corrompt et
offusque directement l'âme entendue comme organe de la
pensée. C'est la fascination qui naît des multiples affections
dont il est le siège et la source. Envoûtement plus que capture
physique effective, la dialectique des plaisirs et des peines suscite une évaluation à sa mesure, qui est déjà oubli du vrai et de
ses exigences. Le jugement de l'intellect, distingué par principe des autres fonctions mentales, n'en est pas seulement
faussé. Il est comme élidé, différé, suspendu au moment
même où il devrait mettre à distance. Cercle vicieux d'une distance salutaire empêchée, d'une liberté raturée par l'obsession. Tenir pour vrai ce qui engendre le plaisir, pour faux ce
qui cause de la douleur, c'est mélanger les genres, confondre
les domaines, et surtout rester prisonnier de son petit soi.

C'est bien l'habitude prise graduellement de considérer
toute chose à partir des affections du corps et des emprises de
la vie affective qui hypothèque la lucidité. Nul jugement moral
n'intervient ici, mais un simple constat : la fonction propre de
l'âme s'altère lorsqu'elle est rivée au corps par la vive mémoire
des plaisirs et des peines. La *pureté*, en l'occurrence, tient à une
pensée affranchie de toute sujétion, capable ainsi de connaître
les objets tels qu'ils sont en eux-mêmes, et non en les considérant seulement à partir de la façon dont ils l'affectent. C'est en
ce sens que la pensée appelle une ascèse, propre à lui per-

mettre de jouer son rôle. Il ne s'agit donc pas ici d'une quelconque vertu morale de l'abstinence.

Ainsi se transforme l'idée que le corps en lui-même serait
impur : l'impureté ne tient nullement à une substance matérielle qui est ce qu'elle est et dont les mouvements ont leur
nécessité propre. Elle se définit plutôt par une sorte de complaisance, de confusion, qui fait de la pensée une inutile redite
des affections, un simple redoublement des évaluations spontanées où se concentrent les faux-semblants du vécu. Nietzsche
parlerait ici de pensée simplement *réactive*, et il y verrait la traduction d'un désarroi existentiel.

La chair ne peut pas ne pas susciter le désir, et seule une discipline en modère les élans sans nécessairement les tarir dans
un ascétisme de principe. L'organe de la pensée est-il d'ailleurs si nettement distinct du corps qu'il puisse accomplir sa
tâche dans l'indifférence à ce qui lui advient ? Spinoza en doutera, qui dira de l'âme qu'elle est *l'idée du corps* et que sa puissance de comprendre tend à se proportionner à la puissance
d'agir du corps. Il soulignera ainsi un apparent paradoxe :
l'âme se délie d'autant plus aisément du corps que celui-ci réalise mieux son accomplissement. La lucidité ne requiert pas la
privation, même si elle répugne au dessaisissement de soi que
peut entraîner la débauche, démesure et déséquilibre plus que
réalisation authentique du désir d'être.

C'est la fragilité existentielle globale qui rend chacun plus
vulnérable aux tentations violentes et aux désarrois brutaux.
Mais Platon dit-il vraiment autre chose, qui rappelle que l'état
de privation, autant que l'état de débauche, obsède la pensée
jusqu'à la distraire d'elle-même ? Il n'est de clou que pour une
âme déjà fragile et absorbée par les hantises du passé, témoignages nostalgiques ou frayeurs rétrospectives. Il faut donc
élever la définition de l'homme à son idéal, pour en délivrer
l'essence de toutes les aliénations existentielles. L'homme,
c'est l'âme. Propos qui radicalise l'exigence de liberté de la
pensée en l'inscrivant au cœur de l'être.

L'âme se voudrait légère, comme affranchie de toute pesanteur. Mais elle ne peut penser qu'à partir des réalités qu'elle
éclaire et sur lesquelles elle s'appuie. À commencer par cette
existence affectée de toutes parts, cette tension de la chair
entre manques qui tenaillent et mémoires d'assouvissement.
Désir d'être et du même coup aventure des désirs qui tour-

mentent, nœud de rapports multipliés dont les vestiges se
mêlent et hantent la vie qui s'imagine.

La patience de la pensée est aussi son audace : se déclouer
pour prendre son envol, mais faire retour, sans cesse, à la terre
natale de la vie pour en éclairer les chemins d'abord obscurs,
voire inextricables.

5

La peau de chagrin

Comment préférer tous les désastres de vos volontés trompées à la faculté sublime de faire comparaître en soi l'univers, au plaisir immense de se mouvoir sans être garrotté par les liens du temps ni par les entraves de l'espace, au plaisir de tout embrasser, de tout voir, de se pencher sur le bord du monde pour interroger les autres sphères, pour écouter Dieu ! Ceci, dit-il d'une voix éclatante en montrant la Peau de chagrin, est le pouvoir et le vouloir réunis. Là sont vos idées sociales, vos désirs excessifs, vos intempérances, vos joies qui tuent, vos douleurs qui font vivre ; car le mal n'est peut-être qu'un violent plaisir. Qui pourrait déterminer le point où la volupté devient un mal et celui où le mal est encore la volupté ? Les plus vives lumières du monde idéal ne caressent-elles pas la vue, tandis que les plus douces ténèbres du monde physique la blessent toujours. Le mot de Sagesse ne vient-il pas de savoir ? Et qu'est-ce que la folie, sinon l'excès d'un vouloir et d'un pouvoir ?

Eh bien, oui, je veux vivre avec excès, dit l'inconnu en saisissant la Peau de chagrin.

Balzac, *La Peau de chagrin*, « Le Talisman ».

« Sauver sa peau. » L'instinct de conservation fait de la vie comme telle un bien à préserver. Mais une vie d'homme peut-elle se penser sans son accomplissement véritable ? Le temps de vivre n'est jamais neutre ou indifférent. Jouir et souffrir, espérer et craindre, le tendent de l'intérieur et en captent l'énergie. « Brûler sa vie. » Le temps se consume lui-même dans l'aventure des désirs. D'où l'idée qu'il ne réalise les promesses de la présence au monde qu'en s'épuisant au fur et à mesure. Épuisement combiné avec l'inexorable processus de l'âge, et qui est la rançon de la finitude humaine. Celle-ci se signale d'autant plus tôt que la vie a été plus intense – ou plus folle.

Sur la peau de chagrin, le héros de Balzac, Raphaël, a pu déchiffrer la promesse mortifère des assouvissements mul-

tiples. Il y a vu le rétrécissement programmé de la vie dévolue
aux jouissances désirées :

> Si tu me possèdes, tu posséderas tout,
> Mais ta vie m'appartiendra. Dieu l'a
> Voulu ainsi. Désire, et tes désirs
> Seront accomplis, mais règle
> Tes souhaits sur ta vie.
> Elle est là. À chaque
> Vouloir je décroîtrai
> Comme tes jours.
> Me veux-tu ?
> Prends. Dieu
> T'exaucera.
> Soit !

Achille a choisi la vie courte et glorieuse. Le compte à
rebours commence, qui de bataille en bataille signe déjà cette
existence brillante qu'il faudra quitter bientôt. À mesure que
s'accumulent les gloires et les plaisirs, et les souffrances qui en
sont l'ombre portée, la vie s'épuise. Et la flèche finale, fatale,
atteint le seul point vulnérable. Le destin, silencieux et invisible, a cheminé jusqu'à l'heure dite. Peau de chagrin du
temps de vivre. Achille meurt jeune, ayant consommé les jours
impartis. Étrange proportion inversée de la durée et de
l'intensité, qui fera date dans le mythe du héros.

L'alternative est-elle si réelle entre la longue vie austère et
retenue, et la vie dévorée par la hâte de jouir ? N'y a-t-il de
sagesse qu'à l'écart du cycle des peines et des joies, des jouissances et des souffrances ? Et la vie de plaisir, absorbée dans les
tourments qui lui sont propres, ne se réalise-t-elle qu'au risque
d'une élision de la conscience ? Aucune des deux orientations
n'est exclusivement présente dans la vie des hommes.

Vivre sa vie en l'absorbant dans le cycle indéfini des désirs et
des plaisirs, mais aussi, indissociablement, des souffrances qui
ne manquent pas de leur succéder, c'est la risquer dans une
dérisoire rhapsodie de sensations et d'émotions, dont la vivacité même offusque à la longue la conscience. Celle-ci se perd
et s'oublie, s'altère et finit par effacer ses repères. Avec, à la
fin, une vie épuisée sans avoir médité sur elle-même, sans avoir
prêté attention à ses sens. Le symbole est terrible. Il montre
une vie qui se rétracte et se consume, avec pour terme ultime
la souffrance indépassable où la mort s'annonce. Peau de chagrin.

La peau de chagrin

47

Peut-on échapper à cette figure de l'évanouissement graduel, de la disparition inexorable ? Une passion semble compenser par son objet la fuite des forces et du temps. Balzac l'appelle « la recherche de l'absolu » et lui consacre son roman éponyme. Son héros Claes, comme Raphaël, est dévoré par une recherche éperdue, folle jusqu'à tout sacrifier. Il s'agit d'atteindre la science suprême, celle qui permet de créer ou de recréer la substance vitale des choses en connaissant les lois de leur formation. À l'horizon, le rêve d'une puissance absolue, qui transcenderait les limites des travaux quotidiens. La recherche obsédante anéantit au fur et à mesure tout ce qui constituait une vie d'homme, en faisant peu de cas des proches et de leurs attentes, en absorbant les ressources et les dévouements, en sapant jusqu'au cadre familier de l'existence. Elle conduit à la misère.

La recherche de l'absolu relativise tout, et semble indifférente aux êtres qu'elle sacrifie. « Tiens, dit-il en voyant les pleurs de sa femme. J'ai décomposé les larmes. Les larmes contiennent un peu de chaux, de chlorure de sodium, du mucus et de l'eau. Il continua de parler sans voir l'horrible convulsion qui travaillait la physionomie de Joséphine, il était monté sur la Science qui l'emportait en croupe, ailes déployées, bien loin du monde matériel. Cette analyse, ma chère, est l'une des meilleures preuves du système de l'Absolu » (Balzac, *La Recherche de l'absolu*). La soif de savoir s'est faite ici exclusive. Elle est devenue ravageuse par son obsession même, et les plaisirs qu'elle ménage préparent l'amertume.

Tout plaisir est-il bon ? Certains philosophes, les Cyrénaïques, l'ont pensé, qui sanctifiaient l'instant et sa fragilité, les jouissances multiples qui s'y offrent. Ils prisaient une éthique du plaisir libre de toute obsession métaphysique, de toute hantise d'un temps continu et homogène qu'il faudrait préserver des contradictions de la vie et du devenir. Mais cette apologie du plaisir, libératrice au regard des culpabilisations indues, peut avoir des effets ambigus, notamment si elle consacre une nouvelle servitude.

Il n'est d'éthique authentique du plaisir que si la conscience n'est pas captive. *Avoir* des plaisirs, et non se résorber en eux. *Hédonè*, le plaisir, a donné son nom à une philosophie qui en fait le principe de la vie bienheureuse. Épicure conjuguait l'hédonisme raisonné avec une philosophie de la liberté. Ni peau de chagrin, ni lieu et temps d'exil, la vie humaine n'a pas

à être disqualifiée par un vain désir d'éternité ou un arrière-
monde qui inviterait à se dessaisir d'elle. Le désir lui-même y
est force d'accomplissement personnel. « Malheur à qui n'a
plus rien à désirer » : le propos est de Rousseau, dans *La Nouvelle Héloïse* (sixième partie, lettre VIII).

Le plaisir est un signe qui répond à l'appel de la nature,
mais il n'exige aucun abandon de soi. Bien au contraire, pour
atteindre un plaisir optimal, qui ne soit mêlé d'aucune souffrance, il faut user de raison, et savoir se conduire. La conscience assurée d'elle-même est la lumière sans laquelle nulle
jouissance n'est éprouvée avec le contentement qui convient à
l'homme.

Kant rendait hommage au « vertueux Épicure », qui faisait
du plaisir le prix de la vertu, c'est-à-dire de la sagesse en acte.
Tout plaisir est bon pourvu qu'en l'éprouvant la conscience
dispose pleinement d'elle-même et puisse répondre de ses
choix, sans avoir à les regretter. Spinoza s'inscrira dans le
sillage de cet hédonisme raisonné. Il critiquera la superstition
de l'abstinence sans souscrire cependant à la frénésie des
jouissances. C'est que le désir d'être se réalise dans un équilibre de satisfactions multiples. Cela exclut la servitude des passions, dépendance multiforme où la puissance d'agir est en
souffrance.

6

Le ravissement tragique

Je me laissais ravir au théâtre, plein d'images de mes misères, et d'aliments propres à nourrir ma flamme. Mais pourquoi donc l'homme veut-il s'apitoyer au spectacle d'aventures lamentables et tragiques : il ne voudrait pas lui-même les souffrir, et cependant, spectateur, il veut, de ce spectacle, éprouver de la douleur, et cette douleur même est ce qui fait son plaisir. Qu'est-ce donc, sinon une pitoyable aberration ? Car notre émotion est d'autant plus vive, que nous sommes moins guéris de ces passions. Pourtant, quand on pâtit soi-même, on appelle communément cela misère ; et quand on compatit avec d'autres, miséricorde. Mais quelle est cette compatissance à propos de fictions scéniques ? Le spectateur n'est nullement provoqué à secourir autrui. Non, il est convié seulement à se douloir, et il goûte l'auteur de ces fictions à proportion de la douleur qu'il en reçoit. Et si la représentation de ces infortunes, antiques ou imaginaires, le laisse sans impressions douloureuses, il s'en va, le mépris et la critique à la bouche. Est-il douloureusement ému, il reste là, attentif et tout content.

Saint Augustin, *Confessions*, III, II,
trad. P. de Labriolles, Les Belles Lettres.

Il est un plaisir étrange du spectacle. La souffrance est sur la scène, image des misères, et l'on aime en être touché. La tragédie ravit, et de la douleur qu'elle suscite naît un authentique agrément. On dira la pièce jouée d'autant plus belle qu'on aura pleuré davantage, par identification aux personnages ou simplement compassion devant l'exemplarité de certaines souffrances. Mais la question est de savoir quel ressort est à l'œuvre dans une émotion apparemment aussi paradoxale.

Le statut des émotions et des sentiments est à l'évidence différent lorsque l'homme en est directement affecté dans sa vie, et lorsqu'il les éprouve du fait d'une représentation. Dans le second cas, ce qui touche ne soumet pas, même si les effets psychologiques sur la conduite existentielle peuvent être réels.

Les émotions vécues au théâtre s'accompagnent toujours de la distanciation propre à la conscience d'être au spectacle, d'assister à une représentation. On joue alors de la distance pour n'être pas joué par la fiction : l'illusion n'est jamais totale, même si l'authenticité des sentiments qui investissent le spectateur peut modifier durablement son être. L'art forme et nourrit selon un mode propre d'action en ce qu'il touche, élève, et fait penser tout à la fois. Sans doute est-il d'autant plus efficace qu'il sait rendre sensible son message et opérer sans démonstration explicite. C'est un certain rapport au sens qui se trouve alors en jeu.

Augustin veut voir dans le plaisir pris au ravissement tragique un plaisir trouble, qui relève d'une complaisance de l'homme à l'égard de ses propres passions. Complaisance coupable à ses yeux, s'il s'agit de cultiver pour elles-mêmes des jouissances, et la satisfaction qu'elles procurent au second degré lorsqu'on les dédouble dans la conscience de jouir. Une telle culpabilité n'a de sens qu'au regard d'une exigence de renoncement aux biens de ce monde, hâtivement réduits aux objets de la « concupiscence », terme péjoratif pour désigner le goût du plaisir. Augustin dit de ces biens qu'on doit seulement en *user* et non en *jouir*, alors qu'on doit jouir des choses de l'esprit et ne pas en user.

Ainsi se définit toute une hiérarchie des valeurs, c'est-à-dire au sens strict de ce qui doit valoir pour la conduite de la vie. Le plaisir de théâtre entre dans le domaine de l'emprise des captations perverses, et la distance dont il s'assortit ne suffit pas à le racheter aux yeux du théologien, qui y voit un redoublement suspect des passions humaines ordinaires. Le plaisir pris par le spectateur à ses propres émotions révèle en fait qu'il joue à plein le jeu de la vie terrestre, voire qu'il s'y oublie ou plutôt qu'il y oublie la vie selon l'esprit. L'homme vu par un certain christianisme est un être courbe. La courbure est la résultante de deux tendances contraires : s'aliéner à l'horizontalité de la vie terrestre, et cultiver la verticalité de la transcendance religieuse. Promouvoir la vie temporelle en référence majeure de la représentation artistique participe plutôt, à cet égard, de ce qui aggrave la courbure vers le monde sensible.

Dans son autobiographie à la fois morale et intellectuelle, Augustin rappelle les enchantements divers qui ont précédé sa conversion. Il redéfinit comme turpitudes, épisodes honteux, les plaisirs auxquels il s'adonnait alors. Il y inclut ceux du spectacle, comme si les émotions éprouvées lors des représentations auxquelles il assistait n'avaient pas d'autre sens que celles qui, directement, sont éprouvées dans la vie. La distance de la fiction y est pourtant à l'œuvre, mais selon l'éthique chrétienne c'est déjà pécher que d'imaginer la satisfaction du désir. Augustin porte son attention au type d'attitude qu'atteste le goût pour le ravissement tragique. Il en comprend le sens dans le sillage de celui du « plaisir d'amour ». « *Amabam amare* » : j'aimais aimer. Vivre, c'est à la fois souffrir et accéder au plaisir, mais c'est aussi redoubler ses émotions dans le désir qui va au-devant d'elles et les valorise pour elle-même. Et cela encore est condamnable à ses yeux. L'imagination est alors complice, donc coupable aussi.

Une autre conception est possible, qui associe la liberté au plaisir propre de la représentation. Loin de voir dans l'attrait des spectacles une nouvelle forme de concupiscence, Descartes sera surtout attentif à la distance intérieure qui fait qu'on éprouve sans être vraiment captif. L'agrément du spectacle tient alors à la conjonction des émotions les plus vivement ressenties et du sentiment intérieur de liberté qui fait qu'on éprouve ces émotions sincèrement, voire intimement, sans être dessaisi de soi, sans être absorbé ni captif. C'est alors le spectacle de sa propre liberté que la conscience se donne à elle-même et qu'elle met en scène précisément au cœur de ce qui la touche et l'affecte, c'est-à-dire de son existence sensible et passionnelle. Il y a un réel plaisir à faire une telle expérience qui « excite quelquefois en nous la tristesse, quelquefois la joie, ou l'amour, ou la haine, et généralement toutes les passions ».

Ulysse, de retour vers Ithaque, avait voulu connaître le charme du chant des sirènes, et son envoûtement, sans céder au ravissement. Il s'était donc fait attacher solidement, et seul de ses compagnons, il ne s'était pas bouché les oreilles. Il allait ainsi se trouver simple auditeur, sans avoir la possibilité de céder à la tentation. Cette impuissance voulue le maintenait hors d'atteinte : elle symbolisait paradoxalement sa liberté par rapport au chant des sirènes, qui promettaient de mirifiques révélations. « Elles chantaient ainsi et leurs voix admirables me remplissaient le cœur du désir d'écouter » (*Odyssée*, XII, vers 200).

La conscience, tenant à distance le spectacle ou la voix qui la charme et l'émeut, s'appréhende comme distincte de ce qu'elle éprouve. Elle jouit de cette distinction qui l'élève au-dessus du vécu et de ses tourments, sans la détacher au point de la rendre indifférente. Au théâtre, elle se trouve en somme ravie d'être ravie, ce qui définit une manière de rester maîtresse d'elle-même. Joie propre de l'âme, délivrée de sa condition passionnelle sans s'exiler hors d'elle et qui s'élève sans froideur au-dessus de l'expérience vécue. Ainsi se donne l'expérience cruciale de la liberté humaine. Celle-ci n'est pas d'un dieu invulnérable et impassible, mais d'un être de chair qui vit les affres des passions comme les tensions renaissantes du désir, et les assume librement.

7

Le pilote en son navire

La nature m'enseigne aussi, par ces sentiments de douleur, de faim, de soif, etc.,
que je ne suis pas seulement logé dans mon corps, ainsi qu'un pilote en son navire,
mais, outre cela, que je lui suis conjoint très étroitement, et tellement confondu et
mêlé que je compose comme un seul tout avec lui. Car, si cela n'était, lorsque mon
corps est blessé, je ne sentirais pas pour cela de la douleur, moi qui ne suis qu'une
chose qui pense, mais j'apercevrais cette blessure par le seul entendement, comme
un pilote aperçoit par la vue si quelque chose se rompt dans son vaisseau ; et
lorsque mon corps a besoin de boire ou de manger, je connaîtrais simplement cela
même, sans en être averti par des sentiments confus de faim et de soif. Car en effet
tous ces sentiments de faim, de soif, de douleur, etc., ne sont autre chose que de
certaines façons confuses de penser, qui proviennent et dépendent de l'union et
comme du mélange de l'esprit avec le corps.

Descartes, Méditations métaphysiques, Sixième Méditation.

Malgré la volonté de ne rien laisser paraître, le tremblement
de la voix, ou des lèvres, traduit l'émotion, rend manifeste le
trouble. Il y a là une étrange et singulière expérience des
limites de la maîtrise de soi : le corps semble échapper au
contrôle. « *Mon corps m'a trahi.* » Le contraste est réel avec les
situations où il exécute parfaitement une décision d'agir. Se
lever, marcher, revenir sur ses pas. Comment comprendre la
possibilité de ces deux expériences, dont l'une semble faire du
corps un navire aisément piloté, et l'autre le donnerait plutôt
à penser comme un bateau ivre ?

Traditionnellement, les philosophes admettent l'idée que la
vie humaine s'organise en fonctions distinctes. La vie, de façon
générale, est principe de mouvement ou, si l'on veut, faculté
motrice. Mais une différenciation nette des êtres vivants apparaît selon les fonctions de cette faculté motrice et la façon dont
elles se hiérarchisent. Une chose est de se nourrir et de

croître : la fonction dite végétative est ici en jeu. Autre chose la capacité de sentir et de désirer, propre à la fonction sensitive. Autre chose enfin la fonction intellective, qui rend possible la pensée rationnelle. La plante, l'animal et l'homme, incarnent spécifiquement une de ces fonctions. Chacun a donc une certaine manière de vivre et s'inscrit dans une hiérarchie dont chaque niveau correspond à une fonction définie.

Aristote attribue toutes ces fonctions à l'âme, conçue comme principe de vie, et il se demande aussitôt si elles sont séparables du corps. Il répond négativement pour les fonctions végétative et sensitive, dont il observe que la distinction logique, pour les besoins de la compréhension rationnelle, n'implique nullement une séparation réelle (selon le lieu). Mais la question lui paraît autrement difficile, et tout à fait cruciale, pour la fonction intellectuelle. La pensée est en effet source de l'action délibérée, et expression du propre de l'homme, c'est-à-dire à la fois de sa vocation et de son excellence.

Pour connaître l'homme, il faut donc poser une question décisive. Comment comprendre le statut de l'âme pensante ? L'attention portée à l'originalité de la fonction intellectuelle, et à sa nécessaire autonomie, peut conduire à lui attribuer un support propre, un genre d'être différent de celui qui est le siège des autres fonctions. C'est la source du dualisme, qui distingue et sépare effectivement deux substances, remplissant des rôles propres. Immanente au corps par la vie qui croît et désire, l'âme en serait séparée comme intellect qui pense. La pensée ne pourrait reposer que sur « un genre de l'âme tout différent », dont Aristote envisage que « seul il puisse être séparé du corps, comme l'éternel, du corruptible ». Mais il s'agit là d'une simple hypothèse. Une telle option ne serait pas partagée par Épicure, penseur matérialiste à qui il suffit d'intégrer à la matière les différenciations effectives qui lui permettent de remplir toutes les fonctions – y compris celle de la pensée.

Mais Aristote lui-même souligne le caractère problématique de son hypothèse. L'âme est vivante, sentante, et pensante, et ces trois fonctions sont si étroitement mêlées en l'homme, dans l'expérience vécue, qu'il peut sembler difficile de les dissocier. Comment faire face à la difficulté de concilier l'unité de l'âme et la thèse de la séparation réelle de l'âme pensante et du corps ? Aristote doute alors que l'on puisse dire sans réserve que l'âme est au corps ce que le pilote est au navire (*De l'âme*, II, 413a). Une telle analogie impliquerait en effet une nette séparation des deux réalités, et pas seulement leur distinction : un pilote peut changer de navire, et un navire peut être conduit par un autre pilote. Le pilote tient le gouvernail, c'est-à-dire la pièce de bois qui impulse la direction du navire, et trace son sillage. Le sage se gouverne lui-même : il tient la barre. Platon parlait du cocher d'un attelage, et la métaphore du gouvernail, comme celle du pilote, deviendra courante dans la pensée de la maîtrise de soi.

C'est ce problème que reprend Descartes, après avoir également précisé que les fonctions vitales autres que la pensée relèvent bien du corps et de son organisation intérieure, et qu'elles sont à ce titre justiciables d'une explication physiologique. Qu'en est-il donc de la pensée ? Irréductible à sa dimension proprement intellectuelle, elle recouvre l'ensemble de l'activité mentale, de la vie intérieure de la conscience. Aux impressions sensibles, aux sollicitations affectives que sont la douleur et le plaisir, correspondent des réactions propres à l'âme. C'est l'âme qui sent, souffre, aperçoit, et juge. Ce qui retentit en elle ne lui provient pas du corps comme d'une réalité extérieure, totalement étrangère, mais l'affecte intimement : l'intellect, distingué logiquement par la fonction qu'il remplit, peut-il être rapporté à une substance également distincte, comme l'est celle du pilote par rapport au navire ? La comparaison d'Aristote resurgit, toujours aussi problématique.

Le pilote, à l'évidence, ne se confond pas avec le navire, qu'il saisit comme un objet « extérieur », même s'il forme avec lui un tout fonctionnel. Dans l'analogie proposée, le corps est représenté comme un lieu où se trouve installé le « je », identifié implicitement à l'âme : c'est donc une relation d'extériorité qui est d'abord suggérée. Mais le caractère indissociable des deux termes est également suggéré : un pilote, ce n'est pas un homme quelconque, mais un homme caractérisé par sa fonction (conduire un navire). En ce sens, le pilote n'a de raison d'être et même d'existence réelle que pour son navire, et par lui. De même le navire en question, livré à lui-même, n'aurait aucune utilité et dériverait au gré des flots. C'est bien le pilote qui commande le navire, en actionnant le gouvernail. L'analogie rappelle donc une hiérarchie, habituelle dans la conception dualiste de l'âme et du corps, le sujet humain étant

plus particulièrement identifié à la source de l'activité spirituelle. Elle présuppose que cette source est une réalité à part,
indépendante du corps saisi comme objet. La formulation
« *j'ai un corps* » s'oppose en effet à la formulation « *je suis un
corps* ».

Mais ce corps, décrit d'abord comme un objet, n'est-il pas
aussi *mon* corps ? Un tel rappel souligne son implication au
cœur du sujet qui désire et qui souffre, qui craint et qui jouit.
Le corps n'est pas extérieur au sujet : il en est partie prenante
si on lui reconnaît la faculté de s'éprouver et de se penser, la
conscience étant alors une de ses expressions les plus élabo-
rées. C'est ce que l'expérience de la douleur invite à concevoir.
Je ne me borne pas à constater que mon bras est cassé, quand
je souffre de la blessure présente, comme le pilote remarquerait que le mât du navire est brisé.

Le vécu de la douleur est subjectif, il est une sorte de pensée
sans autre distance que celle de la conscience qui l'accompagne. Il touche et affecte de l'intérieur, révélant que l'âme
n'est pas simplement associée à un corps auquel elle demeure-
rait étrangère. Elle forme avec lui « un seul tout », et le tout
semble bien irréductible à la somme de ses parties : n'est-ce
pas une façon de concevoir un troisième type de substance,
original, et de s'affranchir ainsi des difficultés du dualisme ?
L'idée du « mélange », qui insiste également sur l'insuffisance
du modèle dualiste traditionnel, peut être interprétée dans le
même sens.

Par mon corps, je suis situé dans l'existence, je perçois et je
souffre, j'éprouve plaisir et douleur, et les sensations qui
aujourd'hui m'affectent ont plus ou moins de résonance selon
mon histoire personnelle. À cet égard, je ne me distingue pas
de mon corps ; mais ma pensée ne se réduit pas à sa vie tourmentée, car conscience et mémoire, qui ont leur temporalité
propre, permettent une mise à distance. Ainsi peut advenir le
travail de la raison qui fonde une conduite lucide.

8

Le poison de l'âme

Est-ce que le sophiste, Hippocrate, ne se trouve pas être une sorte de négociant qui vend, en gros ou en détail, les marchandises dont l'âme se nourrit ? Car c'est ainsi qu'elle m'apparaît à moi.

Mais, Socrate, de quoi l'âme se nourrit-elle ?

D'enseignements, bien sûr, dis-je. Et nous devons prendre garde, mon ami, à ce que le sophiste ne nous abuse pas, lorsqu'il fait l'article des marchandises dont il fait commerce, comme le font les négociants qui vendent, en gros ou en détail, la nourriture du corps. En effet, ces derniers ne savent pas eux-mêmes quelles sont, parmi les denrées qu'ils apportent, celles qui sont bonnes ou celles qui sont mauvaises pour le corps, et font indifféremment l'article de toutes celles qu'ils vendent, et leurs clients n'en savent rien non plus, à moins qu'ils ne se trouvent être maîtres de gymnastique ou médecins. De la même manière, ceux qui colportent leurs enseignements de ville en ville, pour les vendre en gros et en détail, font chaque fois l'article de tout ce qu'ils vendent à l'intéressé, et peut-être, excellent ami, s'en trouve-t-il parmi eux qui ignorent, des produits qu'ils vendent, ceux qui peuvent être bons et ceux qui peuvent être mauvais pour l'âme ; et cela vaut, de même, pour leurs clients, à moins qu'ils ne se trouvent être cette fois médecins de l'âme. S'il se trouve donc que toi, tu saches ce qui est bon ou mauvais, tu peux en · toute sécurité, acheter des enseignements, à Protagoras ou à n'importe qui d'autre ; sinon, prends garde, bienheureux ami, à ne pas risquer sur un coup de dés ton bien le plus précieux. Car le risque est bien plus grand lorsqu'on achète des enseignements que lorsqu'on achète des aliments. [...] Des enseignements [...], il n'est pas possible de les emporter dans un récipient distinct de soi, mais il est nécessaire, une fois le prix payé, de prendre l'enseignement dans son âme même, d'apprendre et de s'en aller, qu'il y ait dommage ou profit.

Platon, *Protagoras*, 313c-314b,
trad. F. Ildefonse, GF-Flammarion.

Peut-on se procurer de véritables connaissances, qui donnent accès au vrai, de la même façon qu'on achète des aliments ? La question paraît étrange si on ne rappelle pas le danger qu'il peut y avoir à traiter les savoirs comme des choses. Les connaissances ne sont pas de simples informations qu'il suffirait de posséder. Apprises plus que comprises, elles deviendraient dans l'âme qui les reçoit passivement de fausses évidences. Elles s'y trouveraient comme des « *choses sues* » (en grec, *mathemata*), mais sans distance ni conscience de ce qui les fonde.

Ces « connaissances » seraient colportées par les Sophistes et vendues comme de vulgaires marchandises, à ceci près que le seul récipient qui les recueille est le siège de la pensée, l'âme si l'on veut, et que la « nourriture » en jeu est absorbée aussitôt qu'acquise. Une belle réflexion s'esquisse sur les conditionnements de tous ordres, et notamment ceux qui relèvent du pouvoir médiatique. Comment s'opère un tel assujettissement ?

Glissée dans la conscience, insinuée par un faux bon sens, la calomnie produit son effet d'abord invisible : elle implante le préjugé dans les âmes. La calomnie dont Socrate fut victime en est un triste exemple. Deux accusations mensongères la constituaient : ne pas respecter les dieux de la cité, et corrompre la jeunesse. Soupçon sans raison explicite – et pour cause –, elle contamine et fausse la direction de la pensée, quand elle ne la met pas tout simplement hors circuit. Le discours raciste et xénophobe use ainsi des apparences, et des contrefaçons de connaissances qui leur sont liées, pour induire des croyances irrationnelles et les postures agressives qui en procèdent. On prétend raisonner sur un exemple, une statistique interprétée à contresens, pour suggérer qu'une certaine catégorie de population serait peu recommandable. L'ignorance de l'auditoire, ou son désarroi source de crédulité, et sa recherche de compensations illusoires, permettent à l'effet de persuasion de se produire. Le poison est ainsi absorbé sans méfiance ni vigilance, et il ne tarde pas à produire ses effets. Les pogroms de sinistre mémoire en témoignent.

Le poison est d'autant plus efficace qu'il opère avec douceur, au point d'être confondu avec un aliment bénéfique. Il prend le goût des préférences familières, et s'accorde avec les généralisations les plus hâtives, les plus illégitimes. L'orateur démagogue sait jouer sur la fragilité de son auditoire, sur la détresse qui compromet le sens critique, sur la méconnaissance qui laisse le champ libre aux fausses explications et aux sophismes, c'est-à-dire aux raisonnements qui n'ont qu'une apparence de vérité.

Hitler avait identifié les conditions psychologiques de la manipulation des foules, et s'en expliquait crûment dans *Mein*

Kampf : « Le puissant talent oratoire d'une nature dominatrice d'apôtre réussira plus facilement à insuffler un nouveau vouloir à des hommes qui ont déjà subi une diminution naturelle de leur pouvoir de résistance, plutôt que s'ils étaient encore en possession de tous les ressorts de leur esprit et de leur volonté. » Ainsi, la mise en scène se fait mise en tutelle : la voix qui touche et qui frappe, les formules qui se répondent en symétrie rhétorique, les fausses questions qui attisent une angoisse d'artifice pour la soulager aussitôt, la fausse évidence proclamée d'un air entendu, distillent le poison. La foule, soulevée en acclamations, transie dans une hébétude euphorique, « boit » littéralement les paroles qui la transportent.

Gorgias, orateur célèbre, avait rédigé l'*Éloge d'Hélène*, en forme de panégyrique, mais il aurait pu tout aussi bien faire son réquisitoire. Seul compte alors le procédé qui produit la persuasion, et suscite par là même l'acquittement ou la condamnation. Devant des juges qui décideront de la vie, la parole ainsi cultivée peut tuer ou sauver. Elle touche l'âme et l'achemine au verdict, si l'on ne prend garde à ses manœuvres.

Le sophiste prétend nourrir l'âme, mais il l'empoisonne. C'est qu'il lui fournit l'aliment qu'elle absorbe sans retenue, sauf à le tenir d'abord pour suspect, ce qui implique vigilance. De la même façon que le souci épicurien d'éradiquer les vaines frayeurs qui empoisonnent la vie, cette vigilance fait partie de la philosophie, comprise là encore comme médecine de l'âme. Il ne s'agit pas seulement de guérir la conscience des préjugés qui l'habitent, mais aussi et surtout d'organiser, préventivement, sa capacité de résistance aux faux-semblants du vécu et aux arguties qui les redoublent. Positivement, cela signifie faire en sorte que se cultive en elle le goût du vrai et du juste. Protagoras, brillant sophiste, ne peut abuser que ceux qui par naïveté ou par paresse ont négligé l'exigence de vérité, car ils se sont alors privés de l'antidote dynamique contre tout empoisonnement de la pensée. Ils s'offrent ainsi sans défense à l'emprise des beaux discours et de ceux qui pratiquent le « négoce spirituel ».

Constatant le péril que démagogues et sophistes font courir à la démocratie en pervertissant l'usage des libertés qu'elle rend possibles, Condorcet fera remarquer que la révolution ne peut se contenter de la seule refondation politique et juridique, et qu'elle doit donner à tous les citoyens les armes intellectuelles de leur liberté. D'où le projet d'une instruction publique pour promouvoir le savoir et la culture, et fonder en chacun l'autonomie de jugement. « *Rendre la raison populaire* » : l'exercice éclairé de la citoyenneté est à ce prix. Les sortilèges des passions collectives inspirées par l'injustice ou l'ignorance, ou la conjonction des deux, peuvent alors être maîtrisés.

9

Le nez de Cléopâtre

Qui voudra connaître à plein la vanité de l'homme n'a qu'à considérer les causes et les effets de l'amour. La cause en est *un je-ne-sais-quoi* (Corneille), et les effets en sont effroyables. Ce je ne sais quoi, si peu de chose qu'on ne peut le reconnaître, remue toute la terre, les princes, les armées, le monde entier. Le nez de Cléopâtre : s'il eût été plus court, toute la face de la terre aurait changé.

Pascal, *Pensées*, Brunschvicg 162.

Un visage de reine, que l'on disait superbe. La douceur d'un regard ou le charme d'un trait. Le nez de Cléopâtre. Une femme à la beauté légendaire peut-elle bouleverser le cours de l'histoire ? Il y a bien de la distance entre le nez d'une jolie femme et la face entière du monde. Reine d'Égypte de 51 à 30 avant Jésus-Christ, Cléopâtre doit d'abord le rétablissement de son règne à César, qu'elle séduit, et dont elle a un fils, Césarion. Après la mort de César, elle se fait aimer d'Antoine, qu'elle persuade de promouvoir un grand empire oriental. Mais Rome ne peut laisser se constituer une telle puissance à ses portes, et Octave se charge d'en empêcher l'avènement. Il finit par battre Antoine lors de la bataille d'Actium. Le rêve s'écroule. Antoine et Cléopâtre se suicident.

Perdre le monde pour une nuit d'amour. Mais pour celui qui aime, l'amour est le monde. Contradiction légendaire entre le devoir d'État ou l'ambition, et l'accomplissement privé. Antoine perdra Rome pour gagner Cléopâtre, et Octave, son vainqueur, restera de glace devant les beautés de la Reine. Il y a bien, semble-t-il, un « je-ne-sais-quoi », un charme dont l'effet ne se proportionne à aucune réalité tangible. C'est ce « je ne sais quoi » qu'évoque Corneille dans une scène célèbre de *Médée* :

Souvent je ne sais quoi qu'on ne peut exprimer
Nous surprend, nous emporte, et nous force d'aimer
Et souvent sans raison les objets de nos flammes
Frappent nos yeux ensemble et saisissent nos âmes (acte II, scène 5).

Petites causes, grands effets. Le commentaire de Pascal souligne la disproportion, qui rompt avec une certaine idée des
exigences de la causalité. Dérision d'un détail au regard de la
chute des empires. La lecture de l'histoire humaine, d'inspiration théologique, s'attache à en souligner l'absurdité apparente, voire le non-sens intégral. Faut-il admettre que le cours
du monde est vraiment irrationnel ? Faut-il remarquer plutôt
que ce qui est à la mesure des passions humaines ne l'est guère
à celle du devenir collectif ? Comment penser le statut des passions dans l'histoire ?

La mise en regard du détail et de l'enjeu (le visage de Cléopâtre et la face de la terre) ne va pas sans artifice rhétorique.
Que le nez d'une princesse en vue puisse jouer un rôle sans
commune mesure avec sa taille ne saurait vraiment surprendre, si on restitue les ressorts de la politique lorsque celle-
ci se joue entre les grands de ce monde. Antoine, amoureux
de Cléopâtre, intègre à sa puissance de décision un élément
passionnel qui peut paraître contingent au regard de ce qui se
trame dans le sort des empires, mais dont les effets ne sont nullement négligeables.

Faut-il donc s'en tenir à ce sentiment de disproportion pour
voir dans l'histoire humaine, livrée à elle-même, cette aventure
chaotique où un « rien » décide de tout ? Une telle vision est
prompte à confirmer l'idée chrétienne de dérélection de
l'homme après le péché et la chute. Pascal y insiste : « *misère de
l'homme sans Dieu* ». Le pessimisme anthropologique et ses pré-
supposés religieux dictent ici la conception tragique d'une histoire absurde, à laquelle seule l'intervention providentielle
d'un *Deus ex machina* pourrait redonner sens. Augustin, dans
cet esprit, opposait la Cité des hommes, lieu de perdition et de
dérive, et la Cité de Dieu qui la transcende et en dépasse les
tourments.

Pour une philosophie de l'absurde, l'approche s'en tiendra
au non-sens manifeste de l'histoire. Est-il possible de trouver
une explication rationnelle là où se nouent les passions et les
hasards des rencontres ? Toute justification globale par référence à une fin secrètement agissante peut paraître arbitraire.

La tentation est alors de privilégier une description extérieure, au plus près des incohérences et des désordres du scénario visible. La dérision surgira par la simple confrontation
d'un détail hors de son contexte et du bouleversement qu'il
semble déclencher. Saisir leur caractère incommensurable,
c'est pousser le sentiment d'absurdité à son comble.

Pour se trouver en mesure de comprendre ce qui peut l'être
des événements historiques, il faut cependant se dégager
d'une approche aussi sommaire, et réinsérer le scénario apparent dans l'articulation d'ensemble des séries causales. Celles-
ci font alors système, et ce qui de prime abord paraît insigni-
fiant peut acquérir de ce fait une portée décisive dans l'explication. Le nez de Cléopâtre n'a d'importance historique réelle
que dans une situation où elle est personne publique et non
simple particulier.

La reine d'Égypte ne laisse pas de marbre le triumvir
Antoine, et les deux destins ne se nouent l'un à l'autre que
dans l'ombre impériale de Rome. Idylle arrachée à l'ordre
privé, et projetée sur la scène de l'histoire. Pascal peut bien,
par jeu et goût de la dérision à l'égard des choses humaines,
imaginer une autre taille de nez pour la reine, ou un triumvir
qui n'éprouverait aucune attirance amoureuse. Mais ces variations imaginaires devraient prendre place dans un autre
monde que celui qui a existé réellement, car elles s'insére-
raient dans un champ de possibles réalisés tout différent.

Nul étonnement ne peut dès lors être éprouvé devant les
jeux de l'amour et de l'histoire. Sous le hasard qui semble y
régner, cette histoire est faite par les hommes et elle met en
jeu leurs passions, avec ce que cela suppose de bruit et de
fureur, mais aussi de moments décisifs où progressent certaines exigences idéales. Il arrive en effet que tout en assumant
leurs passions, les hommes soient porteurs d'idéaux qui les
dépassent. Ainsi s'offre au non-sens de leurs existences singulières l'esquisse d'un horizon qui les éclaire et les accomplit.

Chapitre cinq

Le monde imaginé

1

Les tours de Notre-Dame

Qu'on loge un philosophe dans une cage de menus filets de fer clairsemés, qui soit suspendue au haut des tours de Notre-Dame de Paris, il verra par raison évidente qu'il est impossible qu'il en tombe, et si, ne se saurait garder (s'il n'a accoutumé le métier des recouvreurs) que la vue de cette hauteur extrême ne l'épouvante et ne le transisse. Car nous avons assez à faire de nous assurer aux galeries qui sont en nos clochers, si elles sont façonnées à jour, encore qu'elles soient de pierre. Il y en a qui n'en peuvent pas supporter la pensée. Qu'on jette une poutre entre ces deux tours, d'une grosseur telle qu'il nous faut à nous promener dessus : il n'y a sagesse philosophique de si grande fermeté qui puisse nous donner courage d'y marcher comme nous le ferions si elle était à terre.

Montaigne, *Essais*, II, XII (Apologie de Raymond Sebond).

Sommes-nous malades de notre imagination ? Voyez l'étrange fiction du philosophe suspendu en haut des tours de Notre-Dame de Paris. Frisson garanti. L'assurance fondée sur la raison, qui montre ce qui est vraiment, ne suffit pas à guérir notre homme des frayeurs vaines.

Le vide est là, béance imminente où les yeux fixent la peur soudaine qui les y attire. Un grand vertige surplombe tout Paris, dans le balancement immobile de l'angoisse, qui amplifie la perspective et la rend terrifiante. Il en serait de même au bord du précipice. La raison peut bien me convaincre que je ne cours aucun danger si je marche normalement, en disposant d'une largeur de chemin suffisante. Mais j'imagine alors que je peux glisser, trébucher, m'absorber dans le vide. « Le plus grand philosophe du monde sur une planche plus large qu'il ne faut, s'il y a au-dessous un précipice, quoique sa raison le convainque de sa sûreté, son imagination prévaudra. Plusieurs n'en sauraient soutenir la pensée sans pâlir et suer » (Pascal).

L'imagination joue des tours. Mais elle donne d'abord forme à toutes les pensées, en permettant la synthèse des sensations premières, qu'elle inscrit dans une construction signifiante : tout objet perçu est aussi, en un sens, imaginé, car il faut bien que se compose dans la conscience l'unité foncière de ce qui est senti. Sans image, pas de pensée. Activité qui est déjà intelligence effective du sensible, l'imagination organise la présence au monde en une mémoire structurante, donatrice de sens. C'est que les images spontanément formées puis fixées affranchissent la conscience de la temporalité vécue en s'offrant à une reprise par la réflexion. La saisie des objets et le travail de la pensée qui les compare, au-delà de leur appréhension intuitive, supposent une faculté de reproduction indéfinie de leurs images : c'est ce rôle que joue l'imagination. L'expérience ne serait donc sans elle que rhapsodie de sensations.

Ainsi conçue, l'imagination ne renseigne pas sur ce que sont les objets en eux-mêmes. Elle atteste la façon dont ils affectent celui qui les appréhende : la place qu'il occupe par rapport à eux, mais aussi l'état dans lequel il se trouve, changeant selon les circonstances, jouent un rôle. Spinoza le souligne avec l'exemple du soleil perçu comme proche : « Quand nous regardons le soleil, nous imaginons qu'il est distant de nous d'environ deux cents pieds, et l'erreur ici ne consiste pas dans l'action d'imaginer cela, prise en elle-même, mais en ce que, tandis que nous l'imaginons, nous ignorons la vraie distance du soleil et la cause de cette imagination que nous avons. Plus tard en effet, tout en sachant que le soleil est distant de plus de 600 fois le diamètre terrestre, nous ne laisserons pas néanmoins d'imaginer qu'il est près de nous » (*Éthique*, II, proposition 35, scolie, trad. C. Appuhn).

Comment l'imagination peut-elle perturber l'expérience ? « *Maîtresse d'erreur et de fausseté* », dira Pascal, soulignant comme à plaisir que son caractère trompeur est d'autant plus redoutable qu'il est aléatoire, donc imprévisible. Faculté ambiguë, qui joue un rôle décisif dans la connaissance, et délivre des limites du réel immédiat, mais peut aussi s'asservir, lorsqu'elle se dérègle, aux tourments de la mémoire comme aux errances de la vie affective.

Certaines situations sont propices à une telle dérive, en ce qu'elles favorisent la prééminence d'un imaginaire lié aux angoisses sur la perception sereine et objective. C'est qu'elles réalisent, pour la représentation subjective, des cas limites de mise en péril. Plus généralement, elles rappellent à l'homme le risque de la mort ou de la souffrance. Leur appréhension ne peut de ce fait échapper aux dérives d'une approche irrationnelle ou superstitieuse. Les images du passé hantent et insistent, promptes à resurgir. Le présent porte alors l'ombre de frayeurs et de craintes indéfinies, réminiscences et projections qui envahissent la perception et dramatisent le quotidien. L'imagination déréglée, « *folle du logis* », déborde le cadre ordinaire. Elle peut donc rendre esclave ou infirme au lieu d'ouvrir l'horizon.

Reflet de l'affectivité plutôt qu'appréhension objective du monde, le débordement de l'imagination reste rétif à la raison. C'est que le rapport à la réalité s'est d'emblée configuré en nouant une situation et les traces vives de l'expérience vécue. Bien vite, la situation n'est plus saisissable sans ces traces. Spinoza rappelle que l'imagination atteste davantage « l'état présent du corps humain que la nature du corps extérieur » (IV, proposition 1, scolie). Ainsi, la maladie peut susciter ses délires, et la détresse son paradis artificiel.

Épicure avait entrepris de soigner l'homme des vaines frayeurs qui le prennent, en le ramenant à la réalité indubitable, sobrement délimitée, de ce qu'il ressent : ascèse libératrice et contrôlée tout à la fois. Il en appelait ainsi à une sorte de discipline des passions et de l'imagination, pour en prendre la juste mesure et en comprendre les mécanismes, afin de les maîtriser. La mort elle-même, universellement crainte et entourée de fantasmes où s'exprime tout un imaginaire de fascinations et de peurs, n'est rien pour nous si nous observons que nous ne pouvons en avoir nulle expérience directe. Ou nous sommes, et la mort n'est pas encore ; ou la mort est et nous ne sommes plus. Simple constat, qui ramène toutes les angoisses de la mort et l'imaginaire qui s'y attache à la conscience stricte de ce qui est. La philosophie entend prémunir, entre autres, contre les débordements de l'imagination, qu'elle distingue nettement de son bon usage.

Il en est de même de la peur des dieux, alimentée par le fantasme qui leur attribue des passions de type humain, tout en les dotant d'un pouvoir autrement plus fort. Imagination folle et présomptueuse en un sens, puisque l'homme devient critère de tout, mais se laisse effrayer par ses propres inventions. Superstition dérisoire également, puisque l'immensité de l'univers ne peut être animée d'intentions. Les lois naturelles sont ce qu'elles sont : elles ne poursuivent aucune fin à l'égard des hommes, ni en bien ni en mal.

Il n'est pas facile d'éradiquer les tourments de l'imagination, car ils mettent en jeu la vie de la personne tout entière, et l'expérience originale qui a été la sienne. Souffrances et représentations obsédantes prennent leur source dans un retour plus ou moins irrationnel aux émotions premières de l'enfance, aux fragilités de l'être telles que les révéla un jour une difficulté particulière. Épictète rappelle que la lutte contre l'imagination déréglée est une sorte de sauvetage de la raison qu'elle submerge, et qui apparaît aussi démunie que les marins devant la tempête (*Entretiens*, II, 29).

Mais si l'imagination simplement tributaire des apparences ou des affections peut asservir et tromper, l'imagination créatrice délivre et suggère des vérités nouvelles. André Breton rappelle que les richesses de l'inconscient doivent pouvoir se manifester. Il s'agit d'ouvrir à la poésie des ressources insoupçonnées, tout en révélant les inventions du désir. Alors sont possibles d'incroyables découvertes et se profilent de nouveaux mondes : « Les confidences des fous, je passerais ma vie à les provoquer ; ce sont gens d'une honnêteté scrupuleuse, et dont l'innocence n'a d'égal que la mienne. Il fallut que Colomb partît avec des fous pour découvrir l'Amérique. Et voyez comme cette folie a pris corps, a duré. Ce n'est pas la crainte de la folie qui nous forcera à laisser en berne le drapeau de l'imagination » (André Breton, *Premier Manifeste du surréalisme*.

2

Les eaux du déluge

Le déluge dura quarante jours sur la terre. Les eaux s'accrurent et soulevèrent l'arche qui s'éleva au-dessus de la terre. Les eaux grandirent et s'accrurent beaucoup sur la terre et l'arche allait sur la surface des eaux. Les eaux grandirent beaucoup, beaucoup, au-dessus de la terre et toutes les montagnes qui existent sous tous les cieux furent recouvertes. Les eaux avaient grandi de quinze coudées de haut et les montagnes avaient été recouvertes. Alors expira toute chair qui remue sur la terre : oiseaux, bestiaux, animaux, toute la pullulation qui pullulait sur la terre, ainsi que tous les hommes. Tout ce qui avait en ses narines une haleine d'esprit de vie, parmi tout ce qui existait sur la terre ferme, tout mourut. Ainsi furent supprimés tous les êtres qui se trouvaient à la surface du sol depuis les hommes jusqu'aux bestiaux, jusqu'aux reptiles et jusqu'aux oiseaux des cieux. Ils furent supprimés de la terre, il ne resta que Noé et ceux qui étaient avec lui dans l'arche.

Ancien Testament, Genèse, IX, trad É. Dhorme,
Gallimard, Bibliothèque de la Pléiade.

Avant nous le *Déluge*. Sur le théâtre de la nature, l'humanité se raconte sa propre histoire, et comme sa seconde naissance. La terre submergée par les flots, selon la hantise immémoriale d'un naufrage universel. Et la tempête au-dessus des hommes. Le temps se brise, qui surprend les rythmes ordinaires. Avant tout geste de défense ou de précaution, les maisons sombrent, les enfants s'engloutissent, les parents meurent. Tourments de la tourmente, quand se détruisent en quelques secondes les longs travaux et les patiences. Les vies sont mêlées à la boue qui les emporte et les fige. L'eau noire enfin recouvre tout, lumière glauque où le ciel assouvit ses derniers emportements.

Le souvenir inventé du déluge fait frissonner les parchemins et les livres. Les Assyriens en évoquent l'épouvante, dans les tablettes qui comptent l'épopée de Gilgamesh. Déluge babylonien, puis récit biblique où la faute des hommes retentit dans l'univers déchaîné. Comme le héros Outrapitchim de la mémoire prébiblique, Noé le juste en réchappe. L'oiseau du premier est l'hirondelle, celui du second la colombe, légendaire, qui revient vers l'arche avec un rameau d'olivier dans le bec lorsque, enfin, la terre est libérée des eaux : elle a pu se poser sur un arbre, et le temps d'une vie nouvelle est venu.

L'histoire peut-elle recommencer ? La grande Histoire, celle du monde où se côtoient toutes les choses et tous les êtres, et dont la clameur se charge de l'écho des errements humains comme des souffrances endurées. La petite histoire, celle de chacun, telle qu'elle se tisse dans l'incertitude des rencontres et des choix, et qui prend place au sein du devenir commun. « On efface tout et on recommence », dit l'expression courante. Comme si la chose pouvait se faire. On reconnaît ici la vaine nostalgie d'un temps vierge, où tous les possibles étaient encore disponibles, en deçà des lourdeurs insistantes du passé. Cette illusion éperdue est nécessaire peut-être : on veut faire comme si les événements vécus ne l'avaient pas été et croire qu'un nouveau monde, affranchi des douleurs de l'ancien, mais aussi de ses désillusions, peut resurgir. Effacer les traces, blessures ou cicatrices, rancœurs et amertumes, oublier que l'innocence première s'est brisée un jour. Tout ensevelir, pour renaître neuf et consentir à vivre sans ressentiment.

La nature, théâtre permanent des naissances et des renaissances, des vies qui mûrissent et croissent comme des cataclysmes qui bouleversent tout, suggère le modèle d'une telle destruction-régénération. Du Dieu qui hante la croyance de beaucoup, et qui agit par nature interposée, ou de la Nature elle-même, comprise comme principe de toutes choses, ce renouvellement radical est à la fois craint et espéré. La force destructrice des éléments devient alors le signe et l'instrument d'une purification générale, en même temps qu'elle prend un sens au-delà du désarroi qu'elle a d'abord suscité.

Le rêve d'une nouvelle naissance, quand le monde est dévoyé, s'illustre par le déluge biblique, emprunté aux traditions mythologiques d'Orient. La noyade universelle préserve Noé le juste et les représentants de chaque espèce. *Sauvés des eaux*, pour donner une nouvelle chance à la création délivrée désormais de sa corruption passée. Ainsi, les consciences que prend l'angoisse d'avoir mal engagé l'existence s'inventent un salut qui passe par le naufrage universel.

L'histoire du monde a donc décrit une trajectoire incertaine, comme le ferait l'existence individuelle. Elle s'est aliénée un temps à sa dérive. L'œuvre divine ou naturelle est plus ou moins réussie, et le scénario tourne mal : elle sera donc reprise. Le *Déluge* est destruction par les eaux qui noient et qui lavent. Pluies diluviennes, quand le ciel tout entier se déverse indéfiniment sur la terre. L'arche qui fournira la souche d'un monde renouvelé flotte dans la tempête et ne sombre pas (*fluctuat nec mergitur*).

À la fin du cataclysme, un arc-en-ciel apparaît, qui symbolise une alliance nouvelle entre la terre régénérée et les cieux apaisés. Beau symbole de lumière et de paix, qui fait écho à l'image païenne de l'arc posé à même la nuée par le dieu Baal, maître du temps et des orages. La courbe des couleurs à la fois distinctes et mêlées semble réconcilier, en traversant l'horizon, le séjour des hommes et la voûte céleste d'où viennent si souvent les feux et les flots de la tempête.

L'exégèse biblique y voit le signe d'une nouvelle alliance entre Dieu et son peuple. « Élohim parla à Noé et à ses fils avec lui, en disant : "Voici que, moi, j'établis mon alliance avec vous et avec votre race après vous, avec tout animal vivant qui est avec vous : oiseaux, bestiaux, tous les animaux de la terre qui sont avec vous, d'entre tous ceux qui sortent de l'arche et font partie des animaux de la terre. J'établirai donc mon alliance avec vous pour que toute chair ne soit plus retranchée par les eaux du Déluge et qu'il n'y ait plus de Déluge pour détruire la terre." Élohim dit : "Ceci est le signe de l'alliance que je mets entre moi et vous, et tout animal vivant qui est avec vous, pour les générations à jamais. Je mets mon arc dans un nuage et il deviendra signe d'alliance entre moi et la terre" » (Ancien Testament, Genèse, IX, p. 28).

Le Dieu de la Bible redresse donc son œuvre, qu'une étrange dérive a rendue méconnaissable. Pourquoi une telle dérive était-elle inscrite dans les évolutions possibles de la création, que Dieu, après tout, avait le pouvoir de concevoir parfaite ? La question, rationnelle, ne peut se dénouer dans le contexte d'une croyance qui scrute le sens de toute chose, et au besoin s'en invente un. La représentation organise son récit symbolique entre le désarroi des vies meurtries, le souci de justifier, et la projection d'une espérance. La théologie juive puis chrétienne répondra en invoquant le libre arbitre donné par Dieu aux hommes : « Vois, j'ai mis aujourd'hui devant toi la vie et le bien, la mort et le mal [...] ; mais tu choisiras la vie afin que tu vives, toi et ta race, en aimant Iahvé, ton Dieu » (Deutéronome, 30, 15-20). Mauvais usage du libre arbitre et insouciance coupable à la veille du déluge ont marqué la dégradation de la foi : les actes n'ont plus coïncidé avec les valeurs proclamées. *Après nous le déluge...* Le refus de répondre de l'humanité en veillant à respecter les commandements divins constitue le prélude au cataclysme. Le mal multiforme a gangrené le monde, et la corruption, trop familière, en hypothèque la régénération.

Comment rendre compte de ce mauvais usage du libre arbitre sans supposer quelque faille originelle dans la création de l'homme ? Spinoza fait remarquer que le thème du libre arbitre ne résout rien, puisque la simple possibilité de son mauvais usage reconduit, de fait, à l'impensable idée d'une imperfection originelle de la création divine. Le libre arbitre serait donc accordé par Dieu, mais non la lucidité qui en permettrait une mise en œuvre éclairée. Reste que le principe créateur, pour les fidèles, vaut aussi comme principe régénérateur : le déluge va noyer l'univers dans l'eau qui engloutit et purifie, non sans avoir préservé, avec Noé, un échantillonnage de chaque espèce.

Peut-on imaginer pareil naufrage universel sans concevoir que s'y réalise quelque sanction infligée à l'humanité comme telle ? Délire superstitieux, dira encore Spinoza. La Nature n'est aux ordres d'aucun dieu. Elle est elle-même Dieu, si l'on entend par là l'être total principe de toutes choses. La seule connaissance des causes qui font monter les eaux devrait congédier le fantasme de faute, et ôter au déluge le sens qu'on lui prête. Mais la vivacité de la souffrance et la détresse, vécue comme totale devant la force incommensurable des éléments, se conjuguent dans un grand récit de rédemption, qui verrait les hommes expier leur faute imaginaire ou réelle. Cette vision anthropomorphique signe la confusion des registres. Du fait naturel à la faute humaine. De la culpabilité consciente au fait naturel, réinvesti par le désir de sens. De la loi indifférente et invariable à la moralité, absente ou présente. La peur panique installe la déraison et ses transitions délirantes.

Une autre lecture est donc possible, dans l'axe d'une vision dédramatisée des phénomènes naturels, chère aux Épicuriens et aux Stoïciens. Les choses sont comme elles sont. *C'est ainsi.* Parole sainement désenchantée, car il ne faut pas se méprendre sur le sens des récits symboliques. Ils répondent à un besoin essentiel, mais on ne peut se raconter d'histoire au moment où l'on veut maîtriser celle qui se fait, celle que l'on fait dans le surgissement silencieux du réel. Nul devenir, nul événement, ne peut être réécrit, sinon dans les vains scénarios du remords. Une lecture lucide de la présence des choses considère ce qui advient comme l'effet de causes à connaître, et reconduit tout dépit aux affres de la conscience momentanément blessée, comme au constat de son inutilité pour agir.

Mais le récit légendaire est encore là, qui assouvit l'angoisse et donne à l'humanité l'occasion précieuse de se raconter ses malheurs, comme de se représenter sa condition.

On pourra confronter l'image du déluge à celle de l'*Éden* originel, perdu par faute humaine, ou imaginé comme un âge d'or antérieur aux tourments de l'histoire :

« Iahvé Élohim forma l'homme, poussière provenant du sol, et il insuffla en ses narines une haleine de vie et l'homme devint âme vivante. Iahvé Élohim planta un jardin en Éden, à l'Orient, et il y plaça l'homme qu'il avait formé. Iahvé Élohim fit germer du sol tout arbre agréable à voir et bon à manger, ainsi que l'arbre de vie au milieu du jardin et l'arbre de la science du bien et du mal » (Ancien Testament, Genèse, 2, p. 7).

3

Don Quichotte et les moulins à vent

Ils découvrirent trente ou quarante moulins à vent qu'il y avait en cette plaine, et, dès que don Quichotte les vit, il dit à son écuyer : « La fortune conduit nos affaires mieux que nous n'eussions su désirer, car voilà, ami Sancho Pança, où se découvrent trente ou quelque peu plus de démesurés géants, avec lesquels je pense avoir combat et leur ôter la vie à tous, et de leurs dépouilles nous commencerons à nous enrichir : car c'est ici une bonne guerre, et c'est faire grand service à Dieu d'ôter une si mauvaise semence de dessus la face de la terre. – Quels géants ? dit Sancho. – Ceux que tu vois là, répondit son maître, aux longs bras, et d'aucuns les ont quelquefois de deux lieues. – Regardez, monsieur, répondit Sancho, que ceux qui paraissent là ne sont pas des géants, mais des moulins à vent et ce qui semble des bras sont les ailes, lesquelles, tournées par le vent, font mouvoir la pierre du moulin. – Il paraît bien, répondit don Quichotte, que tu n'es pas fort versé en ce qui est des aventures : ce sont des géants, et, si tu as peur, ôte-toi de là et te mets en oraison, tandis que je vais entrer avec eux en une furieuse et inégale bataille. » Et, disant cela, il donna des éperons à son cheval Rossinante, sans s'amuser aux cris que son écuyer Sancho faisait, l'avertissant que sans aucun doute c'étaient des moulins à vent, et non pas des géants, qu'il allait attaquer. Mais il était tellement aheurté à cela que c'étaient des géants qu'il n'entendait pas les cris de son écuyer Sancho, ni ne s'apercevait de ce que c'était, encore qu'il en fût bien près.

Cervantès, *L'Ingénieux Hidalgo Don Quichotte de la Manche*, I, VIII, trad. C. Oudin et F. Rosset, revue par J. Cassou, Gallimard, Bibliothèque de la Pléiade.

L'épopée n'est plus. Sous la nue du monde, les formes désertées par les tourments chevaleresques dessinent l'écriture brouillée des idéaux perdus. Seul déambule un héros longiligne, stature décharnée sur la terre aride. Verticale fragile, qui pourrait tomber à tout moment. Le soleil décompose indéfiniment la poussière des chemins.

Don Quichotte sort des livres, et il cherche sa place en ce paysage étrange, en cet univers de choses et d'êtres qui ne peut plus l'accueillir. C'est que l'idéal se rêve à hauteur d'homme et s'invente le roman de sa propre existence. Les fictions d'antan l'ont nourri, et toute l'humanité présente est regardée à travers elles. Générosité, qui crédite et exalte. Rien ne peut donc démentir ce à quoi on veut croire. La prose du monde ordinaire se charge de l'espoir qui tout à la fois la décrypte et l'élève. Une imagination sans réticence peureuse opposera sa vertu aux bassesses et aux injustices. Qui n'a ainsi, au moins une fois, réinventé le monde afin de mieux le vivre en y décelant malgré tout la présence muette de l'idéal ?

L'illusion romanesque peut bien déserter le monde comme il va et se prendre au piège de ses propres fantasmes : elle n'en révèle pas moins cette autre part de la vie, qu'est l'aspiration au dépassement du donné. La conscience ne peut se figer dans la platitude prosaïque des habitudes et des préjugés ordinaires. À l'inverse, la compréhension du bon sens peut bien dériver en conformisme paresseux : elle n'en manifeste pas moins une certaine exigence de lucidité, qui entend voir les choses sans détour ni grandes phrases, sans illusion non plus. Don Quichotte : stature morale et générosité. Déficit de réalisme. Sancho Pança : égoïsme réaliste et conscience étriquée. Déficit d'idéal. Deux archétypes, dont l'humanité décline à l'infini les combinaisons possibles.

Les moulins à vent, géants mécaniques, sont-ils les nouvelles figures de la puissance inhumaine ? Il est évidemment insensé de vouloir les combattre, et le seul mouvement de leurs pales aura raison de l'assaut délirant d'un chevalier qui n'a plus sa tête. La geste héroïque est reconduite à la dérision de sa fantasmagorie. Mais le bon sens obstiné, au plus près semble-t-il des réalités telles qu'elles sont, a tôt fait de voir partout des moulins qu'il est inutile de braver. Miguel de Unamuno plaide pour Don Quichotte en qui il voit l'irréductible figure de l'idéal par-delà toutes les conduites serviles. Le sentiment tragique de la vie rappelle que la quête de la justice et de la vérité ne doit pas être seulement ce qui nourrit la pensée, mais aussi et surtout ce qui fait vivre.

Les choses familières, absorbées dans l'évidence écrasante de leurs formes quotidiennes, ne peuvent vraiment répondre à la vision qui les transfigure. Tragédie du décalage. Don Quichotte se promène au milieu des signes qu'il a projetés sur toute réalité. Il réinvente le monde parce qu'il ne peut le réduire à ce qu'il est. Et le fantasme chevaleresque prend corps à toute occasion. *Se battre contre des moulins à vent.* L'expression est devenue trop commune, qui dit la dérision des exploits inutiles et des causes perdues d'avance, et oppose un peu vite le pragmatisme efficace aux postures héroïques. Mais Don Quichotte n'est pas seulement un attardé, ni un nostalgique devenu fou par anachronisme. Il révèle tout aussi bien les limites tangibles d'une époque et d'un lieu. Son épopée tragi-comique est aussi bien satire de la réalité que peinture d'un idéal qui rend fou. C'est dire que le fantasme est en quelque façon lucidité. On pourrait ici parodier Pascal. Ne serait-ce pas être fou par un autre tour de folie que de se sentir bien dans le monde comme il va ?

Cervantès s'explique, et explique son héros : « Il emplit sa fantaisie de tout ce qu'il lisait en ses livres, tant des enchantements comme des querelles, batailles, défis, blessures, passion, amours, et extravagances impossibles ; et il lui entra tellement en l'imagination que toute cette machine de songes était vérité que pour lui il n'y avait autre histoire plus certaine en tout le monde. » Si la littérature dit le vrai de la vie, voire constitue – comme le suggère Proust – la vraie vie, pourquoi la posture du Quichotte serait-elle si insensée ? De fait, elle reconduit à ce simple constat qu'il n'est de vie humaine que modelée selon un projet, une ambition, le choix d'une façon d'être. L'éthique de vie en est le style, et la figure du chevalier errant, y compris par le décalage qui la fait paraître dérisoire, résulte d'une expression sans frein d'un idéalisme sans espoir. Cette posture, dont il est trop facile de ne saisir que l'outrance, paraîtra toujours anachronique à ceux qui se soumettent servilement aux puissances du jour. Pascal disait pourtant sans détour : « Les choses du monde les plus déraisonnables deviennent les plus raisonnables à cause du dérèglement des hommes » (*Pensées*, Brunschvicg 320).

Les livres disent la mémoire de la vie, mais ils consignent aussi les courages et les idéaux qui la font devenir autre que ce qu'elle était. Même si les grands sentiments chevaleresques ont participé d'une idéologie et des rapports hiérarchisés qu'elle reflétait, ils ont exprimé quelque chose d'un désintéressement qui n'était pas entièrement réductible à sa fonction d'idéalisation d'une position sociale. C'est ce qui ressort, à l'évidence, du déphasage de Don Quichotte, souligné plus encore par l'étrange association qu'il forme avec Sancho Pança. Ce dernier, prosaïque et conformiste autant que réaliste, n'est-il pas d'ailleurs conçu comme l'exact négatif du noble chevalier ?

La lecture déborde la vie, mais elle est vie elle-même. Par elle, l'humanité se constitue autant que par l'ordinaire des situations : lire, c'est aussi prendre conscience et inscrire toute perception dans un cadre qui en prépare le sens. Simplement, il arrive que l'idéal, à force de vouloir dire la vérité des choses, engendre sa propre illusion et organise les conditions du sarcasme qui l'accablera.

Le fantasme évite la nostalgie, puisque le présent des choses doit répondre à l'aspiration qui le transfigure, et que se transposent en lui les scénarios perdus de la noblesse agissante. Don Quichotte reviendra à lui-même, avec sa « folie » intacte, et sans avoir connu le désenchantement intérieur. Mais il aura appris à juger la réalité, résolument étrangère à ses aspirations. Pourquoi vivre alors ? La mort de Don Quichotte et la survie de Sancho Pança se répondent silencieusement. Mais Sancho, sans l'Hidalgo qui épelait l'idéal, rentre dans la nuit.

4

Les navettes automates

Si donc il était possible à chaque instrument parce qu'il en a reçu l'ordre ou par simple pressentiment de mener à bien son œuvre propre, comme on le dit des statues de Dédale ou des trépieds d'Héphaïstos qui, selon le poète, entraient d'eux-mêmes (*automaton*) dans l'assemblée des dieux, si, de même, les navettes tissaient d'elles-mêmes et les plectres jouaient tout seuls de la cithare, alors les ingénieurs n'auraient pas besoin d'exécutants ni les maîtres d'esclaves.

Aristote, *Politiques*, I, 4, 1253b,
trad. P. Pellegrin, GF-Flammarion.

Du fond des âges remonte l'image du métier à tisser traditionnel. Les fils de la chaîne sont tendus parallèlement, dans le
sens de la longueur de la future étoffe. La main agile et vive
tient la navette de bois, qui entraîne le fil de trame, et la lance
d'un côté puis de l'autre entre les fils de la chaîne. Le rythme
du mouvement est si régulier qu'on dirait la navette naturellement articulée à la main, la main et le corps confondus avec
tout le métier. Mouvement habituel du corps en amont de
l'outil, du corps-outil dont Aristote dira qu'il est instrument
animé. Le tissu se noue et se forme à mesure que monte la
trame sur la chaîne. Tâche d'esclaves, répétée indéfiniment.
Tâche d'ouvriers ou d'ouvrières, dans les ateliers des premières manufactures de tapisseries et de tissus. Tâche d'enfants, dans les pays pauvres d'aujourd'hui.

Le rêve de loisir, pour tous les hommes, s'inventa un jour
l'improbable fiction des automates. Simple hypothèse d'école,
aux yeux d'Aristote, que l'idée du tissage automatique.
Entrevue pourtant, elle esquisse l'utopie sociale d'un monde
sans esclaves ni ouvriers : la conception resterait du ressort des
hommes, mais l'exécution des tâches serait déléguée aux ins-

truments « qui se meuvent d'eux-mêmes ». L'exemple de la navette, symbole par excellence de la répétition, du va-et-vient absurde à la longue, reconduit à la question du sens du travail et, au-delà, de la vie qu'il implique.

L'homme ajusté à la machine et à ses exigences peut-il encore jouir de sa liberté ? En Grèce antique, les hommes libres le sont du fait qu'ils n'ont pas à se soumettre aux tâches productives, déléguées aux esclaves. La tâche est dite servile en ce qu'elle n'a pas sa raison d'être en elle-même : il faut produire pour vivre, et vivre pour agir librement, pour être soi. Ceux qui ne sont pas asservis à des tâches productives sont en mesure de vivre libres : ils s'adonnent à la politique de la Cité, pensent et méditent. Certains, qui ne prennent guère de distance à l'égard du système dont ils jouissent, développent même une singulière propension à tenir un tel ordre social pour naturel.

Il ressort de tout cela un certain idéal d'accomplissement humain, qui considère comme aliénation l'asservissement aux tâches simplement utiles. Ne peut-on dès lors universaliser cette thèse, et tenir que ce qui vaut pour certains hommes devrait valoir pour tous, en principe du moins ? Deux directions sont alors possibles, et d'ailleurs compatibles. La première est celle d'une automatisation graduelle des tâches les plus pénibles. La seconde est celle d'un partage de celles-ci entre tous les hommes, afin que nul n'en soit dispensé et que chacun en ait le moins possible à faire, pour jouir d'un temps de libre activité. Et cela en attendant que l'automatisation engagée soit complète.

Deux utopies majeures peuvent ainsi servir d'idéaux régulateurs. L'une, technique, résout le problème de l'aliénation de façon radicale, en supprimant à terme la tâche aliénante. L'autre, sociale et politique, requiert le partage optimal des tâches les plus déshumanisantes, ou à tout le moins leur réduction graduelle. L'enjeu est que la charge endurée par chaque homme soit la plus faible possible, et de ce fait compatible avec son libre accomplissement.

Aristote n'envisage ici que la première utopie. Plus loin, dans le même livre, il frôle la seconde en se demandant si tous les esclaves sont esclaves par nature. En son langage, cela signifie entre autres que l'adéquation supposée de chaque homme à la tâche qu'il assume ne se vérifie peut-être pas toujours. Certains hommes libres deviennent esclaves par fait de guerre, et ils entretiennent dès lors avec les travaux qui leur sont imposés une relation conflictuelle. Il suffit d'étendre ce cas à tous les hommes, en considérant que nul n'est par vocation rivé à une activité servile et unidimensionnelle, pour cesser de croire qu'il y a un esclavage naturel.

Quant au sens philosophique, et non plus social, de l'esclavage, il concerne l'aliénation possible de tout homme à ses passions, ou à une tutelle intellectuelle ou morale. Il n'a pas de relation nécessaire avec la condition sociale. Un tyran, qui ne songe qu'à user de son pouvoir pour satisfaire ses passions, est en ce sens un véritable esclave : il ne jouit en fin de compte d'aucune liberté intérieure. Corneille fait dire à Auguste : « Je suis maître de moi comme de l'univers. » C'est dire que les deux maîtrises sont bien différentes. Platon s'inquiétait de ces hommes de pouvoir dont l'intempérance personnelle fonde la tyrannie politique. Archélaos le tyran évoqué dans le *Gorgias*, est de ceux-là. Néron et Commode, empereurs, illustreront cet esclavage assorti d'un redoutable pouvoir de nuire.

Il n'est pas indifférent de considérer qu'il existe deux registres de servitude. La servitude intérieure, qui fait qu'on n'est pas maître de ses pensées, peut être tantôt cause tantôt effet de la servitude extérieure, qui fait qu'on n'est pas maître de ses actions ni même de sa vie. Cause, quand elle renonce à exiger la liberté qui revient à tout homme, et se fait complice de la condition subie. Effet, quand la lassitude d'une existence asservie tend à briser jusqu'aux ressorts de la conscience et du courage. Rousseau : « un esclave perd tout dans ses fers, jusqu'au désir d'en sortir ».

Aristote n'envisage apparemment qu'une modalité de la disparition des esclaves : la prise en charge de leur fonction par un progrès technique. Mais il pourrait entrevoir également la modalité sociale et politique de cette disparition en tirant toutes les conséquences de son constat historique, combiné à son humanisme philosophique. Certains esclaves ne devraient pas l'être, à ses yeux, si du moins on justifie l'esclavage par référence à une disposition naturelle. Mais les aléas que révèle une telle anomalie dans la distribution sociale des fonctions et des positions invitent à radicaliser la contestation de l'ordre établi. Radicalisation étayée par l'idéal philosophique du loisir essentiel à l'accomplissement de tout homme, et qui implique condamnation de la situation faite aux esclaves. Il faut bien sûr les tenir pour de véritables hommes, ce dont il ne doute pas.

Aristote n'est pas Spartacus, révolté qui leva une armée d'esclaves contre les légions romaines. Il ne va pas jusqu'à remettre en cause la société esclavagiste de son temps. Mais il ne considère pas pour autant que tout va de soi. Dans son testament, il affirmera la vocation de ses propres esclaves à être affranchis.

Cependant le doute émis sur la légitimité de certaines situations d'esclavage est décisif. Il rejoint l'idée que l'esclavage n'a rien de nécessaire. À l'horizon s'affirme le rôle attribué au loisir, entendu comme libre activité, dans l'accomplissement humain. Ainsi se prépare un recul critique à l'égard d'une exploitation représentative de bien des oppressions.

L'histoire humaine a largement fait passer dans la réalité le songe fulgurant d'Aristote. Les progrès techniques sont là. Dans les usines textiles, les navettes tissent toutes seules. Les esclaves ont-ils disparu ? Question à transposer si l'on considère certaines formes de travail comme un esclavage moderne. La réflexion doit alors s'engager sur la façon dont les sociétés modernes s'approprient le progrès technique et répartissent les gains de productivité qu'il rend possibles. Les enfants du tiers-monde qui travaillent sans hygiène ni loisir pour les multinationales, avec des horaires qui rappellent ceux qui étaient en vigueur au XIXᵉ siècle, sont les esclaves modernes. Et les chômeurs n'ont de loisir que par ironie amère : esclaves en un autre sens d'un « marché du travail » qui n'est guère plus avenant que les marchés d'esclaves de l'Antiquité.

Un préjugé moderne, dit « libéral » par étrange détournement de valeur, peut être revu à la lumière de l'image aristotélicienne. Croire ou faire croire que le chômage est la conséquence inéluctable du progrès technique, c'est céder à la même illusion que ceux qui tenaient l'esclavage pour naturel et nécessaire. Nulle relation de cause à effet ne peut rigoureusement être établie en l'occurrence, si l'on n'interpose pas un troisième terme entre progrès technique et chômage. Ce sont les rapports de pouvoir qui règlent l'utilisation des gains de productivité, et proportionnent le profit des uns à la précarité des autres.

5
L'opium du peuple

Lutter contre la religion, c'est indirectement lutter contre le monde dont la religion est l'arôme spirituel.

La détresse religieuse est, pour une part, l'expression de la détresse réelle et, pour une autre, la protestation contre la détresse réelle. La religion est le soupir de la créature opprimée, la chaleur d'un monde sans cœur, comme elle est l'esprit de conditions sociales d'où l'esprit est exclu. Elle est l'opium du peuple.

Abolir la religion en tant que bonheur illusoire du peuple, c'est exiger son bonheur réel. Exiger qu'il renonce aux illusions sur sa situation, c'est exiger qu'il renonce à une situation qui a besoin d'illusions. La critique de la religion est donc en germe la critique de cette vallée de larmes dont la religion est l'auréole.

La critique a dépouillé les chaînes des fleurs imaginaires qui les recouvraient, non pour que l'homme porte des chaînes sans fantaisie, désespérantes, mais pour qu'il rejette les chaînes et cueille la fleur vivante. La critique de la religion détruit les illusions de l'homme pour qu'il pense, agisse, façonne sa réalité comme un homme désillusionné parvenu à l'âge de raison, pour qu'il gravite autour de lui-même, c'est-à-dire de son soleil réel.

Marx, *Critique du droit politique hégélien*,
Éditions Sociales.

Baudelaire invoquait les douces vertus de l'opium. « Tu possèdes les clefs du paradis, Ô juste, subtil et puissant opium. »

Il en est de l'opium comme de toute drogue. La vertu dormitive et sédative du suc de pavot va de pair avec l'euphorie douce qu'il peut susciter. Remède et poison tout à la fois, comme le dit le mot grec *pharmakos*. Car l'euphorie n'a qu'un temps, et la vie grise aussitôt revenue paraît alors insupportable. Le manque s'installe sans que sa cause réelle disparaisse. Urgence d'une nouvelle prise. Commence alors le cercle vicieux de la dépendance incrustée en soi, quand l'ordre du corps fige le tourment de l'âme. L'assoupissement moral affranchit périodiquement la conscience des préoccupations et des angoisses quotidiennes. Mais les intervalles qui sont l'ordinaire de la vie – se chargent d'ombre : c'est que la lumière factice des paradis artificiels les y plonge par contraste.

Comparer la religion à l'opium, ce n'est donc pas nécessairement la disqualifier, mais souligner l'ambivalence de la fonction qu'elle peut remplir. C'est au regard des souffrances et des injustices du monde comme il va qu'une telle comparaison prend sens. Si l'opium incite à fuir le monde dans un paradis artificiel, c'est bien que l'insuffisance en est constatée, et qu'il ne s'agit pas de s'en satisfaire. D'où la dimension protestataire d'une attitude religieuse qui prend son origine dans la déshérence de la vie. La détresse réelle s'y exprime et y manifeste une aspiration secrètement douloureuse. Elle relève d'une espérance affirmée malgré tout. Une telle expression est un bien ambigu. D'abord, elle soulage, à la façon d'un sédatif de la douleur. Ensuite, d'une certaine manière, elle relativise ce qui est et le donne à voir en sa carence. L'existence est alors élevée à la conscience de ses limites présentes, voire de l'exigence d'un autre accomplissement. Mais la forme même d'une telle prise de conscience peut entraver la lucidité, en détournant l'attention des causes réelles. L'idéal lui-même peut devenir incantation mystifiante au lieu de constituer un levier pour l'émancipation. Des perspectives illusoires se dessinent, qui aliènent alors l'exigence critique.

La vérité de la religion, c'est donc selon Marx ce qu'elle exprime de l'injustice d'un monde. Le constat semble s'imposer, même si une telle expression ne donne guère le moyen de transformer ce monde. Les attitudes qu'elle déclenche laissent intacts les ressorts de la souffrance infligée, mais visent à la soulager. Protestation muette contre la misère effective dont elle est le symptôme, la conscience religieuse ne veut l'imputer qu'à l'homme et non à Dieu. En un sens, elle voile ce qu'elle révèle.

Faut-il traiter les iniquités du monde par la charité qui soulage indéfiniment les effets ou par la solidarité qui intègre les victimes du moment au processus de justice, et qui les maintient fermement dans la communauté des citoyens, en récusant toute condescendance ? Peut-être n'y a-t-il pas à choisir si chaque registre d'action se tient dans la conscience de sa portée relative : l'humanitarisme n'est pas une politique, car il laisse les ressorts de l'injustice en l'état. Les limites de la charité et de l'assistance avaient déjà retenu l'attention de Hegel :

« Le caractère contingent de l'aumône, des institutions chari-
tables [...] est complété par des institutions publiques d'assistance... » (*Principes de la philosophie du droit*, § 242).

Se prendre pour créature déchue et finie, insister sur la
« part maudite » qui ferait l'essentiel de l'humanité, c'est esquisser un peu plus qu'un diagnostic : un renoncement à éradiquer ce dont on souffre. S'il en va de la nature humaine, et des
effets interminables de sa faiblesse multiple, pourquoi chercher à changer les choses ? Le mal métaphysique dissuade
d'espérer un monde meilleur, puisqu'il invite à chercher le
salut ailleurs que dans les tourments de l'histoire. Exil et déser-
tion, en somme, signent une sorte de désespoir transfiguré.

Feuerbach, lui, avait lu autrement le sens de la religion. Il y
voyait la projection par l'homme de ses propres qualités, idéa-
lisées et extrapolées, en un être supérieur et transcendant
appelé Dieu. Ainsi comprise, elle est une aliénation. Une telle
projection consacre une dépossession, puisqu'on attribue à un
être autre, incommensurable, le meilleur de soi. Et l'on croit
désormais ne jamais pouvoir atteindre les perfections de cet
être imaginaire. De fait, le sens profond de la religion serait
d'exprimer négativement l'amour de l'humanité, c'est-à-dire
en l'inversant sous une forme sublimée. La nature humaine se
projette en se méconnaissant elle-même comme source de ce
qu'elle imagine. Dieu, c'est l'homme qui s'oublie et s'élève à la
fois, au point de ne plus se reconnaître dans ce à quoi il a
donné naissance. D'où le paradoxe d'une religion où
l'homme-dieu semble tout proche du dieu fait homme. Le
thème de l'incarnation divine exprime ce mystère.

Une certaine approche de la fonction pratique de la religion refuse alors le renoncement à ce monde. L'amour de
Dieu est amour de l'humanité : il ne peut être question de se
satisfaire des injustices de ce monde en les référant à une mauvaise nature et à son péché originel. Le monde des hommes
doit faire advenir en lui ce qui le rend digne d'avoir été créé.
Retour aux tourments de l'histoire profane, que nulle fatalité
ne consacre : il faut faire appel de ce qui creuse la distance
entre une créature supposée déchue et un dieu donné comme
parfait. Pascal lui-même s'en étonnait : « Le christianisme est
étrange. Il ordonne à l'homme de reconnaître qu'il est vil, et
même abominable, et lui ordonne de vouloir être semblable à
Dieu » (*Pensées*, Brunschvicg 537).

Le déchirement de la conscience religieuse s'éprouve comme tension entre la finitude ressentie et les vertiges de l'infini. Toute chose s'éteint dans l'ombre qu'elle porte, alors même qu'un grand midi l'éclaire. Toute chose s'apprête à disparaître, et les différences criantes de condition semblent s'estomper dans l'horizon de la mort prochaine. Pourtant la mort, comme la vie, ne prend pas le même sens pour tout le monde, et la religion ne peut alors relier les hommes qu'en faisant abstraction des différences de condition qui les séparent. C'est à ce titre que se redouble son ambiguïté : l'unité de principe de l'humanité peut valoir aussi bien pour occulter les disproportions de fortune et de condition qui séparent les hommes que pour en faire apparaître le caractère révoltant.

L'apogée du capitalisme industriel, par exemple, est marquée par une exploitation frénétique de l'homme par l'homme. Exploitation que ne tempéraient pas encore les acquis des luttes sociales, tels qu'ils devaient s'inscrire plus tard dans le droit. L'humanitarisme des « maisons de pauvres » allait alors de pair avec le cynisme de la course au profit, et donnait de la religion une version clairement aliénante.

Si souvent la théologie a pu contribuer à la reproduction de l'ordre établi, elle a parfois inspiré un désir d'émancipation sociale, et d'égalité, comme la Théologie de la Libération en Amérique latine. Ellacuria et Romero payèrent de leur vie cette conviction. Ne peut-on dès lors concevoir un autre statut de la religion ? Engels, évoquant la guerre des paysans en Allemagne au XVIᵉ siècle, soulignait que pour certains opprimés la référence chrétienne avait pu être utilisée comme ferment de révolte. C'est alors l'émancipation terrestre qui se joue.

Reste que la religion, en semblant élever les hommes au-dessus de la réalité empirique, peut avoir deux effets différents. Elle peut nourrir une illusion, qui ne correspond à aucune affirmation existentielle réelle. Elle peut aussi inviter à prendre ses distances à l'égard du donné, c'est-à-dire à en mesurer les insuffisances. La fatalisation des maux historiques et sociaux consiste à y voir l'inévitable conséquence d'une nature humaine supposée intrinsèquement corrompue : elle a partie liée avec une aliénation et une illusion. En revanche, le rappel de la dignité de tout homme et de l'unité de principe de toute l'humanité peut inciter à transformer les conditions sociales qui font obstacle aux valeurs ainsi réaffirmées.

En disant que la religion est la « chaleur d'un monde sans cœur », Marx suggère une compréhension plus fine de la conscience religieuse que ne le laisserait entendre la seule formule de l'« opium du peuple », hâtivement interprétée. Ce n'est pas la religion qui rend la réalité misérable, mais les puissances terrestres qui engendrent la détresse. Quant à la religion, elle ne transfigure cette réalité que le temps d'un artifice où les aspirations humaines affichent le rêve d'une autre vie. La « chaleur d'un monde sans cœur » est donc largement illusoire, mais elle atteste une aspiration irréductible, qui condamne le monde tel qu'il est, en sa froideur explicitement désignée.

La représentation religieuse a pour elle le témoignage d'un certain registre de la conscience humaine : celui du sentiment et de l'imaginaire spirituel qui lui correspond. Cet imaginaire peut avoir des conséquences repérables, quand il induit une soif de justice ou tout simplement une certaine façon d'être à l'égard des autres hommes. Cette dimension peut dans une certaine mesure contrebalancer la fonction aliénante et mystificatrice de la compensation illusoire. Marx d'ailleurs ne parle jamais de supprimer la religion comme telle, mais se réfère à la religion « en tant que bonheur illusoire du peuple ». Et il précise que seule peut valoir à cet égard une action indirecte, portant sur le besoin de compensation religieuse, et non sur la religion elle-même. Il exclut ainsi toute persécution antireligieuse. L'action sera indirecte en ce qu'elle visera la disparition de l'effet par la suppression de la cause, à savoir l'existence concrète d'une « situation qui a besoin d'illusions ». C'est le bonheur réel, ou la possibilité d'y accéder, qui peut y conduire.

Restera alors aux hommes à prendre la mesure de la condition humaine, débarrassée des injustices historiques, mais non de sa finitude métaphysique. Une des versions de cette inquiétude métaphysique est de nature religieuse, mais dans ce cas, la religion peut apparaître sous la forme d'une démarche spirituelle sans compromission temporelle. Bref, la révolution sociale ne tue nullement l'interrogation sur le sens, ni le besoin de spiritualité, religieuse ou non religieuse. Mais elle les purifie de la dérive aliénante et mystificatrice qui les pervertit. C'est en ce sens que Simone Weil, chrétienne, a pu écrire une formule apparemment paradoxale, mais porteuse d'une vision pleinement laïque et déliée de la religion : « la religion en tant que source de consolation est un obstacle à la vraie foi ; et en ce sens l'athéisme est une purification » (*Cahiers II*, p. 129).

Une religion qui ne serait opium que pour le peuple pourrait être soupçonnée, en raison de cette assignation sociale, de remplir un rôle peu conforme à la destination spirituelle et universelle qu'elle revendique.

6

Les boules de billard

Quand nous regardons hors de nous vers les objets extérieurs et que nous considérons l'opération des causes, nous ne sommes jamais capables, dans un seul cas, de découvrir un pouvoir ou une connexion nécessaire, une qualité qui lie l'effet à la cause et fait de l'un la conséquence infaillible de l'autre. Nous trouvons seulement que l'un suit l'autre effectivement, en fait. L'impulsion de la première boule de billard s'accompagne du mouvement de la seconde. Voilà ce qui apparaît aux sens *externes*. L'esprit ne sent aucun sentiment, aucune impression *interne* de cette succession d'objets ; par suite, il n'y a, dans un cas isolé et particulier de causalité, rien qui puisse suggérer l'idée de pouvoir ou de connexion nécessaire.

Hume, *Enquête sur l'entendement humain*,
trad. A. Leroy, GF-Flammarion, p. 130.

Les nuages obscurcissent le ciel. Une pluie soudaine strie le paysage. En écho avec la dernière pluie, une mémoire s'esquisse, à laquelle répondra demain la même succession de phénomènes. Nuage et pluie font désormais partie d'un scénario familier, où le présent semble annoncer le futur, comme les timides blancheurs de l'aurore annoncent la pleine lumière du jour. Les choses font signe, et l'expérience du monde se tisse d'habitudes. La conscience ordinaire s'installe dans les rythmes du temps. Les moments de la vie s'entre-répondent, les jours et les nuits se succèdent, les saisons alternent sans surprise. Un bourgeon, une hirondelle, une certaine senteur de Mai dit la promesse du printemps.

Pourtant ce langage et les évidences qu'il organise vont peut-être au-delà de ce que d'abord on a perçu. N'imagine-t-on pas le monde plus qu'on ne croit ? La question mérite d'être posée, qui conduit à interroger les certitudes les plus ordinaires. Le scepticisme, au sens le plus simple, consiste à

suspendre le jugement pour en contrôler le cours et les critères. Il conduit à se demander ce qui relève de la croyance,
provenant du sujet humain, et à le distinguer du savoir des
choses, comprises en elles-mêmes, en leur réalité propre.
L'expérience livre-t-elle à l'homme les clés de ce qui la
constitue ? Dans l'appréhension des phénomènes les plus
ordinaires, nous croyons saisir d'emblée la relation de cause à
effet, comme si elle se donnait à voir immédiatement par le
spectacle du monde et les séries d'événements qui s'y enchaînent familièrement. Nous croyons sans hésiter qu'une chose
en produit une autre, qu'elle est cause d'un effet repérable.
Ainsi du choc de deux boules de billard, dont l'une est dite
cause du mouvement de l'autre. Qu'en est-il réellement ?

Considérons le monde comme un spectacle. D'où vient ce
que nous croyons savoir des événements qui s'y déroulent ? La
question concerne, entre autres, le sens donné au mot cause,
lorsqu'on l'applique à un phénomène. Un tel phénomène est
dit en annoncer un autre. Le fait de constater une succession
permet-il d'affirmer que celle-ci se reproduira ? L'idée d'une
connexion nécessaire ne vient-elle pas d'une simple croyance
formée par l'habitude ? Il faut, pour en décider, faire retour à
l'expérience originaire, et restituer le témoignage d'un
homme qui pour la première fois assisterait à la succession de
deux phénomènes donnés.

Sur le tapis vert, les boules de billard sont en mouvement.
Qui songerait à contester que la boule blanche, heurtant la
boule rouge, provoque son mouvement, du moins en
apparence ? Pourtant, un regard neuf, pur de toute mémoire,
ne saisit qu'une succession parfaite de deux mouvements. Ce
qu'il voit, c'est seulement la conjonction de deux événements
qui se succèdent : l'expérience réunit deux objets dans
l'espace ou les voit se succéder dans le temps, mais rien de plus
ne peut être dit si l'on s'en tient à une description fidèle. Au
théâtre du monde, le ballet des apparences a bien sa logique,
mais la science qui veut saisir les relations entre les événements ne peut que construire le lien qui les explique, non les
lire à livre ouvert dans les scénarios multiples de l'expérience.

Fiction. La boule blanche, au moment où elle semble toucher la boule rouge, est arrêtée par un obstacle caché, invisible
de tout observateur. Au même instant, la boule rouge est pro-
pulsée par un levier également caché. On ne peut dire alors,
en toute rigueur, que le premier mouvement est cause du

second. La parfaite coïncidence du rôle joué par l'obstacle et de l'impulsion motrice du levier pourrait être pur hasard. Et seule la confrontation du « spectacle » qui se joue sur la scène de l'expérience avec l'invisible montage qui se trouve dans les coulisses peut rompre l'illusion. Pour l'observateur habitué à voir se succéder les deux mouvements, l'apparence ne fait pas de doute. Le scénario perçu est le même dans les deux cas évoqués : le réel rejoint la fiction, et la fiction le réel. Dans aucune des deux situations il n'y a de connexion directe vraiment visible, mais dans la deuxième l'illusion est en quelque sorte redoublée, puisqu'en réalité il n'y a même pas de connexion directe du tout, même invisible.

Il convient donc de revenir au ressort du jugement qui convertit une simple conjonction perçue en connexion nécessaire, et croit ainsi pouvoir inférer l'avenir à partir du présent. Le lien d'un fait à un autre doit d'abord être tenu pour mystérieux, et la démarche qui en fait un enchaînement nécessaire doit être réinvestie selon une approche critique. Seule, selon Hume, la répétition régulière d'une conjonction peut donner le sentiment qu'elle relève d'une connexion nécessaire. Mais ce n'est qu'un sentiment, ou une impression, et rien n'autorise à le projeter sur l'objet.

Bien des enfants imaginent les causes et se racontent ainsi l'histoire secrète des spectacles quotidiens qui d'abord les étonnent, puis tissent la familiarité d'une expérience. Mais les hommes font-ils autre chose, lorsqu'ils croient saisir directement la réalité d'un enchaînement causal là où ils ne perçoivent qu'une succession de faits ? Sont-ils fondés à s'affranchir de l'actualité d'une sensation ou du témoignage de la mémoire pour faire dire à l'expérience plus qu'elle ne dit, ou qu'elle ne montre ? La superstition, qui s'invente un déluge ou un orage divin pour quelque faute humaine, ne procède pas autrement : n'hallucine-t-elle pas la causalité ?

Le caractère extraordinaire de certains phénomènes semble déjouer l'habitude, mais la crédulité imagine aussitôt une autre causalité, extraordinaire cette fois-ci. L'invention du miracle comme dérogation à la causalité habituelle par l'irruption d'une causalité merveilleuse vient alors compléter la soif de sens, et l'on glisse de la croyance ordinaire à la superstition.

C'est celle-ci, notamment, que dénonce Spinoza par l'image du « *délire de la Nature et des Dieux* ». Les hommes, lorsqu'ils trouvent dans la nature des moyens de satisfaire leurs besoins, sont enclins à lui prêter une organisation finalisée par rapport à eux, et à supposer des divinités attentives à leurs préoccupations. Cet anthropocentrisme, et ce finalisme naïf, relèvent d'un préjugé superstitieux, qui installe un miracle permanent dans l'ordre des choses : « Par où il advint que tous, se référant à leur propre constitution, inventèrent divers moyens de rendre un culte à Dieu afin d'être aimés par lui par-dessus les autres, et d'obtenir qu'il dirigeât la Nature entière au profit de leur désir aveugle et de leur insatiable avidité. De la sorte, ce préjugé se tourna en superstition et poussa de profondes racines dans les âmes ; ce qui fut pour tous un motif de s'appliquer de tout leur effort à la connaissance et à l'explication des causes finales de toutes choses. Mais, tandis qu'ils cherchaient à montrer que la nature ne fait rien en vain (c'est-à-dire rien qui ne soit pour l'usage des hommes), ils semblent n'avoir montré rien d'autre sinon que la Nature et les Dieux sont atteints du même délire que les hommes » (Spinoza, *Éthique*, appendice du livre I).

7

Les côtés du chiliogone

Je remarque premièrement la différence entre l'imagination, et la pure intellection, ou conception. Par exemple, lorsque j'imagine un triangle, je ne le conçois pas seulement comme une figure composée et comprise de trois lignes, mais outre cela je considère ces trois lignes comme présentes par la force et l'application de mon esprit ; et c'est proprement ce que j'appelle imaginer. Que si je pense à un chiliogone, je conçois bien à la vérité que c'est une figure composée de mille côtés, aussi facilement que je conçois qu'un triangle est une figure composée de trois côtés seulement, mais je ne puis imaginer les mille côtés d'un chiliogone, comme je fais les trois d'un triangle, ni pour ainsi dire, les regarder comme présents avec les yeux de mon esprit. Et quoique suivant la coutume que j'ai de me servir toujours de mon imagination, lorsque je pense aux choses corporelles, il arrive qu'en concevant un chiliogone, je me représente confusément quelque figure, toutefois, il est très évident que cette figure n'est point un chiliogone, puisqu'elle ne diffère nullement de celle que je me représenterais, si je pensais à un myriogone, ou à quelque autre figure de beaucoup de côtés ; et qu'elle ne sert en aucune façon à découvrir les propriétés qui font la différence du chiliogone d'avec les autres polygones.

Descartes, Méditations métaphysiques, Sixième Méditation.

La main conduite par la pensée fait la beauté de la figure. La forme sort de l'abstraction, et la rend présente. Une image retient le regard : elle se lit comme le signe sensible de l'essence. Carré, cercle ou triangle. Le champ, la lune pleine, ou la ligne qui réunit trois étoiles suggèrent sans faute les trois formes. Socrate dessine un carré sur le sable. Le tracé imparfait ne nuit pas au raisonnement sur l'essence du carré : ses propriétés sont connues, et le calcul s'affranchit de l'image tout en prenant appui sur elle. L'esprit n'hésite pas pour évaluer le périmètre ou la surface. La figure vue ou imaginée lui fournit un support sensible, dont il peut s'aider pour représenter certains rapports.

Ainsi, Socrate va pouvoir illustrer sa méthode d'accouchement des esprits en faisant découvrir une vérité géométrique à l'aide de la figure et des raisonnements qu'elle rend plus aisés. Le problème qu'il pose n'est pas des plus faciles, malgré les apparences. Comment doubler la surface d'un carré donné ? L'esclave de Ménon croit d'abord qu'il faut doubler le côté. Visualisée par le dessin, l'erreur se signale d'elle-même à l'esprit attentif, et la pensée se délivre de la suggestion première.

Platon parlant des mathématiciens y insiste : « Ils se servent de figures visibles et ils raisonnent sur ces figures, quoique ce ne soit pas à elles qu'ils pensent, mais à d'autres auxquelles elles ressemblent. Par exemple, c'est sur le carré en soi, sur la diagonale en soi qu'ils raisonnent, et non sur la diagonale telle qu'ils la tracent, et il faut en dire autant de toutes les figures. Toutes ces figures qu'ils modèlent ou qu'ils dessinent, qui portent des ombres et produisent des images dans l'eau, ils les emploient comme si c'était aussi des images, pour arriver à voir ces objets supérieurs qu'on n'aperçoit que par la pensée » (*La République*, VI, 510e).

Image vue, ou représentée. Un étonnant pouvoir de montrer ou de cacher, de suggérer ou d'imposer, dessine et met sous les yeux. Comment rendre tangible le rapport, la forme abstraite ? Il faut donner à l'esprit qui pense la possibilité de se ressaisir lui-même dans l'élément sensible, pourtant opaque d'abord. La balance traditionnelle évoque la justice et ce rapport qu'elle établit entre les hommes, par le strict équilibre des deux plateaux suspendus. La médiation de la vision directe, ou de l'imagination, est ici décisive. J'évoque un triangle et le trace bientôt dans mon tableau imaginaire. Je vois le triangle dessiné sur le sable, et je conçois l'essence générale de la figure qu'il représente. Je ferme les yeux, et j'imagine à nouveau un triangle aussi distinctement que je le conçois par la pensée. Mais jusqu'à quel point cette correspondance est-elle possible ?

Voir, concevoir, imaginer. Il est des cas où les trois actes coïncident si bien que l'on va de l'un à l'autre aisément. Descartes le fait remarquer à propos du triangle, aussi clair et distinct pour l'imagination que pour la conception. Mais qu'advient-il quand la pensée conçoit des formes idéales dont aucune représentation exacte ne peut être donnée ? L'entendement invente des formes parfaitement conçues, mais qui débordent la puissance de l'imagination. Quatre côtés : l'image du quadrilatère, carré, losange, ou figure moins régulière, se représente sans peine. Six côtés : l'hexagone encore est clair et distinct, pour l'imagination comme pour l'entendement. À tel point qu'il peut symboliser couramment un pays. Huit côtés : on atteint presque la limite de la figure parfaitement imaginable. Dix côtés : l'attention simultanée aux dix traits qui dessinent la forme se fait encore plus difficile à soutenir, et le trouble saisit la perception fictive. Mille côtés : le divorce est consommé. Le contraste peut sembler vertigineux. Le polygone de mille côtés, appelé chiliogone, ou de dix mille côtés, appelé myriogone, est parfaitement concevable, mais pratiquement inimaginable.

Reste à comprendre malgré de telles limites la possibilité d'un passage de l'essence pure des figures à l'image qui la rend sensible, d'un pont entre l'entendement et l'imagination. Kant fait remarquer qu'il suffit de disposer d'une méthode de construction de la figure, c'est-à-dire d'un schème. La rotation d'une aiguille de montre dessine un cercle, comme le ferait un segment de droite tournant autour d'une de ses extrémités, ou la corde tendue autour d'un piquet. Le cercle se définit nominalement comme le lieu géométrique des points équidistants d'un même point appelé centre. Sa définition génétique, par la rotation d'un segment de droite, illustre une méthode de construction aisément imaginable. Celle-ci exprime une essence, tout en rendant manifeste la possibilité de s'en donner indéfiniment des images.

La simplicité de la figure est, bien sûr, ce qui explique une telle harmonie de l'abstraction et de l'image, par la médiation du schème. Mais un certain niveau de complexité rompt cette harmonie. Il faut alors se résoudre à ne plus pouvoir livrer une expression sensible adéquate de tout ce que conçoit la raison. C'est le cas non seulement du chiliogone, mais aussi, par exemple, de principes et de concepts politiques parfaitement intelligibles, mais dont on ne peut donner que des expressions symboliques ou allégoriques.

Marianne représentant la République ne le fait pas directement, comme une image circulaire le fait pour l'essence du cercle. Elle le fait indirectement, par une analogie : il faut dès lors interpréter l'allégorie par référence à l'idée qui s'y exprime, et que seule la raison peut saisir. Nulle opération de soumission par l'ascendant de quelque effigie aux pouvoirs mystérieux n'opère ici, puisque Marianne n'est pas elle-même ce qu'elle représente. Une telle expression symbolique laisse donc la conscience libre, car elle la reconduit à sa capacité de compréhension, seule à décider du sens des signes. La République, c'est l'idée d'une communauté politique unie par des principes, fondant la liberté de chacun sur une loi commune, et liant le bien commun à l'égalité de tous comme à la juste mesure de la puissance politique. De tout cela, l'allégorie de Marianne, coiffée du bonnet phrygien qui rappelle les conquêtes de la Révolution, ne peut que suggérer le sens, par certaines analogies : l'unité du bien commun est celle de sa personne, mais elle ne vaut que par le symbole révolutionnaire dont elle est coiffée, car il évoque une référence juridique sans laquelle cette unité n'aurait pas de sens propre. C'est en ce sens que le corps de Marianne n'est pas semblable au corps du roi, coiffé de la couronne qui évoque un pouvoir de domination.

Le symbole, ici, ne peut être compris comme tel que par l'application de la raison à ce que la réalité symbolisée présente de comparable à une réalité sensible, alors même qu'aucune ressemblance empirique n'est en jeu. Ou, si l'on veut, la façon dont on réfléchit sur l'essence d'une chose abstraite se découvre identique à celle que l'on met en œuvre pour comprendre celle d'une chose concrète, en recherchant les rapports qui l'expliquent ou la rendent possible. Kant en donne un exemple saisissant lorsqu'il rappelle que l'autonomie d'un corps vivant exprime bien, sous un certain rapport, celle de la communauté politique démocratique où le peuple dispose de lui-même, alors que le moulin à bras, actionné par une puissance extérieure à lui, exprime au contraire la stricte dépendance du peuple par rapport à un despote : le symbole, ici, opère par une analogie qu'il s'agit à la fois de penser et d'éprouver de façon sensible. Cette simultanéité opère par une sorte d'harmonie cachée entre les facultés humaines :

« Ainsi représente-t-on un État monarchique par un corps animé, s'il est gouverné selon des lois internes du peuple, mais par une simple machine (comme par exemple un moulin à bras) s'il est gouverné par une volonté singulière absolue ; mais dans les deux cas la représentation est seulement symbolique. Car entre un État despotique et un moulin à bras, il n'y a assurément aucune ressemblance, mais il y en a bel et bien entre les règles de la réflexion sur eux et sur leur causalité » (*Critique de la faculté de juger*, § 59).

8

La colombe légère

La mathématique nous fournit un éclatant exemple de l'ampleur des progrès que nous pouvons faire *a priori* dans la connaissance, indépendamment de l'expérience. Le fait est qu'elle ne s'occupe certes d'objets et de connaissance que dans la mesure où ils sont tels qu'ils se peuvent présenter dans l'intuition. Mais cette condition échappe facilement, parce que l'intuition mentionnée peut elle-même être donnée *a priori*, et par conséquent se distingue à peine d'un simple concept pur. Séduite par une telle preuve de la puissance de la raison, l'impulsion qui nous pousse à élargir nos connaissances ne voit pas de limites. La colombe légère, quand, dans son libre vol, elle fend l'air dont elle sent la résistance, pourrait se représenter qu'elle réussirait encore bien mieux dans l'espace vide d'air. C'est ainsi justement que Platon quitta le monde sensible, parce que celui-ci impose à l'entendement de si étroites limites, et qu'il s'aventura au-delà de celui-ci, sur les ailes des Idées, dans l'espace vide de l'entendement pur.

Kant, *Critique de la raison pure*, Introduction,
trad. A. Renaut, GF-Flammarion.

La vie, c'est la terre natale de la pensée. Celle-ci se déploie parmi les multiples activités de la conscience et y prend tout son sens. Par la pensée, la vie se met à distance d'elle-même afin de se comprendre. Mais elle peut s'y oublier parfois.

L'oiseau a pris son envol, et le ciel s'ouvre à lui. Des choses qui pesaient la mémoire se délivre. Une certaine tentation métaphysique se déploie ici naturellement. La soif d'absolu fait congédier l'âpreté des choses. Elle entreprend le grand voyage d'une méditation soumise à ses seules règles intérieures.

S'affranchir de la pesanteur, n'est-ce pas se délier des étroitesses du moment et du lieu, pour s'élever plus sûrement à ce qui vaut partout et toujours ? Attirée par les hauteurs qui surplombent, la pensée s'aventure, et la connaissance, délivrée des petitesses de l'expérience, s'annonce comme une promesse de liberté.

Mais comment prétendre connaître, si l'on oublie ce qui fait l'épaisseur sensible des choses, leur dureté ou leur douceur, leurs couleurs et leurs formes propres ?

Libre comme l'air, ou presque, l'oiseau s'allège et s'enivre de son propre mouvement. Mais le risque est là, insensible d'abord, de convertir cette dynamique d'émancipation en fuite hors du réel. Bientôt, celui-ci est comme perdu de vue, ou ne subsiste qu'à travers la vision critique de ses limites. Il n'en continue pas moins à être là, de toute la force de son irréductible présence, et se rappellera toujours à l'étourdi qui croit pouvoir le congédier.

L'idée se forme, par l'étonnant pouvoir de la réflexion humaine, qui déborde les confins de l'expérience. Mais l'illusion aussi, qui substitue l'idée, sans trop y prendre garde, aux choses mêmes. L'esprit tout plein de ses exigences est prompt à se méprendre. Il en vient à croire qu'il connaît vraiment ce qu'il ne fait que penser. Mais ce qu'il connaît ainsi, c'est sa liberté de dépasser les bornes de la situation présente, et non de la méconnaître. Un tel pouvoir d'affranchissement est précieux pour faire advenir tout ce qui dépend de la volonté humaine. Rien n'autorise à substituer cet idéal à une connaissance des choses mêmes, sauf à mêler les registres de la conscience, c'est-à-dire en fin de compte à les brouiller. La colombe vole toujours plus haut, et le ciel sans rivage est devenu son élément. Loin sous elle, les choses estompent leurs tracés, dissolvent leurs formes. Mais les ailes qui battent l'air et le surmontent gardent la mémoire sensible de ce monde.

Le sillage d'oiseau relie la terre au ciel. Transcender le réel pour inventer le possible. Il faut oser donner à l'initiative l'idéal qui l'oriente et la stimule. Il en est ainsi notamment sur le plan social et politique. Les obstacles présents ne sont eux-mêmes que le résultat d'une passivité antérieure, de la reconduction silencieuse d'une injustice.

Quand l'esclavage est à son apogée, il paraît indépassable ; il s'assortit bien vite d'attitudes qui le consacrent et le maintiennent. La réalité même semble s'agencer pour qu'il se perpétue : résignation des victimes, système de normes à l'avantage des maîtres, sacralisation de la dépendance, sont autant d'obstacles à toute remise en cause et font passer pour naturel le rapport de forces présent. Faut-il renoncer pour autant à vouloir l'égalité et à œuvrer pour la faire reconnaître ? Le discours du conformisme n'est pas loin, qui disqualifie par avance comme irréaliste toute transformation au nom d'un idéal. Contre un tel fatalisme, Platon rêve la Cité parfaite malgré les corruptions des cités réelles, et il ne peut le faire qu'en congédiant d'abord leurs défauts. Sans cela, il intérioriserait dans la norme l'imperfection qu'elle doit corriger.

La colombe vole toujours plus haut, toujours plus légère, tandis que la terre lourde s'éloigne sous ses ailes alertes. L'air qui souffle et résiste n'est-il pas le dernier obstacle à l'envol définitif ? Le vent persiste, respiration tenace de la vie et du monde réel. L'oiseau se prend à rêver que le vide et son immobilité l'en délivreraient. Il oublie qu'il ne tient et n'avance qu'en raison de la consistance propre à l'air, sur lequel il s'appuie pour voler. Les ailes sont de chair, et la force de l'air qu'il faut surmonter est aussi la condition du vol. Songe illusoire et vain que celui d'une élision de la réalité présente, qu'il faut bien prendre d'abord telle qu'elle est, y compris pour la transformer. L'idée qui la fait connaître en ses insuffisances ne peut subrepticement prendre sa place. La réflexion spéculative peut s'agacer ainsi de tout ce qui semble lui résister, méconnaissant trop vite que sa vocation est d'élucider la réalité concrète, et pour cela de partir d'elle, puis d'y rester attentive.

S'il s'agit de comprendre le réel, l'attention aux choses multiples qui le constituent est indispensable. Seules les intuitions sensibles permettent de les saisir. L'esprit humain ne peut ici construire ses références et ses repères en ne comptant que sur lui-même, comme il le fait pour la logique ou les mathématiques.

Avec la logique, il a pris conscience de ses exigences propres en matière de démonstration et les rendait manifestes. Ainsi, Lewis Carroll s'est amusé à composer des raisonnements maniant des propositions empiriquement absurdes, mais liées de façon logiquement valide, c'est-à-dire selon un enchaînement formellement irréprochable. Nul appui sur l'intuition sensible n'était alors nécessaire : l'absurdité même des propositions logiquement enchaînées le montrait bien.

Avec les mathématiques, l'esprit construit les figures idéales et les formules des rapports constants qui permettent d'expliquer le réel, sans autre besoin que celui d'une intuition pure des rapports idéaux. Et ceux-ci n'existent pas à la façon dont existent les choses du monde sensible. Ainsi de toute figure idéale – cercle ou carré – dont la définition ne dépend aucunement du recours à l'expérience. Descartes évoque le caractère exemplaire de la discipline mathématique tant par la fécondité que par la rigueur de sa méthode, et l'espoir qu'elle avait suscité en lui : « Ces longues chaînes de raisons, toutes simples et faciles dont les géomètres ont coutume de se servir pour parvenir à leurs plus difficiles démonstrations, m'avaient donné occasion d'imaginer que toutes les choses qui peuvent tomber sous la connaissance des hommes s'entresuivent en même façon » (*Discours de la méthode*, deuxième partie).

Délivrée par l'austère logique et la froide mathématique de tout obstacle qui troublerait sa puissance pure, la raison peut céder à l'ivresse de son propre pouvoir, tel qu'il s'est révélé dans des succès incontestables. Elle se prend au jeu de ses inventions et de ses conquêtes, sans remarquer alors qu'elle déroge à l'exigence de traiter chaque domaine de connaissance en tenant compte de son originalité, et du genre d'existence des objets qu'il recouvre. La pensée ainsi déliée cède bientôt à son propre vertige. Ne peut-elle trouver en elle, et en elle seule, la clef de tout ce qui est, sans faire le détour d'une enquête précise, attentive aux conditions concrètes et à leur histoire changeante ?

Kant fait remarquer que logique et mathématique ont pris très tôt la voie sûre de la science. Mais elles ont ainsi inspiré à la métaphysique des ambitions et des illusions qui devaient la conduire au dogmatisme. Celui-ci réifie les explications en un monde d'idées dont le monde réel ne serait que la copie imparfaite ou la version dégradée. Le scepticisme succède alors à cet exil de la pensée dans des conjectures invérifiables. La science des réalités physiques, quant à elle, n'est pas celle des idéalités mathématiques ou des formes logiques, et l'étude des phénomènes sociaux diffère autant de l'une que de l'autre. En tout état de cause, il faut savoir sortir de soi pour connaître et comprendre. Les concepts qui expriment l'essence des choses ne sont pas les idées que la raison tire de son propre fonds. Les idéaux, quant à eux, se construisent à travers le dépassement des limites présentes. Ils finalisent la pratique par le souci de produire dans le monde ce qui vraiment dépend d'elle.

Il faut prendre au sérieux l'exigence théorique, qui est de savoir et de comprendre en s'affranchissant des *bornes* du lieu et du moment. Il y a de l'envol dans la pensée qui se détache pour mieux comprendre. Mais il faut également inscrire sa démarche dans les *limites* que déterminent les conditions de possibilité du savoir : comme sujet percevant et connaissant, tout homme est constitué d'une certaine manière, et son accès au vrai en dépend. C'est à la tentation de confondre les bornes et les limites qu'il faut résister.

Kant a précisé dans une autre image la tâche de la raison, entendue comme faculté critique de s'examiner elle-même dans ses activités. Il évoque un « *tribunal de la raison* ». Étrange tribunal, puisque la même raison siège comme juge et comme accusée. Ce dédoublement est essentiel, car il atteste la distance lucide entre une faculté capable d'autocritique et ses propres usages, lorsque ceux-ci ne se conforment pas aux exigences qui devraient les régir : « un appel adressé à la raison pour qu'elle prenne à nouveau en charge la plus difficile de toutes les tâches, celle de la connaissance de soi, et qu'elle institue un tribunal qui la garantisse en ses légitimes prétentions, mais tout en sachant en revanche éconduire ses présomptions sans fondements, non par des décisions autoritaires, mais en vertu de ses lois éternelles et immuables ; et ce tribunal n'est rien d'autre que la *Critique de la raison pure* elle-même » (Préface de la première édition de la *Critique de la raison pure*).

9

Le tableau du monde

Le monde, surtout si l'on considère le gouvernement du genre humain, ressemble plutôt à un chaos confus qu'à l'œuvre bien ordonnée d'une sagesse suprême. Que telle soit la première apparence, je l'accorde. Mais dès que l'on examine les choses de plus près, l'opinion contraire s'impose. [...] Regardons un très beau tableau, et couvrons-le ensuite de manière à n'en apercevoir qu'une minuscule partie : que verrons-nous dans celle-ci, même en l'examinant de très près et surtout même quand nous nous en approchons de plus en plus, sinon un amas confus de couleurs, fait sans choix et sans art ? Et cependant en écartant le voile et en regardant le tableau tout entier de la distance convenable, on comprendra que ce qui avait l'air d'une tache faite au hasard sur la toile, est l'effet de l'art consommé du peintre.

Leibniz, *De la production originelle des choses prise à la racine*,
trad. P. Schrecker, Hatier-Boivin.

Candide découvre le monde. Guerres et cris, souffrances et mots absurdes. Les chocs et les pleurs auront bientôt raison de la confiance naïve et native. La candeur de Candide, tout d'abord, c'est la fiction d'un regard neuf, que ne hante aucune amertume, que ne voile aucune rancœur. Il est possible alors de voir, de voir sans préjugé ni prévention, et d'accueillir ce qui advient sans construire d'emblée le sens selon la vision unilatérale du pessimisme, ou de l'optimisme. Laisser parler le monde, en somme, avant de le comprendre comme un tableau. Parole confuse, voire chaotique, et douloureuse souvent. Candide souffre et ne comprend guère. Séquences courtes et brutales des violences instantanées, des cadavres soudains, des tourmentes indéfinies, sans queue ni tête.

Le roman tragique du monde se vit d'abord dans les causalités courtes de scénarios absurdes. Cette réalité immédiate contraste avec les longues justifications où s'enchaînent les arguties et les considérations embarrassées, telles que les développe Pangloss, théoricien du meilleur des mondes et de la Divine Providence. À l'horizon du roman de Voltaire, il y a la stupéfiante confiance des théologiens, qui veulent innocenter Dieu de la présence du mal sur la Terre. « Tout est bien », écrit Pope. Et devant le cruel témoignage des faits, il s'explique : « Il n'y a point de maux ; ou s'il y a des maux particuliers, ils composent le bien général » (*Quatrième Épître*). La réplique de Voltaire est célèbre : « Voilà un singulier bien général, composé de la goutte, de tous les crimes, de toutes les souffrances, de la mort et de la damnation » (*Dictionnaire philosophique*).

On peut revenir à une double métaphore. Le monde est un tableau, et aussi un roman, quand le tableau se meut et compose une histoire. Le monde est harmonie, de couleurs comme de sons. Leibniz précise, pour que se comprenne l'harmonie picturale et musicale : « La perception des yeux en peinture est du même ordre que celle des oreilles en musique. » C'est dire que les contrastes de couleur et les dissonances ne se comprennent que dans la belle harmonie qui les résout. Singulière polyphonie, qui est cacophonie avant de s'interpréter comme harmonie.

Cette « économie du monde », destinée à la faire saisir comme acceptable, à le montrer conforme à ce qu'on peut souhaiter de mieux, s'ordonne à une approche théologique manifeste. Il s'agit de justifier ce qui est, en suggérant qu'une autre réalité serait nécessairement moins bonne.

Dieu se serait-il trompé de monde ? Question sacrilège, ou impertinente, mais légitime y compris pour un croyant que hante le spectacle des misères multiples. Et l'alternative surgit, bien connue, qui fut la croix des théologiens soucieux de justifier leur dieu, c'est-à-dire d'écrire une théodicée. Ou Dieu est bon, mais sa puissance est limitée, puisqu'il ne peut empêcher le mal. Ou Dieu est tout-puissant, mais il n'est pas si bon que cela, puisqu'il laisse le mal se produire. Dans un cas comme dans l'autre, l'idée de Dieu est mise à mal, si l'on retient la version chrétienne de la divinité : la bonté et la toute-puissance y sont indissociables.

Il faut alors apprécier l'œuvre divine, de deux points de vue complémentaires. L'ordre du monde, à chaque instant de son existence, est comme un tableau. Et son histoire, lue selon le déroulement de ses épisodes, en forme une sorte de roman. Dieu, peintre suprême et suprême romancier, compose la trame du sens, mais ne livre guère aux hommes les clés de l'énigme. Que vaut d'ailleurs ce langage métaphorique, si le mal enduré laisse sa trace indélébile dans les êtres qu'il meurtrit ? L'impuissance est là, muette et tragique, rétive à toute justification extérieure. Elle se refuse à tout discours qui prétendrait justifier ou rationaliser. L'enfant qui ne peut parler (*infans*, en latin) et subit la meurtrissure ineffable en reste à tout jamais marqué. À cet égard, le mal n'est pas simplement l'ombre portée du bien, ou un vide bientôt comblé. Il n'est pas simple privation, car il a de l'être. Sa réalité singulière insiste et résiste, et rien ne pourra faire oublier. La souffrance n'est pas un dessin de craie qu'un chiffon efface de l'ardoise pour rendre celle-ci à sa virginité première. Kant le rappellera, en précisant que la grandeur négative du mal a une consistance ontologique, qu'elle a de l'être, si l'on peut dire. Et Primo Levi, rapportant l'horreur des camps sans autres phrases que celles qui la décrivent, fixera sans retour l'impossibilité d'oublier ce rappel. *Si c'est un homme* est le livre qui congédie toute justification du mal.

Y a-t-il une stratégie de la sagesse devant les douleurs subies ? Les Stoïciens confortaient la fermeté d'âme (*fortitudo*) par l'idée que le monde est harmonie. Subir sans crier, car l'épreuve présente est occasion de se savoir libre face des événements qui ne dépendent pas de nous. Elle nous donne occasion, selon eux, de nous assurer de nous-mêmes. Il faut pour cela surmonter ou limiter les effets en nous de ce que nous n'avons pas choisi. Il faut aussi s'arranger avec la souffrance, la créditer du sens qu'elle ne peut avoir en elle-même. C'est que blessant la vie, elle inscrit déjà sa hantise dans la conscience.

On en appelle désormais à une justification extérieure. Il ne s'agit plus seulement d'accéder à la satisfaction que tout homme ressent lorsqu'il surmonte une épreuve. Celle-ci lui révèle son pouvoir, sa liberté même au cœur des tourments, mais elle atteste aussi quelque chose de tragique dans la condition humaine, telle qu'il faut la vivre. Il faut alors sortir de soi, pour penser le tout du monde, et son histoire. Et tenter d'y trouver quelque chose comme un sens. Les résistants torturés, au bout de la souffrance et au seuil de la mort, imaginent un monde futur, réconcilié.

> Un grand soleil d'hiver éclaire la colline
> Que la nature est belle et que le cœur me fend
> La justice viendra sur nos pas triomphants
> Ma Mélinée ô mon amour mon orpheline
> Et je te dis de vivre et d'avoir un enfant (Aragon, *L'Affiche rouge*).

Le tableau du monde futur intègre la souffrance présente, mais il en fait déjà l'élision : ceux grâce auxquels il a pu advenir ne sont plus là, sinon dans la mémoire bientôt disparue avec les témoins qui la portent. Le sens ainsi restitué à la souffrance peut-il la racheter ? Il faut beaucoup de recul et d'abnégation pour voir les choses ainsi, et les mettre en perspective par-delà sa douleur propre, quand la vie retient à peine son dernier cri. Les êtres qui souffrent peuvent-ils ainsi se désister pour l'avenir ? Ou pour un bien survenant ailleurs ? L'équation peut sembler révoltante.

L'étrange alliance du mal et du bien, de l'ombre et de la lumière, de la stridence et de l'harmonie, hante donc le tableau du monde. Les vies singulières n'y semblent plus présentes qu'en fonction de leur contribution à l'ensemble, et cet ensemble est si vaste qu'il les noie comme mille vaguelettes imperceptibles dans la rumeur de la mer. Cris noyés, visages indistincts dans la foule elle-même fondue. Ici la grimace de douleur d'un anonyme. Là le rire d'un enfant dans l'ombre. Ailleurs, une poutre calcinée. Tableau qui conjugue l'horreur vue de près et l'harmonie vue de loin. On voit que la condition d'un tel renversement de perspective est une mise à distance qui fait bon marché des souffrances singulières, réduites à des faire-valoir ou à de simples moyens d'une construction d'ensemble.

Ici s'éprouvent les limites morales de toute approche réductrice de ce qui ne peut s'expliquer ni même se dire : le non-sens absolu de vies meurtries à tout jamais.

Chapitre six

Les vertiges de l'action

1

La forêt sans repère

Ma seconde maxime était d'être le plus ferme et le plus résolu en mes actions que je pourrais, et de ne suivre pas moins constamment les opinions les plus douteuses, lorsque je m'y serais une fois déterminé, que si elles eussent été très assurées. Imitant en ceci les voyageurs qui, se trouvant égarés en quelque forêt, ne doivent pas errer en tournoyant, tantôt d'un côté, tantôt d'un autre, ni encore moins s'arrêter en une place, mais marcher toujours le plus droit qu'ils peuvent vers un même côté, et ne le changer point pour de faibles raisons, encore que ce n'ait peut-être été au commencement que le hasard seul qui les ait déterminés à le choisir : car, par ce moyen, s'ils ne vont justement où ils désirent, ils arriveront au moins à la fin quelque part, où vraisemblablement ils seront mieux que dans le milieu d'une forêt. Et ainsi, les actions de la vie ne souffrant aucun délai, c'est une vérité très certaine que lorsqu'il n'est pas en notre pouvoir de discerner les plus vraies opinions, nous devons suivre les plus probables ; et même, qu'encore que nous ne remarquions point davantage de probabilité aux unes qu'aux autres, nous devons néanmoins nous déterminer à quelques-unes, et les considérer après, non plus comme douteuses, en tant qu'elles se rapportent à la pratique, mais comme très vraies et très certaines, à cause que la raison qui nous y a fait déterminer se trouve telle.

Descartes, Discours de la méthode, troisième partie.

L'action est en suspens, et l'hésitation se prolonge. L'angoisse de l'égaré change fébrilement le chemin, sans cesse. La forêt sans repère tournoie dans le regard, opaque et sombre. Nulle progression finale ne résulte de l'errance. La résolution et l'esprit de suite sont de rigueur. Mais on ne peut les confondre avec la précipitation. Comment éviter une telle confusion ?

Il s'agit de définir une règle de conduite. Inconstance et obstination sont deux risques opposés, deux tentations aussi. La vie a ses urgences, son rythme propre. Descartes écarte un malentendu : « Il est vrai que si j'avais dit absolument qu'il faut se tenir aux opinions qu'on a une fois déterminé de suivre, encore qu'elles fussent douteuses, je ne serais pas moins répréhensible que si j'avais dit qu'il faut être opiniâtre et obstiné... Mais j'ai dit tout autre chose, à savoir qu'il faut être résolu en ses actions, lors même qu'on sera irrésolu en ses jugements » (lettre de mars 1638). On ne doit donc pas renoncer à concevoir une sagesse rationnelle, où la pensée nourrisse la lucidité, mais il faut prendre acte d'une nécessité vitale. Le doute qui pèse sur les opinions qui règlent l'action peut sembler d'autant plus grave que c'est la vie même qui est en jeu. Il n'y a pas à le nier, mais simplement à en faire abstraction jusqu'à plus ample inventaire. Il faut se contenter de ce qui paraît le plus vraisemblable. Nulle recette d'ailleurs ne permet de faire face à toutes les situations avec certitude.

On peut ainsi consentir à certaines façons d'agir par simple souci pratique, sans nourrir d'illusion sur leur fondement intrinsèque. De fait, l'observation des conduites humaines suffit à remarquer le rôle qu'y joue l'empire de l'opinion. Persans et Chinois sont aussi sensés que nous en la matière, observe Descartes. Ce n'est donc pas par préjugé ou servitude idéologique inaperçue qu'il conçoit ses maximes de sagesse. Celles-ci valent « *par provision* », en attendant de figurer dans une sagesse totalement accomplie par la réalisation du savoir. Nulle illusion sur la valeur universelle des opinions retenues n'est en jeu : en insistant sur le fait qu'il ne s'agit en l'occurrence que du domaine de l'opinion, Descartes montre bien qu'il n'en surestime pas la portée. Et il préserve la conscience de tout conformisme.

Ainsi, on s'efforcera d'adopter l'opinion la plus raisonnable, tout en poursuivant la réflexion. La résolution est requise par la simple cohérence de l'action, mais elle n'implique nullement le refus de changer de repères si besoin est, c'est-à-dire si la raison le demande. Nulle obstination ne serait opportune, s'il s'avérait vraiment que le choix premier doit être repensé. Nul conformisme non plus, puisque l'adoption pragmatique d'une opinion ne dit rien de sa vérité et laisse ouverte la possibilité d'en changer. Le magistère de la pensée, toujours libre et tournée vers ses seules exigences, ne peut se confondre avec celui de la pratique quotidienne, même s'il en revendique légitimement la conduite.

Il faut oser avancer, et dans une unique direction, qu'on n'abandonne pas pour un petit motif. Le moment de

réflexion conçoit la solution la plus probable, et le choix
bientôt s'impose, qui relaie l'urgence. Il faudra, pour aller
droit, contourner bien des arbres. Mais la ligne esquissée pose
ses propres repères. Difficile tracé dont la rectitude, main-
tenue malgré les méandres, oriente et sauve, et ne compromet
nullement la liberté de la pensée, car celle-ci se joue sur un
autre plan. La constance n'interdit aucune remise en question, mais elle exige que l'examen entrepris ne relève pas d'un
facteur isolé ou d'un éphémère effet de perspective. Nul
volontarisme, nul aveuglement volontaire au nom de l'action
qui n'attend pas, mais une ferme cohérence dans la conduite.
Se conduire, et non pas être conduit.

De la forêt sans repère, pure extériorité uniforme où un
tronc est un tronc, où les feuilles qui jonchent le sol se ressemblent toutes, il faudra bien sortir. Comme du labyrinthe, où
Thésée tua le Minotaure. Mais nul ne détient d'emblée un fil
d'Ariane. S'il faut quitter le territoire qu'occupe une forêt, il
convient à l'évidence de progresser vers la lisière, coûte que
coûte, et tout déplacement doit s'inscrire dans cette visée.
Arriver « quelque part », c'est en l'occurrence atteindre un tel
but, et l'endroit où l'on sort enfin de la forêt importe moins
que le fait d'en sortir. C'est la conscience rationnelle de cette
priorité qui éclaire et guide, en définissant au sens propre la
ligne de conduite.

La nature ne parle pas aux hommes leur langage et les
reconduit à la seule possibilité qu'ils ont de s'orienter : se
donner des repères en rendant consciente la position qu'ils
occupent au regard des choses et des espaces. Le sujet percevant fait retour à soi comme source des directions et des distances aussi simplement qu'il distingue sa main gauche et sa
main droite, son dos et sa poitrine. Les points cardinaux peuvent alors être identifiés à partir de la position du soleil dans le
ciel et de l'orientation corporelle. Kant : « Si je vois le soleil au
ciel et si je sais qu'il est maintenant midi, je puis trouver le sud,
l'est, le nord et l'ouest ; mais à cet effet il m'est indispensable
d'éprouver par rapport à moi-même le sentiment d'une
différence ; je veux dire celle de droite et de la gauche »
(*Qu'est-ce que s'orienter dans la pensée ?*).

L'homme qui pense et qui juge, qui décide et qui agit, ne
peut trouver qu'en lui, d'abord, le principe d'orientation qui
fait en apparence défaut dans le paysage. De nuit, sur les cimes
noires du silence céleste, l'étoile polaire, entre autres, offrirait

sa lumière ponctuelle, aisée à reconnaître. Mais la décision de la suivre relèverait encore du seul voyageur, trouvant en lui la raison de s'en remettre à ce repère. C'est en somme sa bonne étoile qu'il suivrait ainsi, et qu'il suivrait résolument.

Qu'est-ce donc que s'orienter dans la vie, dans la forêt anonyme, comme on le ferait dans la nuit sans étoiles ? Nul repère ne s'offre spontanément. L'homme solitaire a scruté vainement le paysage, et le silence. Il ne peut désormais que faire retour à soi. Qu'est-ce que s'orienter dans la pensée quand celui qui pense est seul avec lui-même et qu'il ne peut déléguer à personne le soin de penser à sa place ? Les exigences de la pensée, au moins, lui sont intimement présentes, et c'est en les assumant sans tutelle extérieure qu'il sera autonome. Cette autonomie, au fond, est la condition première de la sagesse pratique comme de la connaissance exigeante.

Le cap est choisi et la route est prise. Le seul changement à bannir est celui qui sans raison grave désorienterait la progression. Le choix initial n'avait rien d'arbitraire, et il importe d'en préserver les motifs tant que rien ne les rend caducs. Un examen précipité, un changement d'avis hâtif, ne peut embrasser l'ensemble des facteurs originellement pris en compte, et il a toutes chances d'être erroné, donc néfaste. La tentation de modifier le choix initial met-elle en jeu une considération fondamentale ? Question décisive. Ni l'impulsion, qui peut se contredire bien vite, ni l'illusion du moment, ne peuvent dicter leur loi. L'homme se découvre en fait auteur de ses propres repères et de l'action qu'il règle sur eux. Sachant qu'il se fonde pour agir sur le vraisemblable et non sur l'assurance du vrai, il n'en suit pas moins avec fermeté la direction choisie, tant que rien d'essentiel n'appelle un changement : cohérence et non obstination bornée.

2

L'âne de Buridan

[...] le cas de l'âne de Buridan entre deux prés, également porté à l'un et à l'autre, est une fiction qui ne saurait avoir lieu dans l'univers, dans l'ordre de la nature, quoique Monsieur Bayle soit d'un autre sentiment. Il est vrai, si le cas était possible, qu'il faudrait dire qu'il se laisserait mourir de faim ; mais dans le fond, la question est sur l'impossible, à moins que Dieu ne produise la chose exprès. Car l'univers ne saurait être mi-parti par un plan tiré par le milieu de l'âne, coupé verticalement suivant sa longueur, en sorte que tout soit égal et semblable de part et d'autre ; comme une ellipse et toute figure dans le plan, du nombre de celles que j'appelle amphidextres, peut être mi-partie ainsi, par quelque ligne droite que ce soit qui passe par son centre : car ni les parties de l'univers, ni les viscères de l'animal ne sont semblables, ni également situées des deux côtés de ce plan vertical. Il y aura donc toujours bien des choses dans l'âne et hors de l'âne, quoiqu'elles ne nous paraissent pas, qui le détermineront à aller d'un côté plutôt que de l'autre ; et quoique l'homme soit libre, ce que l'âne n'est pas, il ne laisse pas d'être vrai par la même raison, qu'encore dans l'homme le cas d'un parfait équilibre entre deux partis est impossible, et qu'un ange, ou Dieu au moins, pourrait toujours rendre raison du parti que l'homme a pris, en assignant une cause ou une raison inclinante qui l'a porté véritablement à le prendre, quoique cette raison serait souvent bien composée et inconcevable à nous-mêmes, parce que l'enchaînement des causes liées les unes aux autres va loin.

Leibniz, *Essais de théodicée*, I, article 49, GF-Flammarion.

Comment penser l'action libre ? Il faut d'une part admettre un mobile, c'est-à-dire quelque intérêt qui met en branle et pousse à agir. Il faut d'autre part que le sujet agissant reste entièrement maître de lui-même, c'est-à-dire capable de faire ou de ne pas faire, quelle que soit la sollicitation dont il est l'objet. Deux exigences qui peuvent sembler contradictoires, en ce que l'une attire et engage alors que l'autre retient et diffère. Mais peut-être ces exigences ne se jouent-elles pas sur le même plan et s'accordent-elles dans la logique de la conduite libre et maîtrisée. La tentation de penser l'une sans l'autre, pour insister sur une composante essentielle de la liberté, peut se comprendre. Mais elle risque de conduire à une abstraction trompeuse, comme à des paradoxes. Libre mais inactif, ou actif mais prisonnier d'un mobile : l'alternative se forme, qui suggère une contradiction apparemment indépassable entre l'action et la liberté. Une fiction célèbre illustre de telles difficultés, et les ambiguïtés qui s'y attachent.

Un âne sans entrave se trouve à égale distance de deux picotins d'avoine, ou d'un picotin d'avoine et d'un seau d'eau. Dans le premier cas de figure, on suppose que sa faim ne suffira pas à le faire bouger si rien ne différencie les deux picotins. Car toute action obéit au principe de raison suffisante : il faut pour agir avoir suffisamment de motifs, ou de raisons. Nul mouvement ne se produit sans cause suffisante : la faim est bien une cause, mais pour aller à droite plutôt qu'à gauche, il faut aussi un facteur de préférence. Tel n'est pas le cas de l'âne, qui mourra donc de faim. On peut aussi imaginer qu'ayant autant soif que faim, il ne sera pas plus enclin à s'avancer vers l'eau que vers l'avoine, et mourra sur place de faim et de soif ! Mais peut-on vraiment prendre l'âne pour un âne ? De tels scénarios ont de quoi surprendre. De fait, on n'en trouve d'ailleurs pas trace dans les écrits de Buridan, philosophe nominaliste du XIVᵉ siècle et célèbre' recteur de l'Université de Paris.

L'âne immobile entre deux picotins d'avoine peut sembler *indifférent*. Mais le terme est-il adéquat ? S'il est rassasié, il est en effet peu sensible à l'offre de nourriture : son état intérieur explique alors son immobilité, son « indifférence ». S'il a faim, l'amorce de mouvement ne peut se faire que dans une direction précise, et une seule. Mais si deux nourritures rigoureusement identiques s'offrent, à égale distance, deux mouvements virtuels se contrarient en lui. Le voilà condamné à l'immobilité, indifférence apparente. Quant à l'âne aussi assoiffé qu'affamé, il ne peut pas plus se mouvoir vers un seau d'eau que vers un picotin d'avoine. Le cas ressemble au précédent par l'équilibre paralysant qu'il met en scène. Seule change la nature des besoins qui se contrebalancent cette fois-ci dans l'animal lui-même.

L'indifférence supposée, dans les deux cas, est plutôt une résultante subie qu'un témoignage de détachement actif : elle ne peut guère se comprendre comme libre arbitre. Elle relève d'un état insolite, où la dynamique du besoin est suspendue par l'inertie liée à l'absence de motivation motrice. L'animalité exprime ici en ce sens le jeu brut des tendances et de leur effet mécanique, soit qu'elles suscitent la conduite instinctive qui les assume sans délai, soit qu'elles se neutralisent réciproquement.

La fiction met en scène un animal, et non un être humain. La nuance est de taille, et elle ne peut échapper à ceux qui s'imaginent pareil cas de figure. Il faut donc tenter d'en comprendre le sens. L'âne est ici singulièrement inerte : il est soumis à deux attractions égales et de sens opposé comme le serait un objet sans dynamisme propre. Animal, il est esclave de ses impulsions ; il ne peut que subir la stricte égalité des forces qui se contrarient en lui, et par conséquent rester tragiquement immobile jusqu'à sa mort. Son absence de mouvement, analogue à ce qui résulte d'un équilibre purement mécanique de forces, s'explique par l'hypothèse d'une parfaite symétrie des attirances.

Une telle symétrie suppose celle des deux parties du monde que sépare l'axe de son corps, précise Leibniz, pour souligner le caractère chimérique d'une telle hypothèse. Il est bien rare en effet, pour ne pas dire impossible, qu'une aussi parfaite symétrie des sollicitations se présente concrètement. Veut-on suggérer que le plus bête des animaux, subissant passivement une situation paralysante, incarne l'homme qui ne peut se déterminer à agir dans la mesure où il n'est que la proie d'impulsions contradictoires, ou dans celle où tout lui indiffère ?

De fait, ce n'est pas parce que l'animal est sans entraves qu'il peut être dit pleinement libre. L'absence de contrainte n'est que la condition négative d'une authentique liberté, qui implique une « puissance réelle et positive de se déterminer », c'est-à-dire la volonté. Comme pouvoir d'action effectif, celle-ci s'accomplit par une faculté de se déterminer en connaissance de cause et d'être l'auteur de sa conduite. Ainsi conçue, elle ne peut appartenir qu'à un homme, car elle implique représentation et délibération.

Nul homme ne peut donc être identifié à l'âne de Buridan, car en ce cas il n'aurait ni volonté, ni faculté de délibérer pour choisir le meilleur, ni pouvoir de décision raisonné. Il ne peut échapper à un homme normalement constitué que le choix entre les deux possibilités offertes n'a guère d'importance au regard d'une alternative autrement plus grave : survivre ou mourir. On n'a donc pas affaire à un homme dans le sens plein du terme, mais à ce qui dans l'homme tend à s'asservir aux seules impulsions du moment, sans recul ni distance. Il n'est pas question ici d'indifférence, mais plutôt de stricte dépendance. Si l'indifférence est posture déliée à l'égard des impulsions ou des influences, elle a un sens libérateur. Or, dans le cas de l'âne, on n'observe qu'une résultante quasi mécanique de deux tendances contradictoires, et une passivité.

Peut-on être libre sans une certaine distance intérieure ? L'indifférence n'est alors que le cas limite de cette distance. Elle n'a pas grand-chose à voir avec un équilibre mécanique. Mais dans la réalité concrète des situations, elle entre en composition avec les appétits et les données particulières des situations. La liberté d'indifférence n'est qu'un pôle de l'action, l'autre pôle étant la tendance qui mobilise, le mobile. Il serait abstrait et artificiel d'isoler un pôle de l'autre, même s'il faut comprendre distinctement le sens de chacun d'eux.

La liberté est-elle l'indifférence ? L'exemple de l'âne paraît peu pertinent pour illustrer une telle interrogation, dès lors que la notion d'indifférence relève de la sphère des sentiments humains. Un animal est mû par son instinct, et les appétits qui leur sont liés, mais la question de sa liberté par rapport à ce qui le sollicite n'a pas vraiment de sens pour lui. Selon Leibniz, la fiction est donc doublement inadéquate. En premier lieu, l'animal n'est pas l'homme : il n'a ni volonté proprement dite, ni faculté rationnelle de délibération, ni capacité de se représenter les termes d'une alternative. En second lieu, l'hypothèse d'une parfaite symétrie entre deux partis à prendre, comme entre les deux parties du monde qu'ils mettraient en jeu, est si peu probable qu'elle apparaît invraisemblable.

La fiction ne semble ici conçue que comme cas limite permettant de délier la volonté de toute influence, afin qu'elle dispose librement d'elle-même, dans le silence des désirs ou leur neutralisation réciproque. Il faut donc mettre l'homme en lieu et place de l'âne. On est alors conduit à mettre en situation l'indifférence par rapport à tout ce qui fait qu'un homme est homme : la volonté, la raison, la capacité de se représenter et de comparer les termes d'une alternative.

On sait bien que la connaissance accomplie de la situation concrète dans laquelle il convient d'agir permet de dégager un choix lucide et de trancher. Descartes dit que la liberté d'indifférence est le plus bas degré de la liberté, mais il précise que l'essentiel est bien que « nous agissons en telle sorte que nous ne sentons point qu'aucune force extérieure nous y contraigne » (*Quatrième Méditation*). C'est dire que la volonté, même sollicitée, continue à disposer d'elle-même et de son action : tout se passe alors comme si elle tenait à distance le mobile. On ne la dira pas indifférente, mais simplement capable de retenue, en amont de toute précipitation.

Ainsi le paradoxe initial peut être dépassé. Pour un être capable de se déterminer lui-même à agir, les motivations ne sont pas subies, mais assumées, c'est-à-dire identifiées puis adoptées consciemment et volontairement comme ressorts de la conduite. Si la liberté suppose l'indifférence comme volonté déliée, elle ne requiert pas pour autant l'absence pure et simple de sollicitations ni de motivations. Et si l'action suppose une motivation qui la détermine, le sujet agissant ne sera pas pour autant contraint par elle, puisque seule sa volonté fera qu'il agira, ou non. Il suffit d'admettre avec Leibniz que les plus fortes raisons d'agir « inclinent sans nécessiter ».

Ce serait une bien étrange liberté, que celle qui condamnerait à l'immobilité.

3

L'aveuglement d'Œdipe

Œdipe arrache les épingles dorées qui ornaient le vêtement de sa mère morte, il les porte à ses paupières, il en frappe les globes de ses yeux. Et il crie que ses yeux ne verront plus sa misère et ne verront plus son crime et que la nuit leur dérobera ceux qu'ils n'auraient jamais dû voir, et qu'ils ne reconnaîtront plus ceux qu'il ne veut plus reconnaître. Tout en exhalant ces plaintes, il soulevait ses paupières et frappait, frappait sans relâche…

Sophocle, *Œdipe Roi*, trad. R. Pignarre,
vers 1250-1280, GF-Flammarion.

Qui suis-je ? Qu'ai-je fait ? Les deux questions s'entrelacent, quand il s'agit de prendre conscience. Et à l'horizon, lancinante, l'interrogation qui revient : *qu'est-ce que l'homme ?*

Le sens de mes actes m'échappe tout d'abord. Ou du moins il tend à m'échapper. Cécité. C'est que l'urgence du moment, la force des désirs et des craintes, des impulsions et des passions, me submergent et me dictent une sorte de conduite fatale. Il est presque impossible alors de réinscrire l'instant dans le cours masqué des choses. L'aveuglement, décisif, est là, et il guette l'homme qui vit pourtant les yeux grands ouverts. Dormir debout, et ne pas voir en plein jour, comme le suggère Héraclite. La vérité adviendra plus tard, trop tard, quand la douleur aura consommé le tumulte des errements.

Dans la hâte de vivre, les yeux de chair ne voient pas loin. Il est une nuit singulière, invisible et lovée dans les lumières les plus courantes, où l'on s'égare sans savoir, prisonnier du paysage des choses et des rêveries familières. Comment pourrait-on se défier d'abord de cette façon de voir ? Il est si beau de découvrir les contours nettement dessinés après la pluie, quand la présence au monde semble combler les sens. La trame des désirs enveloppe la vie pour la faire sienne, chaleur dense où l'action puise sa force.

La vivacité des désirs et de la joie anticipée, des impulsions qu'habite l'empressement à jouir de la vie et à éprouver sa puissance, réalise à l'insu des hommes leur propre malheur. Elle devient de la sorte l'instrument inaperçu du destin, la source de son tracé aussi secret qu'inexorable. En se croyant maître des choses, et auteur de sa vie, on s'illusionne : cela même qui était fait pour échapper à la fatalité, par volonté tenace et confiante, la réalise. Tragique renversement du sens des choses. Est-on alors responsable de ce qui advient ? Sans doute pas. Mais de ce que l'on est, assurément. Œdipe se reconnaîtra meurtrier, mais plaidera l'ignorance. « Meurtrier, soit ; mais sans l'avoir prémédité, et pur devant la loi, puisque j'ignorais tout » (*Œdipe à Colone*, vers 547-548). Le destin accomplit son œuvre obscure sous la trame qu'éclaire une lumière familière, et les dieux ne décident rien en vain : « Car d'un décret divin demeuré sans effet je ne sais point d'exemple. » (vers 1440-1452).

Œdipe est en chemin. Au hasard d'une rencontre, il tue son père sans le savoir. Près de Thèbes, il libère son futur royaume d'un monstre mortifère, le Sphinx, en dénouant l'énigme par laquelle s'énonce la vérité de l'existence humaine. La solution dit tout haut la norme qu'Œdipe lui-même va transgresser, aveugle aux yeux ouverts. Quel être traverse successivement trois stades avant de mourir ? L'enfant marche à quatre pattes au matin de la vie, l'adulte se tient sur ses deux jambes, et le vieillard, quand tombe le soir, requiert trois points d'appui. Ainsi vont les hommes, et les générations qui se distinguent selon l'ordre inaltérable de leur succession. Le bipède humain tient le milieu entre l'animal quadrupède et le tripode à la marche hésitante. La distance entre ces trois stades de la vie humaine ne peut être abolie sans conséquences néfastes. Elle définit un ordre des choses et des valeurs que nul ne peut transgresser sans oubli sacrilège d'une finitude et d'une juste mesure qui permettent à chacun de se tenir en sa juste place.

Œdipe découvre l'énigme – l'homme – mais n'en appré-hende pas vraiment la portée pour lui-même. Il consomme ainsi son propre aveuglement dans le moment même où il semble affirmer sa clairvoyance : c'est qu'il décrit d'abord la condition humaine comme si elle lui était extérieure. Et sa récompense de l'heure consacre aussi sa perte, inexorable destin qui s'accomplit en lui sans qu'il y prenne garde, et alors qu'il avait tout fait pour l'éviter. Ses propres initiatives sont les moyens de son sort malheureux.

Libérateur de la ville, il en épousera la reine, sa propre mère, dont il aura des enfants. Niant effectivement l'ordre humain, il mêlera donc les âges et les stades que son apparente sagesse vient pourtant de distinguer dans sa réponse au Sphinx. Tuant son père, il a pris sa place : première confusion, qui identifie le fils et celui qui l'engendra, l'enfant et l'adulte, rapport marqué à vie. Ayant des enfants de sa mère, il brouille la relation à ses frères, puisque ses propres enfants sont aussi, sous un autre rapport, ses frères. Œdipe se surprend donc à appartenir à la fois à la génération qui le précède et à celle qui lui succède. Destinée impossible et pourtant bien réelle, qui consomme la tragédie finale d'une identité monstrueuse.

Œdipe a confirmé négativement l'énigme du sphinx. Il sombre dans le vertige des trois générations confondues par la conjonction du parricide et de l'engendrement incestueux. Les époques de la vie sont mêlées, et le monde où elles doivent se distinguer ne peut que raviver sans cesse la douleur du regard, en lui renvoyant à jamais la stridente image de la Faute.

Tardive et insupportable lucidité, qui précipite vers le moment ultime. Œdipe se crève les yeux : il change de cécité, titubant déjà hors du monde visible. On le conduira désormais par la main, pour qu'il ne se heurte pas aux choses dont brillait naguère la trompeuse lumière.

L'aveuglement volontaire d'Œdipe n'est pas seulement refus de croiser plus longtemps le regard de ceux qui furent témoins de ses crimes. Il consacre cruellement l'infirmité des yeux qui croyaient voir et ne doutaient pas du spectacle quotidien. On dit que l'homme peut s'aveugler lui-même lorsqu'il se prend au jeu des apparences, et jouit sans retenue des évidences sensibles. Platon rappelle que de telles évidences, à la longue, aveuglent aussi sûrement que le soleil imprudemment regardé en face lors d'une éclipse. Et il déplace ainsi le champ de l'évidence véritable dans la sphère de la pensée. Socrate parle pour lui lorsqu'il décrit dans le *Phédon* ce moment décisif où les yeux de chair se lassent de scruter le monde sensible pour y discerner les vraies causes et laissent en quelque sorte la place aux yeux de l'âme, principe de la pensée. Les raisonnements ne congédient pas le spectacle des choses immédiates, mais en recomposent le scénario pour en saisir la vérité.

Descartes s'en souviendra, en 1644 : « C'est proprement avoir les yeux fermés, sans tâcher jamais de les ouvrir, que de vivre sans philosopher, et le plaisir de voir toutes les choses que notre vue découvre n'est point comparable à la satisfaction que donne la connaissance de celles qu'on trouve par la philosophie. »

4

La traversée du Rubicon

Si quelque homme était capable d'achever toute la démonstration, en vertu de laquelle il pourrait prouver cette connexion du sujet qui est César et du prédicat qui est son entreprise heureuse, il ferait voir, en effet, que la dictature future de César a son fondement dans sa notion ou nature, qu'on y voit une raison pourquoi il a plutôt résolu de passer le Rubicon que de s'y arrêter, et pourquoi il a plutôt gagné que perdu la journée de Pharsale, et qu'il était raisonnable et par conséquent assuré que cela arrivât, mais non pas qu'il est nécessaire en soi-même, ni que le contraire implique contradiction.

Leibniz, *Discours de métaphysique*, article 13.

Que faire ? L'incertitude est vive, en amont de la décision. L'alternative n'est pas quelconque, dès lors qu'elle esquisse l'irréversible, voire l'irréparable. Une vie peut vaciller, une ambition se défaire ou s'accomplir. Il faudrait pour agir lucidement s'affranchir des limites du lieu et du moment et saisir le tableau du monde, voire le sens du scénario qui en règle l'histoire. Mais le spectateur est aussi acteur, et son initiative elle-même participe à l'ensemble. L'histoire est à écrire et le tableau échappe à tout regard : l'ombre portée des risques et des incertitudes brouille le partage entre audace et prudence.

Le moment du choix ne peut se différer. Il est d'usage de rappeler que la vie n'attend pas, n'attend jamais. Parfois, l'agencement des circonstances tend à voiler plus ou moins la nécessité de choisir, ou même semble permettre de l'éluder. De fait, bien des conduites adviennent sans que la conscience éprouve le besoin de délibérer. Ainsi se succèdent les jours, voire les années, et l'on se retrouve avoir vécu ce que peut-être on n'a pas vraiment voulu. Tout se passe alors, dans une sourde tristesse, comme si à chaque moment perdu on avait répondu sans le savoir à une question muette, inscrite dans l'anodine familiarité des choses et des habitudes. Que choisir de vivre aujourd'hui ?

Avoir vécu sans contrainte apparente, mais sans avoir choisi vraiment : le cours de l'existence s'est fait en nous mais sans nous, parce que le temps n'a garde de se suspendre à une décision, et qu'on croit ainsi qu'on ne décide pas de vivre ce que l'on vit. Mais il est des situations qui par leur gravité propre font que l'on ne peut transiger avec la nécessité de choisir, et d'en prendre la mesure. Elles la radicalisent et sont à ce titre exemplaires.

Caius Julius Caesar vient de guerroyer en Gaule, et fait retour vers Rome. Le 7 janvier 49 avant Jésus-Christ, il s'arrête au bord du Rubicon. La rivière, dont le nom évoque les eaux rougeâtres, trace la frontière entre l'Italie romaine et la province de Gaule Cisalpine. Le Sénat ordonne à César de disperser ses soldats, qui sont totalement dévoués à sa personne. Que faire ? L'hésitation est à la mesure de l'enjeu ; il y a là comme une limite sacrée à ne pas franchir, ou à franchir. Une tradition pèse, avec laquelle il paraît vertigineux de rompre. Nul chef militaire ne peut revenir à Rome en outrepassant l'ordre du Sénat. Après trois jours de réflexion, la décision est prise. « *Que le sort en soit jeté* » (*Alea jacta esto*, propos rapporté par Suétone). La décision prise engage tout l'être, et le fait agir désormais comme si une nécessité irrésistible l'animait.

Le 10 janvier, César franchit le Rubicon avec son armée, ce qui constitue une véritable déclaration de guerre au consul Pompée, et au Sénat. La marche sur Rome commence, et avec elle l'ascension vers le pouvoir suprême.

Toute la suite de la vie de César semble alors s'inscrire dans le sillage de cette décision. Les événements surviennent comme en une sorte de démonstration mathématique déployant ce qui était contenu dans une formule initiale. La marche sur Rome et la conquête de l'Italie, tandis que Pompée prépare la guerre ailleurs ; le soutien populaire et les largesses qui l'alimentent ; les victoires de Lérida et de Pharsale sur les armées de Pompée ; l'accès aux fonctions de *dictator* pour un an puis pour dix ans ; la guerre d'Égypte aux côtés de Cléopâtre ; l'élévation au titre d'*imperator* ; la législation agraire et frumentaire qui rappelle la politique sociale des Gracques ; la réforme du droit municipal et du calendrier ; et pour finir le coup de poignard mortel de Marcus Brutus, aux ides de mars.

Enchaînement d'actions dont la série impressionne, et qui dessine de plus en plus précisément une figure historique. La vie de César semble d'autant plus logiquement conduite qu'elle s'inscrit dans un récit, et paraît déployer la temporalité d'un destin singulier, comme le ferait le héros d'un roman. La cohérence narrative elle-même rejaillit sur la vie racontée, lui prêtant cette allure rationnelle qui d'un événement fait la cause d'un autre. On peut imaginer aussi le roman d'une vie et le moment crucial où elle décide d'elle-même. Raskolnikov, le héros de Dostoïevski dans *Crime et Châtiment*, s'apprête à tuer la vieille usurière. Il éprouve en lui une sorte de fatalité, issue de la décision elle-même : « Il sentit soudain de tout son être qu'il n'avait plus de libre arbitre, plus de volonté et que tout venait d'être définitivement décidé ».

L'histoire, roman vrai ? Mais qui tient la plume ? Suétone raconte la vie de César, mais Victor Hugo invente celle de Jean Valjean, qui fournit la trame des *Misérables*. Quant à l'hypothèse d'un Dieu créateur, grand romancier du monde, elle relève d'un acte de foi. Celui-ci est donateur de sens, et il revient à supposer un agencement *a priori* des séries causales, là où l'historien ne fait que restituer après coup la logique rétrospective des événements et des décisions qui en furent source. Héros d'un roman littéraire ou théologique, allégorie exemplaire d'une philosophie de l'initiative et de la liberté, personnage clé d'une synthèse historique : le statut de César règle l'idée de sa nature, ou si l'on veut de son identité ?

Qui est César ? L'audacieux qui franchit le Rubicon, le vainqueur de Pharsale, le conquérant de la Gaule, le réformateur du calendrier romain, la victime de Brutus ? Tout cela à la fois, sans doute. Mais il y a une logique dans la succession des rôles ainsi assumés : le temps de la vie est odyssée, qui révèle et forme d'un même mouvement le personnage qui s'y dessine. On peut concevoir la succession, en son ordre original, comme ce que produit la loi d'une série, ce que Leibniz appelle la « notion ou nature » de César. Il faut alors préciser que cette loi met en jeu la cohérence d'un monde qui fait système, et sa dynamique propre, en tant qu'elle s'exprime de façon singulière dans le génie d'un homme. Celui-ci fait en se faisant : il donne à l'Histoire une des orientations qu'elle rendait possibles tout en s'accomplissant lui-même comme un de ses acteurs décisifs.

Le rôle était écrit, si l'on veut, mais on ne peut considérer les choses ainsi qu'au terme de l'aventure. C'est alors en effet que le bilan d'une vie peut apparaître comme la manifestation d'une personnalité achevée, celle-ci s'étant construite dans la succession de ses choix. L'identité du personnage historique, au-delà de la personne privée, s'est ainsi définie et précisée tout à la fois. Comme le suggérera Sartre, l'homme est libre en ce qu'il décide toujours, en dernière instance, de son action comme de son être, c'est-à-dire du sens ultime qu'il donne à son existence. Il ne le fait évidemment pas dans n'importe quelles conditions, et l'enchaînement de ses actions s'inscrit dans la connexion mouvante des réalités qui composent le monde.

Ainsi s'entrelacent les destinées, telles que l'histoire les combine et se nourrit d'elles. La lecture théologique convertit cette connexion en un enchaînement imaginé par quelque dieu créateur, finalisant son œuvre selon l'idée qu'il se fait de sa perfection : tableau et roman du monde à la fois. César franchissant le Rubicon y prend la place qui lui est dévolue selon l'économie de l'œuvre.

César et le Rubicon. Deux noms propres, et bientôt une légende : la résolution de l'homme d'action a trouvé dans l'histoire même son allégorie. César aurait-il pu ne pas franchir la fameuse rivière ? Sans doute, dans l'abstraction d'un autre monde. Mais aurait-il été encore César, si l'identité est la quintessence des actions accomplies ? La décision de franchir le Rubicon n'allait pas de soi. Elle traduisait même une audace certaine, au regard du risque pris en toute conscience. De fait, c'est, de proche en proche, toute une histoire qu'elle impliquait, et qui l'appelait. C'est en ce sens que César ne peut se définir sans cet événement, qu'il semble contenir en puissance comme le gland du chêne contient l'allure de la frondaison qui un jour signalera l'arbre de loin. C'est ce que suggère Leibniz lorsqu'il parle, étrangement, de la « notion » de César, comme si tout ce qui le singularise pouvait tenir en un terme unique, sorte de nom donné au déroulement réglé d'une vie.

Une telle conception peut avoir ses limites, si l'on considère que chaque homme dispose de potentialités diverses, entre lesquelles il choisit en se choisissant. Après coup, quand les événements se sont produits, chaque vie paraît bien se dérouler pour y aboutir. Il faut imaginer une interaction de l'état du monde et de l'aventure individuelle. La personne contient le personnage, ou se construit en lui et par lui. On peut donc dire tout aussi bien que le personnage, dans lequel entrent le lieu et l'époque, fait la personne en sollicitant certaines de ses dispositions.

La dialectique de l'existence et de l'être rappelle ici l'étrange nature de l'humanité et des versions qu'en donnent les hommes singuliers. Nulle définition des individus ne semble pouvoir exister avant leurs vies accomplies, telles qu'elles se seront façonnées. La liberté s'éprouve comme une faculté de se faire soi-même par son action. En ce sens, la traversée du Rubicon est mémorable. C'est bien par elle que d'un même mouvement advient et se confirme César. Rétrospectivement, on est tenté d'y voir l'expression de son ambition et de son tempérament résolu. Dans la version théologique de l'explication, ce sera l'épisode d'un roman divin : son héros s'y conçoit tel qu'il puisse agir conformément à l'ordre voulu pour le monde créé. Manières de voir et de donner sens aux tourments de l'histoire humaine.

Le roman du monde n'a peut-être pas d'autres auteurs que les hommes, inventant le sens par le risque, et s'inventant eux-mêmes par une action que nul savoir certain n'assure de sa portée.

5
La cargaison larguée

Mais pour les actions accomplies par crainte de plus grands maux ou pour quelque noble motif […] la question est débattue de savoir si elles sont volontaires ou involontaires. C'est là encore ce qui se produit dans le cas d'une cargaison que l'on jette par-dessus bord au cours d'une tempête : dans l'absolu, personne ne se débarrasse ainsi de son bien volontairement, mais quand il s'agit de son propre salut et de celui de ses compagnons un homme de sens agit toujours ainsi. De telles actions sont donc mixtes, tout en ressemblant à des actions volontaires, car elles sont librement choisies au moment où on les accomplit, et la fin de l'action varie avec les circonstances de temps.

Aristote, *Éthique à Nicomaque*, III, 1, 1110a,
trad. J. Tricot, Vrin.

Quand on veut, on peut. Le défaut d'un certain volontarisme est de faire abstraction des conditions concrètes qui situent toujours dans un contexte défini le pouvoir d'initiative de l'homme. Celui d'une conception fataliste, prompte à souligner les facteurs qui déterminent l'action, est à l'inverse de ne faire aucun cas de la volonté qui constitue le ressort d'un tel pouvoir. Des scénarios contraires ont tôt fait de confirmer, en apparence, ces visions hâtives. Le courage et la malchance, conjugués, nourrissent la vision fataliste. L'inertie et la chance également. En revanche, la rencontre d'une volonté résolue et de la chance accrédite le volontarisme. Celle de l'attentisme et de la malchance fait de même, négativement. Il suffit de penser au sort d'un homme face à la maladie. Celui qui guérit sans rien faire et celui qui meurt malgré tous ses efforts pour se soigner semblent confirmer le fatalisme. Quant à la guérison liée à une lutte résolue contre la maladie, elle confirme le volontarisme, comme le fait la mort de celui qui néglige de se soigner. D'où des versions souvent unilatérales du problème de la liberté, mis en scène dans une tension entre deux thèses opposées. Aucune cependant n'assume ce que Sartre appellera la « liberté en situation », qui met en présence l'énergie du vouloir et le « coefficient d'adversité des choses ».

Il faut concevoir la dialectique de l'action. Les circonstances ne dépendent pas de l'homme, et elles pèsent plus ou moins sur sa volonté. Un tel constat conduit Aristote à récuser toute conception abstraite du volontaire. Qu'est-ce que la décision ? Qu'est-ce qu'un moindre mal ? Et comment choisir le mieux en chaque circonstance ? Une résolution héroïque ne suffit pas, et la question de la sagacité se pose, qui appelle à la lucidité sur deux plans simultanés : celui de la fin à viser en raison de la situation, et celui du moyen le plus adéquat pour l'atteindre.

Hegel : « Les conditions objectives n'ont que le poids qu'on leur accorde. » Cette version exigeante du volontarisme réaliste est sans doute conçue et formulée de façon polémique contre les excès du déterminisme fataliste. La volonté est ici rappelée à sa responsabilité, qui est d'assumer au lieu de subir. Aristote, lui aussi, insiste sur l'irréductibilité de la décision volontaire, même lorsque l'adversité des choses est particulièrement lourde. De fait, le choix se pose rarement entre deux hypothèses toutes simples. Le moindre mal, lorsqu'il est connu, prend valeur d'absolu au regard de la catastrophe entrevue. C'est dire qu'il requiert une résolution sans faille.

Qui hésiterait entre la perte d'une cargaison, si précieuse soit-elle, et la vie d'un seul passager ? La fin visée s'impose sans délai, et le discernement concernant le meilleur moyen de l'atteindre inspire la décision. Celle-ci est pleinement volontaire pour tout ce qui dépend de l'homme, mais elle ne peut s'inventer les circonstances de son élaboration. Elle est donc « mixte », selon le propos d'Aristote, qui entrevoit ici la dialectique propre à la liberté en situation. Je ne peux pas vouloir le beau temps au lieu de la tempête qui menace le navire, puisque la tempête est là qui soulève les flots et annonce le naufrage si rien n'est fait. Je peux vouloir en revanche la mesure qui sauvera l'essentiel, et consentir alors à une perte que, à l'évidence, je ne veux pas pour elle-même.

Dans le scénario décrit, qui voudrait tout sauver pourrait bien tout perdre : cargaison, navire, passagers. Les vertiges de l'action se concentrent ici sur la logique de l'initiative. Hiérarchie des êtres, d'abord. La fin commande impérativement, sans discussion possible. Sauver l'homme et non la chose, puisqu'il faut choisir. Lucidité sur la situation, ensuite : le moyen du salut n'est pas voulu pour lui-même, mais seulement dans le contexte qui l'impose si la fin définie est fermement visée. Résolution enfin, car nul état d'âme résurgent ne doit troubler la mise en œuvre de la décision. Imagine-t-on un passager, ou même le capitaine, renonçant par exception à délester le navire d'un bien aussi pesant que précieux ? L'exception pourrait être fatale et rendre absurde toute la manœuvre entreprise. La décision appelle un tout ou rien, et c'est pourquoi son auteur se fera intraitable. Fin, moyen, fermeté d'exécution : la logique de l'action profile ses exigences.

Il faut donc se résoudre, et la décision sera pleinement volontaire, qui « fera avec » la tempête. Ce à quoi il tenait, nul sur le navire ne peut alors le regretter au point de tergiverser. La conscience de ce qui est incommensurable – la vie et les biens – écarte toute hésitation, qui aggraverait le risque.

La cargaison larguée dit aussi l'humaine condition, fragile et nue quand la nature menace. À ce rappel, la volonté avisée se charge de répondre. Nus et solidaires en cette nudité même, les passagers remontent à la source de toute vie, quand il s'agit de faire le choix de vivre ou de mourir. L'occasion est donnée de juger en situation et d'agir délibérément. Nul, de son plein gré, ne renoncerait à ces objets auxquels il tient. Mais l'attachement ordinaire a fondu et la vie seule est offerte au geste salvateur. Le navire au bord du naufrage est un cas limite, où l'évidence et l'urgence du choix ne peuvent être éludées. Cette situation est de ce fait exemplaire, car elle rend pleinement manifeste ce que d'ordinaire tendent à masquer des situations aux alternatives plus complexes. La liberté se joue en face de la mort, qui remet toute chose à sa place.

Les tourments de la vie et de l'action se lisent ici dans une sorte de métaphore. Qu'est-ce que la cargaison à jeter par-dessus bord, où va le navire, et qui sont ses passagers ? Que signifie cette tempête ? On pourrait multiplier les questions, afin de décliner les facteurs de l'angoisse existentielle. Incertaine traversée de la vie. Nul n'agit jamais à coup sûr, et l'audace de la décision, même articulée à l'analyse raisonnable, ne fait que réduire l'ombre portée du risque. Une part de contingence demeure, que doit assumer le courage de vivre. Le roman du monde est fait de tempêtes et de douces navigations. La continuité de la conscience unit les divers souvenirs dans l'effort pour rester lucide.

6

Le lion et le renard

Vous devez donc savoir qu'il y a deux manières de combattre : l'une avec les lois, l'autre avec la force ; la première est propre à l'homme, la seconde est celle des bêtes ; mais comme la première, très souvent, ne suffit pas, il convient de recourir à la seconde. Aussi est-il nécessaire à un prince de savoir bien user de la bête et de l'homme. Ce point a été enseigné aux princes en termes voilés par les écrivains anciens, qui écrivent qu'Achille et beaucoup d'autres de ces princes de l'Antiquité furent donnés à élever au centaure Chiron pour qu'il les gardât sous sa discipline. Ce qui ne veut pas dire autre chose – d'avoir pour précepteur un demi-bête et demi-homme – sinon qu'il faut qu'un prince sache user de l'une et de l'autre nature : et l'une sans l'autre n'est pas durable.

Puis donc qu'un prince est obligé de savoir bien user de la bête, il doit parmi elles prendre le renard et le lion, car le lion ne se défend pas des rets, le renard ne se défend pas des loups. Il faut donc être renard pour connaître les rets et lion pour effrayer les loups. Ceux qui s'en tiennent simplement au lion n'y entendent rien.

Machiavel, *Le Prince*, XVIII, trad. Y. Lévy, GF-Flammarion.

Qu'est-ce que le pouvoir et comment s'exerce-t-il ? La pensée qui veut comprendre la politique doit déjouer les apparences, et traverser les discours publics, pour identifier les ressorts réels des pratiques effectives.

Lion et renard : force et ruse. La première terrasse et dissuade, la seconde piège et feinte, pour mieux circonvenir. Mais dans quel but ? La logique des moyens prend son sens au regard des fins poursuivies, et Machiavel évite de confondre tous les types de pouvoir. S'il élucide la figure du prince, c'est pour en mettre à nu les démarches réelles, loin de toute illusion comme de toute fascination trompeuse.

Le prince, figure du pouvoir politique, c'est d'abord selon le mot latin *princeps*, « le premier ». Il y a loin cependant du prince despote, qui use de sa position pour satisfaire ses impulsions ou ses seuls intérêts, à celui qui entend faire vivre la république, organisation raisonnée du bien commun, ou même à celui qui veut la fonder, voire la refonder, par une rupture délibérée avec le despotisme.

Le prince qui combine ou alterne les lois et le recours à la force comme à la ruse peut donc le faire avec des intentions et des résultats qui diffèrent totalement. L'alternative concerne d'abord les fins et la raison d'être du pouvoir. S'agit-il de promouvoir la domination unilatérale d'un homme ou d'une classe sur les autres, ou de faire vivre les lois qui assurent l'égalité de tous, afin de structurer la société selon des principes de justice, et ainsi de fonder durablement l'État ? Une compréhension forte de la politique rencontre cette alternative, et c'est à sa lumière qu'elle s'interroge sur l'art de gouverner.

L'*arbitraire du prince* exprime la quintessence du despotisme, dont le ressort est la peur liée au caractère imprévisible des effets du pouvoir, et d'une volonté mue par son seul caprice, ou par sa seule soif de puissance. En ce cas, le lion et le renard sont redoutables, car la finalité de la force et de la ruse est de pure domination. Le visage des tyrans se dresse sur la souffrance des peuples. On connaît le mot de Saint-Just, le 13 novembre 1790, à la Convention nationale qui devait juger Louis XVI : « On ne peut régner innocemment. »

A contrario s'est dessinée la figure du gouvernant « premier serviteur de l'État », selon la célèbre formule du prince des Lumières Frédéric II. L'empereur philosophe Marc Aurèle se faisait de sa fonction une idée voisine, en dépit des fastes du pouvoir reconnu à César.

Quant au prince qui veut refonder l'ordre social, il est mû par un idéal d'émancipation. Saura-t-il conjuguer le souci d'une telle fin avec les contraintes de la lutte qu'imposent les circonstances, marquées par la violence tacite ou explicite des situations traditionnelles d'asservissement ? La figure improbable d'un tel homme souligne la difficulté de la refondation révolutionnaire, qu'il est difficile de juger à partir des exigences du droit qu'elle a justement pour fonction de faire advenir. Les controverses autour de Robespierre et des dérives autoritaires des révolutions trouvent ici leur éclairage. Si l'homme de la refondation révolutionnaire veut avoir prise sur une société de ruse et de violence pour la transformer, peut-il éviter de recourir à des moyens appropriés à cette situation même ? S'il faut condamner la Terreur, il ne faut pas méconnaître les termes d'un tel dilemme. La voie est étroite entre l'angélisme qui désarmerait l'action et le cynisme qui sans doute l'armerait trop et mal.

L'approche des ressorts de la politique comme de l'art de gouverner doit donc être mis en perspective par référence aux trois types de pouvoir politique nettement distingués par Machiavel. Sa préférence, qui allait à la République, met en perspective l'élucidation des mécanismes du pouvoir. Elle lui donne tout son sens et en accroît toute la portée critique, voire démystificatrice. Rousseau ne s'y est pas trompé : « En feignant de donner des leçons aux princes, Machiavel a écrit le grand livre des républicains. »

Il y a un double enjeu à cette approche qui montre aussi la façon dont se compose l'imaginaire du pouvoir. Il s'agit de comprendre ce qui est réellement, et de dévoiler le processus de dissimulation qui se trame dans les arcanes de la politique. Les sortilèges et les apparences de la domination sont ainsi neutralisés. Vendre la mèche en somme, pour que nul ne se fasse d'illusion. Nul moralisme n'oriente une telle approche. Nul cynisme non plus, car le souci d'efficacité ne s'y comprend jamais indépendamment des fins visées ou des effets obtenus.

Machiavel s'en explique franchement, et dessine une lucidité subtile, en deçà de toutes les méprises liées à son nom et à la posture dite *machiavélique* qu'on lui rattache à tort. Sa maxime première n'est pas d'entériner ou de préconiser l'absence de scrupule en politique, mais d'aller droit à la vérité effective de la chose plutôt que de se laisser prendre à son imagination (« *andare dietro alla verita effetuale della cosa che alla imaginazione di essa* »). Pour Machiavel, il n'est pas d'abord question de juger la réalité, mais de la comprendre telle qu'elle est.

Les apparences ne sont guère d'emblée lisibles et trompent toute approche naïve. Un prince peut bien passer pour bon ou généreux par d'habiles stratagèmes. L'invocation des vertus morales privées se révèle alors illusoire. S'il faut, pour paraître généreux, lever de lourds impôts qui permettront de donner avec libéralité, c'est une image qui se compose et non une vertu authentique qui se donne à voir. Si c'est la qualité apparente qui importe, l'illusion serait de juger des choses en se prenant à leur image. Quant au lion qui montre sa force, il peut aussi le faire pour ne pas avoir à en user. Le voilà donc aussi un peu renard. C'est ce qu'on appelle la dissuasion. Force et calcul, mais aussi force calculée. Achille et Ulysse.

L'*Iliade* raconte l'épopée de la vaillance, que seconde parfois la ruse. Et l'*Odyssée* celle de la ruse, étayée quand il le faut par la force.

Cicéron avait cru devoir récuser les deux modèles du lion et du renard, au nom d'un humanisme qui invoque la manière d'agir propre aux hommes : le droit et non la force brute ou calculée. « On peut être injuste de deux manières, ou par violence ou par ruse ; la ruse est l'affaire du renard, la violence celle du lion ; l'une et l'autre sont ce qu'il y a de plus étranger à l'homme, mais la ruse est le plus détestable des deux. Dans tout le champ des actes injustes, nul n'est plus coupable que ceux des hommes qui agissent de manière à paraître honnêtes au moment où ils vous dupent le plus » (*Des Devoirs* I, 13).

Reste que les meilleures intentions du monde et les vertus les plus pures, lorsqu'elles se conjuguent avec la naïveté, voire l'irresponsabilité, peuvent produire les pires effets, opposés à l'évidence aux effets visés. On ne sauve la paix ni en pactisant avec un agresseur, ni en se contentant de sa bonne volonté proclamée. Et il est plus avisé, en fin de compte, de juger de choses par les effets réellement produits que par les intentions conscientes ou les sentiments affichés. La lâcheté des démocraties devant les ambitions et les ruses de Hitler n'a guère sauvé la paix.

Tant que l'ordre social idéal n'est pas pleinement réalisé, une violence latente tend à se développer, ou à réapparaître. La politique se fait donc combat sans merci, alors même que la paix sociale est donnée comme sa raison d'être idéale. Comment concevoir ce singulier combat qui n'est plus une simple lutte animale, mais en garde certains traits ? Le réalisme ne peut être confondu avec le conformisme à l'égard des pouvoirs en place, et il ne saurait être question de consigner dans un « *miroir des princes* » les recettes de la domination.

Tendue entre les deux pôles de la violence et du droit, la politique pourrait bien illustrer à sa façon la formule appliquée à l'homme par Pascal : ni ange, ni bête. Il faut prendre au sérieux le constat d'une double nature de l'homme. Cette dualité, souvent contradictoire, n'en finit pas de produire ses effets dans la vie sociale et dans l'organisation de la cité. En principe, les hommes se donnent des lois pour soustraire leurs rapports à l'empire de la force. Mais celui-ci persiste, latent ou manifeste, nature première prompte à resurgir, voire à s'annexer la loi pour en faire le prolongement de la domina-

tion qu'il engendre. L'animal en l'homme, c'est ici la métaphore de la tendance à la lutte brute, sans norme qui la
retienne ou la tempère.

Lorsque la loi ne fait que consacrer un rapport de force ou
semble impuissante à remplir son rôle régulateur, le pôle guerrier de la politique tend à s'imposer. C'est qu'en l'absence de
règle librement reconnue de tous, la survie de chacun ne peut
mettre en jeu que la force dont il dispose. Nul autre espoir,
notamment, pour les victimes d'une oppression légitimée par
l'ordre social dominant, que de lutter aussi fermement que
possible. Le lion et le renard sont alors résistance résolue et
habile.

Lorsque la loi prend l'ascendant et produit ses effets de justice, c'est le pôle du droit qui advient et se fait authentique.
Les hommes s'élèvent alors au-dessus de la précarité qui
s'attache aux aléas de la lutte imminente ou effective.

Distincte de ces cas extrêmes, la politique oscille entre des
situations dans lesquelles la loi et la force brute ou calculée se
conjuguent, voire alternent selon des scénarios variés. La
conquête et l'exercice du pouvoir conduisent ainsi le prince à
savoir user des deux ressorts. Les moyens d'agir, pour être effi-
caces, doivent en effet correspondre à la situation donnée,
comme au type de puissance qu'elle met en jeu. L'idéal du
droit que les lois sont censées représenter lui tient à cœur s'il
veut agir selon la justice. Mais le réalisme requiert qu'il sache
aussi « faire la bête », car la politique restera ce mélange de
droit et de force aussi longtemps qu'une république sachant
concilier les intérêts de tous et donner sens à l'idée de bien
commun n'aura pas fondé durablement la paix et la concorde.

Le prince qui entend gouverner doit prendre la mesure de
la bête dans l'homme et celle de la loi qui l'en émancipe. Il ne
peut oublier l'exigence de justice qui fonde cette loi. Les
moyens à mettre en œuvre ne se conçoivent pas abstraction
faite des fins poursuivies et du contexte où l'action se développe.

Lucidité n'est pas moralisme et responsabilité n'est pas
angélisme. Ce qui ne peut conduire à tout justifier, comme la
notion convenue et trompeuse de machiavélisme semblerait le
faire croire. « La fin justifie les moyens », certes, mais toutes les
fins ne s'en trouvent pas pour autant approuvées. Il en est de
même, bien sûr, de ces types de moyens qui compromettraient
la fin visée. L'histoire moderne en porte encore témoignage,

qui rappelle les conséquences désastreuses de la mansuétude envers les fascismes, ou du légalisme à l'égard de toute entreprise de subversion violente de l'État de droit ou de la démocratie, quand ces notions ne sont pas usurpées.

Le dilemme peut être cruel parfois, qui met en présence l'impuissance relative du droit strictement respecté et l'efficacité de méthodes illégitimes. La tension peut alors se faire vive entre l'État de droit et la raison d'État. La voie reste assurément étroite entre l'action d'exception et la dérive tyrannique, comme elle l'est entre la justice effective des lois et l'hypocrisie d'un droit purement formel qui organise la fiction d'une liberté et d'une égalité dépourvues de leurs conditions d'application.

Lion et renard : deux figures devenues légendaires de la vie politique. Au point d'en fournir, côte à côte ou face à face, le symbole aussi inquiétant que familier.

7

La bataille navale

Chaque chose, nécessairement, est ou n'est pas, sera ou ne sera pas, et cependant si on envisage séparément ces branches de l'alternative, on ne peut pas dire laquelle des deux est nécessaire. Je prends un exemple. Nécessairement il y aura demain une bataille navale ou il n'y en aura pas ; mais il n'est pas nécessaire qu'il y ait demain une bataille navale, pas plus qu'il n'est nécessaire qu'il n'y en ait pas. Mais qu'il y ait ou qu'il n'y ait pas demain une bataille navale, voilà qui est nécessaire.

Aristote, *De l'interprétation*, IX,
trad. J. Tricot, Vrin.

De quelle façon les réalités qui nous affectent adviennent-elles ? Une éruption volcanique ou une éclipse de soleil, une bataille navale ou une guerre mondiale, sont à cet égard des choses bien différentes. Elles ne dérivent pas du même type de causes et ne se produisent pas de la même manière. Les événements humains, différents en cela des faits naturels, mettent en jeu un pouvoir d'agir qui aurait pu engendrer d'autres faits. La volonté. D'où une pensée de la contingence, c'est-à-dire de ce qui peut être autre que ce qu'il est. Être ou ne pas être. Faire ou ne pas faire. Vertige de l'initiative, qui esquisse malgré tout ce que l'on sera par le truchement de ce que l'on fera. Combien de regrets inutiles après un drame dont on découvre qu'il n'avait rien de fatal et qu'une volonté autrement orientée l'aurait sans doute évité ?

Une fois advenu, ce qui est ne peut être autre que ce qu'il est. Mais avant même de se produire, l'événement qui dépend d'un choix entre plusieurs possibles peut-il être tenu pour nécessaire ? Nécessaire, possible, contingent : autant de termes qui invitent à penser la façon d'être de ce qui advient, sa modalité. À propos d'une guerre, il est légitime de se demander si elle aurait pu ne pas se produire, alors que la même interrogation semble sans objet pour une éruption volcanique dont le mécanisme causal est connu. Fatale ou évitable, possible ou nécessaire, la souffrance qui en résulte ne relève pas de la même explication. La réflexion sur le possible et le réel, sur le nécessaire et le contingent, met en jeu la liberté comme la lucidité qui l'éclaire. Il s'agit d'ouvrir à l'action humaine, sans restriction ni démesure, le champ de son action possible.

Espoir et crainte. De quoi demain sera-t-il fait ? On a beau scruter le présent des choses et de leur ordre, la présence du monde et l'agencement qui l'organise, nulle assurance ne se forme. À la veille de la Première Guerre mondiale, la paix est encore possible. Et Jaurès y croit, qui déploie ses efforts pour éviter l'irréparable.

Demain. Pour l'attente inquiète, les différents possibles esquissent l'avenir et l'incertitude même donne sens à l'initiative. Il faut alors s'abstraire du passé, déjouer les suggestions de la mémoire. Ce qui a eu lieu se donne comme bien réel, si réel qu'on y voit la marque de quelque nécessité. Voulant comprendre les effets par les causes, on se souvient avec une sorte d'obsession des enchaînements qui ont conduit aux événements passés. Mémoire insistante, qui peut instruire mais aussi abuser, si l'on croit que tout se reproduira à l'identique. Rétrospectivement, l'ombre portée du réel sur les possibles semble effacer ceux qui n'ont pas eu lieu, comme restent dans l'ombre définitive les options rejetées au dernier moment. Seuls en fin de compte paraissent avoir existé les possibles qui sont devenus réels : l'idée de fatalité prend sa source dans ce qui ressemble à un constat réaliste, mais représente bien plutôt une projection du présent sur le passé, assortie d'une reconstruction unilatérale de celui-ci en fonction de ce qui est advenu.

Après coup, l'historien d'une guerre, par le seul récit qu'il en fait, lui confère l'allure d'un enchaînement univoque. L'inventaire des causes et de leurs interactions tisse une trame apparemment inexorable. Illusion rétrospective, qui prend consistance en raison du moment, et de sa place relative dans le temps. C'est après qu'il a eu lieu, et non avant, qu'on peut ressaisir l'événement comme tel et le décrire. L'historien qui raconte une bataille, ou le dramaturge qui en souligne la dimension épique, traite l'événement passé comme tel. Les choses ont eu lieu : l'histoire est consommée. Récit. « *Il était une fois.* » Conduite à son terme, la narration part toujours du présent et prend la mesure du révolu. On peut imaginer en parallèle d'autres scénarios, mais la tension instantanée entre deux possibles, qui semble suspendre le cours des choses et l'action des causes, n'en est pas pour autant restituée.

Autre est le reportage sur le vif, qui décrit ce qui arrive, mais sans savoir encore quel événement advient. C'est que dans le feu de l'action, nul sens ne structure le récit et n'en oriente le déroulement. Le roman est inachevé, comme il l'est pour le lecteur qui tourne les pages, ou pour la victime qui subit malgré elle la force brutale des choses. Fabrice, le héros de Stendhal, ne peut déchiffrer ce qui se joue à Waterloo ; il erre dans le champ de bataille comme au milieu d'un chaos redoutable. Même celui qui agit délibérément – Napoléon faisant donner la garde impériale – ne peut non plus déchiffrer. L'énigme s'accomplit en eux, par eux, et au-delà d'eux. Toute initiative se conjugue avec d'autres et la résultante est difficilement prévisible. Le présent, c'est alors ce qui se trame entre les points de suspension de l'histoire.

Mais il est encore une autre situation temporelle. Salamine. Le 28 septembre 480 avant Jésus-Christ. Une île grecque, et deux flottes de guerre qui se font bientôt face. Trois cents navires grecs peuvent-ils vaincre mille navires perses ? Jour J moins un. À la veille de la bataille, le chef grec, Thémistocle, délibère. Il peut attaquer la flotte perse. Seul un stratagème saura compenser le rapport de forces. Attaquer ou non ? La décision doit prendre en compte le cours de la guerre et la menace qui pèse sur les cités grecques. Une victoire en mer est de fait indispensable. Que faire ?

Question banale et sans cesse reprise. La bataille navale est imminente, mais elle n'est encore que possible. On ne peut la dire certaine du fait de sa probabilité forte. C'est un « *futur contingent* », une page encore blanche de l'histoire. La volonté de Thémistocle peut faire que la bataille soit évitée ou au contraire provoquée. Elle est donc, en termes aristotéliciens, « *puissance des contraires* ». Bataille, ou repli. Guerre, ou négociation. C'est bien l'alternative qui est certaine, et non une de ses branches. Certes, le choix n'est pas toujours aussi simple. Souvent, il n'existe même pas. On dit de certaines circonstances, brutales, qu'elles « *ne laissent pas le choix* ». Reste que la décision, alors qu'elle est vivement requise, engage un pouvoir qui la rend possible. Ce qui ne veut pas dire nécessaire. La bataille de Salamine, même très fortement probable, restait un « *futur contingent* » tant qu'elle ne s'était pas déroulée.

Seul un dieu omnipotent, tenant les destinées du monde entre ses mains, tirant les ficelles des marionnettes humaines ou les programmant à sa guise, pourrait prévoir de façon certaine, puisque le scénario dépendrait de lui seul. Un romancier n'a pas besoin de lire le dixième chapitre de son œuvre pour savoir que son héros y mourra, dès lors qu'il a décidé, dès le début, qu'il en irait ainsi. Le dieu de Leibniz, grand romancier du monde, auteur providentiel, n'a nul besoin d'attendre les ides de mars pour savoir que César meurt poignardé, ni le 28 septembre 480 avant Jésus-Christ pour voir Thémistocle triompher des Perses à Salamine. Il sait également que Jésus sera trahi, et que le baiser de Judas sera le moyen d'une telle trahison.

Mais un tel point de vue que rien ne relativise peut-il exister en dehors de la fiction théologique ? On pourra y voir l'expression extrême d'une objectivité délivrée du temps et des lieux, et transcendant tout ce qui limiterait l'approche des réalités humaines, pour dire le vrai des choses et des événements. Le roman de la Providence raconte ce qui arrive à la lumière d'un savoir qui serait absolu. On l'imagine écrit par un dieu pour lequel rien de ce qui arrive n'est une surprise, dans la mesure où il est aussi l'auteur de tout ce qui est et se produit. Tout savoir humain, à l'inverse, est toujours tributaire du temps à la fois pour se constituer et pour devenir manifeste.

Peut-on invalider l'idée d'une liberté agissante de l'homme, et le fait que pour celui-ci rien de ce qu'il peut accomplir n'est joué à l'avance ? Le même événement – par exemple la bataille navale de Salamine – recevra deux statuts différents, selon le point de vue adopté. Futur contingent, comme dit Aristote, pour l'homme d'action qui hésite, décide et s'engage. Passé nécessaire pour l'homme d'histoire, qui fait retour sur ce qui est advenu afin de comprendre et d'expliquer.

Un Dieu qui produit le monde connaît pleinement ce qu'il décide de faire exister et pour lui la contingence est une sorte de clause de style : certes, il aurait pu faire advenir un autre monde en agençant d'autres possibles, mais dès lors qu'il a conçu ce monde-ci comme celui qui correspond le mieux à ce

qu'il veut faire, les détails du scénario s'y répondent et s'y
ordonnent nécessairement, c'est-à-dire selon le type d'harmonie qu'il a composé. Et tout s'y découvre nécessaire, du
moins de son point de vue.

L'histoire réelle est-elle un roman vrai, dont nul ne connaît
l'épilogue ? C'est alors seulement chapitre après chapitre que
le récit peut prendre forme, et que le sens émerge. Mais sans
aucune clôture possible, tant qu'il reste un avenir. La liberté
n'est plus le visage d'une nécessité clandestine, tramée par le
romancier du monde. Elle déploie la force métaphysique
d'hommes qui ont à se faire eux-mêmes, et ne peuvent rédiger
qu'une biographie toujours inachevée de l'humanité. Demain,
une nouvelle page s'écrira. Et nul aujourd'hui ne sait ce qui
pourra s'y lire.

8

La peau et la chemise

La plupart de nos vacations sont farcesques. « Le monde entier joue la comédie »
(*Mundus universus exercet histrionam*, Pétrone, fragment cité par Juste Lipse, *La
Constance*, I, 8). Il faut jouer dûment notre rôle, mais comme rôle d'un personnage
emprunté. Du masque et de l'apparence il n'en faut pas faire une essence réelle, ni
de l'étranger le propre. Nous ne savons distinguer la peau de la chemise. C'est
assez de s'enfariner le visage, sans s'enfariner la poitrine. J'en vois qui se trans-
forment et se transubstantient en autant de nouvelles figures et de nouveaux êtres
qu'ils entreprennent de charges, et qui se prélatent jusqu'au foie et aux intestins,
et entraînent leur office jusqu'en leur garde-robe. Je ne puis leur apprendre à distinguer les bonnetades qui les regardent de celles qui regardent leur commission ou
leur suite, ou leur mule. « Ils s'abandonnent tellement à leur charge qu'ils en
oublient la nature » (*Tantum se fortuna permittunt, etiam ut naturam dediscant*,
Quinte-Curce, III, 2, 18). Ils enflent et grossissent leur âme et leur discours naturel
à la hauteur de leur siège magistral. Le maire et Montaigne ont toujours été deux,
d'une séparation bien claire.

Montaigne, Essais, III, x, « De ménager sa volonté ».

Le roi est nu sous son costume d'apparat. Mais l'habit ne fait
pas le moine, comme dit si bien l'adage. Il faut donc faire un
peu plus, au petit matin, qu'enfiler les oripeaux. Se « donner »
à ce qu'on fait pour le bien faire. « Mouiller sa chemise. » Et la
sentir bientôt collée à la peau. Une étrange tension se crée.
Jusqu'où faut-il s'impliquer pour tenir son rôle ? Et comment
préserver cette part essentielle qu'est l'humanité elle-même,
indépendante du rôle comme l'est l'acteur du personnage
qu'il incarne, cette peau nue sous le costume d'emprunt ?
   La question règle la manière dont les hommes vivent les
fonctions, voire les pouvoirs, qu'il leur est donné d'assumer.
Elle a un sens éthique manifeste, puisqu'il s'agit de penser une
façon d'être selon l'idée de ce qui vaut – et doit être fait. Le

bonheur, ou tout simplement la sérénité, en dépend. La justice également, car le jeu existentiel relève d'une saine évaluation des choses et de la distance qu'elle nécessite. La morgue de ceux qui font les importants est une forme d'oubli de soi. Ce soi pareil à tout autre dès lors qu'on le replace dans l'horizon métaphysique commun à tous les hommes. Mourir bientôt.

Il est vital que le retour à soi puisse s'effectuer chaque fois sans encombre, c'est-à-dire aussi facilement peut-être qu'on enlève un vêtement. Mais d'abord il faut que distance soit gardée. On se maquille le visage, et la farine fait le masque. Mais pourquoi « s'enfariner » aussi la poitrine où bat le cœur, au plus intime de l'être ? L'essence propre est là, qu'il faut préserver de la contagion de l'apparence et de l'étranger. Montaigne s'inscrit dans le sillage de l'empereur philosophe Marc Aurèle : « Le jugement d'un empereur doit être au-dessus de son empire, et le voir et considérer comme un accident étranger ; et lui doit savoir jouir de soi à part et se communiquer comme Jacques et Pierre, au moins à soi-même. »

Est-il si facile de se tenir à distance, et de considérer le monde comme un théâtre où se jouerait indéfiniment la comédie humaine ? Nous jouons des rôles. Nous les tenons. Et ils nous tiennent. Ils le font davantage parfois que nous n'en avons conscience : le danger alors est de s'aliéner à eux. La distance de l'homme au personnage qu'il incarne tend à s'oublier à mesure qu'il croit devoir en convertir les manières en postures personnelles. Avec pour conséquences des dérives néfastes. Le sérieux de la fonction se fait esprit de sérieux, voire pose hiératique et vaniteuse. Le jugement perd tout recul et relève bientôt de la seule identification au rôle, tel que se l'imagine la servilité d'un mimétisme dérisoire. Manque d'humour et de transcendance : il n'est pas question de jouer… Esprit de sérieux. « On s'y croit. »

L'habitude prise, surtout lorsqu'elle s'attache à une position sociale jugée prestigieuse, se fait sans ambages seconde nature. Celui qui s'accoutume à commander prend insensiblement un ton sans appel, qu'il tend à utiliser en dehors de ses fonctions. Une façon d'être est alors épousée au point qu'on s'y absorbe totalement. La salutaire distance est abolie. L'oubli de soi n'est pas loin dans cette image de soi que l'on prend soin de cultiver pour vivre aussi par l'imagination des autres. La passion de paraître brouille autant la frontière de la personne et du per-

sonnage que la démesure de l'adhésion au rôle. Et elle efface
le simple plaisir de l'existence, éprouvé dans le retour à soi
que rend possible le sentiment de solitude, tel que l'évoquait
Rousseau dans la cinquième promenade des *Rêveries du promeneur solitaire* : « De quoi jouit-on dans une pareille situation ?
De rien d'extérieur à soi, de rien sinon de soi-même et de sa
propre existence ; tant que cet état dure, on se suffit à soi-
même comme Dieu. Le sentiment de l'existence dépouillé de
tout autre affection est par lui-même un sentiment précieux
de contentement et de paix, qui suffirait seul pour rendre
cette existence chère et douce à qui saurait écarter de soi
toutes les impressions sensuelles et terrestres qui viennent sans
cesse nous en distraire et en troubler ici-bas la douceur. »

Est-il si facile de distinguer la peau de la chemise ? L'idéal
n'est pas toujours réalisable. Il est des tâches qui laissent leurs
marques. La sueur met le corps à nu dans la transparence du
linge collé, et l'homme harassé n'a pas seulement loisir de vivre
la différence. Le travail peut être si dur qu'il ne semble tolérer
aucune distance. La chemise colle à la peau, quand l'effort a été
tenace, quand l'engagement a fixé son empreinte.

Il est des nobles visages de pécheurs, burinés de soleil et de
vent, où l'on peut lire les tourments de la sortie en mer, qui
longtemps après le retour au port hantent le corps et la conscience. Il est des paysans qu'habitent les moissons nocturnes, à
marche forcée, quand menacent les orages d'août. Et des
ouvriers à la chaîne dont les gestes uniformes réglés par la
machine se poursuivent dans les membres longtemps après la
sortie de l'usine. Sueur lourde et lente du travail, sueur froide
de l'émotion. Tout le corps est captif... *Mouiller sa chemise.*
Nulle indifférence ne semble alors possible à l'égard du jeu à
jouer, de la tâche à accomplir. Nulle distance apparente,
quand l'effort épuise et submerge.

Retour à soi, quand la chose est possible, c'est-à-dire quand
le travail ne tue pas l'humanité en l'homme. La peau n'est pas
la chemise. Le rôle n'est pas l'homme. Encore faut-il pouvoir
le comprendre comme le jeu d'un acteur, selon l'image qu'en
donne Diderot : « Le socque ou le cothurne déposé, sa voix est
éteinte, il éprouve une extrême fatigue, il va changer de linge
ou se coucher ; mais il ne lui reste ni trouble, ni douleur, ni
mélancolie, ni affaissement d'âme. »

Ce paradoxe du comédien, qui n'est pas censé éprouver ce
qu'il fait sentir, le rend un peu différent de l'homme ordi-

naire, rivé à sa fonction par la fatigue ou les passions qui lui sont liées. Il vaut seulement comme un modèle extrême de détachement salutaire, lié à un savoir-faire si bien maîtrisé qu'il permet justement la distance. C'est ce que précise Diderot : « Les larmes du comédien descendent de son cerveau ; celles de l'homme sensible montent de son cœur. »

Qu'on observe le garçon de café, tel que le décrit Sartre dans *L'Être et le Néant* (I, II). Il joue le rôle qui lui est dévolu, en s'appliquant à faire les gestes qu'il pense être ceux du métier, avec la pointe de mise en scène qui accrédite son savoir-faire. « Toute sa conduite semble un jeu. Il s'applique à enchaîner ses mouvements comme s'ils étaient des mécanismes se commandant les uns les autres, sa mimique et sa voix même semblent des mécanismes ; il se donne la prestesse et la rapidité impitoyable des choses. » Virtuosité à la fois feinte et réelle, empressement ou fausse nonchalance, font partie du rôle et de sa projection imaginaire dans l'espace public où il se déploie. Il y a donc ici quelque chose qui ressemble à une comédie, et celui qui la joue sait fort bien qu'il la joue : il consent à toutes les exigences de la mise en scène, sans pouvoir oublier qu'il est bien en représentation : le « service » doit répondre à une certaine attente. Mais il n'est que service, ou métier à exercer.

La distance intérieure, de soi au rôle qui nous échoit ou de soi aux engagements existentiels, est à penser comme une discipline et une conquête. Elle a pour expression extrême le complet désintérêt et pour contraire l'implication fanatique. C'est dire qu'elle se tient dans une sorte de juste milieu : bien jouer son rôle, mais toujours savoir qu'il s'agit d'un rôle. Montaigne, maire de Bordeaux, observe avec ironie ou pitié ceux qui s'identifient à leur charge au point de se confondre avec elle. Ils s'oublient ainsi eux-mêmes – comme un comédien oublierait qu'il joue un rôle et qu'il n'est pas le personnage qu'il incarne. Évoquant son père, également maire de Bordeaux, il se démarque de lui par son souci de distance. « Il me souvenait de l'avoir vu vieil, en mon enfance, l'âme cruellement agitée de cette tracasserie publique, oubliant le doux air de sa maison… » (*Essais*, III, X, « De ménager sa volonté »).

Il faut bien en effet tout replacer dans l'horizon de la condition commune, là où se relativisent les ombres et les lumières des rôles et des pouvoirs. Montaigne rappelle qu'il faut attendre le « dernier acte » de cette comédie sur laquelle nul ne peut nourrir d'illusion, même s'il est ou se croit le héros du moment : « Ce même bonheur de notre vie, qui dépend de la tranquillité et contentement d'un esprit bien né, et de la résolution et assurance d'une âme réglée, ne se doit jamais attribuer à l'homme qu'on ne lui ait vu jouer le dernier acte de la comédie, et sans doute le plus difficile » (*Essais*, I, XIX).

Marc Aurèle, empereur de Rome, évoque ainsi l'avertissement qu'il se donne à lui-même : « Fais attention à ne pas devenir un César, à ne pas te laisser imprégner, car c'est ce qui arrive. » Le sérieux de la fonction – et du pouvoir – pourrait faire croire à l'homme qui le détient sous le titre d'*imperator* qu'il est un surhomme, voire une médiation vivante de quelque dieu. La distance intérieure, cultivée avec constance, le ramène à soi, loin des fastes. Alors le regard sur tous les autres hommes se délivre de la tentation du mépris et de la morgue. Cette difficile liberté se fera fondement de justice et d'humanité.

9
La crue de la fortune

…pour que notre libre arbitre ne soit éteint, j'estime qu'il peut être vrai que la fortune soit maîtresse de la moitié de nos œuvres, mais qu'aussi elle nous en laisse gouverner à peu près l'autre moitié. Je la compare à l'une de ces rivières, coutumières de déborder, lesquelles se courrouçant noient à l'entour les plaines, détruisent les arbres et maisons, dérobent d'un côté de la terre pour en donner autre part ; chacun fuit devant elles, tout le monde cède à leur fureur, sans y pouvoir mettre rempart aucun. Et bien qu'elles soient ainsi furieuses en quelque saison, pourtant les hommes, quand le temps est paisible, ne laissent pas d'avoir la liberté d'y pourvoir et par remparts et par levées, de sorte que si elles croissent une autre fois, ou elles se dégorgeaient par un canal, ou leur fureur n'aurait point si grande licence et ne serait pas si ruineuse. Ainsi en est-il de la fortune, laquelle démontre sa puissance aux endroits où il n'y a point de force dressée pour lui résister, et tourne ses assauts au lieu où elle sait bien qu'il n'y a point de remparts ni levées pour lui tenir tête.

Machiavel, *Le Prince*, XXV, trad. Gohory, Gallimard.

L'eau vive du torrent fait tourner les pales du moulin. Demain, elle submergera tout dans un fracas de pierres et de troncs arrachés. La Nature ne veut rien, ne vise aucune fin. Elle ne produit que des effets, selon une causalité aléatoire. Et ceux-ci varient si bien que nulle vision unilatérale, pessimiste ou optimiste, ne peut en rendre compte pleinement. Seul le jeu humain de l'espoir et de la crainte s'attache à prêter quelque intention, ou quelque fin cachée, à l'enchaînement des choses. Débarrassé de ces projections superstitieuses, le cours du monde ne peut plus s'appeler Providence ni Destin. Nulle puissance tutélaire ne veille, et les hommes n'ont à craindre ou à espérer que les conséquences de leurs initiatives.

Qu'est-ce qui dépend de nous ? Épictète invitait tout homme à prendre la mesure de ce qu'il peut, afin de renoncer à infléchir ce qui ne dépend pas de lui. Mais cela n'impliquait aucune interprétation restrictive du champ d'action humain. La maxime stoïcienne appelle la lucidité d'un partage, qui permet de distinguer démission servile et résolution sereine à agir efficacement. Ainsi, la détermination à faire tout ce qui dépend de soi déploie l'humanité jusqu'aux limites du possible. En sa puissance d'affirmation, elle est, selon le mot latino-italien, *virtu*, c'est-à-dire tout à la fois courage et résolution à agir, valeur au sens cornélien.

Fortuna, pour Machiavel, c'est le cours des choses, à la fois *nécessité* si l'on considère que rien n'advient sans cause, et *hasard*, si on délivre la Nature de toute fin secrète. L'impétueux cours d'eau qui déborde de son lit est une image de cette fortune, dévastatrice, mais la rivière canalisée qui actionne les moulins et irrigue les champs en est une autre, la fortune ayant été en l'occurrence maîtrisée. C'est dire qu'en laissant les crues se reproduire indéfiniment sans édifier de digues ni de barrages, ce sont les hommes eux-mêmes qui font de la Fortune une puissance redoutable. L'auteur du « Prince » reprend le terme *virtu*, qui recouvre à la fois le courage d'agir et la sagacité propre à le rendre efficace au regard des circonstances changeantes. Les éclipses de la *virtu* font toute la consistance de la *Fortuna*, qui ne se donne libre cours que dans l'abstention plus ou moins lâche ou résignée des hommes.

Mais tout moment n'est pas propice pour l'action, et ce n'est certes pas quand les eaux boueuses déferlent que les hommes peuvent le mieux sauver corps et biens. La fortune prend alors l'allure d'une force incontrôlable, irrépressible, qui submerge et suffoque : image qui se noue aux grandes peurs collectives et redonne consistance au fatalisme le plus irrationnel. La crue inexorable emporte tout, sans que l'homme puisse esquisser une quelconque parade. Les coulées de lave, lors d'une éruption volcanique, font de même. Malheur à qui se trouve sur le passage.

Il en est de même, souvent, de la folle violence des guerres, où l'œuvre de mort semble surgir d'un vieux fonds maudit, impossible à contrer. Enclenchée, la guerre des hommes prend allure de cataclysme. De la tempête, elle semble avoir le déferlement imprévisible ; comme la crue, elle emporte ou dévaste tout ; comme l'irruption, elle détruit et enflamme, blesse et ravage. Images de l'horreur, que l'homme emprunte à la nature, mais que la nature, en fait, n'accomplit souvent qu'en raison de la démission des hommes.

Le déluge de bombes et la dérive multiforme des haines prennent l'allure d'une tourmente irrésistible, dont les victimes impuissantes semblent subir les effets sans pouvoir agir sur les causes. L'idée que les guerres sont fatales, que l'histoire n'est que mauvaise fortune, repose sur l'élision de la responsabilité première, qui est humaine. Certes, tout n'est pas possible en toute circonstance : le réel change et l'action humaine doit s'en ressentir. On ne peut dès lors appliquer de recettes ni croire que suffira la fermeté d'un tempérament. Il faut également cultiver cette lucidité qui permet d'identifier, pour agir, le « moment opportun » (qu'Aristote appelait le « *kairos* »).

L'invocation de la fortune sert trop souvent de bonne conscience, notamment lorsque la volonté d'agir fait défaut. D'où la maxime ambiguë : « *faire de nécessité vertu* », qui recouvre en principe l'acceptation sereine d'une nécessité reconnue comme effective. Mais, sous le nom de nécessité, on en vient quelquefois à penser abusivement ce qui résulte d'une démission, comme dans le cas des dégâts causés par la crue quand aucune anticipation préventive n'a été mise en œuvre. Cette *nécessité*-là ne peut fonder aucune vertu au sens strict, sinon une attitude de soumission consentie. Elle n'a d'ailleurs lieu qu'en raison d'un renoncement inavoué.

De telles réflexions ne sont pas sans portée pour les drames les plus récents de l'histoire humaine. Les flambées de racisme, par exemple, dans le sillage des crises économiques et de la précarité qu'elles provoquent pour beaucoup, pourraient relever du même traitement critique et thérapeutique que les crues et les guerres. Il s'agirait alors de *prévention*, et non de simple répression au cas par cas des actes de racisme ou des propos racistes, qui sont des délits au même titre. La *virtu* politique est aussi résolution d'agir. Elle suppose un but clairement défini, et des principes qui en rendent possible la visée.

Poser l'égale dignité de tous les peuples et réassigner les « différences » au champ des distinctions inessentielles au regard de la dignité d'homme, c'est affirmer des principes. Prévenir le racisme en empêchant ses causes sociales d'apparaître comme en rendant manifeste l'ineptie des théories qui prétendent le soutenir, c'est viser une fin qui à bien des égards s'oppose aux préjugés les plus spontanément formés, les plus

« faciles ». Ce volontarisme minimal ne peut congédier l'exigence de réalisme, qui consiste à prendre acte, lucidement, des causes. Il repose sur l'idée qu'il n'y a nulle fatalité aux dérives racistes. Et ce même si l'ampleur des facteurs qui semblent les produire peut de prime abord décourager.

Les princes d'Italie, contemporains de Machiavel, ne surent agir comme le demandaient les circonstances, ni comme l'aurait requis leur rôle politique. Lâches devant les nobles, peu soucieux de rigueur militaire, serviles à l'égard de la tradition, ils ne surent jamais gagner la confiance du peuple. Bref, enlisés dans leurs ambitions à courte vue, jamais ils ne pensèrent que le destin de l'État dépendait essentiellement de leur propre résolution, de leur *virtu*. Par un fatalisme paresseux, qui signait leur incurie volontaire, ils en arrivèrent à accuser la Fortune, entité en laquelle ils se dessaisissaient de leur pouvoir propre.

Ainsi, sous le nom de Fortuna, c'est la conséquence d'un véritable abandon qui prend la forme d'une puissance impersonnelle, immanente au cours des choses, ou encore transcendante au devenir, comme un dieu hors série qui règle les séries causales à l'insu des hommes. C'est exactement cette abdication de la volonté politique, et le fatalisme qui en résulte, que la pensée de Machiavel met en cause. Et sa métaphore garde toute son actualité en un monde où les hommes semblent davantage victimes de leurs propres productions, non maîtrisées, que des aléas de la nature.

Chapitre sept

Les tourments de l'histoire

1

Le bruit et la fureur

Demain, puis demain, puis demain, glisse à petits pas, de jour en jour, jusqu'à la dernière syllabe du registre des temps ; et tous nos hiers n'ont fait qu'éclairer pour des fous le chemin de la mort poudreuse. [...] La vie n'est qu'un fantôme errant, un pauvre comédien qui se pavane et s'agite durant son heure sur la scène et qu'ensuite on n'entend plus ; c'est une histoire dite par un idiot, pleine de fureur et de bruit, et qui ne signifie rien.

Shakespeare, *La Tragédie de Macbeth*, acte V, scène 5,
trad. F.-V. Hugo, GF-Flammarion.

Tourmente muette des cimetières. L'histoire ici s'est tue, et les noms silencieux resserrent en quelques lettres le choc amorti des espoirs et des cris, des bruits qui s'oublient en fumées noires, et des larmes nocturnes. Fureur et bruit, comme en écho assourdi, se fondent dans la rumeur de la ville. La cité des morts est entourée des vivants affairés. Une voix monte là-bas, stridente, et ici, sur les marbres que grise le soir, le demi-silence fait contraste.

Paix. Constructions patientes. Soins multiples de l'enfance, et vies rêvées, qui glissent lentement dans l'avenir. Les fenêtres s'ouvrent et les destinées mêlées inventent un quartier nouveau.

Guerre. Le ciel déchiré saigne sur les nuages, et les cris se répondent sans fin. Les murs sont noirs à jamais, et les flammes hautes défigurent le crépuscule. Les sanglots sans nom secouent la ville brouillée.

Que comprendre ? Être ou ne pas être. La question lancinante reprend sans cesse en elle l'écho des cris et des pleurs, des jouissances noyées dans les douleurs aussitôt qu'accueillies. Fureur et bruit, qui de tout cela font un spectacle absurde, une fable folle, sans repère ni destination. L'histoire a-t-elle un sens ? « *Life is a tale told by an idiot, full of sound and fury-signi-fying nothing.* » « La vie est une histoire contée par un idiot, pleine de bruit et de fureur et qui ne veut rien dire. »

Une certaine théologie croit devoir répondre d'emblée, en soulignant l'errance indéfinie de l'homme, déchu depuis le péché originel et livré dès lors à la frénésie des passions déri-soires. Augustin décrit sans complaisance ce qu'il appelle la Cité des hommes, opposée à la Cité de Dieu. Le choc des puis-sances et des ambitions, la démesure des désirs (les « concupis-cences »), ne peuvent produire que désordres et dérives. Acteurs et victimes, héros et misérables, se tordent dans les tourments de la conscience, comme cet autre personnage de Shakespeare, Richard III : « Oh lâche conscience, comme tu me tourmentes ! Ces lumières brûlent bleu… C'est mainte-nant le moment funèbre de la nuit : des gouttes de sueur froide se figent sur ma chair tremblante » (*Richard III*, acte V, scène 3).

L'histoire est une vallée de larmes. Histoire irrationnelle de part en part, sauf à s'ordonner à des repères qui la transcen-dent et en assignent la dimension pitoyable au regard du divin. À ce verdict se mêle le discours de l'Ecclésiaste sur la « vanité des vanités », avec cette fois-ci, croit-on, le lourd et irréfutable témoignage des faits.

Kant évoque dans une autre perspective la conception qui compare l'histoire au processus indéfini de composition et de recomposition des atomes en mondes successifs, sans possibi-lité de trouver un sens d'ensemble. Il y remarque une vision catastrophiste. Jeu à somme nulle des combinaisons qui nais-sent et meurent. Mais une telle conception, à certains égards, libère l'histoire de toute approche arbitraire par le refus de l'ordonner à un sens préalable dogmatiquement posé. Elle permet une éradication simultanée de la présomption trop confiante comme de l'angoisse superstitieuse.

Peut-on concevoir sans naïveté un chemin mouvementé vers le mieux, c'est-à-dire vers un monde plus conforme aux exi-gences de l'accomplissement humain ? On ne saurait pré-tendre connaître le sens de l'évolution comme on le fait d'un phénomène naturel soumis aux lois qui le déterminent. Ni oublier que cette histoire qu'ils perçoivent, comme hébétés devant un scénario qu'ils semblent subir, les hommes la font. Le sens n'existe pas d'emblée, puisqu'il s'invente au fur et à mesure. Nul grand récit ne peut en refermer la boucle, ni fixer un terme qui peut-être n'existe pas.

La volonté, pouvoir pratique d'inaugurer ce qui n'advient pas de soi-même, ne s'invente son impuissance qu'à partir d'une lecture paresseuse du passé : on croit pouvoir saisir ce qui a été à partir de ce qui est, et l'on mesure souvent le gouffre qui sépare les intentions des effets obtenus réellement. Faisant l'élision du moment du choix, où l'action imminente oscillait encore entre ses possibles, on fatalise et on déplore, comme à la lecture d'un récit tragique. Le sens est absent, ou trop présent dans sa brutalité noire. Triste illusion rétrospective.

Mais on peut aussi réfléchir sur d'autres signes, plus encourageants. L'admiration de toute l'Europe pour l'audace des révolutionnaires de 1789 indique à la fois que des hommes peuvent faire appel de l'injustice, et qu'une telle tentative réveille chez les autres, témoins enthousiastes, l'idée de la liberté. Signes divers, qui ne forment pas une histoire univoque, ni un récit fermé. Mais qui peuvent faire sens dans une perspective de progrès, si du moins on conçoit ainsi la tension des volontés agissantes vers un horizon idéal. La fin, cependant, ne peut être donnée comme certaine, ni hallucinée comme travaillant secrètement au cœur des choses.

Au nihilisme tragique des insensés qui se croyaient héros alors qu'ils n'étaient qu'esclaves de leurs passions, il serait tentant d'opposer la superstition d'une histoire prophétique, dont l'optimisme forcé résorberait toute souffrance dans la rédemption de l'humanité entière. Mais ce serait présumer des effets imprévisibles de la liberté. Il suffit de donner aux efforts humains en vue de la justice et de la liberté l'encourageante confirmation que des pas dans cette direction sont *possibles*. L'événement historique qui l'atteste n'est pas alors démenti par celui qui suscite le doute en raison de son horreur intrinsèque. L'un et l'autre ont eu lieu et peuvent certainement avoir lieu à nouveau. Ce constat n'a pas d'autre conséquence que de rappeler la gravité propre de la liberté agissante.

Ce qui est n'épuise pas ce qui peut être, et toute conquête qui advient permet d'établir que la réalité du moment n'est pas indépassable. Les désordres de l'histoire n'en démentent pas dès lors un sens possible, mais signalent que celui-ci ne peut advenir que dans les tourments. Car restent en décalage les temporalités intérieures, les intérêts figés, les privilèges devenus habitudes.

Ainsi, *La Cerisaie* de Tchekhov montre une vieille famille de nobles russes, désargentée, figée dans la posture dérisoire de la vie d'antan, alors que la nouvelle donne sociale a tout bouleversé. C'est que le révolu, dans les êtres qu'il emporte, tarde à faire son travail de deuil. Et pendant ce temps, l'action croisée de tous les hommes produit ses effets inexorables. L'histoire prend alors l'énigmatique visage d'un destin aveugle et impersonnel ou d'une déshérence perpétuée.

Macbeth, en tuant le roi Duncan, avait oublié « le lait de l'humaine tendresse » (*the milk of human kindness*). Et Lady Macbeth, instigatrice du meurtre, perd la raison au point de voir sur sa main une tache de sang indélébile. C'est bien l'épouvante de leur ambition que tous deux ont désormais à assumer, jusqu'à la mort qui bouclera la magie noire de leurs rêves de grandeur, aveugles à leurs conséquences.

2

La statue de Glaucus

Semblable à la statue de Glaucus que le temps, la mer et les orages avaient tellement défigurée qu'elle ressemblait moins à un dieu qu'à une bête féroce, l'âme
humaine altérée au sein de la société par mille causes sans cesse renaissantes, par
l'acquisition d'une multitude de connaissances et d'erreurs, par les changements
arrivés à la constitution des corps, et par le choc continuel des passions, a, pour
ainsi dire, changé d'apparence au point d'être presque méconnaissable ; et l'on n'y
retrouve plus, au lieu d'un être agissant toujours par des principes certains et inva-
riables, au lieu de cette céleste et majestueuse simplicité dont son auteur l'avait
empreinte, que le difforme contraste de la passion qui croit raisonner et de l'entendement en délire.

Rousseau, *Discours sur l'origine et les fondements de l'inégalité
parmi les hommes*, préface.

On imagine les traits purs et fermes d'un dieu marin à visage
humain. La beauté des lignes exprime une majesté sans
trouble. Cet Homme-Dieu, le sculpteur pourtant ne l'a pas fait
de marbre, et rien ne le préserve de l'altération. La statue aura
donc pour destin les lentes métamorphoses que la mer produira. Les flots et les vents, la spontanéité tumultueuse de la
flore et de la faune, l'érosion sourde et violente de la pierre
fragile déferont à la longue l'identité de la forme originelle.
Au point de perdre l'harmonie de ses traits et de ses proportions, jusqu'à la rendre méconnaissable. Image saisissante de
la condition humaine. Glaucus, dieu marin, est aussi l'homme,
pêcheur changé un jour en figure divine. Ainsi la mythologie
parcourt-elle dans les deux sens le trajet de l'homme à Dieu,
de Dieu à l'homme.

L'action de l'âge, elle-même, concentre et consacre la métamorphose du temps. On dit de l'homme usé ou meurtri par
les épreuves qu'il est devenu méconnaissable : transformation

physique et bouleversement moral, peut-être, quand la souf-france a creusé les rides de l'amertume ou de l'accablement. Le même et un autre : tel est l'homme singulier, tel est aussi le destin de l'espèce humaine. Proust : « À supposer que ce fût la même intention de sourire qu'eût d'Argencourt, à cause de la prodigieuse transformation de son visage, la matière même de l'œil par laquelle il l'exprimait, était tellement différente que l'expression devenait tout autre et même d'un autre » (*Le Temps retrouvé*).

Reste à prendre la mesure d'une histoire qui touche à l'être même, et semble brouiller indéfiniment la réponse à la question « *Qu'est-ce que l'homme ?* ». On se souvient de deux titres sans pareils. *La Comédie humaine*, et *La Divine Comédie*. Balzac, comme Dante, dresse le bilan provisoire des figures de l'huma-nité réelle. Les « études sociales », par lesquelles il voulait « faire concurrence à l'état civil », deviennent par la force des choses cette comédie tragique où l'humanité se décline. À George Sand, il écrit : « Vous cherchez l'homme tel qu'il devrait être : moi, je le prends tel qu'il est. Croyez-moi, nous avons raison tous les deux. »

Qu'est-ce que l'homme ? C'est la question elle-même qui fait problème dès lors que la réalité humaine n'est pas suscep-tible de se définir à la façon d'une chose ou d'un phénomène naturel. En un lieu, en une époque, les hommes donnent de l'humanité une version qui n'en épuise pas les possibles. Peut-on concevoir à partir de cette version singulière ce qui la contenait virtuellement, mais aurait pu tout aussi bien se déve-lopper autrement ? Rousseau explique que trop de penseurs ont prétendu définir la nature de l'humanité à partir de ce qu'il appelle « l'homme de l'homme », c'est-à-dire de la figure qu'elle a prise dans les circonstances données du présent. Erreur typiquement idéologique dont il faut se déprendre, pour à la fois ne pas confondre le particulier et le général, et donner toutes ses chances à l'espoir d'un monde autre, comme d'une humanité mieux accomplie.

Un exemple de cette erreur peut être évoqué à propos de l'explication des guerres. On croit pouvoir en rendre compte facilement : il suffit d'inscrire l'agressivité dans la nature humaine. C'est aller trop vite et voir midi à sa porte. Certes, l'agressivité est possible, puisqu'elle se manifeste, mais elle ne le fait que dans des conditions particulières, sans lesquelles on ne se poserait même pas la question de son existence. La tenir

pour naturelle est donc pour le moins ambigu. Autant considérer comme naturel tout ce qui s'est produit, comme on tien-
drait pour universel le particulier, et déclarer inévitable ce qui
est advenu. Une telle tentation semble accréditée par l'évidence des données immédiates, qui suggèrent une explication
simpliste et paresseuse.

De cela, il est une interprétation possible. « L'habitude est
une seconde nature », dit Pascal, constatant la force des
usages, et la façon dont elle remodèle l'être lui-même. On se
méprend trop souvent, à confondre toute l'humanité avec
l'une de ses métamorphoses. Le fait qu'elle en soit la condition intérieure n'implique nullement qu'on puisse tenir pour
fatal ce qui est : telle métamorphose était possible, mais aucunement nécessaire. Rousseau dit dans quel esprit et selon
quelle démarche il entend se défaire de tels préjugés.
« Laissant donc tous les livres scientifiques qui ne nous appren-
nent qu'à voir les hommes tels qu'ils se sont faits, et méditant
sur les premières et plus simples opérations de l'âme
humaine… » (*Discours sur l'origine et les fondements de l'inégalité
parmi les hommes*).

La nature, en l'occurrence, est aussi toute une histoire : processus de métamorphose autant que déploiement d'une
essence définie. En l'homme, elle n'est l'un que par l'autre.
« L'homme n'a pas de nature ; il a ou plutôt il est une
histoire » (Lucien Malson). Les possibles sont inscrits en leur
diversité dans la condition humaine comme en la pierre susceptible de prendre tour à tour des formes multiples. À ceci
près que l'être humain, par sa spontanéité substantielle, produit lui-même la façon dont il se réalise.

Est-il bon, est-il méchant ? L'alternative, telle quelle, n'a pas
de sens si on garde en mémoire que l'homme est d'abord un
ensemble de possibles, et qu'il n'est pas d'emblée ceci ou cela
en amont d'une histoire qui actualisera telle potentialité
plutôt que telle autre. Kant croyait pouvoir repérer une sorte
de courbure innée à la nature humaine : « dans un bois aussi
courbe que celui dont est fait l'homme, on ne peut rien tailler
de tout à fait droit » (*Idée d'une histoire universelle au point de vue
cosmopolitique*, sixième proposition). Mais il convenait aussi que
la droiture peut exister spontanément, pureté d'intention sans
ombre de calcul.

L'honorable Docteur Jekill et l'abominable Mister Hyde
sont le même, à ceci près qu'une métamorphose physico-chi-

mique a éveillé le second dans le premier. Dans l'allégorie du
roman de Stevenson, la métamorphose devient graduellement
irréversible. Apprenti sorcier d'une science mal maîtrisée,
Jekill a joué avec lui-même au point de se perdre par une
manipulation chimique dont il ne sait pas qu'elle peut provoquer ses effets à son insu, et qu'à la longue il n'en disposera
plus comme d'un instrument inerte.

L'allégorie de Glaucus exprime les transformations sédi-
mentées de l'homme, tout au long d'une histoire corruptrice,
mais elle a son double pendant avec le *Contrat social*, qui propose une refondation politique, et l'*Émile*, qui décrit une
refondation éducative. Les deux œuvres entendent faire appel
du processus de dégénérescence, en signifiant que la métamorphose de Glaucus n'est pas irréversible. Avec une éducation à la hauteur du meilleur de l'homme, la possibilité d'in-
terrompre le processus de corruption se laisse espérer. Avec la
refondation de la communauté politique selon des principes
de justice, c'est le monde social corrupteur qui à terme peut
disparaître.

Le temps de vivre, pour chaque homme, ouvre en lui le vertige des possibles. Sartre précise que le sens de mon être est en
suspens dans ma liberté. Mais c'est toujours en situation que
cette liberté se définit et esquisse sa trajectoire. Toute l'histoire
passée pèse et insiste, jusqu'à sembler occulter parfois la possibilité pour chacun de se définir. L'humanité ne se réimpro-
vise qu'à partir d'une figure marquée par un héritage, voire
une hérédité sociale. Elle a en quelque sorte l'âge de ses préjugés, atavismes mentaux qui transitent par les traditions et les
usages, mais aussi par l'air du temps. La statue de Glaucus est
déjà vieille alors, et l'usure a peut-être effacé le sourire : un pli
amer marque les lèvres, et le regard n'est que trop farouche.

Le temps vécu et scandé fait la substance de l'être. Il n'est
pas simple aventure qui lui adviendrait de l'extérieur. Altération et transformation : les métamorphoses de l'homme sont-
elles réversibles ? C'est entre autres toute la question du sens
de l'éducation qui se joue ici. Il s'agit de savoir si la corruption
du monde ambiant devra fournir la norme de l'humanité à
venir, sous prétexte d'adaptation, ou si une nouvelle figure
d'humanité pourra se faire jour, affranchie des limitations passées et présentes. Question cruciale, notamment, quand il
s'agit de l'âme humaine, principe de l'action comme de la
pensée. Platon : « Ce que nous avons dit de l'âme est vrai par

rapport à son état présent. Aussi bien l'avons-nous vue dans
l'état où l'on pourrait voir Glaucos le marin : on aurait beaucoup de peine à reconnaître sa nature primitive, parce que les
anciennes parties de son corps ont été les unes brisées, les
autres usées et totalement défigurées par les flots, et qu'il s'en
est formé de nouvelles, composées de coquillages, d'algues et
de cailloux. Ainsi l'âme se montre à nous défigurée par mille
maux » (*La République*, livre X, 611c).

Une éducation véritablement émancipatrice doit donc,
autant que faire se peut, inaugurer son ordre propre, qui est
celui d'un savoir libérateur, de portée universelle, tenant à distance la corruption ambiante et les réflexes conditionnés que
développe la société du moment. L'humanité à venir n'est pas
fille du présent, mais de toute la culture qui en déborde les
limites et nourrit ainsi la liberté de jugement comme d'action.

Le constat de Platon et de Rousseau prend donc toute sa
portée pour la politique et pour l'éducation. C'est toujours
une certaine idée de l'homme, implicite ou explicite, qui sous-
tend l'une et l'autre. Tantôt comme alibi lorsqu'il s'agit pour
l'injustice de se trouver des excuses et de figer en hiérarchie
naturelle la distribution sociale des conditions de fortune et de
pouvoir. On perpétue ainsi le monde comme il va, par un
conformisme déguisé en réalisme. Tantôt comme idéal régulateur, où restent intacts le langage de l'espoir et la promesse des
possibles, quand il s'agit de rompre avec les servitudes fatali-
sées.

3

L'homme, loup pour l'homme

Homo homini lupus [l'homme, loup pour l'homme] ; qui donc, d'après toutes les expériences de la vie et de l'histoire, a le courage de contester cette maxime ? Cette cruelle agression attend en règle générale une provocation ou se met au service d'une autre visée dont le but pourrait être atteint aussi par des moyens plus doux. Dans des circonstances qui lui sont favorables, lorsque sont absentes les contre-forces animiques qui d'ordinaire l'inhibent, elle se manifeste d'ailleurs spontanément, dévoilant dans l'homme la bête sauvage, à qui est étrangère l'idée de ménager sa propre espèce. Quiconque se remémore les atrocités de la migration des peuples, des invasions des Huns, de ceux qu'on appelait Mongols sous Gengis Khan et Tamerlan, de la conquête de Jérusalem par les pieux croisés, et même encore les horreurs de la dernière guerre mondiale, ne pourra que s'incliner humblement devant la confirmation de cette conception par les faits.

Freud, *Le Malaise dans la culture*,
trad. P. Cotet, R. Lainé et J. Stute-Cadiot, PUF.

« *L'homme, loup pour l'homme* » : la formule, rendue célèbre par Hobbes, est reprise par Freud, dans un texte empreint de pessimisme. Quel sens et quelle portée lui attribuer dès lors qu'on peut soupçonner ce pessimisme de relever d'une théorisation hâtive et unilatérale ? Il n'est pas sûr que l'imagerie traditionnelle du grand méchant loup éclaire beaucoup ce que voulait dire le grand penseur de la politique, alors qu'elle laisse quelque trace dans la vision freudienne, présentée ici comme un constat.

La légende montre les fondateurs de Rome nourris par le lait d'une louve. La conjonction inédite de l'homme et de l'animal inaugure une histoire qui sera celle d'un empire. Le lait de l'humaine tendresse, dont parlait Shakespeare, vient ici d'un animal sauvage. Croisement des origines et des caractères. Le loup se fait humain pour l'homme. La force naturelle qu'il représente est donc ambivalente : bienveillance et cruauté annoncent une réalité à double sens. Le deuxième volet de la légende, de fait, inscrira le meurtre dans la fondation de Rome. Romulus trace au sol les limites, en latin *limes*, de la future cité, et il interdit à quiconque de les franchir ; il n'hésite pas à tuer son frère Remus qui par défi a traversé l'enceinte sacrée. Ainsi, la violence humaine succède à la tendresse animale et prend part à l'avènement de la communauté politique. Comment démêler les natures, lorsqu'on tente de le faire à la triste lumière d'une histoire tragique ?

La Fontaine insiste sur la proximité de l'homme sans norme de justice et de la bête. Le loup de la fable dévore l'agneau selon une loi naturelle qui ne se discute pas et qui n'est ni morale ni immorale. Si le fabuliste lui attribue des paroles et des arguties, c'est pour en faire l'allégorie du puissant qui opère dans le monde des hommes et croit devoir justifier sa domination en s'attribuant une légitimité imaginaire. *La raison du plus fort est toujours la meilleure.* Tout est dit, puisque la puissance physique ne peut qu'avoir le dernier mot quand elle dicte sous la menace. Mais, dans ce cas, les animaux sont en quelque sorte « revus et corrigés » par la satire des hommes : ils sont humains, trop humains, et figurent par les étranges discours qu'ils tiennent l'ordre des puissances établies. Cercle vicieux en somme, qui humanise les animaux pour donner à voir une bestialité anthropomorphe.

Retour à l'idée d'un ordre proprement humain, mais qu'il s'agit d'affranchir de l'empire exercé par les rapports de forces. Ceux-ci se déploient d'abord dans l'ordre naturel à partir de l'effort que chaque être y accomplit pour survivre. C'est un droit de nature qui fait que tout vivant s'efforce de persévérer dans l'être et mobilise pour cela sa force. Les gros poissons mangent les petits aussi sûrement que les corps en chute libre parcourent des espaces proportionnels au carré des temps. Rien d'immoral dans un tel fait, qu'il convient simplement de comprendre. Ainsi, lorsque Hobbes affirme qu'à l'état de nature l'homme est un loup pour l'homme, il n'entend pas instruire un procès contre l'humanité, mais expliciter des tendances dont il faut selon lui prendre acte.

L'homme réduit à la bête, ce n'est pas nécessairement la transposition du mal humain dans l'ordre naturel, mais le dévoilement d'une loi de survie qui n'enveloppe en elle-même aucune cruauté. Le propos peut d'ailleurs paraître ambigu si

l'on se souvient que les loups ne sont pas des loups pour eux-
mêmes, puisqu'ils ne se dévorent pas entre eux, alors que les
hommes s'entretuent. Reste qu'une situation de tension et de
qui-vive, comme l'est un état de nature où l'affrontement peut
se produire à tout moment, est proprement intenable pour
des hommes : guerre de tous contre tous (*bellum omnium contra
omnes*), guerre autant virtuelle que réelle, elle n'offre à personne une vie sereine et accomplie. Le plus fort lui-même
n'est que le héros du moment : endormi, malade, ou isolé, il
est à la merci des plus faibles d'hier. Seuls peuvent vivre ainsi,
sans distance ni conscience malheureuse, des êtres démunis
de raison, et dépourvus à ce titre de tout autre moyen que la
force pour assumer leur droit de nature, c'est-à-dire des animaux.

   Toute la question, pour des hommes, est d'user de leur
raison pour soustraire leurs rapports mutuels à la violence : il
s'agit de préserver ainsi ce droit de nature dont tout être dispose pour vivre, tout en assurant à chacun une existence soustraite à l'incertitude et à la précarité. L'hypothèse fondatrice
prend forme désormais, qui discerne le fondement de l'ordre
social à l'aide d'un raisonnement par l'absurde. Que se passe-
rait-il en effet si les hommes vivaient sans aucune règle ni
limite à leur action ? À l'évidence, il serait fait retour à la loi du
plus fort. Celle-ci ne s'érige en « droit », selon Rousseau, que
par une ironie cynique : une force physique n'implique aucune
puissance morale, et il est illégitime de mêler ainsi les registres
pour tenter de justifier l'injustifiable.

   La fiction d'un tel retour au régime du rapport de force ne
devient que trop réelle dans le désordre propre aux guerres
civiles, et l'absence de règle qui les caractérise. Tout se passe
alors comme si s'effondraient les garanties et les protections
des lois, rendant l'existence au risque permanent comme à
l'angoisse qui en est la rançon. Une telle fiction se montre également, transposée, dans le libéralisme économique débridé,
qui rêve de faire disparaître toute loi sociale pour donner libre
cours à la dictature du marché. La liberté, dans un cas comme
dans l'autre, n'existe que pour le plus fort.

   Le spectacle de la guerre civile anglaise et du désordre mortifère qui l'accompagna a-t-il inspiré le diagnostic de Hobbes,
comme les horreurs de toutes les guerres, et notamment celles
de la Première Guerre mondiale, inspirent le pessimisme freu-
dien ? On peut le supposer et s'étonner alors d'une sorte de

généralisation abusive, qui transporte dans la nature humaine une disposition funeste à l'agressivité qui n'est peut-être que le produit de certaines dérives sociales. Freud lui-même a souligné que l'agressivité peut s'expliquer comme réaction à une situation de frustration. Mais la guerre des hommes révèle parfois un loup humain dont la férocité n'est pas que de survie. C'est qu'elle se charge d'oppositions aussi intraitables que factices, d'identités imaginaires et exclusives, de rancœurs historiques et de haines lovées dans le ressentiment ou le désir de revanche. Dans la peinture de la guerre par Goya (*El dos de mayo*), la grimace noire des hommes leur fait perdre toute figure humaine.

Montesquieu et Rousseau faisaient à Hobbes le reproche de concevoir l'homme de la nature à partir de l'homme dépravé par une certaine vie sociale : ils entendaient ainsi sauver l'humanité de toute fatalisation du mal. De fait, n'est-ce pas inverser la cause et l'effet que de placer l'agressivité au cœur de la nature humaine, quand des causes historiques et sociales suffisent à rendre compte de son apparition ? Le ressort de l'idéologie de justification est ici clairement identifiable.

La vie animale représentée comme métaphore de la vie humaine exprime sans doute la fascination effrayée devant le seul fait que la violence soit possible, y compris lorsqu'elle n'apparaît pas et se tient alors comme enfouie, prompte à resurgir. L'humanité conquise par le droit et la loi semble découvrir son autre, qui sommeille en elle : elle se rappelle alors la fragilité de la conquête qu'elle représente. Une religion fondée sur l'idée de la faiblesse de l'homme décèlera ici la « *part maudite* » attestée par quelque péché originel, et s'empressera d'y voir une misère sans issue autre que le secours externe d'une divinité. Mais une théorie critique de la politique s'attachera plutôt à affranchir l'idée que l'on peut se faire de l'humanité des effets de perspectives qu'engendre l'illusion du moment. C'est ainsi que Marx refuse toute conception de la nature humaine qui éternise et naturalise ce qui apparaît à un moment de l'histoire, et présente comme universelle la tournure particulière des rapports humains dans un contexte donné.

Dépeinte par Darwin, la jungle de la lutte pour la vie (*the struggle for life*) pourrait bien valoir comme satire métaphorique des rapports capitalistes à l'état brut de concurrence sauvage, en amont des lois qui les régulent et les tempèrent. Mais

Darwin prenait bien garde d'exporter une telle théorie en dehors du champ de la vie animale. Il la trouvait impropre à rendre compte d'une vie humaine digne de ce nom. Il invalidait ainsi par avance les doctrines racistes et fascistes qui prétendent réduire les hommes à des animaux pris dans la violence de la concurrence vitale.

Hobbes lui-même, on le sait, a mis en symétrie deux formules : l'homme loup pour l'homme, et l'homme dieu pour l'homme. Corrigeant la première par la seconde, il énonce un espoir : celui d'un ordre social de concorde, reposant sur une loi commune et faisant que chacun s'affranchit d'un intérêt mal compris dès lors qu'il s'oppose à celui d'autrui. Il faut comprendre alors, comme le dit Spinoza, qu'il n'est rien de plus précieux à un homme qu'un autre homme, l'accomplissement de l'un favorisant l'accomplissement de l'autre. Ainsi se fonde la figure sociale de la générosité, désir de justice pour tous et souci du bonheur commun comme élément du bonheur personnel. *Homo homini Deus,* affirme alors l'auteur de l'*Éthique* : l'homme est un dieu pour l'homme.

4

La tour de Babel

Toute la terre avait un seul langage et un seul parler. Or il advint, quand les
hommes partirent de l'Orient, qu'ils rencontrèrent une plaine au pays de Shinear et
y demeurèrent. Ils se dirent l'un à l'autre : « allons ! Briquetons des briques et
flambons-les à la flambée ! » La brique leur servit de pierre et le bitume leur servit
de mortier. Puis ils dirent : « Allons ! Bâtissons une ville et une tour, dont la tête
soit dans les cieux et faisons-nous un nom, pour que nous ne soyons pas dispersés
sur la surface de toute la terre ! » Iahvé descendit pour voir la ville et la tour que
bâtissaient les fils des hommes, et Iahvé dit : « Voici qu'eux tous forment un seul
peuple et ont un seul langage. S'ils commencent à faire cela, rien désormais ne leur
sera impossible de tout ce qu'ils décideront de faire. Allons ! Descendons et ici
même confondons leur langage, en sorte qu'ils ne comprennent plus le langage les
uns des autres. » Puis Iahvé les dispersa de là sur toute la surface de la terre et ils
cessèrent de bâtir la ville. C'est pourquoi on l'appela du nom de Babel. Là en effet,
Iahvé confondit le langage de toute la terre et de là Iahvé les dispersa sur la surface
de toute la terre.

Ancien Testament, Genèse, XI, 1-9,
trad. É. Dhorme, Gallimard, Bibliothèque de la Pléiade.

Le récit de Babel inaugure la légende d'une ambition
donnée comme démesurée, aussitôt châtiée. De la terre au
ciel, se rêve une ascension qui affranchirait les hommes et leur
ferait contempler de haut leur séjour habituel. Exaltation
d'une humanité confiante en ses ressources propres, au point
d'oublier peut-être sa condition première, en se donnant un
symbole grandiose. Dieu avait donné à Job une échelle pour
gravir les cieux. Mais Job était soumis, sans condition, et de sa
fidélité nul ne pouvait douter.

Dieu ne permet point l'ambition babélienne, oubli sacrilège
à ses yeux de la finitude humaine. Babel, selon le sens premier
du terme, veut dire porte du ciel, ou de Dieu. Dans le récit

biblique, le mot est aussi rattaché au terme hébreu *balal*, qui veut dire confondre. Ambivalence saisissante. La confusion des langues comme rançon d'un projet de grandeur. Et l'unité première de l'humanité brisée par décision divine. Il est déjà loin le temps du verbe divin inaugural. « *Au commencement était le Verbe et le Verbe était avec Dieu ; et le Verbe était Dieu* » (Évangile selon Jean, I, 1).

Après l'épisode du Déluge, qui a noyé à tout jamais la création corrompue, l'humanité unie a cru pouvoir s'élever jusqu'à Dieu. Il lui faut un point de ralliement, comme si la confiance dans le créateur était troublée. Les hommes n'obéissent pas à l'ordre de dispersion primitif (« *Soyez féconds, multipliez-vous, remplissez la terre entière et soumettez-la* »). Les limites de l'humanité lui sont aussitôt rappelées de singulière façon : Iahvé décide de rendre les hommes étrangers les uns aux autres en brisant l'unité de langue, et de les disperser comme il l'avait voulu dès l'origine. Comment comprendre en fait l'entreprise babélienne de l'Humanité ? Simple affirmation de soi, par une tour construite pour être visible de tous, ou défi à la puissance supérieure dont elle est censée dépendre ? L'interprétation du texte varie selon le type de croyance qui en ressaisit la portée culturelle.

Le chantier de la tour s'interrompt car les ouvriers ne se comprennent plus. Nulle conception commune ne peut plus être assumée ; nulle exécution commune non plus. La ville qui se développe pendant les travaux, Babylone, incarne désormais la confusion et l'anarchie : elle est la métaphore trop réelle d'une perdition liée à la débauche et à l'ambition insensée. Et l'inachèvement de l'œuvre se fait inexorable témoignage, où ne se contemple plus qu'un rêve perdu. Ainsi les géants de la mythologie grecque avaient-ils également tenté de défier Zeus, en empilant des montagnes pour l'atteindre. Vainement.

C'est une confusion étrange et paradoxale qu'introduit le châtiment de Iahvé, car il rompt ainsi l'unité primitive de son œuvre. Les hommes d'abord se comprenaient, et nul obstacle ne troublait l'harmonie divine. Toute l'humanité parlait d'une seule voix au moment d'entreprendre la construction jugée insolente. Pourquoi lui avoir fait goûter la valeur de la compréhension mutuelle ainsi permise, si le fait d'en user devait lui être reproché ? L'énigme du péché originel se réitère ici, qui pose la question d'une faille originelle de la créature. La pomme interdite, au milieu du jardin, pouvait être cueillie, et la tentation subjective de le faire faisait bien partie des traits natifs de l'humanité. Spinoza ne manquera pas de voir là une contradiction, en se demandant comment un dieu parfait et tout-puissant a pu créer un être faillible.

Dieu brouille donc sciemment les médiations du sens et cloue les hommes à leur diversité voulue. La richesse des usages et des versions de l'humanité va de pair avec l'incompréhension réciproque. C'est qu'il s'agit de défaire une ambition plus qu'humaine. L'humanité est rappelée à ses limites par une mesure qui en réalité l'affaiblit, puisqu'elle hypothèque la coopération entre les hommes, en les privant de l'élément commun d'une langue partagée par tous. La division régnera désormais, et si chaque langue implique une vision du monde particulière, elle pourra même engendrer des malentendus, des incompréhensions, voire des conflits. À moins qu'une autre façon de renouer avec l'universalité perdue ne soit inventée : soit par la raison humaine qui élève au-dessus des particularismes, soit par un acte de soumission de tous les peuples à une croyance commune.

Le mythe de la Pentecôte, dans le Nouveau Testament, esquissera le deuxième cas de figure : le don des langues sera réservé aux apôtres, érigés ainsi en clercs dépositaires de la parole divine, médiateurs exclusifs de l'universel. Il faudra donc en passer par eux pour se délivrer des cultures particulières et de la profusion babélique des idiomes. « Ils furent tous remplis du Saint-Esprit, et se mirent à parler en d'autres langues, selon que l'esprit leur donnait de s'exprimer » (Actes des apôtres, I, 2). Ainsi se referme la boucle : du paradis perdu de la langue adamique à l'humanité polyglotte se trace le destin de ceux qui ne peuvent se réconcilier avec eux-mêmes et avec Dieu qu'en faisant allégeance. Ils se plieront à une religion commune et à ses administrateurs patentés, qui cumulent le privilège culturel du don des langues et le pouvoir reconnu d'interpréter et de transmettre la parole divine.

Mais il est une autre façon de concevoir l'union de l'humanité. La parole des philosophes grecs porte ici témoignage. De sa langue native et des représentations qu'elle véhicule, nul n'est esclave, s'il fait effort pour réfléchir, et mettre à distance par la pensée. Certes la pensée se dit tout d'abord dans une langue particulière, mais le travail de la raison, qu'il opère dans la traduction ou dans la recherche du vrai, élève au-dessus des représentations familières et du langage qui les véhicule.

Les hommes sont différents, certes, et cela se voit suffisamment dans leurs façons d'être, leurs coutumes, leurs appréhensions. Cela s'entend aussi dans leurs langues, telles du moins qu'elles se façonnent d'abord dans un certain regard sur les choses, où se fixe la poésie d'un lieu et d'un temps, où s'organisent l'imaginaire et la mémoire d'une expérience singulière. Reste que ces différences s'inscrivent dans une condition commune, qui est d'avoir à produire un monde, et non d'être strictement tributaire d'un milieu, comme le sont les animaux.

La diversité des cultures et des langues n'est pas si essentielle qu'elle interdise la compréhension mutuelle. Un langage commun peut être trouvé dès lors que la raison élève chaque homme au-dessus de ses particularismes. Le même processus peut mettre chaque peuple à distance de son patrimoine propre, non pour en relativiser la valeur, mais pour ouvrir l'horizon. Si un tel patrimoine se rapporte à la sensibilité, à l'art, à la poétique des mots et des choses, il peut se dire culture au sens libre et délié, qui fait le prix et la beauté originale d'une certaine expérience collective. Il n'a donc pas à se confondre avec des rapports de pouvoir et des normes qui codifient un certain assujettissement entre les hommes.

La traduction est déjà l'esquisse d'une mise à distance, mais c'est surtout la recherche raisonnée du vrai qui permet la rencontre par-delà les civilisations particulières. L'émancipation à l'égard de toute tradition, non pour la rejeter totalement, mais pour s'affranchir des préjugés qui pourraient s'y attacher, est alors décisive. La culture au sens vrai n'est pas l'allégeance, la suppression de tout recul critique, sauf à être invoquée comme un label qui dissimule l'oppression et la légitime.

Quant à la langue d'abord amarrée aux usages et aux milieux, aux émotions de l'enfance et aux expériences premières, elle ne constitue pas pour autant un carcan. La philosophie, comme l'activité scientifique, mais avec sa démarche propre, trouve là sa raison d'être : nulle ambiance langagière, nul découpage particulier des significations ne fait obstacle à son travail de distanciation. Confucius et Platon, Averroès et Spinoza, Hume et Kant, pratiquent leurs langues respectives de telle façon qu'ils s'élèvent à l'universel, ou en cultivent l'exigence, et formulent des problèmes communs. Ils peuvent ainsi se rencontrer, au-delà des ancrages natifs. L'universel ne

constitue pas pour autant une demeure dans laquelle on s'ins-
tallerait. C'est le mouvement même d'affranchissement par
rapport aux traditions particulières qui atteste de la vie universelle de la pensée.

Les hommes font un quand ils se comprennent. L'unité de
langue est la métaphore de cette compréhension mutuelle,
qui peut passer par des médiations diverses. Parler un même
langage, ce n'est pas nécessairement utiliser la même langue,
mais se mettre en mesure de dialoguer, de chercher ensemble,
voire de trouver des vérités qui sitôt reconnues sont communes à tous. Des hommes peuvent ainsi se comprendre en
parlant des langues différentes, et s'empiéger dans un dialogue de sourds alors qu'ils disposent des mêmes mots. Dans le
premier cas, il leur suffit de traduire pour donner à la pensée
des repères similaires et des termes équivalents. Dans le
second cas, ne mettant pas les mêmes choses sous les mêmes
mots, ils n'offrent que l'apparence de la compréhension.

En revanche, le désaccord clairement défini et délimité peut
prendre place dans le partage d'un souci de dialogue et de
vérité. Leibniz, philosophe rationaliste de langue allemande,
répond en français à l'œuvre du philosophe empiriste Locke,
écrite en anglais (*Essay on Human Understanding*) : les *Nouveaux
Essais sur l'entendement humain* signent un des moments de
l'Europe de l'esprit. Averroès, philosophe de langue arabe,
commente le texte grec d'Aristote, participant de façon éclatante à la médiation arabe qui sauve et prolonge l'héritage de
l'Antiquité. Et lorsque Thomas d'Aquin entend le réfuter au
nom de la pensée chrétienne, il perpétue le mouvement d'une
réflexion qui s'affranchit des barrières de la langue et prend la
mesure d'un désaccord dans des termes communs qui permettent de le penser. Pour se comprendre, les hommes et les
peuples disposent donc de la raison qui les affranchit, par le
travail de réflexion qu'elle anime, de tout enfermement.

Qui ne rêve de l'Humanité une et unie ? Rêve de paix et de
puissance, pour parer aux aléas de la finitude. Divisée, l'humanité semble pratiquer son automutilation. Unie, ou réunie,
elle prend possession de ses ressources propres, dans leur plénitude. C'est qu'au lieu de s'user dans ses déchirements
répétés, elle peut alors édifier l'œuvre commune de son
accomplissement. Rêve ancestral et moderne de l'*Ecclesia* universelle, de l'Internationale, du Citoyen du Monde, de l'Espé-
ranto, qui transcenderaient tous les types de clivages pour

réconcilier l'humanité avec elle-même. Maxime bien connue, mais si peu prise en compte, de la solidarité universelle : *un pour tous, tous pour un*. Le nivellement d'une mondialisation capitaliste, ou la mise en tutelle impérialiste de la planète, n'ont à l'évidence aucun rapport avec un tel rêve. C'est qu'ils méconnaissent l'heureuse dialectique de l'unité et de la diversité, parfaitement conciliables dès lors que leurs registres légitimes ne sont pas confondus. De fait, la richesse des diverses langues est aussi celle des poésies qui les habitent et les modèlent. Elle s'ouvre à toutes les curiosités, loin des instrumentalisations qui exaltent un particularisme linguistique pour exclure et rester entre soi.

5

Le sang d'Iphigénie

Mais ici j'éprouve une crainte : tu crois peut-être
apprendre les éléments d'une doctrine impie,
entrer dans la voie du crime quand au contraire
la religion souvent enfanta crimes et sacrilèges.
Ainsi, en Aulide, l'autel de la vierge Trivia
du sang d'Iphigénie fut horriblement souillé
par l'élite des Grecs, la fleur des guerriers.
Dès que sa coiffure virginale fut ceinte du bandeau
dont les larges tresses encadrèrent ses joues,
elle aperçut devant l'autel son père affligé,
les prêtres auprès de lui dissimulant leur couteau,
et le peuple qui répandait des larmes à sa vue.
Muette de terreur, ses genoux ploient, elle tombe.
Malheureuse, que lui servait, en tel moment
d'avoir la première donné au roi le nom de père ?
Saisie à mains d'homme, elle fut portée tremblante
à l'autel, non pour accomplir les rites solennels
et s'en retourner au chant clair de l'hyménée,
mais vierge sacrée, ô sacrilège, à l'heure des noces
tomber, triste victime immolée par son père,
pour un départ heureux et béni de la flotte.
Combien la religion suscita de malheurs !

Lucrèce, *De la nature*, I, vers 80-101,
trad. J. Kany-Turpin, GF-Flammarion.

La flotte est en partance. Pour que les vents se lèvent, et permettent aux navires d'appareiller vers Troie, Iphigénie, fille
d'Agamemnon, doit être sacrifiée. Tel est l'oracle, et l'on
s'apprête. Vierge encore, dit le poète, elle sera offerte au couteau du prêtre. Religion. Les hommes s'unissent pour vénérer,
mais ils croient honorer la divinité par un sacrifice, comme
plus tard ils le feront en tuant ceux qu'ils appelleront les

« infidèles ». Au passage, c'est la superstition qui fait son œuvre : on croit commander aux éléments en soudoyant les dieux qui en ont la maîtrise. Pourquoi cette mystérieuse exigence de l'oracle, qui porte à son comble la contradiction entre l'affection paternelle et les responsabilités du chef suprême ? Est-ce véritable piété que cette foi aveugle qui ne discute pas et exécute le plus terrible crime ? Abraham non plus, dans l'Ancien Testament, n'hésite pas à immoler son fils, quand son Dieu le lui demande : « Prends donc ton fils, ton unique, celui que tu aimes, Isaac, va-t'en au pays de Noria et là offre-le en holocauste sur l'une des montagnes que je te dirai. »

Épicure élève sa voix. La piété philosophe n'est pas la religion superstitieuse, mais la religion humaine d'une sérénité construite par raison et distance, souci de lucidité. Il ne s'agit pas de ne pas souffrir, mais de s'élever à une juste compréhension des choses et des exigences de l'action. Sans s'inventer des dieux mauvais ou capricieux, maladivement soucieux de s'affirmer par la médiation des hommes. Les dieux d'Épicure n'ont que faire du sang d'Iphigénie. Ils dédaigneraient cette gesticulation dérisoire destinée à faire lever les vents et appareiller la flotte vers Troie. Les vents souffleront si les conditions climatiques sont réunies et rien de plus ne peut être fait, sinon ajuster les plans selon les données du temps comprises en leur logique propre.

Il faut donc garder aux dieux ce qui fait qu'ils en sont vraiment : cette affirmation heureuse de soi, en toute indépendance, en autarcie authentique, avec cette superbe indifférence aux affaires des hommes, fait qu'ils n'ont pas à être craints. Une telle suffisance n'est pas morgue ou mépris, mais plénitude d'affirmation, modèle de puissance innocente s'accomplissant dans sa vitalité propre. Modèle d'une vie qui se pose, non réactive, non envieuse, et qui ne peut être avide d'aucun sacrifice. Modèle pour les hommes, lorsqu'ils tendent à s'accomplir en cette libre disposition de soi qui fait tout le prix de l'existence.

Iphigénie devra-t-elle mourir en amont des douceurs du plaisir ? Son sang sera celui d'une promesse perdue, de cette vie déliée qui s'annonçait avant que la peur et l'ignorance mêlées, mais aussi les ambitions du pouvoir, ne suggèrent le crime.

Quant à la science qui pénètre les secrets de la nature et fait paraître tout phénomène comme le produit de lois connaissables, elle n'a rien d'impie, sauf à lier la piété et l'ignorance. Une religion de peur est indigne de l'humanité dès lors qu'on élève celle-ci à son idée la plus exigeante. Elle est faite pour des hommes médusés, spectateurs transis devant l'obscur scénario des éléments, forcés à se prosterner sans comprendre.

Mais bientôt, sous le prétexte de faire respecter la soumission des hommes aux dieux, c'est la domination de certains hommes sur d'autres qui advient. La dévotion se fait alors credo obligé et place l'humanité entière sous haute surveillance. L'exigence spirituelle n'est plus alors qu'un prétexte, et en son nom s'exerce un véritable pouvoir temporel. Collusion mortifère du religieux et du politique, police des corps et des âmes, asphyxie de la pensée, et meurtres collectifs au nom d'une religion d'amour. Bigoterie zélée qui selon le mot de Victor Hugo est capable de raturer le cerveau humain.

Descartes évoque cette dérive superstitieuse et fanatique en peignant l'intolérance des « bigots aux cheveux courts ».

« Ce qu'on peut particulièrement remarquer en ceux qui, se croyant être dévots, sont seulement bigots et superstitieux ; c'est-à-dire qui, sous ombre qu'ils vont souvent à l'église, qu'ils récitent force prières, qu'ils portent les cheveux courts, qu'ils jeûnent, qu'ils donnent l'aumône, pensent être entièrement parfaits, et s'imaginent qu'ils sont si grands amis de Dieu qu'ils ne sauraient rien faire qui lui déplaise, et que tout ce que leur dicte leur passion est un bon zèle, bien qu'elle leur dicte quelquefois les plus grands crimes qui puissent être commis par des hommes, comme de trahir des villes, de tuer des princes, d'exterminer des peuples entiers, pour cela seul qu'ils ne suivent pas leurs opinions » (*Les Passions de l'âme*, 190).

6
Ma place au soleil

Mien, tien. « Ce chien est à moi, disaient ces pauvres enfants ; c'est là ma place au soleil. » Voilà le commencement et l'image de l'usurpation de toute la terre.

Pascal, *Pensées*, Brunschvicg 295.

Le geste est dérisoire. Des jeux d'enfants se figent dans la soif de posséder, qui revient à exclure. Usurper, c'est faire sien ce qui est de l'autre aussi bien, c'est-à-dire de tous. Mien, tien : la répartition semble garantir la jouissance exclusive, mais elle consacre par là même une séparation et un repli.

On s'empare d'un bien ou d'un être, et l'on oublie le chemin qu'il faudra reprendre bientôt. On s'approprie un lieu. Comme pour conjurer l'angoisse du lendemain, on vise l'ancrage définitif. Étrange amnésie à l'égard de la condition humaine. L'enfant, bien sûr, veut posséder, car il croit s'assurer ainsi une jouissance non contrariée. Mais que possède t-on vraiment ? Une place au soleil, éphémère chaleur. Une demeure provisoire, où l'essentiel se joue dans la façon d'habiter, non dans la conscience de posséder.

La jouissance peut dériver souvent, trop souvent, en appropriation exclusive. La plage privatisée par quelque artifice est soustraite au bien public. Privation de jouissance pour le grand nombre. Usurpation, s'il est vrai que la demeure universelle de la nature n'est pas d'abord dévolue à certains hommes, à l'exclusion des autres. Voilée d'abord, l'exclusion d'autrui devient bientôt manifeste. La jouissance qu'elle semble rendre possible peut-elle être totalement sereine ? Barrières et barricades, clés et clôtures, voire barbelés et tessons figés dans le béton, dessinent le paysage de la peur et de la méfiance, des plaisirs sous bonne garde et haute protection. Peut-on ainsi jouir de ce dont les autres sont ouvertement privés ? Et le monde doit-il se réduire à une juxtaposition d'enclos ?

Vu de loin et de haut, le fétichisme de la propriété paraît bien dérisoire : quelques dizaines d'années auront raison du propriétaire, et quelques siècles des murs si prisés. Dans le désert posthume s'anticipe la fin prochaine, pour ramener toute crispation à une conscience plus lucide de sa vanité. C'est ce qui s'appelle prendre la juste mesure des choses.

Augustin dénonce la confusion des choses dont on use et de celles dont on jouit. Certes, il en interprète le sens de façon contestable lorsqu'il condamne le plaisir de la chair, car celui-ci n'implique pas la possession. Nul être ne peut appartenir à un autre, même s'il se donne librement à lui dans la tendresse de la jouissance. Mais cela veut dire aussi que nul être ne peut se voir traiter comme une simple chose. La confusion des moyens et des fins constituerait une grave méprise sur l'éthique de vie. Fatale inversion, quand s'oublie le sens d'une condition humaine dévolue à la silencieuse épreuve du temps. On peut certes interpréter différemment le partage ou considérer qu'il y a des choses dont il est possible tout à la fois de jouir et d'user. Mais le principe de la distinction demeure essentiel, pour éclairer le chemin.

La vie dissolue d'Augustin, en amont de sa conversion, l'avait sans doute instruit concrètement de la grande douceur du plaisir sexuel, et de son sens irréductible à la fonction de procréation. Les corps usent mutuellement l'un de l'autre, pour l'enfant à venir peut-être, mais pour l'assouvissement présent sûrement. Reste que c'est seulement par métaphore qu'on dit posséder l'autre, et que nulle possession n'atteint la conscience, foyer qui transcende ce qu'on croit saisir de lui.

La version religieuse d'une telle sagesse s'attache à relativiser toute chose terrestre, pour souligner la finitude humaine qui s'y organise comme elle peut et suggérer la dimension illusoire des attachements qui l'accompagnent.

Une version profane de ce rappel insistera sur le rôle de la raison et du cœur pour bien évaluer chaque ordre de choses et ne pas se tromper de hiérarchie, en confondant par exemple les biens qui valent pour eux-mêmes et ceux qui ne valent qu'en vue d'autre chose qu'eux-mêmes. L'*avoir* et l'*être* ne sont évidemment pas du même registre, et c'est par un singulier aveuglement que l'on en vient à les confondre. Ainsi de l'avare dépeint par Molière : il sent sa personne diminuée quand sa cassette a disparu, oubliant que l'être vaut plus et autrement que ses biens.

User et abuser. La formule du droit romain dit « *uti et abuti* ». Existe-t-il vraiment, ce droit absolu qui tend à méconnaître la condition de tout droit, à savoir la possibilité reconnue à toute personne de faire de même ? C'est en un sens une telle exigence de réciprocité que rappelle Pascal lorsqu'il parle d'usurpation. Usurper, c'est posséder sans légitimité, se trouver où l'on ne devrait pas être. L'appropriation exclusive repose d'abord sur le rapport de force qui l'a permise. Elle ne se perpétue qu'aussi longtemps que dure celui-ci. Qu'est-ce qu'un droit qui ne fait qu'entériner et codifier un rapport de force ? Rousseau pose la question, et suggère, avant Marx, que la consécration de la force usurpe le nom même de droit : sinistre farce juridique où se joue la fiction de sujets libres et abstraits, disposant pleinement d'eux-mêmes, alors que pèse de tout son poids l'inégalité des conditions matérielles.

Ombre et soleil. Les places ne sont pas fixes, et la course éperdue aux meilleures découvre bientôt que le soleil n'est plus le même, ou qu'il éclaire des places différentes. Les hommes se prennent au jeu des hiérarchies et des réseaux : fétichisme des différences, auxquelles on croit devoir attacher quelque valeur. Ils s'inventent donc un soleil à leur mesure et ne voient pas que la course aux honneurs les condamne à l'inquiétude dont s'assortit toute jouissance des choses précaires.

Diogène vit autrement la sagesse. Il faut apprendre à ne pas dépendre, et savoir jouir simplement des biens qui reviennent à tout homme, si du moins nul obstacle ne s'interpose. D'où le défi au puissant Alexandre, qui vient de lui demander ce qu'il souhaite. « Ôte-toi de mon soleil ! » Le seul bien qui lui importe lui est donné naturellement, sans qu'il soit besoin d'une offre condescendante de celui qui veut faire sentir sa puissance de domination.

Qui peut dire, lorsqu'il jouit de richesse, qu'il ne sera jamais ruiné ? La faillite inattendue, mais qui reste toujours du domaine du possible, éteint bien vite la morgue du gagneur, qu'elle ramène à la nudité du chômeur dont il insinuait hier l'incapacité. Dérision des « *grandeurs d'établissement* », c'est-à-dire de celles que les hommes reconnaissent au gré de leurs illusions du moment. On croit devoir vénérer la richesse et la propriété, le pouvoir et l'influence, la noblesse de lignée ou la dynastie financière, et l'on oublie les grandeurs véritables, qui résistent au temps et aux aléas de la fortune. Il est de belles âmes logées en une existence modeste qui ne demandent rien et passeront discrètement dans la mémoire muette des choses qui furent leur cadre quotidien.

La *place au soleil* s'assombrit plus ou moins vite, et les lieux d'ombre changent. Une nuit glaciale les aura bientôt absorbés.

Alors, de cette existence qu'ils partagent « pour le meilleur et pour le pire », tous ne doivent-ils pas prendre acte, et organiser le séjour au mieux ? Pourquoi se réserver une jouissance s'il faut l'armer contre la présence d'autrui, et oublier cette fragilité commune, pourtant si prompte à resurgir ? « *La propriété, c'est le vol* », dit Proudhon. Et le voleur ne peut jouir de son larcin qu'en restant l'arme au pied. Exclusive, une telle jouissance tend à constituer l'autre en menace.

Rousseau dénonce l'appropriation privée de la terre productrice. Car ce n'est pas alors le fruit du travail qui revient légitimement au travailleur, c'est la possibilité même de travailler librement qui se trouve compromise. La terre n'est à personne en particulier, comme le rappelle Rousseau lorsqu'il entreprend de penser la genèse de l'inégalité parmi les hommes. Toute clôture sauvage est une sorte de vol. C'est en somme le commencement de la fin :

« Le premier qui, ayant enclos un terrain, s'avisa de dire : Ceci est à moi, et trouva des gens assez simples pour le croire, fut le vrai fondateur de la société civile. Que de crimes, de guerres, de meurtres, que de misères et d'horreurs n'eût point épargnés au genre humain celui qui, arrachant les pieux et comblant le fossé, eût crié à ses semblables : gardez-vous d'écouter cet imposteur ; vous êtes perdus, si vous oubliez que les fruits sont à tous, et que la terre n'est à personne » (Rousseau, *Discours sur l'origine et les fondements de l'inégalité parmi les hommes*, début de la seconde partie).

7

Les eaux glacées du calcul égoïste

La bourgeoisie a joué dans l'histoire un rôle hautement révolutionnaire. Là où elle est arrivée au pouvoir, la bourgeoisie a détruit tous les rapports féodaux, patriarcaux, idylliques. Elle a impitoyablement déchiré la variété bariolée des liens féodaux qui unissaient l'homme à ses supérieurs naturels et n'a laissé subsister d'autre lien entre l'homme et l'homme que l'intérêt tout nu, le dur « paiement comptant ». Elle a noyé dans les eaux glacées du calcul égoïste les frissons sacrés de l'exaltation religieuse, de l'enthousiasme chevaleresque, de la mélancolie sentimentale des petits-bourgeois. Elle a dissous la dignité personnelle dans la valeur d'échange et substitué aux innombrables libertés reconnues par lettres patentes et chèrement acquises la *seule* liberté sans scrupule du commerce. En un mot, elle a substitué à l'exploitation que voilaient les illusions religieuses et politiques l'exploitation ouverte, cynique, directe et toute crue.

Marx et Engels, *Manifeste du Parti communiste*,
trad. É. Bottigelli, GF-Flammarion, p. 76.

La Révolution française avait émancipé l'homme du serf et du seigneur, du noble et du roturier. Du moins avait-elle posé en principe l'égale dignité de tout homme, quelle que soit la fonction qu'il remplit dans la société. Elle avait dégagé le sujet de droit de la distribution inégale des prestiges liés à la naissance. Elle avait ainsi esquissé le programme de la fraternité dans la rencontre de la liberté et de l'égalité.

Mais d'autres rapports de pouvoir peuvent naître ou renaître, qui réinscrivent les hommes dans d'invisibles liens de dépendance. Une parodie de liberté, de droit, de progrès, peut se mettre en place dès lors que les ressorts de la richesse et de la puissance sociale semblent faire mentir les idéaux. Quelle est la liberté du chômeur en face d'un contrat qu'il peut ne pas signer, en droit, mais qui le sort de la détresse extrême ? Le calcul du salaire et le libellé des clauses, réglés

par la loi de l'offre et de la demande, et les conditions géné-
rales du moment, lui échappent totalement. À prendre ou à
laisser en quelque sorte. Le discours du « *partenariat* » sonne
creux et faux, quand un rapport de force effectif dispose de
tout avant même que le libre arbitre puisse intervenir. Pas de
sentiment : compétitivité oblige. La mise en scène d'une
liberté s'organise, alors que les ressorts des décisions sont
bandés dans l'invisible réseau de dépendances qui règle
l'action des dominés.

L'argent, c'est un fait, ne peut s'accroître de lui-même, s'il
ne met en jeu le dispositif propre à dégager de la richesse et la
faculté qu'a le travail humain de produire plus qu'il ne coûte.
Usine, machines, matières premières. Et travail vivant des
hommes, pour que commence la production. Le calcul semble
précis, qui escompte le gain pour qui détient le capital. Les
hommes, insensiblement, vont épouser les fonctions qu'ils
rempliront. Ils deviendront des « *effectifs* », à « *dégraisser* » parfois, et même souvent. « *Ressources humaines* », à dénombrer à
côté des sources d'énergie et des stocks. Chiffres sans chair ni
vie dans les livres de compte, où ne figurent d'ailleurs que les
dépenses consenties, à l'exclusion des « coûts humains », selon la
parole pudique où se cachent toutes les souffrances mal reconnues, ou simplement méconnues.

Il faut « optimiser » les chiffres et pouvoir s'enorgueillir des
courbes. La sphère de la circulation monétaire met en scène
les nouveaux fétiches : la mystérieuse faculté de l'argent de
s'accroître spontanément, de « *travailler* », de « *rendre* », le
grand Marché de la jungle polie et policée où jubilent les
héros du moment, la loi d'airain des capitaux qui brisent et
qui propulsent. On a affaire à une nouvelle théologie des
Temps modernes, avec sa Providence et ses coups du sort, sa
magie et ses miracles, son paradis et son enfer.

Une incroyable crédulité se déploie, comme celle qui
concerne la fameuse « *main invisible* », simple hypothèse métaphorique chez Adam Smith, mais credo aveugle chez les
prêtres du libéralisme économique débridé. Le thème en est
connu. Chacun, en cherchant son propre gain, travaillerait à
son insu à « rendre aussi grand que possible le revenu annuel
de la société ». Ainsi, il serait comme « conduit par une main
invisible, pour remplir une fin qui n'entre nullement dans ses
intentions » (Adam Smith, *La Richesse des nations*, IV, XI). L'un
des inspirateurs du libéralisme économique stipule donc

qu'en poursuivant leurs seuls intérêts particuliers les hommes assurent, on ne sait par quel secret mécanisme, le triomphe de l'intérêt général et du bien commun. Voilà un monde merveilleux, que réglerait une mystérieuse *main invisible*, finalisant les flux et conduisant les échanges pour le plus grand bien des hommes. Ceux-ci sont considérés abstraitement, et crédités d'un pouvoir d'initiative indépendant des rapports effectifs qui le détermine concrètement. L'abstraction juridique se conjugue à la magie d'une providence invisible et au credo du Marché déifié, mais aussi au supplément d'âme humanitaire, pour réenchanter l'univers glacé des échanges.

Peut-on s'en tenir à la seule logique « libérale » des initiatives privées régies par l'intérêt personnel ? Jamais alors il n'y aurait eu de voies ferrées ni de routes là où il n'était pas *rentable* de les construire. Dans une même perspective, on n'aurait pas plus pourvu à l'instruction générale et affranchie de tout intérêt à court terme, ni à la santé publique. Ces choses sont essentielles pourtant, pour le bien commun et pour l'égalité des citoyens d'un pays. Adam Smith lui-même en convenait, qui attribuait à l'État une fonction propre en la matière. L'idée même de solidarité comme de redistribution répugne spontanément à la loi du seul profit. C'est qu'elle requiert une volonté politique propre à faire advenir ce qui ne naît pas spontanément du commerce. « C'est justement parce que la force des choses tend toujours à détruire l'égalité que la force de la législation doit toujours tendre à la maintenir » (Rousseau).

On mesure ici la singulière destinée de l'esprit des Lumières, oublié par une époque où se confondent calcul égoïste et rationalité. Mais ce calcul lui-même est à courte vue et s'aliène aux illusions chéries par l'air du temps. Qu'une entreprise en vue licencie massivement et la Bourse euphorique fait s'envoler les cours de ses actions. Logique des coûts dans les seuls livres de comptes. Où ne figureront pas, et pour cause, les dommages que nulle somme repérable ne semble pouvoir rendre manifestes : pollution de l'air devenu irrespirable, destruction physique et nerveuse, voire morale, des travailleurs classés dans les « ressources humaines », et dont un beau jour certains sont simplement rayés des « effectifs », dégradation du tissu social et criminalité surgie, déshérence des villes et des friches industrielles, mers noircies et terres enfumées, tintamarre des publicités qui insistent et obsèdent, solitudes captives dans le déluge communicationnel, dans la nausée des flash et des clips, des spots et des scoops.

Coûts « externalisés », selon le nouveau discours qui minore et euphémise tout ce qui pourrait faire douter du paradis présent. C'est dire pudiquement qu'ils ne sont pas assumés par l'esprit d'entreprise et la hâte de gagner qui le sous-tend. Singulière contradiction, au regard des références constantes de l'idéologie libérale à la responsabilité et au refus de toute assistance : qu'est-ce qu'une initiative économique qui ne prend pas en charge la totalité de ses coûts et de ses conséquences, sinon une initiative assistée ? Paradoxe. D'un côté, l'éloge sempiternel du risque et de l'initiative responsable, du contrat privé opposé à la loi commune, et critique de toute intervention régulatrice de l'État dans le domaine social et économique ; de l'autre, le transfert implicite à la communauté et à l'État qui la représente du soin de réparer les dommages causés aux hommes et aux choses par un système uniquement soucieux des profits comptables.

Que valent alors les sarcasmes sur la redistribution sociale que permet la péréquation républicaine ? Sur la loi jacobine dont on s'obstine à méconnaître la fonction sociale de redistribution des richesses et de production d'égalité ? Sur l'État social de droit rebaptisé État-Providence, comme si la république se donnant à elle-même ses lois était une puissance tutélaire, bienveillante et condescendante, assistant ceux qui vivent de leur travail en leur « accordant » ses bienfaits ? S'agit-il de faire accroire que les droits sociaux conquis pour humaniser le travail en responsabilisant ceux qui l'exploitent ne sont qu'une manne providentielle, tombée dans le désert par l'effet de quelque action charitable où se reconnaîtrait une tutelle divine, attentive à ses ouailles ? Discours lancinant, qui dépossède ceux qui produisent les richesses de leur autonomie et de leur dignité, en les faisant apparaître comme des assistés. Ainsi se donnent les mots de la mystification quotidienne, tandis que la mystique du marché se déguise en loi scientifique inscrite dans l'inexorable logique des choses.

Amnésie cultivée ou naïve à l'égard de ce que fut le capitalisme, quand ne le tempérait pas la loi. « *Où vont tous ces enfants dont pas un seul ne rit ?* » Victor Hugo évoquait là les enfants asservis à l'usine. Il pourrait aujourd'hui écrire le même vers pour les enfants du Pakistan, où les entreprises délocalisées ont pu rattraper par la géographie ce qu'elles avaient perdu par l'histoire. Calcul sans états d'âme, qui joue sur l'inégal développement des acquis sociaux pour retrouver l'âge d'or de l'exploitation capitaliste, à quelques heures d'avion. Mondialisation. Triste caricature de l'universalisme des Lumières.

8

Léviathan dieu mortel

La multitude unie en une seule personne est appelée une République, en latin *Civitas*. Telle est la génération de ce grand Léviathan, ou plutôt pour en parler avec plus de révérence, de ce dieu mortel, auquel nous devons, sous le Dieu immortel, notre paix et notre protection. Car en vertu de cette autorité qu'il a reçue de chaque individu de la République, l'emploi lui est conféré d'une telle force, que l'effroi qu'il inspire lui permet de modeler la volonté de tous, en vue de la paix à l'intérieur et de l'aide mutuelle à l'extérieur. En lui réside l'essence de la République, qui se définit : une personne unique telle qu'une multitude d'hommes se sont faits, chacun d'entre eux, par des conventions mutuelles qu'ils ont passées l'un avec l'autre, l'auteur de ses actions, afin qu'elle use de la force et des ressources de tous, comme elle jugera expédient, en vue de leur paix et de leur commune défense.

Hobbes, *Léviathan*, XVII, trad. F. Tricaud, Sirey.

Comment représenter la communauté politique après avoir pensé son essence ? Lui donner le nom d'État, c'est d'abord rappeler que les lois et l'appareil régulateur qui la fait vivre n'ont de sens que par rapport à la constitution originaire d'un groupe humain organisé : une simple multitude n'est pas encore une communauté politique, une cité au sens politique. Le grec disait *polis*, le latin *civitas*, le français *république*, pour désigner ce qu'on pourrait appeler aussi communauté de citoyens. L'État ainsi défini n'est pas extérieur à ceux qu'il réunit en lui, et non pas exactement sous lui. Il ne tient d'ailleurs sa force, et son existence même, que de l'acte fondateur qui l'a institué. C'est dire qu'en sa substance il n'est nullement étranger aux êtres qui s'assemblent pour le composer.

Pour Hobbes, c'est la raison des hommes qui les conduit à vouloir échapper aux incertitudes de l'état de nature, c'est-à-dire de l'emprise des rapports de forces : elle leur fait saisir que leur intérêt bien compris réside dans un renoncement généralisé et complet à l'usage de la force. Seule une instance extérieure à tout intérêt particulier, une sorte de tiers exclu, peut disposer dès lors de la force, commune à tous car déliée de toute allégeance particulière, et en ce sens, absolue. Léviathan, l'allégorie de l'État empruntée à l'image biblique, relève donc d'un contrat aux clauses et aux effets bien définis : contrat de tous avec tous, et non contrat de droit privé qui serait plus ou moins dépendant d'un rapport de force particulier.

Léviathan tient d'un tel acte fondateur une sorte de vie propre, qui au regard de chaque individu peut apparaître tout à la fois comme la sienne et celle d'un autre être, incommensurable avec ce qu'il saisit de sa force personnelle. Une telle puissance publique, personnifiée, incarne des exigences qui dépassent chaque existence singulière tout en l'intégrant. Elle peut être perçue comme une puissance extérieure, dominatrice, et incompatible avec la pleine liberté de chacun, en raison même de la stature que sa fonction lui confère. Et le gigantisme même d'une société réunissant une multitude contraste avec la réalité singulière de chaque individu, éprouvant sa solitude.

C'est une étrange figure de la communauté politique, c'est-à-dire de l'État, qui se présente alors. Géant et monstre biblique, Léviathan exprime la disproportion entre les individus et la puissance publique autonomisée. Le seul fait que l'unité de la cité soit exprimée par l'allégorie d'un corps, aux dimensions hors du commun, peut produire un effet de peur et renforcer le sentiment qu'une telle réalité a quelque chose de monstrueux. Le bras armé de la puissance publique peut apparaître alors comme l'instrument terrifiant de la domination d'un tyran personnel d'autant plus aisément que l'histoire n'a pas manqué de ce genre de tyrans. Plus confusément, il peut incarner une puissance tenue pour divine, aux décrets mystérieux et imprévisibles. Bref, au lieu de tenir Léviathan pour la simple allégorie de la république, on peut s'attacher à la seule perception d'un symbole qui en lui-même est opérateur de soumission.

L'image d'un corps unique pour rendre sensible la force de l'union des hommes est pourtant troublante, même si elle semble marquer que la puissance publique n'est pas extérieure ni supérieure aux êtres qu'elle réunit, puisqu'en quelque sorte elle tire sa réalité d'eux. Le membre d'un corps ne se trouve-t-il pas en effet complètement dépendant du tout de l'organisme ? Concevoir l'individu comme le membre d'un organisme, c'est donc insister sur une dépendance essentielle, puisque aucun membre, séparé du corps qui l'irrigue et le fait vivre, ne peut subsister. Il en est ainsi de la main coupée qu'évoque Aristote, et qui n'a plus de main que le nom, car son existence séparée est dépourvue d'autonomie vitale propre.

Mais à l'inverse, penser l'individu comme d'abord délié et autosuffisant, c'est sembler nier le rôle constitutif de la vie sociale. Tension entre le modèle théologique de l'autorité, qui lui confère une transcendance propre à la mettre hors de portée de toute contestation, et la métaphore de l'organisme, qui la réintériorise dans la vie des hommes, mais risque d'accréditer une modalité totalitaire de lien politique. On sait que Rousseau a prévenu les dangers d'une telle ambiguïté, en précisant que le « membre » du corps politique n'est pas la personne totale, mais la « personne publique », c'est-à-dire le seul citoyen, distinct de l'homme comme personne privée. L'auteur du *Contrat social* dit de ce dernier qu'il est naturellement indépendant de la sphère publique, ce qui implique que les lois ne concernent que ce qui est d'intérêt commun. Il y a là un antidote décisif contre le totalitarisme, mais la pensée de Rousseau n'a pas toujours été comprise, surtout quand elle a été déformée par une lecture idéologique hantée par le ressentiment contre la refondation révolutionnaire.

Il faut donc rectifier l'image première d'un géant dominateur. Car ce corps gigantesque où je crois me perdre, incarnation de la communauté, est une personne morale, c'est-à-dire une abstraction personnifiée, une entité dont la « vie » n'est pas du même type que celle qui appartient aux individus, avec leurs passions et leurs humeurs, leurs violences spontanées et leurs impulsions imprévisibles. C'est pourquoi il ne doit pas être redouté comme le serait une sorte de surhomme, monstre aux travers humains, avec en plus la puissance démultipliée qui le rend redoutable.

Ce corps, je m'y retrouve, si je le compose avec d'autres et s'il vit de ma vie. C'est qu'il permet de l'accomplir mieux et plus sûrement que l'état de solitude où je ne peux compter que sur mes propres forces. Car, enfin, s'il ne faut compter que sur soi pour ne dépendre que de soi, la liberté se proportionne à la faiblesse ou à la force, et l'inégalité devient la norme. Bref, Léviathan me représente et m'incarne effectivement si sa raison d'être et son origine relèvent de ma souveraineté, si c'est bien de moi, comme citoyen, qu'il tient sa sève et son sens. La sûreté qu'il me procure en m'intégrant à un tout solidaire ne va pas jusqu'à m'aliéner complètement à lui, puisque les conditions qui l'ont fait naître impliquaient une limitation stricte de son champ d'intervention, et que sa vie n'est autre que mon effective souveraineté s'explicitant par le libre débat public.

Le sens originaire de l'institution politique selon le droit devient méconnaissable dès qu'en réalité un pouvoir dominateur et arbitraire a usurpé la place. Le dieu mortel qui exerce un pouvoir despotique, arbitraire par essence, n'est que la caricature de la puissance publique. Despotisme : gouvernement imprévisible de César, figure traditionnelle de la domination exercée *sur* le peuple, et non de la régulation *émanant du peuple*. Aristote précise que c'est alors le seul intérêt du prince qui fait norme. Dieu mortel : la puissance temporelle d'un tyran prend la figure de la divinité, ascendance hors de portée pour le peuple, afin de mieux exercer sa domination, en la légitimant par la référence la plus intimidante.

Si le roi est l'« oint du seigneur », toute résistance ou révolte devient sacrilège. Léviathan se fait monarque de droit divin, aux décrets intouchables et incontestables. Le peuple ne peut plus se reconnaître en lui. Il ne peut que se soumettre ou en finir avec cette figure de l'oppression ; ce qui suppose que soient brisés les ressorts de la résignation, et notamment les conditionnements qui habituent les consciences à la servitude. C'est la sacralisation du pouvoir illégitime par la croyance religieuse adéquatement sollicitée et instrumentalisée qui doit notamment disparaître.

De la figure ambiguë autant qu'effrayante de Léviathan se distingue celle de Marianne, figure de la République démocratique. Celle-ci met en jeu une population qui pour devenir un peuple se donne à elle-même sa propre loi. La souveraineté du peuple se trouve alors en symétrie avec celle des individus sur eux-mêmes, et la fondation de la puissance publique s'effectue sur le seul souci du bien commun. Unissant par une loi qui permet de vivre ensemble, c'est-à-dire par le droit qui promeut l'égalité tout en délivrant des rapports de forces, Marianne ne requiert aucune uniformisation culturelle, éthique, ou religieuse. C'est qu'elle est de tout le peuple, ce que veut dire exactement le mot *laïque*, et ne peut ni outrepasser les bornes du pouvoir souverain, ni imposer à tous ce qui est de certains seulement. Ni credo obligé, ni vision du monde conformant les conduites à un modèle totalitaire. Il s'agit d'unir sans dominer par l'instauration d'une loi dont chacun est tout à la fois l'auteur et le sujet obéissant.

Nul besoin dès lors de faire des lois sur des choses qui n'ont pas d'incidence sur la vie commune : le silence de la loi ouvre à chaque homme l'espace reconnu de sa sphère personnelle, domaine privé dont le souverain n'a pas à s'inquiéter, tant qu'il incarne effectivement la volonté législatrice du peuple. La volonté générale, faculté de vouloir ce qui vaut pour tous, n'existe pas en dehors des citoyens : elle leur est intérieure. Si un conflit l'oppose à la volonté particulière, il se joue donc d'abord essentiellement au sein de chaque individu, et non entre l'individu et la collectivité.

Marianne n'est pas César. Allégorie de la République, elle ne symbolise aucun pouvoir d'oppression. Dans les cas où son invocation est usurpée, ce n'est évidemment pas à son idée qu'il faut s'en prendre, mais au pouvoir dominateur qui s'est travesti en elle afin de capter sa symbolique et son prestige. Marianne ne peut faire ni couvrir n'importe quoi. C'est qu'elle ne tient sa puissance, en droit comme en fait, que de la résolution des citoyens à la faire vivre, notamment par la vertu républicaine, chère à Montesquieu. Cette vertu recouvre selon lui l'amour des lois et de l'égalité qu'elles rendent possible.

Il faut ici rappeler une autre image légendaire, qui dénonce le mensonge d'un pouvoir donné comme expression du peuple alors qu'il défend des intérêts particuliers ou qu'il sécrète une sourde oppression par sa propre inertie. Nietzsche, comme Marx mais en d'autres termes, souligne l'imposture d'un État qui se présente comme expression du peuple et de l'intérêt général alors qu'il incarne très concrètement des intérêts particuliers. Fiction idéologique et non plus réalité en acte de l'accomplissement commun, l'État ainsi conçu correspond aux plus inquiétantes ambiguïtés de Léviathan : c'est un monstre froid, dont l'administration anonyme singe une impartialité imaginaire : « L'État, c'est le plus froid des monstres froids. Il est froid même quand il ment ; et voici le mensonge qui s'échappe de sa bouche : "Moi, l'État, je suis le Peuple." Mensonge ! » (*Ainsi parlait Zarathoustra*, « De la nouvelle idole »).

9

La ruse de la raison

On peut appeler ruse de la raison le fait qu'elle laisse agir à sa place les passions, en sorte que c'est seulement le moyen par lequel elle parvient à l'existence qui éprouve des pertes et subit des dommages. Car c'est seulement l'apparence phénoménale qui est en partie nulle et en partie positive. Le particulier est trop petit face à l'universel : les individus sont donc sacrifiés et abandonnés. L'idée paie le tribut de l'existence et de la caducité non par elle-même, mais au moyen des passions individuelles. César devait accomplir le nécessaire et donner le coup de grâce à la liberté moribonde. Lui-même a péri au combat, mais le nécessaire demeurera : la liberté selon l'idée se réalise sous la contingence extérieure.

Hegel, *La Raison dans l'histoire*,
trad. K. Papaioannou, 10-18.

« *Tu quoque mi fili !* » (*Toi aussi mon fils !*). César tombe sous les coups de Brutus. C'est de la main même de celui dont il a fait la puissance qu'il périt. Symbole tragique d'un grand destin, et d'une ambition finalement fatale.

Le rôle ambigu des passions dans l'Histoire retient toute l'attention de Hegel. Certes, il rappelle dans ses *Leçons sur la philosophie de l'histoire* que « Rien de grand ne s'est accompli dans le monde sans passion ». Mais il ne méconnaît nullement le fait que la passion n'est motrice que lorsqu'elle coïncide avec le minimum de lucidité qui permet d'agir en accord avec la dynamique d'abord cachée du réel. La totalité substantielle de l'histoire ne se réalise et n'advient que par la médiation d'une volonté singulière. Tout se passe comme si les grands hommes assumaient par leurs passions mêmes la conscience plus ou moins nette de ce que requiert la contradiction vive du moment. La passion réalise la raison, qui triomphe donc par ce qui semble s'opposer le plus à elle. Tel est le paradoxe, et telle est la ruse.

Ainsi, César n'acquiert la conviction de la nécessité d'en finir avec la République romaine qu'en constatant qu'elle ne peut plus avoir d'avenir dès lors que ses ressorts sont brisés : ni l'autorité (*auctoritas*) ni la dignité propre à la fonction (*dignitas*) n'ont désormais d'efficience. Les lois qui leur correspondent n'ont plus de sens, et l'ambition de César peut s'affirmer. Sa passion est une sorte d'aubaine pour le cours de l'histoire, et la raison qui s'y accomplit. Mais bientôt viendra le moment où se brisera la belle harmonie de cette ambition et du cours des choses.

Et la passion de César, rêve de puissance et de jouissance, désir de dominer qui met en scène une soif de l'ego, le conduira à sa chute après l'avoir mené au sommet. Brutus, son fils adoptif, prendra en quelque sorte le relais, en incarnant une soif de liberté qui conduit au meurtre de César. Nietzsche, faisant l'éloge de la tragédie de Shakespeare consacrée à Jules César, rappelle le rôle joué par Brutus : « L'indépendance de l'âme ! – Voilà de quoi il s'agit ici ! Là, nul sacrifice ne saurait être trop grand : on doit pouvoir lui sacrifier jusqu'à son ami le plus cher, fût-il en outre l'homme le plus magnifique, l'ornement du monde, le génie sans pareil, – si l'on aime la liberté en tant que liberté des grandes âmes et qu'il fait peser une menace sur cette liberté… » (*Le Gai Savoir*, § 98).

On raconte l'admiration fascinée de Hegel pour Napoléon, lorsque le voyant passer sur son cheval, au sommet de sa gloire, il eut le sentiment que c'était l'Esprit du monde, cheminant dans l'Histoire, qui chevauchait ainsi et s'incarnait sous ses yeux. Bonaparte vainqueur au pont d'Arcole, en 1796, nourrit une ambition personnelle, mais il sert aussi la Révolution française dont il fait rayonner les acquis en matière de droit et de justice. À la tête des armées, il remplit un rôle qui le dépasse et il en saisit toute la nécessité en s'inscrivant dans la dynamique de l'histoire. Sa chute sera à la mesure d'une telle gloire qui fit le tour de l'Europe. À Waterloo, Napoléon défait titube entre les cadavres du champ de bataille. Homme seul que l'Histoire abandonne, ou plutôt qui déserte la route qu'elle trace.

L'Esprit de l'humanité advenant à la conscience de lui-même transite par les grands hommes comme par les peuples, et il s'accomplit aussi bien par leurs victoires que par leurs défaites. Le soldat de la Révolution avait fait place à un monarque de plus en plus traditionnel, reconstituant une dynastie, à contre-courant de l'émancipation révolutionnaire. Bref, l'ambition, passion d'abord porteuse de progrès, était devenue facteur de régression potentielle : son inertie propre, ancrée dans la singularité d'un homme, le retranchait de l'Histoire après l'y avoir projeté.

Victor Hugo décrit dans *Les Misérables* cette disjonction finalement tragique du héros, qui ne le fut qu'un temps, et de l'Histoire qui se fait. « Un homme hagard, pensif, sinistre, entraîné jusque-là par le courant de la déroute, venait de mettre pied à terre, ayant passé sous son bras la bride de son cheval, et, l'œil égaré, s'en retournait seul vers Waterloo. C'était Napoléon essayant encore d'aller en avant, immense somnambule d'un rêve écroulé » (deuxième partie, premier livre).

L'histoire humaine peut sembler lancer un défi au désir de comprendre qui lui cherche un sens. La guerre et la paix, les destructions et les constructions, l'espoir et la peur, la joie et la tristesse y composent un improbable scénario de contradictions, et les plus petits « hasards » semblent y prendre une place exorbitante. Le jour de Waterloo, par exemple, deux circonstances vont en apparence décider du sort de la bataille, et par là même du destin de l'Europe. La pluie matinale, d'abord, empêche l'intervention de l'artillerie française. Ensuite, le chemin creux d'Ohain, dont Napoléon ignore l'existence lorsqu'il donne ordre à la cavalerie de charger, causera la perte de cette dernière : lancée contre les Anglais, elle s'y abîmera. Tolstoï, dans *Guerre et Paix*, médite également sur le rhume qui affaiblit le génie stratégique de Napoléon lors de la bataille de Borodino du 7 septembre 1812. Sans cet incident, écrit-il, « La Russie eût été perdue, et la face du monde eût été changée » (livre III).

Un nuage passant dans le ciel, ou une ride de relief invisible de loin, ou un maudit rhume, auraient-ils joué un tel rôle si la conjoncture historique n'était pas par ailleurs ce qu'elle était effectivement ? Victor Hugo le suggère : « D'autres fatalités encore devaient surgir. Était-il possible que Napoléon gagnât cette bataille ? Nous répondons non. Bonaparte vainqueur à Waterloo, ceci n'était plus la loi du dix-neuvième siècle. Une autre série de faits se préparait, où Napoléon n'avait plus sa place. »

Le plan où règne en apparence la contingence est ainsi reconduit à celui où elle disparaît dans l'agencement complexe de la causalité. Celle-ci a son ordre propre, qui se compose par l'interaction des forces à l'œuvre dans l'histoire et la logique de développement qui s'y déploie. L'universalisation graduelle de la liberté, par exemple, tient au fait que les sociétés humaines qui consacrent l'oppression sont à terme ruinées, ou fragilisées gravement, par les contradictions qui les sous-tendent. On peut alors appeler « *Esprit du monde* » non pas une mystérieuse entité transcendante, mais les exigences d'accomplissement de la réalité par-delà ses contradictions et à travers elles. L'Esprit ainsi défini est processus immanent, il est en quelque sorte la vie du réel en son développement rationnel, la Raison dans l'histoire. Les passions humaines, mais aussi les contingences apparentes, sont des médiations parfois insoupçonnées de ce processus.

Hegel illustre cette idée dans sa philosophie de l'histoire. La liberté de tous n'advient pas spontanément, mais elle constitue un point de référence et de dépassement du donné dans sa progression graduelle. Dans le despotisme primitif, un seul homme est libre, à savoir celui qui gouverne, et cette liberté reste proche de l'arbitraire. Dans la démocratie grecque, beaucoup le sont, qui ont statut de citoyens, mais beaucoup ne le sont pas, dont les esclaves. Enfin, après la Révolution, tous le sont en principe, même si la réalité effective reste en deçà en ce qui concerne les conditions concrètes d'une telle universalisation.

La progression est objectivement repérable, qui donne idée du processus en jeu. Mais elle est d'abord enfouie sous les médiations tragiques qu'elle met en œuvre : l'histoire est une vallée de larmes, et il faut bien admettre que les *ruses de la raison* laissent parfois un goût amer. Tant de sacrifices, tant de souffrances muettes, refermées dans la mort anonyme, tant de cris et de détresses, ont habité l'Histoire, qu'il est difficile sans doute de voir en elle le triomphe de la raison et de la justice. Hegel le dit lui-même, mais il tient pour inévitable ce qu'il appelle « le sérieux, la douleur, la patience et le travail du négatif » (*Phénoménologie de l'esprit*, préface).

Les « grands hommes » conjuguent pour un temps la ferveur passionnée de leur volonté à la compréhension forte de leur époque. Ils saisissent donc le type d'intervention qu'appellent les contradictions latentes d'une situation. L'Esprit du

monde peut ainsi se servir de leurs passions, et ce aussi longtemps qu'elles vont de pair, en leur vouloir singulier, avec la
lucidité historique dont ils sont porteurs.

Le travail de la raison humaine doit savoir identifier dans
chaque situation, même tragique, le ressort caché de son évolution, le principe rationnel de son dépassement. Un symbole
exprime cette exigence avec force. Il faut, dit Hegel, saisir la
rose dans la « croix » du présent. « Reconnaître la raison
comme la rose dans la croix du présent et se réjouir d'elle,
c'est là la vision rationnelle qui constitue la réconciliation avec
la réalité, réconciliation que procure la philosophie à ceux à
qui est apparue un jour l'exigence intérieure d'obtenir et de
maintenir la liberté subjective au sein de ce qui est substantiel
et de placer cette liberté non dans ce qui est particulier et
contingent, mais dans ce qui est en soi et pour soi » (Hegel,
Principes de la philosophie du droit, Préface).

Chapitre huit

L'horizon de justice

1

L'anneau de Gygès

...que ceux qui pratiquent [la justice] agissent par impuissance de commettre l'injustice, c'est ce que nous sentirons particulièrement si nous faisons la supposition suivante. Donnons licence au juste et à l'injuste de faire ce qu'ils veulent ; suivons-les et regardons où, l'un et l'autre, les mène le désir. Nous prendrons le juste en flagrant délit de poursuivre le même chemin que l'injuste [...]. La licence dont je parle serait surtout significative s'ils recevaient le pouvoir qu'eut jadis, dit-on, l'ancêtre de Gygès le Lydien. Cet homme était berger au service du roi qui gouvernait alors la Lydie. Un jour, au cours d'un violent orage accompagné d'un séisme, le sol se fendit et il se forma une ouverture béante près de l'endroit où il faisait paître son troupeau. Plein d'étonnement, il y descendit, et entre merveilles que la fable énumère, il vit un cheval d'airain creux, percé de petites portes ; s'étant penché vers l'intérieur, il y aperçut un cadavre de taille plus grande, semblait-il, que celle d'un homme, et qui avait à la main un anneau d'or, dont il s'empara [...]. Or, à l'assemblée habituelle des bergers, qui se tenait chaque mois pour informer le roi de l'état de ses troupeaux, il se rendit portant au doigt cet anneau. Ayant pris place au milieu des autres, il tourna par hasard le chaton de la bague vers l'intérieur de sa main ; aussitôt il devint invisible à ses voisins, qui parlèrent de lui comme s'il était parti. Étonné, il mania de nouveau le chaton de la bague en tâtonnant, tourna le chaton en dehors et, ce faisant, redevint visible. S'étant rendu compte de cela, il répéta l'expérience pour voir si l'anneau avait bien ce pouvoir [...]. Dès qu'il fut sûr de son fait, il fit en sorte d'être au nombre des messagers qui se rendaient auprès du roi. Arrivé au palais, il séduisit la reine, complota avec elle la mort du roi, le tua, et obtint ainsi le pouvoir.

Platon, *La République*, II, 359c-360b,
trad. R. Baccou, GF-Flammarion.

Les hommes n'agissent-ils avec rectitude que lorsqu'ils se trouvent sous le regard d'autrui ? Si tel est le cas, on ne peut dire qu'ils sont justes. Ils sont simplement prudents, ou rusés. Le voile qui assure l'impunité reconduit sans coup férir à la nature du principe d'action. Gygès invisible est la métaphore vivante de celui qui fait d'autant plus aisément le mal qu'il

assume moins ses actes. « Ni vu ni connu. » « Pas vu pas pris. »
Formules devenues communes.

Kant dira pour cela qu'on ne peut savoir de façon certaine
si un acte est pleinement moral. Suis-je homme de bien par
simple crainte du châtiment ou par volonté intrinsèquement
bonne ? Le droit se contente, si l'on peut dire, d'une conformité extérieure aux règles. La morale requiert une disposition
intérieure, qui ne dépend d'aucune circonstance et fonde
l'autonomie aussi bien qu'elle l'atteste. Il ne s'agit plus alors
de se soumettre à une loi, mais de se la donner à soi-même.
Une liberté essentielle s'affirme ici : avoir en soi, et non dans
les circonstances qui changent, le principe de ses actions.

En revanche, agir comme la loi le demande, par crainte de
la sanction, c'est en fin de compte se soumettre à un ordre qui
s'impose. C'est ainsi qu'advient d'abord le droit, qui fait la
paix des cités et ne présuppose rien d'autre qu'une telle soumission. Mais que se passe-t-il quand l'action échappe au
regard, et partant à la sanction ? La fragilité d'un ordre tout
extérieur, vécu comme pure contrainte, apparaît alors :
l'ombre du crime sans témoin est transparente, et l'impunité
fait naître la crainte alentour. L'homme invisible échappe à
toute surveillance, et il sent naître en lui un pouvoir presque
magique, une puissance qui peut donner des idées redoutables. L'art de se cacher prépare et abrite les fautes futures.

Détenir un pouvoir inédit, c'est déjà – peut-être – subir la
tentation d'en user. Un modeste berger, sans doute honnête et
paisible, se découvre du jour au lendemain capable d'échapper au regard d'autrui. L'invisibilité à volonté est magique,
puisqu'elle rompt l'ordre social là même où il s'exhibe, à
savoir dans la logique du châtiment qui dissuade. N'est-ce pas
le sentiment de ce nouveau pouvoir qui fait que le pâtre Gygès
envisage un crime et une usurpation dont il n'avait pas même
idée auparavant ? La tentation de commettre la faute semble
se proportionner à la puissance détenue. Comme si la découverte d'un nouveau pouvoir entraînait chacun hors de lui-
même, en cette dérive par laquelle il ne semble plus répondre
de ce qu'il fait : défaut de maîtrise suscité par un surcroît de
puissance, qui appellerait au contraire un surcroît de contrôle
intérieur.

La fable de Gygès expose donc la magie d'une situation
extraordinaire. Comment un homme peut-il devenir invisible,
si la condition humaine inclut le fait d'agir sous le regard

d'autrui ? Le talisman qui confère l'invisibilité soustrait à la surveillance de l'ordre comme à la force des lois, et peut-être à la condition humaine elle-même. Il rend donc impuissant le droit, le temps d'une fissure sanglante. Mais il suspend aussi la possibilité de tout jugement et rend l'action littéralement irresponsable. On entrevoit ici la violence pure d'un désordre, où seule compterait la règle d'impunité. On dit qu'à Sparte, cité de la guerre, l'enfant surpris à commettre une faute était puni davantage pour s'être fait prendre que pour la faute elle-même. « Ni vu ni connu » : la maxime habituelle désigne le degré zéro de la justice.

Si l'homme commet l'injustice dès qu'il est livré à lui-même, ce n'est donc pas seulement la nature morale de sa conduite qui est niée. C'est la perfection du droit qui est hypothéquée, puisque certains coupables s'y soustraient. On peut alors douter de l'ordre comme on doute d'une machine dont un seul raté trouble la régularité. La parabole de l'invisibilité invite à penser l'incomplétude de tout droit, donc à convoquer un principe intérieur de vertu : civisme, ou éthique. C'est la dernière chance de l'honnêteté quand l'homme s'est affranchi de la faiblesse qui l'empêchait de nuire. Cicéron commente la fable de Gygès dans le *Traité des devoirs* : « C'est l'honnêteté et non la dissimulation que recherchent les hommes de bien. »

Pour Socrate, qui voit d'abord dans la justice une qualité de l'âme, il ne saurait être question qu'un homme de bien conserve l'anneau de Gygès. Non qu'il craindrait, en en disposant, d'être tenté d'en user. Mais qu'il n'en aurait même jamais l'usage, puisque sa conscience, foyer intime de l'action, serait résolue à bien agir que ce soit incognito ou aux yeux de tous. L'homme libre se choisit et il choisit ainsi la version qu'il entend donner de l'humanité : c'est de lui-même qu'il a d'abord à répondre. L'exemplarité de sa conduite est étroitement liée à cette responsabilité intérieure. L'impunité est pire que le châtiment, dès lors qu'elle encourage la récidive et endurcit le mal en l'âme. L'action s'enlise dans la paresse d'un mécanisme tant qu'elle échappe à la sanction qu'elle mérite. Elle s'habitue ainsi à sa propre irresponsabilité. Ce qui fait dire à Socrate que l'injustice subie est en fin de compte préférable à l'injustice commise.

La vie humaine n'est pas simple survie, ni astuce de filou. L'anneau de Gygès vaut mise à l'épreuve cruciale : il révèle aussi bien l'âme forte qui n'a cure des pouvoirs tentateurs que l'âme faible qui cède vite à leur vertige. La ruse d'un Gygès se cachant ne changerait donc rien d'essentiel. Avant Platon, Hérodote raconte une autre histoire de Gygès, sans recourir au merveilleux. Gygès, sur incitation de son roi, se cache pour voir la reine nue, plus belle et plus désirable qu'aucune autre. Surprenant le regard de l'étranger et la complicité de son mari, la reine de Lydie est blessée dans sa pudeur. Elle exige de Gygès qu'il lave l'affront par le meurtre du roi et qu'il s'unisse alors à elle. Nouvelle version du jeu tragique du regard et de la dissimulation. Gygès se cache à nouveau et comble les vœux de la reine : il monte sur le trône. La ruse a tenu lieu d'anneau et les passions humaines se sont donné libre cours. C'est encore la conscience, et elle seule, qui cède, ou ne cède pas, à la tentation.

Caïn fratricide ne peut se rendre invisible à l'œil qui le fixe obstinément pour lui rappeler sa faute. Il peut bien fuir tout regard extérieur, et fermer les yeux pour ne plus voir. L'œil terrible du remords le fixe à tout jamais. Même loin des témoins qui la virent d'abord, une faute commise l'est pour l'éternité. Hugo : « *L'œil était dans la tombe et regardait Caïn* » (*La Conscience*).

2

La paille et la poutre

1. Ne jugez pas et vous ne serez pas jugés.
2. Car on vous jugera avec le jugement dont vous jugez, et on vous fera mesure avec la mesure dont vous mesurez.
3. Quoi ! Tu regardes la paille qui est dans l'œil de ton frère, mais tu ne considères pas la poutre qui est dans le tien ?
4. Comédien ! retire d'abord de ton œil la poutre ; après, tu y verras pour retirer la paille de l'œil de ton frère.

Nouveau Testament, Évangile selon Matthieu, 7, 1-5,
trad. J. Grosjean et M. Léturmy, Gallimard,
Bibliothèque de la Pléiade.

Les pierres pleuvent sur le corps meurtri. La femme lapidée est dite *adultère*. On l'a trouvée dans les bras d'un homme qui n'était pas son mari. La clameur s'amplifie, qui porte en elle une violence confuse et rageuse. Beaucoup d'hommes et de femmes sont venus condamner, et les mains fébriles cherchent de nouveaux cailloux à jeter... La loi de Moïse est formelle, qui institue le délit et prévoit la peine immédiate. La lapidation est explicitement prévue par le Deutéronome (22-24).

Mais qui juge, et qui châtie ? « *Que celui qui est sans péché jette la première pierre* » (Évangile selon Jean, 7, 53 et 8, 11.) L'épreuve intérieure suggérée par le Christ est ici décisive, car elle reconduit la violence à la fragilité de ses motifs. L'examen silencieux doit avoir lieu dans le dialogue de la conscience avec elle-même, pour savoir si le geste lapidaire se justifie. « *Ne jugez pas, et vous ne serez pas jugé.* » Pour celui qui pense exprimer une volonté supérieure, seul un être sans reproche et sans faiblesse peut juger. Par sa définition même, Dieu représente pour le croyant un tel être, dont rien n'obstrue le regard. Ni paille ni poutre : l'instance suprême du jugement place tous les hommes à égalité.

Un idéal de justice proprement humaine, dans la philosophie grecque, a devancé cette idée sur un plan profane, en instituant une assemblée de juges, l'aréopage, et en posant l'égalité devant la loi comme principe. Dans un État de droit, seuls peuvent juger légitimement des magistrats dépositaires de la loi commune et soucieux de mettre à distance toute impulsion subjective. En convoquant la conscience de chaque homme, Jésus suspend la prétention des passions ordinaires à dicter la norme et met en évidence la contradiction cachée de la violence punitive. Il fait signe vers une justice qui transcende, pour n'être pas tributaire de quelque intérêt particulier. Qu'il le fasse sur le mode d'un rappel moral n'ôte rien à la portée des propos que lui attribue l'Évangéliste.

Pour une justice humaine dégagée de la simple vengeance ou de la foule qui se croit justicière, ce ne sont pas non plus les hommes singuliers qui peuvent juger et punir, car ils sont trop tentés de le faire à partir de leurs engagements du moment, de leurs préférences, comme d'oublier leurs fautes propres. Un tel oubli consacre une absence de réciprocité, et finalement une inégalité inaperçue. On refuse de se mesurer à la mesure imposée à l'autre. Celui qui juge et condamne semble s'excepter lui-même de toute réprobation. La faute supposée de l'autre, il veut la rendre à toutes forces manifeste, quitte à la majorer. N'est-il pas aveuglé pourtant par ses propres fautes, qui marquent en son regard une sorte d'infirmité ? La paille du voisin prend alors de singulières proportions, tandis que le plus hargneux à condamner se donne bonne conscience. La Fontaine le dit en d'autres termes :

> Mais parmi les plus fous
> Notre espèce excella ; car tout ce que nous sommes
> Lynx envers nos pareils, et taupes envers nous,
> Nous nous pardonnons tout, et rien aux autres hommes :
> On se voit d'un autre œil qu'on ne voit son prochain (*Fables*, I, 7).

Des hommes sont là, des pierres dans les mains levées, et ils ne songent pas un seul instant qu'ils s'érigent trop hâtivement en justiciers. Leur propre conduite est-elle irréprochable ? Tel est le point aveugle de la sentence comme du geste meurtrier.

La norme elle-même pose aussi problème, qui fait délit d'une conduite non conforme aux représentations de l'heure et aux structures de pouvoir qui les règlent. Le préjugé du plaisir coupable se conjugue à l'amnésie à l'égard d'agissements pourtant condamnables également. Étrange justice, qui fait d'un simple particulier, soumis à ses impulsions, le juge et le bourreau d'un autre. Et qui ne s'interroge pas vraiment sur le caractère relatif de l'exigence au nom de laquelle elle condamne. Deux millénaires plus tard, des femmes qui refusent de porter le voile subiront le même sort dans les rues de Téhéran et de Kaboul.

L'adultère est-il une faute ? Qu'est-ce qu'une *faute* au regard de la conscience ? Peut-on la confondre avec un *délit*, commis au regard de la loi ? Peut-on tenir pour délit une conduite jugée fautive selon une certaine conception, mais non selon une autre ? Qu'est-ce qu'un délit ? Et qui en décide ? Autant de questions que le geste lapidaire ne semble guère permettre de poser. La loi soumise à une morale ; la morale assujettie à un credo religieux. Et la justice exécutée en public, sans que les sentiments privés soient tenus à l'écart. La confusion des registres est évidemment tragique. Ici, elle devient mortelle.

La religion invoquée elle-même impose la réflexion, qui questionne à la fois la loi et la foule fanatisée qui s'en prévaut. « Vous jugez selon la chair, c'est-à-dire d'après les faits matériels ou les apparences ; moi je ne juge personne sur ces seules données » (Jean, 8, 15).

Il y a les personnes qui jettent la pierre, et celles dont le corps tuméfié bascule dans la mort. Il y a les personnes qui disent la loi, en la confondant avec leurs préjugés, et celles qui la subissent comme la violence aveugle prise au piège de sa propre excitation. Avant de juger, et de condamner, il faudrait se demander si une loi commune légitime est possible dans de telles conditions. On peut en douter, dès lors que s'oublie l'égale dignité de tous les êtres humains, qui se méconnaissent comme frères. Au point de ne voir que la faute supposée d'autrui. Qui oserait s'appliquer à soi-même la lapidation pour ses fautes cachées ? La poutre aveugle le regard. Amnésie ou mauvaise foi.

La réprobation intérieure, en conscience, n'a peut-être rien à voir avec la justice de la cité, qui doit unir les hommes en respectant la diversité de leurs conceptions de l'existence. « Tout ce que vous voudriez que les hommes fassent pour vous, faites-le donc aussi pour eux. » (Matthieu, 7, 12). Cette maxime n'appelle pas seulement la retenue devant un acte singulier trop vite stigmatisé. Elle souligne la nécessité de reconnaître l'autonomie d'autrui dans ses choix, et la diversité des vies qui peut en résulter dès lors que le même droit vaut pour chacun. Une de ses traductions pourrait donc être cette autre maxime, fondatrice de civilité comme de respect moral : ne nie pas en autrui une liberté qui t'est chère. Le souci de l'universel s'articule ici à la disjonction de la loi commune et des types d'accomplissement particulier, comme elle appelle à réfléchir sur ce qui véritablement peut être tenu pour une faute.

Générosité oblige : il s'agit de ne pas clouer autrui à ses actes. Nul homme n'en est à ce point marqué qu'il n'en puisse faire appel et redéfinir à tout moment le cours de sa vie. Et le droit lui-même conduit à redéfinir l'exigence éthique non par l'imposition d'une norme particulière de réalisation de soi, mais par le respect sans condition dû à la dignité de tout homme. Cela revient à l'élever par principe au-dessus de ses fautes puisque nul ne peut prétendre qu'il n'en commet jamais. C'est ainsi que peuvent se concevoir la liberté et l'égalité, ancrées dans la condition humaine.

La réflexion pourrait valoir également pour la condamnation d'une civilisation au nom d'une autre. Comment peut-on être persan ? Montesquieu posait la question non sans malice, et il fallait en lire aussitôt la symétrique. Comment peut-on être français, ou parisien ? Regard étonné d'Usbek, découvrant Paris et ses mœurs étranges. L'ironie sur soi appelle la mise à distance et la suspension provisoire de tout jugement. L'Occident chrétien s'est longtemps rassuré sur lui-même en s'inventant un Orient despotique et cruel. Oubliés, les bûchers de l'Inquisition : le regard se portait vers les fautes supposées des autres civilisations, ou plutôt des autres « barbaries ». Deux millénaires d'ethnocentrisme, et deux siècles de colonialisme en témoignent. La poutre était grosse, là aussi.

3

Plaisante justice qu'une rivière borne

Trois degrés d'élévation du pôle renversent toute la jurisprudence ; un méridien décide de la vérité ; en peu d'années de possession, les lois fondamentales changent ; le droit a ses époques, l'entrée de Saturne au Lion nous marque l'origine d'un tel crime. Plaisante justice qu'une rivière borne ! Vérité en deçà des Pyrénées, erreur au-delà.

Pascal, Pensées, Brunschvicg 294.

Que valent nos normes ? Et qu'est-ce qui les fonde ? D'un modeste voyage dans l'espace, ou le temps, les deux questions surgissent, bientôt propres à faire douter. Le seul spectacle de la diversité des usages et des coutumes y suffit. Comment croire à la valeur de ce qui semble à la merci d'une simple variation spatiale, ou temporelle ? Pascal a bien lu Montaigne : « Quelle bonté est-ce que je voyais hier en crédit, et demain plus, et que le trait d'une rivière fait crime ? Quelle vérité que ces montagnes bornent, qui est mensonge au monde qui se tient au-delà ? »

Comment l'idée de ce qui doit régler les rapports entre les hommes peut-elle varier au gré des climats et des paysages, des modes et des époques ? Autant renoncer à la dire universelle et tirer la conséquence de la diversité constatée. Ou changer le statut qu'on accorde à la justice, en y voyant davantage une exigence idéale que la réalité d'un système existant. Si la justice est une, elle ne peut relever de l'ordre du fait : elle invite bien plutôt à en considérer le sens et les limites.

Il y a des justices et des droits, comme il y a des usages et des coutumes. Le permis et le défendu n'auraient donc d'autres barrières que celles que délimitent les paysages et les nations, visibles à l'œil, ou celles qui bornent les époques, inscrites

dans la mémoire. « *Tout est relatif.* » Les faits sont là, semble-t-il,
qui témoignent pour l'incertitude. Conclusion hâtive, tirée
des différences les plus saillantes.

L'héritage existe en un lieu ; en un autre, non. Les héritiers
ici le sont à part égale, ailleurs avec un privilège pour l'aîné. La
polygamie est proscrite ici, prescrite ailleurs. Le châtiment corporel a longtemps été tenu pour légitime, avant d'être
condamné à peu près partout. L'esclavage, le servage, ont été
admis, puis récusés. Le colonialisme, tout récemment encore,
était justifié au nom de la supériorité supposée d'une civilisation. Montaigne rappelle le propos d'exclusion qui souvent
consacre le sentiment d'étrangeté : « Chacun appelle barbarie
ce qui n'est pas de son usage » (*Essais*, I, XXXI). La religion elle-
même, censée unir les hommes, les relier dans une foi commune, les oppose et les divise, jusqu'aux affres des guerres
dites de Religion par un étrange paradoxe. Là où ils dominè-
rent, les Catholiques, adjugeant à leur confession le titre de
religion officielle, persécutèrent les adeptes des autres religions et les libres-penseurs. Les Protestants firent quelquefois
de même lorsqu'ils eurent l'avantage, comme Calvin faisant
brûler Servet à Genève.

Pascal fait l'apologie du christianisme. Mais applique-t-il aux
religions ce relativisme qu'il se plaît à souligner pour les réalités profanes ? Il devrait alors traiter le christianisme comme
les représentations éthiques et juridiques qu'il assigne à résidence, dans les bornes étroites d'un lieu ou d'un temps –
esprit de clocher ou préjugés d'un autre âge. Mais il ne le fait
pas. Ce qui est une façon de reconnaître que l'homme peut
transcender ses attaches matérielles et engendrer quelque
chose qui le dépasse. Il est fréquent que les tenants d'une religion pratiquent le relativisme pour les autres religions –
tenues pour superstition ou idolâtrie – ou les pensées profanes, alors qu'ils s'exceptent eux-mêmes d'un tel régime de
mise en situation. Pascal pourrait se souvenir que ce qu'on
appelle « révélation » varie selon les âges et selon les civilisations et n'existe pas en bien des lieux.

Beaucoup d'hommes se passent de transcendance religieuse, et choisissent d'autres modalités de la vie spirituelle,
d'autres formes de transcendance. L'athée et l'agnostique
attestent-ils la relativité de la religion comme la diversité des
mœurs et des usages celle du droit ? Pascal ne le croit pas, qui
entreprend de les convertir, après avoir soustrait la croyance

religieuse au relativisme historique et géographique dont il frappe les idéaux profanes des hommes. Relativisme très sélectif, et finalement polémique.

L'idée que le droit pourrait dériver des situations locales tend à le disqualifier, en en faisant une simple consécration des usages, une codification des rapports de forces. Peut-on concevoir les choses autrement ? il faut alors se délivrer du relativisme absolu. Il faut écarter aussi la démarche apologétique : une réalité particulière, toute relative, s'y présente comme un absolu. En somme, il s'agit de concevoir l'universel de façon critique, sans retomber dans l'illusion idéologique. La recherche de l'universel appelle d'abord mise à distance des illusions quotidiennes et des sujétions idéologiques qui en relèvent. Il ne s'agit plus alors de renoncer à l'universel sous prétexte que seule existerait la diversité. Ni non plus de douter que les hommes soient capables d'adopter des principes de portée universelle, échappant à l'arbitraire des contraintes locales.

De quoi la diversité des usages et des façons d'être témoigne-t-elle ? Rousseau considérait cette question comme essentielle, à la fois d'un point de vue éthique et d'un point de vue anthropologique. Il tenait pour inacceptables les conceptions de la nature humaine qui idéalisent les traits particuliers d'une époque ou d'une civilisation. Et il distinguait les exigences propres à une connaissance de l'humanité, selon sa notion la plus générale, de celles que met en œuvre la connaissance des hommes, saisis dans la particularité de leurs existences concrètes : « Quand on veut étudier les hommes, il faut regarder près de soi ; mais pour étudier l'homme, il faut apprendre à porter sa vue au loin ; il faut d'abord observer les différences pour découvrir les propriétés » (*Essai sur l'origine des langues*, VIII).

La démarche de Rousseau ne signifie pas que l'inventaire des différences réelles, c'est-à-dire effectivement manifestées, puisse épuiser le champ du possible : certaines figures de l'humanité peuvent advenir un jour, qui ne sont pas encore advenues. Mais la tendance à généraliser ce qui se fait ici et maintenant et à l'ériger en norme universelle contribue souvent à une justification idéologique. L'esprit critique est ici décisif.

Les conquêtes coloniales ont usé de cet ethnocentrisme pour tenter de justifier l'injustifiable. L'apologie d'un système économique peut également s'ordonner à une telle démarche. L'ouverture sur les lointains n'est pas fuite, ni exil. Mais bien plutôt libération du regard. Le souci de justice n'est pas dans ce cas découragé par la découverte des variations sociales, mais au contraire délivré de l'habitude qui se mue en nature et du conformisme qui n'avoue pas son nom.

Le relativisme pascalien relevait d'une vision assez pessimiste de la nature humaine, tenue pour fondamentalement responsable de ses errances et de ses inconstances. L'attention de Rousseau à la gamme des différences est plus optimiste, puisqu'il entrevoit dans cette variabilité un témoignage de liberté. Nul n'est prisonnier du donné ni des préjugés qui s'y attachent. À la pesanteur de traditions qui figent la culture en civilisations particulières, s'oppose le décentrement actif conçu comme prélude à la définition du vrai et du juste. Celle-ci, selon Rousseau, peut prendre appui sur le témoignage intime de la conscience qui constitue pour lui un « instinct divin ».

On comprend qu'il mette en cause ce qu'il croit être le relativisme sceptique de Montaigne dans des termes restés célèbres : « Mais que servent au sceptique Montaigne les tourments qu'il se donne pour déterrer en un coin du monde une coutume opposée aux notions de justice ? Que lui sert de donner aux plus suspects voyageurs l'autorité qu'il refuse aux écrivains les plus célèbres ? Quelques usages incertains et bizarres fondés sur des causes locales qui nous sont inconnues détruiront-ils l'induction générale tirée du concours de tous les peuples, opposés en tout le reste, et d'accord sur ce seul point ? Ô Montaigne ! Toi qui te piques de franchise et de vérité, sois sincère et vrai, si un philosophe peut l'être, et dis s'il est quelque pays sur la terre où ce soit un crime de garder sa foi, d'être clément, bienfaisant, généreux ; où l'homme de bien soit méprisable, et le perfide honoré » (*Profession de foi du vicaire savoyard*).

4

L'épée de Salomon

Alors vinrent chez le roi deux femmes prostituées et elles se tinrent devant lui. L'une des femmes dit : « De grâce mon seigneur ! Moi et cette femme, nous habitons la même maison et j'ai eu un enfant auprès d'elle dans la maison. Or, le troisième jour après mon enfantement, cette femme a eu également un enfant. Nous étions ensemble, il n'y avait pas d'étranger avec nous dans la maison, il n'y avait que nous deux dans la maison. Le fils de cette femme est mort pendant la nuit, car elle s'était couchée sur lui. Elle s'est levée au milieu de la nuit, a pris mon fils d'à côté de moi, alors que ta servante était endormie, elle l'a couché sur son sein et a couché son fils, le mort, sur mon sein. Je me levai, le matin, pour allaiter mon fils et voici qu'il était mort ! Je l'examinai au matin et voici que ce n'était pas le fils que j'avais enfanté ! » Mais l'autre femme dit : « Non pas ! C'est mon fils qui est le vivant et c'est ton fils qui est le mort ! ». Et celle-là disait : « Non pas ! C'est ton fils qui est le mort et c'est le mien qui est le vivant ! » Ainsi parlaient-elles devant le roi. Le roi dit : « Celle-ci dit : C'est mon fils qui est le vivant et ton fils qui est le mort ! Mais celle-là dit : Non pas ! C'est ton fils qui est le mort et mon fils qui est le vivant ! »
Puis le roi dit : « Procurez-moi une épée. » On apporta une épée devant le roi. le roi dit : « Fendez en deux l'enfant vivant et donnez-en la moitié à l'une, l'autre moitié à l'autre. » Alors la femme dont le fils était le vivant parla au roi, car ses entrailles étaient émues à cause de son fils, elle dit : « De grâce, mon seigneur, donnez-lui l'enfant vivant et ne le mettez pas à mort ! » Mais l'autre disait : « Il ne sera ni à moi, ni à toi ! Fendez-le ! » Le roi prit la parole et dit : « Donnez à celle-là l'enfant vivant et ne le mettez pas à mort : c'est celle-là qui est sa mère ! »

Ancien Testament, Rois, I, 3, trad. É. Dhorme,
Gallimard, Bibliothèque de la Pléiade.

Qu'est-ce que juger ? La connaissance des lois ne peut suffire si elle ne s'assortit pas de ce discernement qui permet de saisir la singularité du cas auquel il faut les appliquer. Le juge met à l'épreuve pour produire un signe dépourvu d'ambiguïté. Qui est la vraie mère ? Il y a opacité apparente de la situation, qui met en présence deux femmes similaires, toutes deux pouvant prétendre à une reconnaissance de la qualité revendiquée. La négligence de l'usurpatrice est déjà une anticipation, dans le récit initial, de sa barbarie finale. Mais elle n'est pas encore attribuable à l'une ou à l'autre tant qu'un nouveau signe n'aura pas permis d'en juger. L'enfant étouffé annonce le consentement au sacrifice et le ressentiment qui fait préférer une nouvelle mort à toute solution humaine.

L'image d'une justice vivante, coïncidant avec la sagesse d'un homme, est devenue légendaire. De fait, le récit biblique est ici exemplaire, qui donne à saisir l'équité du juge comme l'expression directe de son discernement. Justesse et justice sont en l'occurrence inséparables. Il s'agit d'identifier sans coup férir la vraie mère. Déjouer le mensonge, c'est faire paraître une qualité qui ne trompe pas. Qualité indiscutable, qui rendra toute plaidoirie inutile. Justice : qu'à chacun soit donné son dû. L'enfant vivant sera donc rendu à sa mère, la vraie. Celle dont l'amour s'est manifesté spontanément à l'horrible perspective de voir périr son fils.

Juger, c'est trancher. Et la sinistre simulation d'un partage aussi abstrait que concrètement sanglant va permettre de le faire. C'est que les conséquences incalculables de la division quantitative du bébé font paraître sans délai l'irréductible qualité de la vraie mère. Expérience cruciale, qui n'aura lieu qu'en représentation. La différence d'attitude des deux femmes parle en effet d'elle-même.

Le juge est bien celui qui sait rester extérieur aux deux parties. Nulle sympathie sélective, nulle préférence. Nulle parenté non plus, car elle pourrait déjouer la sagacité de celui qui doit à la fois observer en arbitre et décider en conscience. À la fois lointain et proche, car il s'agit de juger des hommes, Salomon joue de la distance et de l'intuition sagace. Sa décision ne pourra être contestée, car elle procède d'une puissance souveraine, reconnue comme absolue dès lors qu'elle se tient à égale distance des intérêts particuliers et se refuse à en privilégier un. L'État dépositaire de la justice est ce tiers extérieur à tous et à chacun, et par là même gage d'impartialité. À une telle puissance, on ne peut résister, dès lors que lui échoit le droit d'arbitrer les conflits, de décider, et de faire appliquer, sans entrave, la décision prise. Pascal : « *La justice sans la force est impuissante ; la force sans la justice est tyrannique* » (*Pensées*, Brunschvicg 298).

Les trois moments du processus judiciaire sont ici clairement indiqués et font exemple : enquête, jugement, application de la décision. La sentence permet de rendre à chacun son dû, c'est-à-dire ce qui lui revient légitimement. Pour cela, il a fallu rendre la vérité manifeste. En simulant le scénario atroce du bébé coupé en deux, Salomon dévoile la cruauté de la mère usurpée, qui pousse à l'infanticide, en même temps que le sentiment maternel véritable de l'autre femme. La simulation de l'égalité, par le strict partage, met en scène une parodie de justice, que la fausse mère approuve avec empressement.

Expérience cruciale, dont le philosophe Bacon soulignera l'importance chaque fois qu'il faut trancher une alternative : l'*instancia crucis* (l'épreuve de la croix) permet de rejeter une des deux hypothèses à première vue plausibles, comme au carrefour de deux routes on choisit une des deux directions figurées par une croix. Newton parlera également de l'« *experimentum crucis* » dans le domaine de la recherche scientifique à propos du choix entre deux hypothèses explicatives. La sagacité du roi juge doit provoquer la manifestation de la vérité, car la justesse du verdict conditionne celle de la sentence, et de son application finale. Plus profondément, c'est tout le sens de l'esprit équitable qui surgit ici, en ce que l'équité consiste à identifier le cas singulier pour concevoir un jugement rigoureusement adapté.

La capacité de discernement ne s'exerce pas abstraitement, sans motifs ni repères. Elle s'enracine et prend vie dans le sentiment d'humanité qui induit un dispositif propre à départager. C'est ce sentiment qui pousse le juge à solliciter la présence de l'amour maternel chez les deux prétendantes, et à imaginer pour cela une épreuve décisive. Qu'est-ce qu'aimer son enfant, et s'en soucier, sinon vouloir qu'il vive et chérir sa vie comme telle, indépendamment de toute volonté possessive ? Et puisque l'enfant est revendiqué comme une chose à posséder, il s'agit de savoir pour quelle femme la possession importe plus que l'amour inconditionnel et désintéressé de l'enfant. Personne ou chose : telle est l'alternative qui fera paraître le véritable statut du bébé pour chacune des prétendantes.

Le dérisoire désir de possession de la mère prétendue – un demi cadavre ! – met en lumière, par contraste, le véritable amour, auquel importe peu le fait de posséder. Ce qui attache

ordinairement aux possessions est comme mis à distance par
l'épreuve fatidique. Et posséder vraiment, quand il s'agit d'un
être humain, c'est renoncer à posséder comme on possède
une chose. L'enfant est nôtre s'il continue de vivre. Mort, il
n'est plus de personne. Dérision du ressentiment de la mère
indigne, qui veut un nouveau cadavre.

Le glaive de Salomon tranche le nœud du conflit, en sépa-
rant aux yeux de tous l'amour véritable de sa contrefaçon.
C'est la vraie mère qui repart avec son enfant.

5

L'aréopage

Écoutez maintenant la loi que je fonde, citoyens de l'Attique, qui avez à juger les premiers procès à propos du sang versé. Ce conseil de juges subsistera toujours dans l'avenir chez le peuple d'Égée. Il siégera sur cette colline d'Arès, où les Amazones s'établirent et plantèrent leurs tentes, lorsqu'en haine de Thésée elles apportèrent la guerre et qu'en face de l'acropole elles élevèrent les tours d'une nouvelle ville et sacrifièrent à Arès, d'où vint à ce rocher le nom d'aréopage. Sur cette colline, le Respect et la Crainte, sa sœur, empêcheront les citoyens, la nuit comme le jour, de commettre des crimes, pourvu qu'ils n'altèrent point leurs lois. Si l'on souille une source limpide d'afflux impurs et de boue, on n'y trouvera plus de quoi boire. Ni anarchie, ni despotisme, telle est la maxime que je conseille aux citoyens de pratiquer et de vénérer, et aussi de ne point bannir toute crainte de la ville ; car quel mortel reste juste s'il ne redoute rien ? Si vous révérez, comme vous le devez, ce pouvoir auguste, vous aurez là pour protéger votre pays et votre ville un rempart tel qu'il n'en est pas au monde, ni chez les Scythes, ni sur le sol de Pélops. Incorruptible, vénérable, impitoyable, sentinelle éveillée pour garder la cité endormie, tel sera le tribunal que j'institue.

Eschyle, *Les Euménides*, vers 684-702,
trad. É. Chambry, GF-Flammarion.

À quoi échappons-nous par les lois et la justice ? L'histoire légendaire des Atrides le suggère. Sanglante tragédie de la vengeance réitérée, au sein d'une même famille. Le sang versé appelle le sang. Vendetta indéfinie, qui déchire tout, mêlant à jamais la mémoire et la terreur. La malédiction, de père en fils, remonte au conflit originaire de deux frères, Atrée et Thyeste, rivaux pour le trône de Mycènes. Atrée tue les enfants de son frère, et les lui fait manger. Le fils de Thyeste tue Atrée et son père redevient roi de Mycènes. Le fils d'Atrée, Agamemnon, chasse Thyeste et s'empare du trône à sa place. Ayant pris la tête d'une expédition guerrière contre Troie, il sacrifie sa fille Iphigénie pour obtenir des vents favorables qui permettront à la flotte d'appareiller. Égisthe, lui-même fils de Thyeste, devient l'amant de Clytemnestre, femme d'Agamemnon. Celui-ci, à son retour de Troie, dont il rentre victorieux, est tué par Egisthe et Clytemnestre. Enfin Oreste, revenu à Mycènes, tue Égisthe et Clytemnestre.

La vengeance réitérée, comme malheur, et comme impasse. Qui fait couler le sang d'un homme s'expose à voir couler le sien. Le même sang, ici, ne cesse de couler. L'humanité vit symboliquement la tragédie de la vengeance comme une affaire de famille. Famille maudite, où le meurtre est reconduit de génération en génération, jusqu'à la nausée, qui saisit les dieux eux-mêmes. Quand cela finira-t-il ?

Athéna parle alors aux « citoyens d'Attique ». Le règne de la vengeance a assez duré. Le cycle funeste des Atrides touche à sa fin. C'est dire que le cercle vicieux de la violence qui appelle la violence ne peut qu'être brisé et laisser la place à une autre logique. Oreste, dernier meurtrier vengeur, doit-il succomber à son tour ? Les Érinyes, déesses rageuses de la vengeance, réclament cette mort. Chiennes de nuit et de sang qui hantent de leurs hurlements la mémoire inassouvie, elles pressent le temps, car leur justice ne saurait être différée. Chaque fois qu'un parent tombait, elles ont crié l'impatience et la mort prochaine. Mais leur règne est révolu, si les dieux, ou l'humanité prenant conscience de ce qui provoque son malheur indéfini, le veulent.

Athéna instaure la distance et suspend le temps. Nul ne peut juger, s'il se trouve impliqué d'un côté ou d'un autre. Un seul homme non plus ne peut juger, car le risque est grand de suspendre la justice à un unique avis. Il faudra donc une assemblée, qui prendra le temps de délibérer. Temps original, délié des tourments directs et des souffrances qui réclament immédiate réparation. Les procédures et les débats, les présentations narratives et les examens raisonnés, contiennent les passions en dehors du lieu et du temps de justice. Sur l'antique colline d'Arès, dieu de la Guerre, un collège de juges se compose, et leurs toges uniformes font émerger leur majesté en la délivrant des singularités individuelles. L'aréopage vient de naître.

À la violence subjective du désir de vengeance, aux sinistres équations des blessures et des morts, se substitue la réflexion à plusieurs voix, dans le silence qui lui permet de se dire distinctement. Le dialogue raisonné, la lenteur des procédures et des lectures font vivre les lois communes selon leur rythme propre, celui que mérite le souci d'être juste. Verdict et sentence adviennent dans un temps apaisé, dont l'aréopage est à la fois la condition et le résultat. Connus de tous, et rapportés aux faits toujours singuliers qui les motivent, les jugements auront bientôt valeur exemplaire. Le tribunal de justice où toute chose est pesée dans le silence des passions décline l'idéal et lui donne chair.

Oreste attend son sort. Les armes sont immobiles, et rien ne se trame dans l'ombre, malgré les sourdes récriminations des Érinyes.

Athéna se mêle aux juges du premier procès à propos du sang versé. Oreste sera-t-il acquitté ? Les voix se partagent également. La voix d'Athéna, en faveur de l'acquittement, a sauvé Oreste.

Clairement, le cycle de la violence est rompu. Il ne s'agit pas d'innocenter, mais d'acquitter, car l'aréopage inaugure une nouvelle période et ne saurait dépendre de la logique ancienne.

L'ère du droit se lève et s'annonce. Les Érinyes regagnent l'ombre et les soubresauts de l'animalité brute s'achèvent dans leur nouvelle fonction, prévue par Athéna. Désormais gardiennes secrètes de la Cité, elles seront les « Euménides », les « très bonnes ». On s'assure par ce nouveau nom leur bienveillance, face douce de leur vigilance. Car elles veillent, mémoire de ce que l'humanité peut redevenir si la violence reprend un jour le dessus, au détriment des lois et de la justice.

Un autre texte, la Bible, évoque cette sorte de préhistoire du droit qu'est la loi du Talion. Talion vient du latin *talis* (« tel »). Telle agression, tel châtiment. « Œil pour œil, dent pour dent » (Exode, 21, 23-25 ; Deutéronome, 19, 21). La loi s'applique à tous. Il s'agit de régler la vengeance, mais en l'admettant : à la violence sans limites de celui qui entend rendre une offense au centuple, la loi mosaïque, inspirée du Code d'Hammourabi, oppose une exigence de stricte proportion entre le délit et sa punition. Premier pas vers la justice. Mais il en faudra un autre. L'invention de l'aréopage, assemblée de tiers qui jugeront d'autant mieux qu'ils sont extérieurs aux parties, dit également que nul ne peut se faire justice soit même, fût-ce en s'en tenant à une stricte équivalence de la sanction et de la faute.

Pour que la vengeance disparaisse de l'ordre juridique, il faut que la passion en soit maîtrisée dans l'éthique des relations entre les hommes. Il faut sortir du cercle de la violence indéfinie, de la vendetta intraitable et sanglante. C'est la difficulté d'un tel bouleversement que décrit Mérimée dans *Colomba*, dont le héros, Orso della Rebbia, est poussé à se faire vengeur malgré lui contre les Barrancini, meurtriers présumés de son père.

C'est contre ce genre d'enchaînement funeste que peuvent prendre sens les formulations paradoxales attribuées au Christ par les Évangiles. « Aimez vos ennemis, faites du bien à ceux qui vous détestent, bénissez ceux qui vous maudissent, priez pour ceux qui vous insultent. Celui qui te tape sur une joue, présente-lui aussi l'autre ; et celui qui te prend ton manteau, ne l'empêche pas non plus de prendre ta tunique » (Évangile selon Luc, 6, 27-29).

Dans l'ordre juridique, la délégation du droit de punir à une instance différente de la victime sera décisive. Comme l'idée que la paix civile suppose le consentement général à une loi commune et à une instance impartiale de jugement. Mais c'est surtout la rupture avec toute logique de vengeance qui signera l'avènement de la justice. D'où la formulation tranchée d'un principe : « *Nul n'a le droit de se faire justice soi-même.* »

Hegel formulera nettement cette émancipation de la justice, dans le droit-fil de la création emblématique de l'aréopage : « La vengeance se distingue nettement de la punition en ce que l'une est une réparation obtenue par un acte de la partie lésée, tandis que l'autre est l'œuvre d'un juge. C'est pourquoi il faut que la réparation soit effectuée à titre de punition, car dans la vengeance la passion joue son rôle et le droit se trouve ainsi troublé. De plus, la vengeance n'a pas la forme du droit, mais celle de l'arbitraire, car la partie lésée agit toujours par sentiment ou selon un mobile subjectif. Aussi, le droit qui prend la forme de la vengeance constitue à son tour une nouvelle offense ; il n'est senti que comme une conduite individuelle et provoque, inexpiablement, à l'infini, de nouvelles vengeances » (Hegel, *Propédeutique philosophique*, § 21).

6

La règle de plomb

En fait, la raison pour laquelle tout n'est pas défini par la loi, c'est qu'il y a des cas
d'espèce pour lesquels il est impossible de poser une loi, de telle sorte qu'un décret
est indispensable. De ce qui est, en effet, indéterminé, la règle aussi est indéter-
minée, à la façon de la règle de plomb utilisée dans les constructions de Lesbos :
de même que la règle épouse les contours de la pierre et n'est pas rigide, ainsi le
décret est adapté aux faits.

Aristote, *Éthique à Nicomaque*, V, 14, 1137b,
trad. J. Tricot, Vrin.

Qu'est-ce qu'une règle ? Au sens propre, c'est l'instrument
qui permet de tracer une ligne droite, en conduisant de façon
rectiligne le mouvement du crayon. Au sens figuré, c'est le
principe, ou la maxime, qui sert de référence à la conduite.
Celle-ci est dite conforme à une règle quand elle se trace avec
droiture, comme si elle suivait une ferme direction. Le respect
d'une règle garde en lui l'idée source de rectitude, devenue
norme de comportement. Ces remarques valent pour le droit
– quand les lois communes fournissent l'étalon et la référence.
Elles valent aussi pour la morale – lorsqu'un principe d'action
sert de repère et de guide.

La règle du maçon est une barre métallique, ou un tasseau
de bois, dont la rectitude parfaite assure à la fois la forme
droite et la juste longueur lorsqu'elle est graduée comme un
instrument de mesure. Appliquée contre le sol, ou contre un
mur, elle permet d'en vérifier la planéité tout en évaluant une
longueur. Mais comment faire pour une forme irrégulière, ou
tout simplement courbe ? L'instrument doit s'adapter sans
que l'étalon de mesure qu'il représente en soit altéré. Un
ruban souple d'un mètre ne diffère pas à cet égard d'une

barre de fer de même longueur. Mais il épouse la courbe à laquelle la barre reste tangente. Les architectes de Lesbos pouvaient-ils mesurer les linteaux de pierre cintrés ou les volutes sculptées sans un gabarit propre à épouser des formes diverses ? Il faut alors imaginer une règle molle, capable de s'adapter aux multiples contours du réel, tout en maintenant égale à elle-même l'unité de mesure. Une règle de plomb.

Ainsi, la règle de plomb qui « *épouse les contours de la pierre* » n'a pas à trahir l'unité de mesure et l'égalité de principe qu'elle exprime. S'adapter au réel n'implique nullement de renoncer à l'unité de loi et de mesure, mais requiert seulement, si l'on peut dire, de trouver un dispositif capable de s'ajuster à lui. La forme doit avoir cette indétermination qui lui permet de se déterminer en fonction de la variété des objets, mais elle reste parfaitement déterminée en ce qui concerne la mesure de référence. La règle de plomb, par la souplesse de sa forme et la constance de sa mesure, conjugue parfaitement les deux exigences.

La loi que symbolise la règle reste bien la même en tant que mesure et référence. C'est un principe d'égalité qui veut que tous lui soient soumis et que nul ne puisse jouir d'un traitement de faveur. Il n'y a pas « deux poids deux mesures » : la loi est la même pour tous, et à ce titre elle peut exprimer le bien commun. Si elle stipule que nul ne peut être agressé, elle prévoit de réprimer toute agression. Cela implique d'abord de pouvoir qualifier un acte qui lui correspond, c'est-à-dire qui en présente les caractères distinctifs. Cela nécessite ensuite un examen de ce qui singularise chaque agression : soudaine et spontanée, ou longuement préméditée ; de gravité variable et de conséquence plus ou moins importante ; faite en connaissance de cause et lucidement, ou dans un état relatif d'inconscience ; etc.

Un texte unique de loi, même s'il inclut la prévision de cas typiques, reste toujours très général, et c'est ce qui fait qu'il peut énoncer une exigence vraiment commune à tous. Le juge n'a pas à renoncer à la généralité de la loi pour l'appliquer, mais seulement à observer de quelle façon chaque cas singulier tombe dans le champ de son application. Si le texte légal ne peut se spécifier indéfiniment, l'activité du juge produit les médiations qui rangeront chaque cas sous la règle commune, tout en tenant compte de sa singularité.

La loi est donc bien la même pour tous, ce qui est la condition de l'harmonie de la Cité. Elle promeut l'égalité par-delà la diversité des richesses et des puissances, des positions et des influences, des caractères et des préférences. La justice, représentée souvent par une femme aux yeux bandés, ne fait pas de différence : elle ne veut pas les voir d'abord. Le symbole de la balance équilibrée, dont les deux plateaux s'inscrivent dans une ligne strictement horizontale, exprime la même idée. La pesée des actions est la seule chose qui compte, à l'exclusion de tout autre considération qui pourrait impressionner le juge et fausser ainsi le verdict ou la sentence.

L'équité ne change rien à la forme du jugement, et n'est en rien opposable à l'abstraction supposée de la loi. C'est le propre d'un instrument de mesure que de ne pas être modifié par ce qui est mesuré, même si sa souplesse le rend susceptible de s'adapter à la diversité des objets auxquels on l'applique. Ainsi comprise, l'abstraction de la loi est nécessaire. Mais cela n'implique nullement indifférence aux conditions de son application.

La tension supposée entre l'inévitable généralité de la loi, rançon de l'égalité qu'elle promeut, et la singularité des cas, corollaire de la richesse du réel, ne témoigne donc pas d'une faiblesse. Y renoncer, en introduisant par exemple une variation de la règle au cas par cas, c'est abdiquer l'exigence d'égalité. Quand il n'y a plus de loi commune, les rapports de forces locaux, les sujétions particulières, règnent sans partage et produisent leurs effets aliénants. La loi républicaine, commune à tous, affranchit des mafias locales, de la même façon qu'elle fait jouer la solidarité entre régions pauvres et régions riches par la péréquation qu'elle assure. Dire le droit à partir des cas singuliers et des jurisprudences qu'ils ont permis d'établir ici et là, c'est toujours consacrer les tutelles proches sous prétexte d'éviter les tutelles lointaines. Toute la question est donc de savoir quel cas de figure permet de sauvegarder le mieux la liberté. Si la loi commune traduit la souveraineté du peuple statuant sur lui-même, elle peut affranchir des groupes de pression locaux en déliant les hommes de leur emprise.

Aristote, théoricien de l'équité (en grec, *epieikeïa*), n'opposait nullement celle-ci à l'exigence d'égalité propre à la justice de la loi commune. L'équitable intègre et accomplit le juste selon la loi, puisqu'il réussit sa mise en pratique effective. La sagacité du juge doit lui faire saisir la singularité des cas, l'ori-

ginalité des « occasions » d'appliquer la loi dont il est dépositaire. C'est ce qu'on peut appeler le sens de l'opportunité (en
grec le fameux *kairos*). La seule lettre des lois ne peut dès lors
suffire, qui appelle une attention aux circonstances, et un
recours au bon sens d'une intuition éclairée par le souci de
justice en acte.

Kant donne un exemple qui permet de mettre en évidence
l'apport propre de l'équité entendue comme souci de justice
effective et non pas seulement formelle. Faire silence sur les
conditions concrètes, au nom d'une lecture littérale du droit,
peut conduire à une injustice réelle. « *Summum jus summa
injuria* » : le droit le plus haut peut aussi être l'injustice la plus
grande. Un employé touche son salaire dans une monnaie qui
s'est beaucoup dévaluée au terme d'une année. Le contrat initial est rigoureusement respecté, mais la valeur financière de la
même somme ne correspond plus à ce qu'il escomptait. Kant :
« Il n'a d'autre recours que l'équité (divinité muette, qui ne
peut être entendue) : c'est que rien à ce sujet n'était déterminé dans le contrat » (*Doctrine du droit*, appendice de l'Introduction).

Qu'est-ce qu'un impôt juste ? Le souci de l'égalité des citoyens
contribuables ne peut évidemment signifier que chacun doive
acquitter la même contribution. Il implique que celle-ci soit proportionnelle au revenu, mais de telle façon que l'effort demandé
soit en rapport avec la possibilité de l'assumer. C'est pourquoi la
proportion s'accroît avec le revenu : une telle progressivité
incarne l'équité fiscale en modulant le prélèvement selon les
conditions d'existence. À cet égard, les contributions directes
seront réputées plus justes et plus équitables que les impôts indi-
rects, qui pèsent plus lourd sur les faibles revenus.

L'égalité abstraite n'est donc émancipatrice que si elle s'accompagne du souci des inégalités concrètes qui peuvent en hypothé-
quer la réalisation. Faire abstraction des situations effectives des
contribuables, et de ce que représente pour chacun d'eux une
certaine somme à dépenser, peut relever d'une sorte d'hypocrisie, cécité plus ou moins volontaire aux conditions de possibilité d'une égalité crédible. Le choix d'un principe de redistribution a pour finalité la promotion d'une égalité aussi concrète que
possible, notamment par le biais des services publics. La Sécurité
Sociale proportionne les prestations aux besoins et les cotisations
aux moyens : disjonction essentielle à la solidarité. La règle des
artisans de Lesbos n'est pas encore rangée au musée.

7

Le bon grain et l'ivraie

Il leur proposa une autre parabole : le règne des cieux est pareil à un homme qui a semé de la bonne semence dans un champ.

Mais pendant que les gens dormaient son ennemi est venu, a semé de l'ivraie au milieu du blé et s'en est allé.

Quand l'herbe a germé et fait du fruit, l'ivraie aussi s'est montrée.

Les esclaves du maître de maison s'approchent et lui disent : Seigneur, n'as-tu pas semé de la bonne semence dans ton champ ? comment y a-t-il donc de l'ivraie ?

Il leur dit : un ennemi a fait cela. Alors les esclaves lui disent : veux-tu que nous allions la récolter ?

Il leur dit : non, de peur qu'en récoltant l'ivraie vous ne déraciniez le blé avec elle. Laissez-les croître ensemble jusqu'à la moisson ; au temps de la moisson je dirai aux moissonneurs : récoltez l'ivraie d'abord et liez-la en bottes pour la brûler ; quant au blé ramassez-le dans ma grange. [...]

Ensuite il laissa les foules et vint à la maison. Et ses disciples s'approchèrent de lui en disant : explique-nous la parabole de l'ivraie dans le champ.

Il leur répondit : celui qui sème la bonne semence, c'est le fils de l'homme,

Le champ c'est le monde, la bonne semence ce sont les fils du Règne, l'ivraie ce sont les fils du mauvais, l'ennemi qui l'a semée, c'est le diable, la moisson c'est la fin des âges, et les moissonneurs les anges.

Tout comme l'ivraie est récoltée et brûlée au feu, ainsi en sera-t-il à la fin des âges : Le fils de l'homme enverra ses anges dans son règne et ils récolteront tous les scandales et les faiseurs d'iniquité.

Et ils les jetteront au feu de la fournaise ; là il y aura le sanglot et le grincement de dents.

Alors les justes resplendiront comme le soleil, dans le règne de leur père. Entende qui a des oreilles !

Nouveau Testament, Évangile selon Matthieu, 13, 24-30 et 36 -43,
trad. J. Grosjean et M. Léturmy, Gallimard, Bibliothèque de la Pléiade.

« Semer la zizanie. » *Zizania*, en grec, était le nom d'une plante graminacée nocive, susceptible de provoquer l'ivresse ; d'où son nom français d'ivraie. Semence trouble, secrètement

répandue à la faveur de la nuit dans le champ d'abord ense-
mencé, en plein jour, avec les graines du blé nourricier. Ainsi,
mêlée au bon grain, l'ivraie y produit une sorte de confusion.
Le bon et le mauvais sont inextricablement mêlés. L'ivraie
doit-elle croître avec le bon grain ? Les paysans doivent-ils
l'arracher dès maintenant, avec toute la difficulté que cela représente ?

La parabole fut sollicitée pour résoudre la question de
savoir quel sort il convenait de réserver aux infidèles. D'où
l'importance de la réponse attribuée au Christ et des termes
mêmes dans lesquels elle est formulée. L'enjeu est décisif. Il
s'agit tout simplement de savoir si les persécutions religieuses
qui ont ensanglanté l'histoire humaine pouvaient s'autoriser
du texte évangélique.

La réponse attribuée au Christ peut sembler surprenante.
Elle ne nie pas la nécessité de séparer et de détruire l'ivraie
lorsque la chose sera possible et qu'on sera bien assuré de ne
détruire qu'elle. L'interprétation ne peut donc retenir l'idée
que le mal et le bien sont intimement mêlés en chaque
homme, du fait que coexistent en lui sa parenté divine et la
part maudite liée au péché originel. Bon grain et ivraie sont
deux choses très différentes, relevant de deux semences géné-
tiquement distinctes. Les métaphores du bon et du mauvais
tendent ici à les figer en deux entités séparables : c'est l'être
qui est caractérisé ainsi, et non telle ou telle de ses actions.
L'analogie de l'ivraie donne à entendre que, quoi qu'il fasse,
l'être mauvais ne peut s'arracher à sa nature : il produira donc
les effets qui en découlent nécessairement. Pourquoi sinon
vouloir détruire l'être lui-même, si on le tient pour irréductible à telle ou telle de ses actions, c'est-à-dire capable d'agir
autrement ?

Une autre question surgit alors. Est-il légitime de trier les
hommes, comme on le ferait si on tentait de séparer le blé et
la mauvaise herbe, le bon grain et l'ivraie, parce que ses
graines provoquent l'ivresse ? « Semer la zizanie »… L'expression évoque l'incitation à la discorde. L'idée de tri, appliquée
aux êtres humains, pose évidemment problème, comme le
choix d'un critère de jugement pour condamner certains
hommes plutôt que d'autres. L'humanité réside en tous les
hommes, et nul principe de distinction ne saurait le faire
oublier. La philosophie grecque et la Déclaration des droits de
l'homme le rappellent avec force. Quant au discours de trois

religions du Livre, il le fait de façon ambiguë : comme enfants supposés de Dieu, tous devraient prétendre à une égalité de traitement. Mais certains sont jugés et condamnés en raison de leur infidélité à la religion. Le credo imposé est-il encore un credo, puisqu'il ne correspond à aucun engagement volontaire de la conscience ? Pascal : « La conduite de Dieu, qui dispose toutes choses avec douceur, est de mettre la religion dans l'esprit par les raisons, et dans le cœur par la grâce. Mais de la vouloir mettre dans l'esprit et dans le cœur par la force et par les menaces, ce n'est pas y mettre la religion, mais la terreur » (*Pensées*, Brunschvicg 185).

Saint Augustin se réfère à la parabole du bon grain et de l'ivraie pour justifier la persécution contre les « infidèles ». Son interprétation du propos de Jésus-Christ est quasiment littérale. La célèbre lettre 185 est à cet égard édifiante. Il y évoque la raison qu'aurait alléguée le Christ pour justifier la nécessité de laisser l'ivraie pousser avec le bon grain ; « de peur qu'en voulant arracher l'ivraie, vous n'arrachiez en même temps le bon grain ». Et il la commente de cette façon : « Le Christ montre assez par là que si cette crainte n'existe pas […] alors la sévérité de la discipline ne doit pas dormir. » Un tel texte est à mettre en rapport avec une distinction édifiante elle aussi : « Il y a une persécution injuste, celle que font les impies à l'Église du Christ ; et il y a une persécution juste, celle que font les églises du Christ aux impies. » Une telle justification de la persécution opère par référence à sa finalité prétendue sur un mode infantilisant, puisque la contrainte supposée légitime repose sur l'incapacité des persécutés à voir leur bien véritable : « Vous ne devez pas considérer la contrainte en elle-même, mais la qualité de la chose à laquelle on est contraint, si elle est bonne ou mauvaise. »

C'est Bayle qui précise que, dès qu'il y a contrainte, il ne peut y avoir foi véritable, car celle-ci suppose que la conscience soit libre : « C'est donc une chose manifestement opposée au bon sens et à la lumière naturelle, aux principes généraux de la raison, en un mot à la règle primitive et originale du discernement du vrai et du faux, du bon et du mauvais, que d'employer la violence à inspirer une religion à ceux qui ne la professent pas » (*Commentaire philosophique*, Pocket, p. 101).

De fait, la parole du Christ peut assez facilement être enrôlée dans ce sens, dès lors que le seul motif invoqué contre

l'idée d'arracher l'ivraie est la difficulté de faire le tri, et partant le risque d'arracher aussi le bon grain, métaphore du bon
chrétien. Jean Chrysostome s'inscrit également dans cet état
d'esprit : « Il ne faut pas tuer les hérétiques, pour cette raison
que, si on les tuait, il serait fatal que beaucoup de saints soient
détruits en même temps. » Seule la mort de croyants strictement orthodoxes est donc tenue pour malheureuse. L'amour
de l'humanité ne devrait pourtant pas se diviser.

Refuser l'amour à certains hommes et l'accorder à d'autres
en raison des options spirituelles différentes qu'ils ont choisies, c'est opérer une discrimination qui dément l'universalisme revendiqué. Une approche kantienne préciserait ici que
le respect dû à l'humanité doit être inconditionnel et qu'il
constitue la vraie raison de laisser vivre l'ivraie. L'homme est
pour Augustin ou Jésus créature de Dieu, ce qui transpose en
termes religieux sa dignité. Mais la conséquence doit être la
même : infidèle ou hérétique, athée ou agnostique, il mérite le
même respect que les fidèles qui se tiennent à l'orthodoxie.

C'est pour échapper à ce genre de discrimination que
l'idéal laïque sera conquis, assurant à la fois la liberté radicale
de conscience et l'égalité des hommes, quelles que soient leurs
croyances ou leurs convictions philosophiques. Évoquant la
diversité des options spirituelles, Bayle esquisse la concorde au
sein de laquelle elles pourraient coexister. Et cela sans effacer
l'espace public qui rendrait possibles à la fois leur libre expression et leur égalité. Il oppose cette image anticipée de la laïcité
qui unit tous les hommes à l'intolérance, armée par la confusion d'une religion et du pouvoir temporel. « Qu'est-ce donc
qui empêche ce beau concert formé de voix et de tons différents
l'un de l'autre ? C'est que l'une des religions veut exercer une
tyrannie cruelle sur les esprits, et forcer les autres à lui sacrifier
leur conscience ; c'est que les rois fomentent cette injuste par-
tialité, et livrent le bras séculier aux désirs furieux et tumultueux
d'une populace de moines et de clercs : en un mot tout le
désordre vient non pas de la tolérance, mais de la non-tolé-
rance » (*Commentaire philosophique, ibid.*, p. 257).

À quelles persécutions la laïcité permet-elle d'échapper ? Le
rappel du statut infligé aux « infidèles », c'est-à-dire à ceux qui
ne partagent pas une religion de référence, permet de l'imaginer. Une parabole, par son ambiguïté, peut servir de caution
aux justifications qui crurent pouvoir s'autoriser de la parole
du Christ pour encourager ou entériner des persécutions.

Celles-ci entrent pourtant en contradiction manifeste avec le message d'amour qui lui est attribué par ailleurs.

De fait, la confusion millénaire du pouvoir temporel et du pouvoir spirituel a été mortifère. Il suffit de songer à la théorie des deux glaives, longtemps mise en avant par l'Église. Raymond Lulle affirme : « L'Église catholique a deux glaives, comme il est dit dans l'Évangile, le glaive temporel, c'est-à-dire l'épée, et le spirituel, c'est-à-dire la science et la dévotion. Avec ces deux glaives, l'Église a tout ce qu'il faut pour ramener tous les infidèles vers la voie de la vérité » (*Disputatio clerici et Raymondi phantastici*, Paris, 1499).

C'est Hobbes, entre autres, qui a repris et analysé le thème ambigu du royaume de Dieu pour montrer comment a pu s'effectuer, à partir de son sens métaphorique spirituel, sa transposition politique. « L'expression royaume de Dieu, dans les écrits des théologiens, et spécialement dans les sermons et les traités de dévotion, s'applique le plus souvent à la félicité éternelle goûtée après cette vie dans le ciel le plus élevé : c'est ce qu'ils appellent aussi le royaume de gloire ; ils l'entendent parfois aussi des arrhes de cette félicité, à savoir de la sanctification : c'est ce qu'ils appellent le royaume de la grâce ; mais ils ne l'appliquent jamais à la monarchie, autrement dit au pouvoir souverain, que Dieu exerce sur des sujets pour l'avoir acquis par leur consentement, alors que c'est là le sens propre de royaume. Au contraire, je vois que royaume de Dieu dans l'Écriture désigne le plus souvent un royaume au sens propre, un royaume constitué selon un mode particulier par les suffrages du peuple d'Israël ; consistant en ce que les Israélites choisirent Dieu comme leur roi, par un pacte, conclu avec lui sur la promesse faite par Dieu de leur donner possession du pays de Canaan. L'expression n'est métaphorique qu'en de rares occasions : elle est prise alors au sens d'empire sur le péché, et seulement dans le Nouveau Testament : parce que chaque sujet, dans le royaume de Dieu, disposera d'un tel empire, sans que cela porte préjudice au souverain » (Hobbes, *Léviathan*, XXXV, trad. F. Tricaud, Sirey).

8

L'apocalypse

Et j'ai vu un nouveau ciel et une nouvelle terre, car le premier ciel et la première terre s'en sont allés et la mer n'est plus.
Et j'ai vu la ville sainte, la nouvelle Jérusalem, descendre du ciel, d'auprès de Dieu, prête comme une épouse parée pour son homme.
Et j'ai entendu une grande voix dire depuis le trône : voici l'abri de Dieu avec les hommes. Il s'abritera avec eux, et eux seront ses peuples, et lui sera le Dieu avec eux.
Il effacera toute larme de leurs yeux. La mort ne sera plus. Deuil, cri ni douleur, ne seront plus, car le premier univers s'en est allé.
Celui qui est sur le trône a dit : voici, je renouvelle tout. Et il a dit : Écris, car ce sont des paroles fidèles et véritables.
Et il m'a dit : C'est fait. Je suis l'alpha et l'oméga, le principe et la fin. Je donnerai gratis, à qui a soif, l'eau de la source de vie.
Le vainqueur héritera, et je lui serai un Dieu et il me sera un fils.
Mais les craintifs, les mécréants, les horribles, les meurtriers, les prostitueurs, les drogueurs, les idolâtres et tous les menteurs, leur part est dans l'ardent étang de feu et de soufre qui est la seconde mort.

Nouveau Testament, Apocalypse de Jean, 31, 1-8, trad. J. Grosjean et M. Léturmy, Gallimard, Bibliothèque de la Pléiade.

Apocalypse. Le mot grec *apokalupsis* veut dire « révélation ». Un sens caché de l'histoire et du monde attend donc la parole sacrée ou voulue telle qui le rendra manifeste. Adviendra-t-elle dans le temps, par réalisation tangible, ou à la fin des temps, dans cette éternité qui semble surplomber tout et tout relativiser ? L'imaginaire hésite entre la promesse eschatologique des religions, concernant les fins dernières et l'au-delà de la mort, et l'espérance historique, à portée de vie et d'attente humaines. Par la première, toute impatience et toute injustice sont reconduites à la finitude et à ses faiblesses inexorables. Par la seconde, la médiation du sens devient plus pal-

pable et s'inscrit dans un horizon à échelle humaine, en y des-
sinant une cité terrestre réconciliée. Dans un cas comme dans
l'autre, la fin attendue ou visée est ce qui donne sens, inscrivant toute souffrance dans la perspective de son dépassement.
Mais la parole refondatrice implique l'embrasement du monde
à régénérer.

Ainsi se révèle un destin d'abord caché, qui se préparait au
regard d'une sorte de témoignage muet des dérives et des corruptions, et de leur impunité. Un jour vient où un jugement radical
doit être rendu. Et la mémoire de toutes les turpitudes, sans
exception, est présente au juge. Qu'il s'agisse de Dieu si l'on y
croit, ou du verdict de l'histoire, si l'on admet par métaphore une
telle instance de jugement, la refondation du monde passe par
une telle épreuve. La « révélation » est donnée comme signe
divin par la croyance religieuse. L'apocalypse séculière se fait récit
profane d'une émancipation. Une destruction du vieux monde
est dans les deux cas nécessaire. Elle aura été précédée par une
sorte de paroxysme du mal sur la terre. Babylone ou la Rome
païenne incarnent cette corruption finale, tandis que s'annonce
une « nouvelle Jérusalem » à ceux qui ont la foi. Les sociétés de
misère et d'injustice représentent le monde à détruire, pour ceux
qui entendent avant tout réaliser le bonheur sur la terre. Crise
dernière de l'histoire des hommes, l'apocalypse va séparer désormais deux âges de l'humanité. Seuls seront sauvés les justes. Mais
de quelle façon ?

Les deux sens, sacré et profane, de l'*apocalypse*, se concilient
parfois, à la faveur de l'ambivalence du texte biblique : le
retour du Christ sur la terre, son second avènement que la tradition appelle parousie, s'entend alors comme réelle présence
d'une éthique d'amour ou d'une loi de justice dans la cité des
hommes, anticipant le royaume de Dieu. Au douzième siècle,
Joachim de Flore entend concilier les deux apocalypses, temporelle et eschatologique, en montrant l'accord profond de
leurs exigences respectives. Le premier royaume d'Israël avait
tenté cette conjonction de la loi temporelle et du credo spirituel, en donnant à la foi une valeur normative pour les choses
de ce monde. Mais comme l'a fait remarquer Spinoza, une
telle collusion de la politique et de la théologie n'était guère
favorable à la liberté de conscience et à son expression.

Augustin quant à lui condamne la perspective comprise littéralement d'un royaume de Dieu sur terre, car à ses yeux elle
dévoie le message religieux. Il n'a pas de mot assez dur pour

l'utopie millénariste selon laquelle pendant mille ans se réali-
serait sur terre un type de société entièrement conforme aux
idéaux chrétiens, transposés sur le plan social et politique. La
théologie protestante n'a pas été plus charitable à l'égard des
rares tentatives de transposition sociale et politique de la fraternité chrétienne. Les paysans qui lisaient la parole du Christ
comme un message portant un idéal d'égalité sur terre, et ten-
tèrent de la réaliser sous la direction de Jean de Leyde et de
Thomas Münzer, furent exterminés par les hobereaux alle-
mands, avec la bénédiction de Luther.

Le texte de Jean décline l'apocalyptique en une méditation
sur la mort et les deux âges de l'humanité. Il existe deux
façons de mourir. La première mort est celle de l'âme, principe des choix et des valeurs. Toute faute l'esquisse en soi,
jusqu'à la perdition totale quand le mal l'a corrompue sans
retour. La seconde mort est celle du corps, et elle transforme
toute vie en destin : finitude sans appel, qui peut-être explique
aussi la faillibilité et les fautes effectives. Cette mort-là est
dévolue à tout homme. Sauf à imaginer une résurrection générale qui l'en affranchit. C'est ce que la foi chrétienne croit possible. Mais le genre d'existence consécutif à une telle résurrection change alors radicalement, car l'éternité des croyants est
aussi la fin des temps et ne peut se concevoir comme un prolongement indéfini de la vie terrestre. À sa manière, l'aventure
de l'humanité, continuée et enrichie graduellement, transfigure également chaque vie singulière. La culture universelle
en est le patrimoine, sorte de mémoire commune, qui sauve
de l'oubli.

Retour aux Écritures. Du *déluge* qu'ils subirent et provoquè-
rent par leur faute, les hommes n'ont su retenir la leçon,
puisque à nouveau le mal et l'Antéchrist qui l'incarne ont pris
possession d'une grande partie du monde. Il faut donc la promesse apocalyptique d'une renaissance totale. Régénération
morale ou révolution politique, l'apocalypse devient l'image
transposée de la réappropriation par les hommes de leur vie
commune, avec ou sans l'aide du dieu auquel certains croient.
Sa radicalité l'apparente à un anéantissement, mais la préser-
vation des justes appelle discernement. L'apocalypse chrétienne est une destruction sélective et elle ne peut perdre les
innocents. Comme si la justice à venir, toujours déjà possible
sous le processus réel qui semble la nier, en constituait le sens
final.

Promesse, donc, mais aussi violence irruptive qui rappelle que rien de ce qui est ou advient ne peut demeurer caché. Le dieu qui voit tout fera rendre raison un jour des injustices à la dérobée comme des crimes manifestes. Jugement inexorable, mais sans aveuglement, car il s'agit d'être juste. Jugement qui transforme de fait toute l'histoire humaine. Il y aura désormais la préhistoire de l'apocalypse, et l'histoire qu'elle transfigure. La rupture ne concerne en principe que les formes de l'injustice. La transposition profane du mythe religieux aura à s'en souvenir.

Dans l'aventure collective des hommes, l'apocalypse réalise une promesse cachée de justice. Bouleversement universel des conditions et des situations. Le monde comme il va ne peut plus aller. Il doit disparaître, pour renaître. Peut-on rêver d'une révolution si radicale de l'ordre des choses sans en avoir d'abord dressé un sombre diagnostic, attentif à toutes les injustices qui font les tourments de l'Histoire ? Au plus près de la souffrance et des maux que se causent les hommes, par oubli de ce qui vaut et peut fonder leur concorde, c'est tout un sens qui s'invente, ou se réinvente. Tout se passe alors comme si l'auteur présumé de ce qui est voulait reprendre les choses à zéro. Soit qu'il détruise tout pour régénérer, soit qu'il annonce une refondation à venir, par le destin caché d'une promesse dont l'éclat paraîtra un jour. La Providence divine est ici supposée, qui s'inscrit dans le devenir par finalité secrète.

Du passé faisons table rase. Propos d'opprimé, qui ne peut plus voir la vie qu'à travers le prisme de l'oppression, violence subie et presque familière, tant le désir de durer a dû s'en accommoder. *Le monde va changer de base ; nous ne sommes rien, soyons tout.* L'Internationale reconduit l'apocalypse chrétienne, et la promesse de justice qui s'y disait, en une version profane. Mais elle le fait pour ce monde-ci, car le bonheur céleste ne requiert nullement le malheur sur terre. Atahualpa Yupanqui : « *No solo queremos ser iguales en el cielo* » (*Nous ne voulons pas seulement l'égalité dans le ciel*). Et s'il est des premiers par le pouvoir et la fortune qui sont d'ores et déjà les derniers par la conscience et la vertu, la justice ne peut attendre. *Les premiers seront les derniers.* S'agit-il cependant de tenir les hommes pour coupables ou de prendre en compte le système qui les fait agir ? L'alternative mérite d'être considérée, qui appelle lucidité sur les vraies causes et replace la question morale à son niveau. La justice est affaire de droit et non de charité, si pure soit-elle.

Dans sa version apocalyptique, le projet révolutionnaire traduit à la fois une exigence libératrice et une difficulté majeure. L'exigence est de dire l'idéal sans projeter en lui les limites de l'heure et du lieu, pour fournir à l'émancipation sa référence la plus forte. D'où l'aspiration à une refonte complète des conditions. La difficulté est de faire sortir un nouveau monde de l'ancien, en ne détruisant que ce qui mérite de l'être. L'idée d'une intervention soudaine et radicale d'un dieu qui punit et qui sauve, qui fait disparaître et régénère, risque alors d'être transposée dans la thématique du sauveur suprême, homme providentiel ou chef trop vite encensé.

« *Il n'est pas de sauveur suprême, ni Dieu ni César, ni Tribun.* » Ainsi est formulé l'avertissement de l'*Internationale,* qui met en garde contre la dérive totalitaire du chef inspiré ou prétendu tel, inquiétante sécularisation du prophète. Le risque est aussi de confondre la radicalité révolutionnaire avec un anéantissement total, lourd d'arbitraire et d'injustice, présenté comme préalable à toute refondation. La révolution ne peut se vouloir aveugle sous prétexte qu'elle est radicale : elle évitera les ambiguïtés de la figure apocalyptique.

Comment changer un monde qui résiste, par sa malignité endurcie, au projet de justice, sans compromettre ce projet lui-même ? Est-il possible d'anticiper dans les méthodes qui vont le transformer les fins au nom desquelles s'accomplit la transformation ? Une sorte de cercle vicieux exprime les maléfices de l'action, soumise à la résistance des corruptions anciennes : le droit à venir est tenu en échec par les oppressions présentes, et il faudrait pourtant n'agir qu'en conformité avec ses exigences.

L'hypocrisie n'est pas de mise ici. Ne veut-on retenir, par exemple, que les débordements de la révolution de 1789, et faire silence sur les longues injustices et les souffrances qui étaient devenues comme habituelles ? Les hommes ont dû refonder le monde social eux-mêmes, et nulle intervention n'est venue d'un Dieu trop souvent invoqué par les puissances d'oppression. L'amalgame de la révolution avec une apocalypse a en fin de compte quelque chose de forcé, et d'inexact, même s'il peut exprimer un désir de justice, comme chez Victor Hugo. L'auteur des *Misérables* évoque ainsi l'auteur de l'Apocalypse, Jean, exilé à Patmos : « Nous ne parlons pas de l'immense exilé de Patmos qui, lui aussi, accable le monde réel au nom du monde idéal. » Et il écrit au dixième livre des *Misé-*

rables : « Il y a de l'apocalypse dans la guerre civile, toutes les brumes de l'inconnu se mêlent à ces flamboiements farouches. » Émile Zola, plus tard, conclura ainsi *La Débâcle* : « Et pourtant, par-delà la fournaise, hurlante encore, la vive espérance renaissait, au fond du grand ciel calme. »

9

Les hommes jugés nus

En effet, maintenant, les jugements sont mal rendus. La raison en est, expliqua-t-il, que les hommes qu'on doit juger se présentent tout enveloppés de leurs vêtements, puisqu'ils sont jugés alors qu'ils sont encore vivants. Or, nombreux sont les hommes [...] dont l'âme est mauvaise, mais qui viennent au juge, tout enveloppés de la beauté de leurs corps, des hommes qui font voir la noblesse de leur origine, leurs richesses, et qui font appel, quand l'heure du jugement est venue, à de nombreux témoins, lesquels parlent en leur faveur et déclarent qu'ils ont vécu une vie de justice. Donc, tout cela impressionne les juges, d'autant qu'ils sont eux aussi enveloppés des mêmes choses lorsqu'ils prononcent leurs jugements. Entre leur âme et celle de l'homme qu'ils jugent, ils ont des yeux, des oreilles et tout un corps dont ils sont enveloppés. Or c'est justement cela, tout ce qui enveloppe les juges et enveloppe les hommes qu'ils jugent, c'est cela qui fait obstacle. Il faut donc d'abord [...] que les hommes cessent de connaître à l'avance l'heure de leur mort. Car maintenant ils savent d'avance quand ils vont mourir. [...] Ensuite, il faut que les hommes soient jugés nus, dépouillés de tout ce qu'ils ont. C'est pourquoi on doit les juger morts. Et leur juge doit être également mort, rien qu'une âme qui regarde une âme. Que, dès le moment de sa mort, chacun soit séparé de ses proches, qu'il laisse sur la terre tout ce décorum – c'est le seul moyen pour que le jugement soit juste.

Platon, *Gorgias*, 523b-523e,
trad. M. Canto-Sperber, GF-Flammarion.

Les habits, pauvres et gris ou riches et multicolores, sont tombés. Ni trône ni estrade, ni boue ni taudis. Les hommes nus s'avancent et l'âme est là, comme à fleur de peau, qui s'identifie à la silhouette pure.

Avant le jugement et pour qu'il puisse avoir lieu, les faux-semblants de la vie ordinaire ont aussi disparu. Un homme est un homme, et la balance ne sera pas faussée. La chemise ne colle plus à la peau, pour parler comme Montaigne. La mise à nu fatidique est totale, qui découvre le corps sous la parure ou

la guenille. Le roi lui-même est nu. Comme tous ceux qui tran-
sitèrent dans l'ombre des souffrances quotidiennes. Et les juges
de la mort le sont également. Ils ne pourront être impres-
sionnés par les apparats et la mise en scène rituelle du pouvoir.
Pascal : « La coutume de voir les rois accompagnés de gardes, de
tambours, d'officiers, et de toutes les choses qui ploient la
machine vers le respect et la terreur, fait que leur visage, quand
il est quelquefois seul et sans accompagnements, imprime dans
leurs sujets le respect et la terreur, parce qu'on ne sépare pas
dans la pensée leurs personnes d'avec leurs suites, qu'on y voit
d'ordinaire jointes » (*Pensées*, Brunschvicg 308).

Voici le tyran Archélaos, sans pompe ni majesté, dénudé à
l'extrême. Les habits et les fastes ont retrouvé le néant auquel
se destinent les choses qui ornent la vie. Restent l'âme et les
traces laissées en elle par le long commerce avec un corps
habitué aux vanités comme aux violences commises : cicatrices
morales que nul ne peut plus dissimuler. Comme pour le
corps, la façon d'être a littéralement inscrit sa marque. Hector
s'avance nu, dans le poème d'Homère, et son corps garde la
trace des blessures infligées par Achille, qui le traîna autour
des remparts de Troie ; l'âme elle-même porte le témoignage
des conséquences de sa bravoure, de son courage à vouloir un
combat qu'elle savait peut-être perdu d'avance. Stigmates de la
vie passée, en son éthique de courage, et qui ne peuvent
échapper aux juges.

Sous la beauté du corps, ou sa laideur supposée, se découvre
un principe intérieur, accessible au-delà des formes. Cette nouvelle forme de mise à nu remonte à l'âme. L'âme, c'est
l'homme, dit Platon. Et c'est à elle que l'on peut imputer ce
qui fut. Imputation juridique, en réponse à la question première : qui a fait cet acte ? Imputation éthique et ontologique,
en réponse à la question dernière : qui a voulu cette vie ?

Il n'est pas nécessaire alors de prendre au pied de la lettre
l'idée si controversée d'une âme séparable du corps. Il suffit
de saisir, par transposition, ce que peut signifier l'âme comme
principe de conscience et de pensée, foyer d'initiative et
d'expérience, et en fin de compte référence ultime de l'identité personnelle par-delà les âges précaires de la vie physique.
Le vécu n'est pas sans lendemain, car il se fait mémoire et récit
de soi de la vie antérieure, qui en est comme l'idée fixée. Une
version singulière de l'existence s'y esquisse et s'y construit,
moi incertain d'abord, et toujours susceptible de se redéfinir.

Mais la mort transforme la vie en destin : l'essentiel est dit, puisque désormais le temps de vivre s'est figé, comme la possibilité de décider de son être et d'en changer la nature.

Sartre y insistera : la mort survient réellement et symboliquement comme impossibilité de changer son existence singulière par des actions nouvelles. Ainsi, dans la pièce *Huis clos*, les trois damnés qui sont enfermés à jamais dans une chambre d'hôtel sont bien morts en ce qu'ils s'asservissent au jugement des autres et ne peuvent rien contre cette figure d'eux-mêmes qui s'impose. Un tel enfermement est volontaire, car la lâcheté n'est qu'une figure négative de la volonté. Tous trois se font tout à tour bourreaux les uns des autres, en déployant cette sclérose mortelle de l'existence : juges et jugés, ils ne peuvent plus – ou ne savent plus – aller au-delà de l'image de soi figée dans l'autre.

Jugement dernier, au-delà de l'action ultime où s'acheva l'aventure de la liberté. Et peut-être faut-il tenir pour des morts-vivants ceux qui ont renoncé à faire de leur vie autre chose que ce qu'elle est, glacée dans l'agencement inerte du donné.

Les hommes, assurément, se définissent par leurs actes. Soit que ceux-ci rendent manifeste leur nature profonde. Soit qu'ils la façonnent à mesure. Mais ces actes eux-mêmes ne les lient définitivement à une essence que s'ils le veulent bien ou y consentent de façon muette. L'impunité à cet égard est la plus maligne des choses : elle tend à figer dans son mode d'être celui qui en « bénéficie ». Inertie grave, car s'oublie le mouvement de la vie, qui est celui de la conscience résolue à faire et à se faire, à défaire et à refaire : rien n'est donc jamais tout à fait acquis ou donné tant que le dernier mot n'est pas dit.

Que juger dès lors ? La vie, sillage tangible d'une façon d'être singulière, où les conduites se sont enchaînées selon une logique d'abord indéchiffrable, vaut témoignage. Le tyran qui se targuant de sa puissance aura persécuté impunément sera là, nu, souillé des crimes qu'il ne pourra plus cacher. La mauvaise foi ne sera plus de mise. Il ne pourra plus dire que ces actes ne sont pas dignes de ce qu'il peut faire de mieux, et qu'ils ne rendent pas vraiment compte de ce qu'il est. Bref, il ne pourra pas – ou plus – dire qu'il vaut mieux qu'eux. Chose possible tant qu'on peut faire appel d'un jugement provisoire, en choisissant d'agir autrement. En pleine lumière, portant ses

actes comme des stigmates de l'âme, il ne lui servira de rien
d'avoir échappé aux juridictions successives des hommes. De
tribunal en tribunal, on croit pouvoir faire appel indéfiniment
d'une condamnation ; mais il arrive un temps qui est celui du
dernier jugement. Ce jugement porte sur un acte, dont il
punit l'auteur ; mais il n'atteint définitivement l'homme que si
celui-ci se résorbe dans cet acte, c'est-à-dire persiste à se com-
porter de la même manière.

Un jugement dernier, plus terrible que le dernier jugement
auquel l'ordre humain peut convoquer, sera celui qui se
tiendra au terme de la vie. La sentence porte alors sur quelque
chose d'indépassable. Rousseau, « juge de Jean-Jacques », écrit
au début de ses *Confessions* : « Que la trompette du jugement
dernier sonne quand elle le voudra, je viendrai, ce livre à la
main, me présenter devant le souverain juge. »

La mort fait de chaque vie un destin, tendu vers son terme
ultime. C'est à la fin des temps, de tous les temps de l'existence
comme peut-être de tous les temps de l'histoire commune,
que toute faute cachée se dévoile, comme si une invisible
lumière en avait fixé à jamais les contours. *Dies irae* : jour de
colère, dans la transposition religieuse, qui personnalise en
quelque sorte l'instance ultime de jugement. Le tribunal de
l'histoire, lui, est plus anonyme, car il se profile dans une
mémoire commune suffisamment apaisée pour se délier des
passions et des clameurs, et s'élever comme au-delà d'elle-
même, sans oubli ni obsession.

La fin des temps, parousie des Chrétiens qui unit le retour
du Christ et celui de la justice, s'annonce à la fois comme
colère et comme miséricorde, car il s'agit de prendre la
mesure d'une condition tragique et de rapporter toute faute à
cette source. C'est Dieu pour les croyants. Et pour tous les
autres, c'est l'humanité qui s'incarne en chaque homme et y
fait retour sur soi en prenant conscience de ses grandeurs
comme de ses bassesses. Dans un cas comme dans l'autre, ce
juge suprême et ultime peut valoir en ce monde même, où il
esquisse un idéal. Il incarne le regard ultime sur les actes et la
façon d'être. Et il fait toute sa place à une générosité religieuse
ou profane. Vient alors le moment de rappeler la condition
tragique des hommes non pour les innocenter, mais pour
placer leurs errements dans le contexte qui les fit advenir.

Le dernier jugement – ou le jugement dernier –, celui qui se
tient dans la lumière noire de la mort, ne rompt pas avec la

logique de la vie, mais imagine la distance qui permet de dresser le bilan. Il symbolise en fin de compte le jugement que nous porterions sur nous-mêmes en tant qu'hommes, si nous pouvions prendre la mesure de vies complètes et délier toute appréciation d'une vision partielle, partiale aussi dès lors que la régit l'émotion du moment. Cette anticipation tragique habite la quête de lucidité. Elle consiste à placer tout choix dans l'horizon de la vie conclue, pour la mettre en présence de sa limite irrévocable. Et lui fournir ainsi sa référence la plus décisive, donc la plus exigeante.

Chapitre neuf

La pensée affranchie

1

La caverne commune

– ...représente-toi de la façon que voici l'état de notre nature relativement à l'instruction et à l'ignorance. Figure-toi des hommes dans une demeure souterraine, en forme de caverne, ayant sur toute sa largeur une entrée ouverte à la lumière ; ces hommes sont là depuis leur enfance, les jambes et le cou enchaînés, de sorte qu'ils ne peuvent bouger ni voir ailleurs que devant eux, la chaîne les empêchant de tourner la tête ; la lumière leur vient d'un feu allumé sur une hauteur, au loin derrière eux ; entre le feu et les prisonniers court une route élevée : imagine que le long de cette route est construit un petit mur, pareil aux cloisons que les montreurs de marionnettes dressent devant eux et au-dessus desquelles ils font voir leurs merveilles. – Je vois cela, dit-il. – Figure-toi maintenant le long de ce petit mur des hommes portant des objets de toute sorte, qui dépassent le mur, et des statuettes d'hommes et d'animaux, en pierre, en bois, et en toute espèce de matière ; naturellement, parmi ces porteurs, les uns parlent et les autres se taisent. – Voilà, s'écriat-il, un étrange tableau et d'étranges prisonniers. – Ils nous ressemblent, répondisje ; et d'abord, penses-tu que dans cette situation ils aient jamais vu autre chose d'eux-mêmes et de leurs voisins que les ombres projetées par le feu sur la paroi de la caverne qui leur fait face ? – Et comment ? observa-t-il, s'ils sont forcés de rester la tête immobile durant toute leur vie ? – Et pour les objets qui défilent, n'en est-il pas de même ? – Sans contredit. – Si donc ils pouvaient s'entretenir ensemble ne penses-tu pas qu'ils prendraient pour des objets réels les ombres qu'ils verraient ? – Il y a nécessité. – Et si la paroi du fond de la prison avait un écho, chaque fois que l'un des porteurs parlerait, croiraient-ils entendre autre chose que l'ombre qui passerait devant eux ? – Non, par Zeus, dit-il.

Platon, *La République*, VII, 515a-515b,
trad. R. Baccou, GF-Flammarion.

Des ombres et des échos se répondent dans le clair-obscur quotidien. Ainsi va le monde, théâtre nocturne où déambulent d'incertains acteurs, devant des spectateurs fascinés. Chacun est au spectacle, sans le savoir d'abord. Tel est le mirage ordinaire de la vie, si réel que nul ne pourrait s'imaginer les ressorts de la mise en scène qui s'y déploie. Les sens témoignent, et qui les démentirait ? Scénarios d'ombres. Les ombres parlent. Au tracé des formes perçues s'ajoute l'écho des sons articulés. La fiction est reconduite et se fait oublier à la longue, comme un décor auquel on ne prête plus garde. Un discours récité, des images substituées aux originaux. Et sous la voûte noire se meuvent indéfiniment les formes fébriles. Ce ciel à mesure d'homme ressemble à un sombre plafond de théâtre.

Dans la caverne commune, la source de lumière se dérobe à la vue, comme à la pensée qui voudrait la comprendre. Un feu allumé, et invisible en amont de sa lueur projetée, tient lieu de soleil. Sa lumière d'artifice fait illusion depuis toujours. Les formes qu'elle dessine et les fonds qu'elle suggère animent et découpent un horizon de pierre. L'humanité séjourne là, patiente et soumise, prise au jeu des fantasmagories qui sillonnent l'écran. Le jeu qui se joue a bien sûr ses intrigues et ses dénouements, ses personnages bien connus, et reconnus. Plus ou moins attentifs, plus ou moins habiles à repérer les constances et les rythmes, les spectateurs ont pris leurs habitudes.

L'illusion est totale, comme le montre le fait qu'ils oublient les chaînes qui les lient : chaînes intérieures, dont on ne se sent pas captif. Comment soupçonner les apparences ? « Voilà un étrange tableau et d'étranges prisonniers. » Étrange et familier aussi, ce spectacle audiovisuel dont la caverne est le théâtre.

La façon dont le monde nous affecte est d'abord plus forte que toute pensée, et le doute tarde à déchirer la comédie ordinaire. Depuis toujours, par condition naturelle, les hommes sont rivés à ce qu'ils voient et entendent, sans soupçonner d'abord que leur position, toute relative, conditionne un tel spectacle. Se savent-ils même au spectacle ?

L'illusion qui ne leur fait attribuer de réalité qu'aux ombres et aux échos montre que non. C'est qu'ils se *représentent* les choses : celles-ci n'existent pour eux que par les rencontres sensorielles multiples qui les font et les défont, dans une expérience qui développe ses parcours indéfinis et ne trouve en elle que des liens d'imagination : retours réguliers de certaines apparences, ressemblances et proximités qui organisent les croyances, suscitent les espoirs et les craintes.

Nulle échappée n'est possible, sinon par une conversion du regard. Celui-ci doit cesser de chercher à voir ce qu'il ne peut voir et qui est d'un autre ordre que le visible. Ce que sont les choses mêmes, les rapports constants qui les définissent objectivement, ne peut être touché ni des yeux ni d'aucun sens.

Changer de registre, et comprendre vraiment, c'est se tourner vers la vérité des choses, les délivrer de ce spectacle où elles ne donnent d'elles-mêmes que ce que permet de saisir un contexte particulier, la mise en perspective d'une situation par un désir. Véritable *conversion*, dit Platon, au sens où il s'agit de se tourner dans une autre direction, ce qui est la métaphore du mouvement vers l'intelligible, inaccessible par les sens, car ceux-ci ne témoignent que de la façon dont le monde nous affecte.

Les apparences ont en elles leur vérité, mais il faut se déprendre, pour la découvrir, du monde clos qu'elles organisent. Le soleil tournant autour de la terre, entre aurore et crépuscule, peut bien se « lever » et se « coucher », comme les hommes aiment à le dire. Mais il ne s'agit là que d'une illusion de perspective, utile seulement pour scander la journée de repères commodes. Le feu de midi, au zénith obscur de la caverne, fera place à la lumière déclinante du soir, quand pour d'autres hommes, également captifs des apparences, le même « soleil » accomplira simultanément le chemin inverse.

L'ordre de la connaissance rationnelle ne change rien aux apparences, qui suivent leur cycle quotidien et s'agencent à l'identique. Je vois le soleil tourner autour de la terre et je sais qu'il n'en est rien. Ainsi disparaît non l'apparence, mais son pouvoir d'illusion, et le registre du vécu est préservé en ses repères familiers. La connaissance délivre sans exiler. Pour habiter, nul besoin de refuser ce monde natal. C'est pourquoi l'homme libre et le prisonnier sont une seule et même personne. Le vrai voyage, qui affranchit, est celui de la pensée, qui traverse les apparences et cesse de s'y laisser prendre, sans jamais pourtant les nier.

Une telle distance à soi sauve le monde perçu, mais lui retire tout pouvoir trompeur. Le récit prend tout son sens, qui dit la force éveillée de l'intelligence. Advenir à la raison est difficile, voire pénible. Il faudra remonter la pente, si naturellement suivie, et accommoder ses yeux à une autre lumière. On imagine le prisonnier brisant ses chaînes, se tournant vers l'entrée de la caverne, remontant graduellement le chemin pour enfin sortir à la lumière du jour, et porter son regard vers les vifs contours des choses mêmes, formes premières qui rayonnent de leur vérité sûre. L'aventure exemplaire de la pensée s'annonce comme un affranchissement.

Ecce homo, dit Nietzsche. *Voilà l'homme*, et du fond des grottes obscures aux paysages du soleil le même monde se redécouvre. Autre voyage imaginaire, qui réitère l'émancipation du prisonnier. La conscience grelotte d'abord, loin des torpeurs et des ombres, des faux-semblants confortables et trompeurs. Mais elle s'extirpe bientôt des préjugés ordinaires, pour libérer en elle la force de voir en plein jour. Il faut porter ses pas sur les cimes glacées où souffle une vie nouvelle, intransigeante et sans vestige d'ombre : « Il faut être créé pour une telle atmosphère, autrement on court grand risque de prendre froid. La glace est toute proche, la solitude est immense – mais il faut voir avec quelle tranquillité tout repose dans la lumière ! Que de choses alors se tiennent au-dessous de soi ! La philosophie, telle que l'ai vécue, telle que je l'ai comprise jusqu'à aujourd'hui, c'est l'existence volontaire au cœur des glaces et des montagnes hautes – la recherche de tout ce qui dans la vie a quelque chose d'étrange et de problématique, de tout ce qui, jusqu'à présent, a été condamné au nom de la morale. Une expérience prolongée, que je tiens d'un tel voyage dans tout ce qui est frappé d'interdit, m'a enseigné à regarder autrement qu'on ne le souhaite d'ordinaire les causes qui jusqu'à maintenant ont incité à moraliser et à idéaliser » (*Ecce homo*, 3, traduction originale).

2

La corbeille de pommes

Si d'aventure il avait une corbeille pleine de pommes, et qu'il appréhendât que quelques-unes ne fussent pourries, et qu'il voulût les ôter de peur qu'elles ne corrompissent le reste, comment s'y prendrait-il pour le faire ? Ne commencerait-il pas tout d'abord à vider sa corbeille ; et après cela, regardant toutes ces pommes les unes après les autres, ne choisirait-il pas celles-là seules qu'il verrait n'être point gâtées, et, laissant là les autres, ne les remettrait-il pas dedans son panier ? Tout de même aussi, ceux qui n'ont jamais bien philosophé ont diverses opinions en leur esprit qu'ils ont commencé à y amasser dès leur bas âge, et, appréhendant avec raison que la plupart ne soient pas vraies, ils tâchent de les séparer d'avec les autres, de peur que leur mélange ne les rende toutes incertaines. Et pour ne se point tromper, ils ne sauraient mieux faire que de les rejeter une fois toutes ensemble, ni plus ni moins que si elles étaient toutes fausses et incertaines ; puis les examinant par ordre les unes après les autres, reprendre celles-là seules qu'ils reconnaîtront vraies et indubitables.

Descartes, Réponse aux septièmes objections adressées
aux *Méditations métaphysiques*.

Il en est des opinions et de leurs maléfices comme des fruits dont on veut se nourrir. Mauvaises, elles aveuglent la conduite en faussant d'abord la pensée. Aussi sûrement que des fruits empoisonnés altèrent la santé. Et l'on n'y prend pas garde spontanément, car le soupçon déjà inciterait à la prudence, comme à la retenue. La réponse traditionnelle du scepticisme est connue : il faut suspendre le jugement pour se préserver de l'erreur – et de l'errance. Il y a pire en effet que l'ignorance consciente d'elle-même : le défaut de vigilance d'un esprit entièrement dévolu aux influences subies et aux impressions reçues.

Descartes, s'adressant à Gassendi, insiste sur l'exigence de lucidité, qui appelle le discernement sur le vrai sens des témoignages sensibles : « Lorsque vous jugez qu'une pomme qui de hasard est empoisonnée sera bonne pour votre aliment, vous concevez à la vérité fort bien que son odeur, sa couleur et même son goût sont agréables, mais vous ne concevez pas pour cela que cette pomme vous doive être utile si vous en faites votre aliment ; mais parce que vous le voulez ainsi, vous le jugez de la sorte. »

Comment se préserver des jugements hérités de l'enfance, des préjugés formés quand la conscience n'était pas en mesure d'examiner ni de mettre à distance ce qui la sollicitait et l'investissait ? Il n'est pas légitime de frapper de fausseté tous ces jugements du seul fait qu'ils ont été acquis de cette manière. On peut, passivement, faire siennes des opinions vraies. Leur valeur intrinsèque n'a pas de rapport nécessaire avec la façon dont elles sont transmises. Mais pour lever l'ascendant des opinions habituelles, il faut faire *comme si* toutes étaient fausses, afin d'éviter qu'une seule d'entre elles puisse exercer son emprise alors qu'elle n'a aucun fondement. S'en délivrer totalement l'esprit est donc un geste salutaire, qui radicalise la précaution.

Il convient alors de suspendre tout assentiment et de convoquer toute opinion pour en examiner les titres et les prétentions, sans en excepter aucune. Ainsi, plus tard, l'épreuve étant surmontée, aucun doute ne pourra plus subsister. Une opinion fausse contamine d'autant plus aisément qu'elle exerce son ascendant pour de mauvaises raisons, qui prennent trop souvent l'apparence de bonnes. La contagion n'est pas loin, qui peut conduire à faire douter des opinions fondées, entraînant dans un relativisme aveugle. La distinction est urgente, comme la séparation qui évite un tel amalgame.

On vide un panier dont certaines pommes sont douteuses, comme on décide de se défaire, par principe, de toutes les opinions reçues, c'est-à-dire adoptées passivement. Le soupçon qui pèse sur toutes les pommes du fait que certaines sont pourries ne peut être levé vraiment qu'après inventaire complet. Dans cette démarche se reconnaît le souci d'être maître de ses jugements et de s'ouvrir ainsi le chemin de la vérité. Philosopher, c'est prendre soin de ses idées.

Descartes fait donc retour sur tout ce qu'il croit savoir : « Pour toutes les opinions que j'avais reçues jusques alors en ma créance, je ne pouvais mieux faire que d'entreprendre, une bonne fois, de les en ôter, afin d'y en remettre par après, ou d'autres meilleures, ou bien les mêmes, lorsque je les aurais ajustées au niveau de la raison » (*Discours de la méthode*, deuxième partie).

Les opinions ne sont que *crues*, alors que les vérités sont *sues*. Cette différence est décisive, car elle concerne la façon dont la conscience se rapporte à ce qu'elle tient pour vrai. Son assentiment, lorsqu'il est lucide, s'assortit de cette mise à distance qui fait saisir qu'une croyance ne peut se confondre avec une connaissance. Croire en Dieu, ce n'est pas la même chose que savoir que deux et deux font quatre, ou que l'eau bout à cent degrés. Quiconque confondrait les registres ne serait pas loin du fanatisme, ou tout au moins de l'aveuglement. On ne peut « reconnaître » une croyance comme on reconnaît une vérité. Le fait de rappeler qu'il s'agit bien d'une croyance évite tout obscurantisme, et ôte toute justification à la violence par laquelle on prétendrait imposer un credo.

Descartes insiste donc autant sur la façon dont l'esprit adopte des pensées que sur leur contenu intrinsèque. Que serait une vérité crue et non sue ? Platon rappelait que l'opinion vraie ne peut rendre compte d'elle-même que lorsqu'elle s'insère dans la cohérence d'une science, car alors seulement elle relève de démonstrations possibles.

Le doute ainsi pratiqué, et cultivé, permet de dépasser la déception existentielle éprouvée par celui qui découvre s'être trompé. Avoir tenu le faux pour vrai, et s'en rendre compte. L'amertume d'un tel constat peut jeter une ombre sur toute possibilité de juger sans s'abuser. Mais Descartes en tire plutôt parti comme d'une expérience exemplaire, qui invite à refonder le rapport à la vérité.

La suspension méthodique du jugement est donc délibérée, active, et elle ne compromet nullement la faculté de donner à nouveau son assentiment à une vérité, pourvu qu'elle soit clairement identifiable. Elle ne préjuge pas du sort qui sera finalement réservé, après examen, à chaque opinion. C'est dire que le doute qui frappe sans distinction est par son universalité même une garantie d'objectivité future, puisque le tri prend pour point de départ une équivalence de principe des opinions examinées. C'est bien en même temps et de la même façon (*simul* et *semel*, en latin) qu'elles sont mises à l'épreuve. Descartes donnera la décision d'instaurer un tel doute comme l'exemple même de l'action libre (*Principes de la philosophie*, I, 39).

Le doute radical ne rature pas l'héritage culturel. Il ne s'agit pas de faire table rase des acquis de l'histoire humaine, mais littéralement de ressourcer la puissance de juger en la reconduisant à son pouvoir propre, en deçà des captations diverses, des préjugés et des faux-semblants de l'expérience. Ce retour à la terre natale du vrai permet à la fois de recueillir l'héritage et d'inventer ce qui doit l'être. La démarche critique n'enveloppe aucune ingratitude, ni aucun rejet réactif du passé. Il ne s'agit ni de se poser en s'opposant, ni de substituer de nouveaux préjugés aux anciens.

Une autre image légendaire de la philosophie décrit l'emprise du dogmatisme, et la nécessité d'un éveil critique. Kant évoque le « sommeil dogmatique », dont la démarche de Hume l'a tiré : « Je l'avoue franchement ; ce fut l'avertissement de David Hume qui interrompit d'abord, voilà bien des années, mon sommeil dogmatique, et qui donna à mes recherches en philosophie spéculative une tout autre direction » (Kant, *Prolégomènes à toute métaphysique future qui pourra se présenter comme un science*).

3

Le roseau pensant

L'homme n'est qu'un roseau, le plus faible de toute la nature ; mais c'est un roseau pensant. Il ne faut pas que l'univers s'arme pour l'écraser : une vapeur, une goutte d'eau, suffit pour le tuer. Mais, quand l'univers l'écraserait, l'homme serait encore plus noble que ce qui le tue, parce qu'il sait qu'il meurt, et l'avantage que l'univers a sur lui ; l'univers n'en sait rien. Toute notre dignité consiste donc en la pensée. C'est de là qu'il faut nous relever et non de l'espace et de la durée, que nous ne saurions remplir. Travaillons donc à bien penser : voilà le principe de la morale.

Pascal, *Pensées*, Brunschvicg 347.

Le corps transi et ténu porte en lui la flamme vive qui s'obstine.

On songe à Pascal malade, dont le corps souffrant hébergeait le génie. La conscience de la finitude se fait alors très intense. « La grandeur de l'homme est grande en ce qu'il se connaît misérable. » Le seul pouvoir qui reste à l'homme quand le mal gagne, c'est la pensée. À condition que la souffrance, retentissant dans l'être tout entier, lui laisse encore le loisir de cultiver ce registre unique.

Le roseau pensant opère la jonction de deux mondes. Il dit, en deux mots, la découverte de soi tout à la fois par ce qui abaisse et par ce qui élève. Ce qui abaisse concerne la seule puissance physique, plus ou moins grande, mais innocente : un roseau ne peut commettre de faute, pas plus qu'un cyclone qui brise tout sur son passage. Un être conscient et pensant le peut, et là sans doute réside une faiblesse, logée dans un autre type de force. Ce qui élève est donc aussi ce qui peut abaisser d'une autre manière. Des êtres qui pensent on doit attendre autre chose que la simple vigueur charnelle.

Comment l'homme prend-il la mesure de ce qu'il est ? Il lui faut d'abord distinguer ses domaines de faiblesse et de force, pour ne pas se méprendre sur ce qu'il peut véritablement. Il n'a guère à hésiter pour se savoir fragile et vulnérable. L'évidence ne ment pas, lorsque la blessure est profonde, ou que la maladie met l'être en question jusqu'à sa force ultime. Chez La Fontaine, le chêne moque le roseau dont il toise l'apparente faiblesse. La tempête renverse bientôt la hiérarchie. Toute force physique est donc relative, et l'ordre des grandeurs qu'elle manifeste se voit reconduit à ses limites. La faiblesse première du roseau, c'est finalement sa force.

Dans le monde humain, cet ordre des grandeurs physiques se décline en plusieurs registres. Force, richesse, pouvoir, prestige. Les *cordes d'imagination* ne font pas peu dans ces grandeurs. Elles en dessinent la fascination. Il y a d'abord l'ordre visible de la chair et de ses apparats, des protocoles et des cérémonies. L'homme nu, en amont de ces signes qui en imposent, paraîtra bien faible, si l'habitude est prise de juger par ce qui est établi et consacré. Retour à soi. Le roi se meurt, et son pauvre corps qui grelotte avant le dernier souffle n'est déjà plus le corps sacré du royaume : la reconnaisance publique l'a presque déserté, pour transiter vers une nouvelle incarnation. De la finitude, nul ne réchappe. Un rien tue et plonge dans le néant. Le misérable roseau humain ne peut nourrir d'illusion sur son destin final.

Le roseau n'est qu'un roseau : c'est dire avec insistance que l'ordre de réalité dont il relève ne peut jamais être oublié. Rapporté au règne végétal, l'homme descend, si l'on peut dire, de deux degrés dans l'échelle des êtres : animal fragile, plante ténue. Présence irrécusable de l'ordre matériel et de ses lois sans appel. Un simple souffle, par effet mécanique, l'écrase et le réduit en fait à ce qu'il est dans l'ordre physique : la plus frêle des tiges, un roseau, une réalité dérisoire.

Mais référé au règne spirituel, l'homme gravit un degré décisif. Le roseau humain est conscience, et par là esprit. Il participe dès lors d'un ordre sans mesure commune avec la force aveugle de l'univers, et cela même s'il provient de sa poussière primitive. Il fait appel de sa faiblesse, non en rompant immédiatement avec les lois de la nature, mais en révélant le pouvoir de pensée qu'elles rendent possible. L'ordre visible des corps subsiste. Mais l'ordre invisible des esprits en relativise la portée. Il faut penser pour comprendre ce qui se joue dans la comédie belle ou laide, et pour y tenir un rôle qui ne soit pas indigne. Il faut penser, aussi, pour prendre la mesure d'une condition mixte – *ni ange ni bête* – et ne pas se tromper sur ce qui vaut vraiment. Le miroir de la conscience se contente pas de refléter ; il éclaire, en captant les rayons du soleil pour faire la lumière sur les choses. C'est qu'il faudra bien agir sur elles aussi lucidement que possible. Ainsi s'esquisse l'autonomie de l'ordre humain.

Menacée sans cesse, la présence au monde se fait ainsi consciente d'elle-même. La fragilité demeure, mais la faculté de l'éprouver la transcende et la transfigure. Sensible au cœur comme à la raison, la finitude vécue et connue comme telle est à la fois source et horizon : elle interdit la morgue des grands de ce monde et les ressentiments dérisoires. Sans rompre l'ordre des choses naturelles ni conjurer leur loi inexorable, la pensée définit un pouvoir de distance intérieure, qui détache de l'immédiat. Elle inaugure ainsi un nouveau registre d'existence, un nouveau mode d'affirmation qui fait le prix de la condition humaine avant même de l'affranchir concrètement des tragédies de sa faiblesse, quand cela se peut.

La pensée en acte a beau résider en un être précaire, elle n'en esquisse pas moins la force inédite de l'homme. À mi-chemin du pur esprit que ne limite aucune incarnation mais qui n'a pas à vivre l'aventure du monde et des réalités brutes, sans conscience. L'ordre supérieur des esprits se dispense dans le monde, pour y faire sens. La nature sensible s'y délivre de sa force brute et aveugle. Dans le même moment, la pensée consciente d'elle-même s'affranchit de l'existence chétive en laquelle elle séjourne.

Il y a de la noblesse dans ce genre d'être. Et cette noblesse tient à la fonction remplie, au rôle assumé, plus qu'à la provenance supposée. Les philosophes matérialistes penseront qu'elle advient par une organisation originale de la matière, comme dans le poème de Lucrèce sur la nature. Les penseurs spiritualistes croiront qu'elle atteste un principe spirituel premier qu'on ne peut dériver d'autre chose que lui-même, comme chez les théologiens chrétiens. Mais les uns et les autres reconnaîtront bien que la pensée singularise l'humanité de façon décisive. Aristote écrivait : « l'homme est né pour deux choses : pour penser et pour agir en dieu mortel qu'il est ».

Pascal fait état d'un troisième ordre, qui se tient selon lui au-dessus des plus grands esprits eux-mêmes, et leur fournit un idéal de référence tout en leur restant incommensurable. La *charité*, qui est une sorte de dévotion inconditionnelle à l'égard de Dieu, ou, pour d'autres penseurs, de l'humanité, met en perspective les deux autres ordres. Elle leur reste incomparable par l'absolu qu'elle représente, mais elle en fonde ou en refonde la raison d'être.

Dans la lumière pascalienne de l'amour de Dieu – ou de l'humanité pour un autre type d'option spirituelle –, l'ordre des choses sensibles et l'ordre des esprits viennent s'inscrire et se relativiser tout à la fois. Le savoir des choses et de soi, la conscience fervente du roseau qui se sait pensée en acte et pense sa pensée, font alors signe vers quelque chose comme un absolu fondateur. Une exigence de sagesse éthique vient ici expliciter la vraie lucidité et donner à tout savoir son sens ultime. Cette exigence d'une raison qui remonte au cœur vient empêcher deux naufrages. Celui d'une éthique de la finitude sombrant dans le désespoir ; et celui de la joie de savoir, comme de se savoir esprit, devenant suffisance. Pascal dit encore : « tous les corps ensemble, et tous les esprits ensemble, et toutes leurs productions, ne valent pas le moindre mouvement de charité » (*Pensées*, Brunschvicg 793).

La vraie pensée est modestie, et converge avec la répugnance à voir souffrir autrui, que Rousseau appelait pitié, et qu'il disait indissociable du souci de soi. Elle est aussi dialogue. Platon la dit « dialogue intérieur et silencieux de l'âme avec elle-même » (*Le Sophiste*, 263e). Cette figure dialoguée de la réflexion exprime à sa manière l'interrogation native, inscrite au cœur de toute existence, dans la fragilité même du roseau.

4

Les ailes de l'âme

Quand, en voyant la beauté d'ici-bas et en se remémorant la vraie beauté, on prend des ailes et que, pourvu de ces ailes, on éprouve un vif désir de s'envoler sans y arriver, quand, comme l'oiseau, on porte son regard vers le haut et qu'on néglige les choses d'ici-bas, on a ce qui faut pour se faire accuser de folie.

Platon, *Phèdre*, 249d,
trad. L. Brisson, GF-Flammarion.

Comment décrire l'expérience du vrai et du beau ? Verlaine évoque la légèreté de l'être, qui se dirait par un poème « *sans rien en lui qui pèse ou qui pose* ». On s'affranchit de la pesanteur des choses. On se sent « *pousser des ailes* », comme dit l'expression commune.

Il n'est de transport qu'à partir d'un corps et d'un lieu. Les ailes de l'âme, Platon le rappelle, sont d'abord charnelles. De toutes les réalités charnelles, elles sont selon lui la plus essentielle, celle qui conduit l'homme au meilleur de lui-même : « La nature a donné à l'aile le pouvoir d'entraîner vers le haut ce qui est pesant, en l'élevant dans les hauteurs où l'espèce des dieux a établi sa demeure ; l'aile est, d'une certaine manière, la réalité corporelle qui participe le plus au divin. Or le divin est beau, sage, bon, et possède toutes les qualités de cet ordre : en tout cas rien ne contribue davantage que ces qualités à nourrir et à développer ce que l'âme a d'ailé, tandis que la laideur, le mal, et ce qui est le contraire des qualités précédentes dégrade et détruit ce qu'en elle il y a d'ailé » (*Phèdre*, 246c-e).

Transporté, celui que saisit la jouissance esthétique ou intellectuelle éprouve en lui un pouvoir de dépasser les limites. Le regard ainsi délivré décèle dans le paysage des choses une lumière secrète qui le transfigure et l'exalte. L'enthousiasme est, littéralement, transport dans le dieu. Comme si pouvait advenir, au sein même de la finitude et d'une appréhension toujours relative et située, quelque chose comme un regard absolu, pleinement adéquat à la vérité qu'il saisit et dont la présence en lui s'affirme sans entrave. Spinoza parle à ce sujet d'une certaine expérience d'éternité.

Mais l'illuminé aussi peut se dire habité par une telle disposition. D'où l'ambiguïté de l'enthousiasme et du sentiment qui lui correspond. Les lumières n'ont rien à voir avec l'illumination, et l'exigence qui les définit se situe aux antipodes de l'irrationalisme. C'est qu'elles sont d'abord un *travail* de la pensée. Et l'évidence de son résultat, s'offrant dans la forme instantanée d'une intuition, ne peut le faire oublier. Le seul fait qu'elle semble se donner comme une offrande facile est ici trompeur. Les plus lumineuses intuitions sont préparées par la réflexion la plus exigeante.

Le regard soucieux de vérité apprend à scruter les choses, à former les idées qui les lient, à s'enrichir de leurs souvenirs. Ces parcours font mieux que construire une expérience : ils en changent le registre pour la porter à sa conscience de soi. À terme, les proportions constantes qui renvoient d'une chose à l'autre, qui tissent le réel, s'y manifestent comme une lumière intérieure. Le sens du vrai les reconnaît alors comme l'écho d'une science intime, saisie comme déjà présente, et depuis toujours. Par cette science du monde insoupçonnée d'abord, le sensible se délivre de ses limites quotidiennes.

Cette science, la beauté la fait paraître, parce que, en un sens, elle veillait déjà dans l'ordinaire de l'expérience. Bientôt, les perceptions elles-mêmes, couleur et son marquant leur présence vivante, répondent aux idées qu'elles éveillent. Tout se passe alors comme si la conscience s'ouvrait au spectacle des choses à partir d'une mémoire où elles ont laissé leur trace. C'est ainsi qu'elles s'inscrivent dans un scénario prêt à les accueillir, et qu'elles font désormais sens.

Le bel objet, où se reconnaît la proportion d'un équilibre, appelle à son dépassement par le seul fait que la beauté s'y dispense mais s'y tient dans les limites d'un lieu et d'un temps. L'image qu'en retient la conscience est déjà délivrée de ces limites, alors même qu'elle consacre une absence. C'est qu'elle se fixe sur son harmonie unique, source première de l'émotion. Et cette harmonie dit quelque chose d'essentiel, qui survit au souffle éphémère des réalités sensibles. Comme si la vie se déliait des formes transitoires qui l'accomplissent, pour mieux faire signe vers ce qui les dépasse, et prend le relais. L'envol de la pensée ressemble à l'effort de mémoire d'une conscience habitée par la richesse du monde et le savoir qui l'exprime.

N'est-ce pas dire que tout homme, comme tel, se trouve muni dès la naissance de ce qui lui permettra de savoir ? On peut comprendre ainsi l'idée que découvrir c'est se ressouvenir. La connaissance n'est pas remémoration passive, mais mémoire vive de l'intelligence. Connaître, c'est reconnaître, en ce sens qu'on n'apprend véritablement que de soi, et par soi.

L'occasion d'un tel éveil intérieur est le spectacle des choses, ou le discours qui montre, c'est-à-dire, littéralement, qui enseigne. Pour l'enseignement ainsi conçu, le mouvement de l'esprit qui comprend n'est en aucune manière comparable à l'accueil passif d'une « information ». Il a toute la force en acte d'un travail personnel, impossible à déléguer.

L'envol de la pensée peut s'appréhender comme œuvre vivante de mémoire : l'esprit qui pense découvre en soi non les vérités toutes faites mais la faculté de les trouver, ou de les retrouver. Il accède ainsi, intérieurement, au sens d'une relation dont il lui suffisait de s'aviser, en portant son attention sur elle. Saisir le beau, saisir le juste, c'est en fin de compte saisir le vrai, par l'effort d'une conscience tendue vers l'ordre intime des choses, ce qui fait qu'elles sont ce qu'elles sont.

Des sensations multiples à l'unité qui les réunit en une forme claire et distincte, de cette forme comprise et retenue à tout objet qui la rappelle et se comprend en elle, la pensée ouvre ses chemins, comme si elle dressait une carte du monde. La beauté ici-bas, c'est la beauté multipliée dans les rencontres et les hasards, les fragilités des êtres et des choses. Présence pleine, car un seul instant la donne tout entière et permet d'en éprouver la force.

Mais l'instant qui ouvre ainsi sur l'absolu est lui-même relatif et ne survit que dans la nostalgie de ce qu'il fut. La présence aperçue en lui esquissait déjà son effacement, car le temps allait bientôt la dissoudre. Reste alors la mémoire du vrai, splendeur qui survit aux couleurs estompées. L'évanescence même des beaux objets, des beaux corps, libère la beauté des limites de son expression tout en en consacrant la perfection sensible. C'est en cela qu'elle invite la conscience à dépasser

ses incarnations pour s'élever à l'essence idéale dont elle suggère les contours.

L'expérience première du beau est, en un sens, paradoxale.
Elle pourrait bien se suffire à elle-même par la plénitude sensible qu'elle donne à ressentir ; mais elle conduit au-delà
d'elle-même par la soif d'absolu qu'elle réveille et entretient.
Elle tient en ce sens de l'amour, à la fois comblé par ce qu'il
donne et insatisfait en raison de ce qu'il fait entrevoir. Ainsi se
dessine le trajet d'une ascension graduelle. On s'élève de la
beauté d'un bel objet à celle d'un beau corps. Puis le mouvement se poursuit vers celle d'une âme belle, pour accéder
enfin au beau en soi. Celui-ci peut se dire tel en ce qu'il n'est
pas beau seulement sous un rapport, mais absolument et sous
tous rapports. L'expérience de l'absolu ne se donne pas ici par
quelque transport loin des choses et des êtres, mais par la
découverte de ce qui les habite, et les réunit : la proportion
équilibrée, l'évidence d'une forme, l'harmonie d'un rapport.

Ce que Platon comprend comme une dialectique ascendante,
notamment dans le dialogue du *Banquet*, établit la correspondance d'un sentiment proprement humain, l'amour, et d'une
exigence cristallisée en idéal, la beauté. Diotime s'adresse alors à
Socrate en des termes mémorables : « Quels sentiments pourrait
bien éprouver un homme qui arriverait à voir la beauté en elle-
même, simple, pure, sans mélange, étrangère à l'infection des
chairs humaines, des couleurs, et d'une foule d'autres futilités
mortelles, qui parviendrait à contempler la beauté en elle-même,
celle qui est divine, dans l'unicité de sa Forme ? Estimes-tu qu'elle
est misérable la vie de l'homme qui élève les yeux vers là-haut, qui
contemple cette beauté par le moyen qu'il faut et qui s'unit à
elle ? » (211e-212a).

Conscience de l'expérience décantée, l'âme humaine peut
se comprendre, en sa puissance d'envol, comme la force
propre de la pensée, qui délivre des affections et des troubles
intérieurs pour donner accès à ce qui existe indépendamment
des tourments du désir.

Cette étrange dualité fait de la conduite existentielle une
résultante de deux forces contraires, dont l'une tend à enliser
l'homme dans la servitude des désirs et des affections, et
l'autre s'efforce de l'élever vers le savoir du vrai. Ce conflit
intérieur est éprouvant, mais il tient à la vie même, en son cheminement. Une autre image de Platon le figure : celle de *l'attelage ailé*. Les ailes de l'âme y sont en quelque sorte opposées

aux pulsions spontanées d'un désir sans frein, qui rive la conscience aux illusions du moment. Et le cocher de cet attelage
singulier a fort à faire. « Il faut se représenter l'âme comme
une puissance composée par nature d'un attelage ailé et d'un
cocher. Cela étant, chez les dieux, les chevaux et les cochers
sont tous bons, et de bonne race, alors que pour le reste des
vivants, il y a mélange. Chez nous – premier point – celui qui
commande est le cocher d'un équipage apparié ; de ces deux
chevaux – second point – l'un est d'une race bonne et belle,
alors que l'autre est le contraire et d'une race contraire. Dès
lors, dans notre cas, c'est quelque chose de difficile et d'ingrat
que d'être cocher » (Platon, *Phèdre*, 246a-b).

5
L'œil miroir

– Comment pourrions-nous maintenant savoir le plus clairement possible ce qu'est « soi-même » ? Il semble que lorsque nous le saurons, nous nous connaîtrons aussi nous-mêmes. Mais par les dieux, cette heureuse parole de l'inscription delphique que nous rappelions à l'instant, ne la comprenons-nous pas ? – Qu'as-tu à l'esprit en disant cela Socrate ? – Je vais t'expliquer ce que je soupçonne que nous dit et nous conseille cette inscription. Il n'y en a peut-être pas beaucoup de paradigmes, si ce n'est la vue. – Que veux-tu dire par là ? – Examine la chose avec moi. Si c'était à notre regard, comme à un homme, que cette inscription s'adressait en lui conseillant : « regarde-toi toi-même », comment comprendrions-nous cette exhortation ? Ne serait-ce pas de regarder un objet dans lequel l'œil se verrait lui-même ? – Évidemment. – Quel est parmi les objets, celui vers lequel nous pensons qu'il faut tourner notre regard pour à la fois le voir et nous voir nous-mêmes ? – C'est évidemment un miroir, Socrate, ou quelque chose de semblable. – Bien dit. Mais, dans l'œil grâce auquel nous voyons, n'y a-t-il pas quelque chose de cette sorte ? – Bien sûr. – N'as-tu pas remarqué que, lorsque nous regardons l'œil de quelqu'un qui nous fait face, notre visage se réfléchit dans sa pupille comme dans un miroir. [...] Donc, lorsqu'un œil observe un autre œil et qu'il porte son regard sur ce qu'il y a de meilleur en lui, c'est-à-dire ce par quoi il vit, il s'y voit lui-même. – C'est ce qu'il semble. [...] – Eh bien alors, mon cher Alcibiade, l'âme aussi, si elle veut se connaître elle-même, doit porter son regard sur une âme et avant tout sur cet endroit de l'âme où se trouve l'excellence de l'âme, le savoir, ou sur une autre chose à laquelle cet endroit de l'âme est semblable.

Platon, *Alcibiade*, 132b-133b,
trad. C. Marbœuf et J.-F. Pradeau, GF-Flammarion.

Je pense. Et par là même j'éprouve que j'existe. *Cogito ergo sum.* Cette étrange et familière découverte me fait considérer, d'un seul coup, l'activité muette qui sous-tendait ma vie. Je me saisis, en une intuition forte, comme un être dont l'existence même est indissociable de la pensée en acte. Il n'a fallu aucune démonstration, aucun détour par le concept. Seule a valu l'intuition d'une conscience en éveil, qui se suffit à elle-même pour établir une certitude. On comprend que le fameux cogito de Descartes puisse servir de norme en raison de son évidence. Mais à un tel énoncé peut-on faire correspondre une image appropriée ? Il faut que la réflexion s'y appréhende en tant que pure activité, impossible à décrire d'abord comme un objet observable.

L'œil qui cherche à se voir dans un miroir répond bien à une telle exigence. Encore faut-il préciser que ce n'est pas n'importe quel miroir qui peut lui renvoyer l'image de ce qu'il est, c'est-à-dire de ce qu'il fait. Le meilleur miroir de la vision sera un autre œil. Miroir mouvant et vif, qui participe de la même activité que celle du regard qui l'observe, et dont la vie même est celle de la réflexion. Il ne s'agit pas alors de décrire des propriétés ni d'exhiber les résultats de la pensée, mais bien de la saisir comme telle. En regardant un œil, je me reflète en lui, et je vois cela même qui ressemble à ce par quoi je regarde.

C'est la *pupille*, et non l'œil tout entier, qui concentre en elle cette puissance de vision. Foyer mystérieux, similaire en tous, quelle que soit la couleur ou la forme des yeux par ailleurs. Ce n'est donc pas la singularité de la personne qui est alors visée, mais la faculté commune des hommes qui fait de l'œil l'organe de la pensée, de l'observation attentive et réfléchie, de la contemplation aussi. Ainsi, la connaissance de soi comme sujet connaissant, distinct de la personne en son histoire singulière comme en ses émotions intimes, se dégage des captations de la vie.

L'identité de soi à soi dans la connaissance de l'esprit par lui-même se donne comme une transparence du rapport à soi et pourrait prêter à méprise si on en oublie, justement, la dimension idéale. Il n'y a jamais de pur regard ni de totale déliaison de la pensée par rapport aux affections. Mais la métaphore de l'œil miroir n'invite nullement à comprendre la pensée comme un produit pur que l'on pourrait détenir comme on possède une fois pour toutes quelque bien. Elle fait signe, simplement, vers ce moment rare et précieux d'une présence à soi, sans entrave aucune, de l'activité pensante telle qu'elle peut se connaître elle-même en tous et en chacun.

Je vois ce qui voit ; et je me regarde voir, les deux pupilles se réfléchissant l'une dans l'autre. C'est en l'occurrence un miroir intérieur qui rend possible une telle conscience, ce qui fait dire à Descartes : « Ce n'est point l'œil qui se voit lui-même ni le miroir, mais bien l'esprit, lequel seul connaît et le miroir, et l'œil et soi-même » (*Cinquièmes réponses aux objections*).

Hegel n'a pas manqué de commenter, dans ses réflexions sur le beau et l'art, cette émotion expressive de l'œil. « C'est dans l'œil que l'âme se trouve concentrée ; elle ne voit pas seulement à travers l'œil, mais s'y laisse voir à son tour [...]. Nous dirons de l'art qu'il a pour tâche de faire en sorte qu'en tous les points de sa surface la forme phénoménale devienne l'œil, siège de l'âme et rendant visible l'esprit » (*Esthétique*, « L'Idée du beau »).

Métaphore de l'intelligence des choses, la vision s'affirme comme activité commune à l'objet vu et au sujet qui voit. En l'occurrence, l'œil miroir met en abîme la pensée de la pensée. Il s'agit, comme le dirait Descartes, de penser « *quelque chose qui pense* ». L'isolement préalable du moi pensant, par abstraction de tout ce qui le captive et l'enchaîne à l'extériorité, n'est que l'occasion et le moyen de prendre réellement conscience de la « lumière naturelle », entendue comme pouvoir d'éclairer et non comme simple réceptivité sensible. C'est une véritable façon d'être au monde, de se l'approprier, qui se joue ici.

Dialogue de l'âme avec elle-même, la pensée fait vivre un dédoublement intérieur, comme si la conscience disposait par elle de l'étonnante faculté de se mettre à distance de ce qui l'affecte ou l'envahit, de prendre pour objet son propre mouvement, afin de le conduire, véritablement. Platon précise ainsi selon l'image du dialogue intérieur. « Le fait est que cette image que je me fais de l'âme en train de penser n'est rien d'autre que celle d'un entretien, dans lequel elle se pose à elle-même des questions et se fait à elle-même des réponses, soit qu'elle affirme ou qu'au contraire elle nie ; mais une fois qu'ayant mis dans son élan plus de lenteur ou plus de vivacité, elle a enfin statué, c'est dès lors la même chose qu'elle déclare en mettant fin à son indécision, voilà ce que nous tenons pour être son opinion, son jugement » (*Théétète*, 189e).

L'âme comme siège de la pensée se retrouve ainsi elle-même, directement, après s'être affranchie de ce qui envahissait le champ du visible. Platon rappelle que la culture intellectuelle la plus exigeante, notamment celle des mathématiques, tire l'âme hors de « *ce qui naît* » pour l'élever vers « *ce qui est* » (*République*, VII, 521d). Cette ascension est donc délivrance : « L'œil de l'âme véritablement enfoui dans je ne sais quel bar-

bare bourbier, elle le tire tout doucement et l'amène en haut, employant comme auxiliaires et compagnes de ce travail les disciplines que nous avons passées en revue » (*ibid.*, VI, 533d).

L'invitation légendaire contenue dans l'expression « *Connais-toi toi-même* » (en grec : *gnoti seauton*) est donc une incitation à la liberté comme à la lucidité qui la fonde et l'accomplit. On se connaît en effet comme transcendant, c'est-à-dire à la fois extérieur et supérieur à une réalité empirique. Ce qui concerne la puissance intellectuelle peut se transposer sur le plan affectif, dans la rencontre de plusieurs subjectivités singulières, dont aucune n'est totalement saisissable par le regard qui la manifeste.

Dans le regard de l'autre, rien ne se livre que la transcendance même, comme le souligne Sartre. Et il précise qu'ainsi autrui ne peut que m'échapper. Il se soustrait en effet à toute détermination qui le clouerait à une représentation nécessairement réductrice de son être. L'analyse du regard met en évidence, d'un même mouvement, la présence manifeste de la pensée et du sujet personnel qui vit en elle. Elle met en évidence la liberté qui en est comme le foyer intense et insondable, source mystérieuse de richesses futures.

> Tes yeux sont si profonds qu'en m'y penchant pour boire
> J'ai vu tous les soleils y venir se mirer (Aragon).

6

La tête bien faite

À un enfant de maison qui recherche les lettres, non pour le gain, ni tant pour les commodités externes que pour les siennes propres, et pour s'en enrichir et parer au-dedans, ayant plutôt envie d'en tirer un habile homme qu'un homme savant, je voudrais aussi qu'on fût soigneux de lui choisir un conducteur qui eût plutôt la tête bien faite que bien pleine, et qu'on y requît tous les deux, mais plus les mœurs et l'entendement que la science ; et qu'il se conduisît en sa charge d'une nouvelle manière.

Montaigne, Essais, I, XXVI.

Quelle est la fin de l'instruction ? Former un homme capable de penser et d'agir par lui-même. Il lui faudra pour cela disposer des références que fournit la culture. Mais seule la puissance du jugement éclairé peut donner sens et réalité à ce projet.

Un tel homme sera en mesure de se conduire, c'est-à-dire d'être l'auteur de ses actions comme de ses pensées. En ce sens, l'instruction est le fondement décisif d'une éducation qui se propose de former des hommes libres. C'est dire que l'autonomie rationnelle de la personne va de pair avec sa lucidité morale, et que l'érudition ne saurait y suffire. Le maître qui émancipe le jugement de l'élève ne peut être confondu avec le maître qui domine. Le latin dirait que le *magister* se distingue du *dominus* : celui qui m'instruit pour que je puisse un jour me passer de maître n'a rien à voir avec celui qui entend exercer sur moi un pouvoir de domination. Le premier permet de résister au second, et c'est en ce sens que l'on a pu parler d'*école libératrice*.

L'« institution des enfants », dont parle Montaigne, requiert donc des maîtres savants, certes, mais qui ne confondent pas la connaissance avec l'érudition. La véritable instruction suppose la présence à soi de la conscience dans la connaissance. Comprendre, ce n'est pas seulement se souvenir, et l'on peut « apprendre par cœur » sans avoir l'intelligence réelle de la chose ainsi « apprise ». Quant aux savoirs, ils ne peuvent s'accumuler sans ordre à la façon d'objets inertes transmis et rangés. Il ne s'agit donc pas de s'en remplir comme on remplirait un vase, mais de s'en nourrir intérieurement, pour façonner cette puissance de jugement qui fonde réellement la lucidité.

La « tête bien faite » ne suppose pas une tête vide, mais un type d'existence du savoir qui en fasse la sève de la lucidité. Montaigne précise que la « *tête bien pleine* » n'est pas en fait réellement opposable à la « *tête bien faite* » si elle se caractérise par la richesse d'une culture maîtrisée, bien différente d'une érudition par simple empilement. Tout dépend de la façon dont les connaissances s'y agencent en une « tête bien faite ». Les deux exigences ne sont pas incompatibles dès lors que le souci prioritaire est de mettre en perspective l'acquisition des connaissances et la sagesse qui en finalise la raison d'être.

Il ne s'agit en aucun cas de prétendre que le savoir comme tel n'a pas de valeur, mais de s'en prendre à la valorisation de la seule mémoire cumulative. Rabelais avait déjà tourné en dérision l'apprentissage fondé sur la mémoire mécanique, comme celui qui consistait à faire apprendre à Gargantua une grammaire latine en dix-huit ans et onze mois, avec le souci qu'il pût en fin de compte la réciter « *par cœur et à revers* ». Mais comme Rabelais également, Montaigne critiquait l'ignorance parée de sophistique qui prétendrait opposer la tête bien faite à la tête bien pleine.

Le « conducteur » sera d'autant mieux en mesure d'instruire pour émanciper qu'il aura lui-même cultivé un rapport vivant au savoir, et pour cela se sera davantage efforcé d'être apte à bien penser. L'entendement ne s'oppose à la science que si celle-ci se fige dans la simple mémorisation de savoirs tout faits, sans compréhension active de ce qui les fonde, ni appréhension de leur sens dans la recherche du vrai et du bien. « *Science sans conscience n'est que ruine de l'âme.* »

Ici se joue le sens de l'idéal encyclopédique, trop souvent confondu avec l'empilement sans principe de connaissances diverses. L'encyclopédie, selon l'étymologie, c'est l'éducation embrassant l'ensemble des connaissances dans un cercle raisonné, c'est-à-dire au sein d'un ordre qui permette de saisir le sens et la portée de chacune. Ainsi comprise, elle est aux antipodes de la caricature trop usuelle qui sous le nom péjoratif d'« encyclopédisme » entend la disqualifier. L'idéal encyclopédique est bien celui d'une unité organique des savoirs, visant *le* savoir, en son sens émancipateur et critique. Chez Rabelais déjà, l'encyclopédie, comme ensemble complet de connaissances, permet une reconnaissance de la place, du statut, de chaque savoir. La systématisation circulaire (en grec, *enkuklos*) s'accorde parfaitement avec l'idée d'un cycle entier de formation (*païdeia*), dans la mesure où l'édifice des connaissances acquises par l'humanité entière peut fournir la base de l'instruction de chaque homme, et soutenir ainsi le processus éducatif en lui transmettant toute la richesse d'un héritage.

L'élève, le petit homme, se met à l'écoute de toute l'humanité, de la culture universelle, pour s'élever lui-même à la plénitude de son être, à la pensée instruite qui délivre des faux-semblants du vécu immédiat et participe à la construction toujours difficile de la lucidité. Quant à la dimension critique et libératrice de l'idéal encyclopédique, il faudra y revenir plus loin, mais il est déjà possible de rappeler que l'encyclopédie des humanistes de la Renaissance s'oppose aux totalisations dogmatiques et autoritaires des « *Summae* » médiévales, sommes de savoirs sous finalité émancipatrice.

C'est le sens de l'institution des enfants, puis de l'institution scolaire, qui peut se comprendre à partir de là. « L'École est le lieu où l'on va s'instruire de ce que l'on ignore ou de ce que l'on sait mal pour pouvoir, le moment venu, se passer de maître » (Jacques Muglioni, *Philosophie, École même combat*, 1984). Une telle définition peut valoir pour toute école, particulière ou générale. Mais dans le cas d'une institution publique, soucieuse de soustraire l'instruction à la disparité des situations de fortune et de pouvoir comme de culture familiale, elle prend un sens d'une singulière portée.

L'instruction n'est pas simple acquisition de biens culturels, de connaissances détenues sur le mode de l'avoir. Elle concerne l'être, qui s'accroît et se révèle tout à la fois au fur et à mesure qu'il prend ainsi conscience de ses potentialités et qu'il les accomplit. Spinoza le rappelle, dans un langage fort : la puissance de comprendre, en se développant, accroît la puissance d'agir, qui à son tour stimule et féconde la puissance de comprendre. Cette dialectique heureuse fait advenir l'autonomie de jugement, ressort essentiel de la liberté. L'instituteur ou le professeur n'a rien d'un dispensateur d'informations qui traiterait les connaissances comme des objets morts, à « transmettre » comme on transporte un objet d'un lieu à un autre.

Agissant pour que mûrisse, par la culture et les repères essentiels dont elle s'assortit, le pouvoir de juger, il apprend effectivement à l'élève ce qui, un jour, lui permettra de se passer de maître. La présupposition généreuse d'une telle démarche est que tout homme détient la puissance de penser, et qu'il ne s'agit que de l'éveiller à elle-même, de l'élever, comme dit si bien le mot élève.

Instruction et formation du jugement ne sont donc pas dissociables. L'enjeu, c'est l'émancipation intellectuelle et tous les registres d'émancipation qu'elle rend possibles : l'homme, le citoyen, le travailleur, peuvent alors assumer la liberté. Ils s'accomplissent ensemble, et non de façon inversement proportionnelle. Former l'homme, dans la plénitude de ce qu'il peut être, c'est donner au citoyen sa référence la plus exigeante et son assise la plus sûre. Instruire le futur citoyen afin que sa raison puisse juger librement et fonder l'autonomie, c'est donner au travailleur une culture universelle qui le libère de sa place dans la division du travail ; c'est lui permettre également de ne pas s'enfermer dans l'unidimensionnalité d'un métier.

L'école ouvre alors sur le légitime souci de soi, compris à l'échelle de toute l'humanité. Une telle école ne se soucie pas seulement de ce que l'homme fera dans son « travail » : elle veut rendre possible la richesse de son épanouissement, et faire éprouver la diversité de ses registres. Un homme qui s'ennuie, captif des données particulières de son existence, prisonnier d'une vision du monde induite par la seule division du travail, c'est déjà un citoyen en déshérence – proie facile pour les fanatismes d'exclusion ou les haines de compensation, ou tout simplement l'idéologie douce des préjugés ordinaires. L'idéal de la *tête bien faite* dont rêvait Montaigne n'a rien perdu de son actualité.

7

Le bouton, la fleur et le fruit

Le bouton disparaît dans l'éclosion de la fleur, et on pourrait dire que le bouton est réfuté par la fleur. De même par le fruit la fleur est dénoncée comme un faux être-là de la plante ; et le fruit prend la place de la fleur comme sa vérité. Ces formes ne sont pas seulement différentes, mais encore elles se refoulent comme mutuellement incompatibles. Mais leur nature fluide en fait en même temps des moments de l'unité organique dans laquelle elles ne s'opposent pas seulement, mais dans laquelle l'une est aussi nécessaire que l'autre et cette égale nécessité constitue seule la vie du Tout.

Hegel, Préface de la *Phénoménologie de l'Esprit*,
trad. J. Hyppolite, Aubier.

« *Et les fruits passeront la promesse des fleurs* » (Malherbe). Le poète reprend l'image d'une nature qui accomplit en niant. La métamorphose lente et réitérée de la vie trouve là sa figure sensible. La promesse passée est remplie et se dépasse : le fruit final accomplit en lui survivant la fleur qui le précède et le prépare. La négation du bouton affirme la fleur, niée à son tour par le fruit. La négation de la négation vaut donc affirmation. Tel est le passage de l'éphémère et des formes fragiles, où la vie se crée à sa propre source et s'écoule en renaissances. Le processus est développement, comme celui de la haute frondaison sillonnée d'oiseaux. Hegel évoque le gland du chêne et la tension interne du mouvement qui conduit à l'arbre majestueux. La nature est une sorte de spontanéité productrice, qui déploie les richesses d'une substance et les spatialise au fil du temps. Elle est évolution et croissance, en tout être vivant : elle se différencie sans perdre jamais ce qui fait qu'elle reste identique à elle-même.

Il est deux façons de saisir les moments de la vie. La première fixe la chose dans l'instant, comme si elle devait durer toujours. Contours arrêtés, forme que fige l'attention, que maintient la mémoire. La seconde vise le mouvement, fluidité des métamorphoses. Le temps se déploie comme la lente ouverture d'une corolle, ou l'insensible mûrissement des saveurs intimes. Bouton de fleur, calice de pétales, tendresse du fruit qui pointe. Le changement se scande en étapes, qui donnent au temps ses repères. Le temps, *nombre du mouvement*, disait Aristote, insistant sur le rythme du devenir et les phases qui s'y enchaînent. Les métamorphoses épellent les formes, qui s'évanouissent. Mort d'une fleur, dont pourtant ne disparaît que la forme. Le temps nie et affirme, pose et dépasse.

Le réel est-il autre chose que ce processus de métamorphose ? Il faut pour l'appréhender s'échapper du moment qui le fige, sans oublier pourtant l'avènement des formes qui semblent le retenir. Toutes les choses pourraient bien être vues comme des songes, du seul fait que bientôt n'en demeure pas même la mémoire. L'automne décline l'été encore proche comme un songe passé.

La vie, transitant par les formes éphémères qu'elle efface et fait naître tour à tour, n'a rien d'un réel aux repères durables. L'unité de la vie est celle de l'identité et de la différence, qu'anime une tension intérieure, puissance simultanée de négation et d'affirmation. Le bouton est à peine fermé dans la forme serrée et dense qui permet de le reconnaître qu'il va s'ouvrir déjà pour donner passage à ce qui sera la fleur d'abord frêle et fragile. Hegel parle de négativité pour évoquer la dynamique sourde d'une nature qui pousse et croît, accomplit et transforme. C'est dire que la vie jaillissante porte en elle son principe de différenciation.

Le bouton est fleur virtuelle, réellement inscrite dans son identité vivante, à la fois comme sa destination prochaine et comme la force de sa métamorphose. Et la fleur bientôt se fera fruit. Le regard patient d'un observateur, ou d'une caméra immobile, assisterait au processus graduel d'une métamorphose continue et ne saisirait plus chaque forme que comme la limite d'un mouvement. La transition insensible aurait quelque chose d'un fondu-enchaîné et la différence des formes s'inscrirait dans la continuité d'une transformation.

Plus généralement, la dialectique de la vie dit la vérité de toute chose, en ce que s'y manifeste la totalité du réel tel qu'il se détermine en elle. C'est bien la nature totale qui fait que le bouton de fleur va s'ouvrir, que la corolle laissera bientôt la place au fruit. Le processus et ses médiations expriment le dynamisme réglé de la vie, et ne peuvent être compris si l'on s'arrête aux contours des choses fixées, comme fait l'entendement dans son approche purement extérieure. La fleur déploie sa présence, toute de couleurs fraîches et de senteurs vives : l'instant est plein de sa lumière découpée, du souffle léger qui oscille en elle, et il semble bien se suffire à lui-même. Le bouton n'est plus, qui la fit naître. Le fruit n'est pas encore, qui mûrira de sa disparition.

On comprend que les deux points de vue, de l'instant et du devenir, de la plénitude des formes et de leur évanescence éprouvée, puissent tour à tour retenir l'attention.

L'histoire humaine peut-elle être comprise à partir d'une telle dialectique ? Marx fait remarquer qu'une société nouvelle naît « des flancs de l'ancienne ». Entre l'Ancien Régime et la construction démocratique, il y aurait donc à la fois continuité et discontinuité. C'est que la négation opère toujours sur des données particulières et à partir d'elles. Elle ne peut se concevoir comme destruction totale, mais comme le moment d'opposition à soi d'une configuration sociale mue par ses propres contradictions. Ces contradictions la « travaillent » de l'intérieur, en ce sens qu'elles ne lui permettent pas de demeurer en l'état.

Ainsi, la dialectique de la nature pourrait bien se transposer dans l'histoire humaine. Il faut cependant se retenir de pousser trop loin l'analogie. C'est après coup, souvent, qu'on croit pouvoir lire le développement contradictoire du devenir historique comme un processus naturel, comparable à la transition du bouton à la fleur et de la fleur au bouton. Mais une société humaine n'évolue pas spontanément vers sa propre négation, sauf à la concevoir comme une totalité agissante, dont les différenciations internes ont pour résultante un mouvement défini. En ce sens, elle ne se différencie pas intérieurement comme le fait la plante. Elle se différencie bien plutôt d'elle-même, et l'histoire scandée de révolutions intègre des ruptures sans cesser d'être elle-même. Elle n'a pas d'autre réalité qu'un tel processus. Les évolutions préparent et rendent possibles les révolutions, et c'est en ce sens seulement que l'évolution biologique peut donner une image de l'histoire humaine. On ne tire pas sur une feuille pour la faire pousser, mais on peut rompre avec une oppression ancienne pour libérer les possibilités d'accomplissement qu'elle entravait.

La société d'Ancien Régime était sans doute porteuse de la société qui devait sortir de la Révolution française, mais une véritable rupture était nécessaire et elle ne pouvait advenir sans que les hommes se décident à en assumer l'exigence. On pourra bien souligner à loisir, à la suite de Tocqueville, la transposition du centralisme de Louis XIV dans le centralisme jacobin et républicain ; mais il restera que cette analogie de structure ne peut faire oublier la différence fondamentale qu'introduit l'avènement de la souveraineté démocratique, comme de la loi productrice d'égalité. Le centralisme lui-même change alors complètement de nature comme de fonction, et il ne présente plus avec l'ancienne organisation qu'une lointaine ressemblance, purement extérieure. S'il produit de l'égalité par la péréquation qu'il établit entre régions ou provinces, il a une dimension sociale émancipatrice qu'il n'avait évidemment pas comme instrument du pouvoir absolu du monarque de droit divin. La différence de fonction atteste une différence de nature, qui révèle la discontinuité. La rupture est à l'évidence aussi forte que la continuité.

Quant aux journées révolutionnaires, elles marquent bien que le dépassement, par négation de l'ancien et affirmation du nouveau, n'a rien d'une poussée sereine, réglée par une nécessité organique. La volonté politique, ou éthique, crée du neuf, en arrachant le devenir social à la logique de sa reproduction indéfinie. Il en est de même, selon Marx, du processus grâce auquel le capitalisme a été humanisé par les lois sociales qui en tempérèrent la sauvagerie spontanée. La négation de la négation ne pouvait alors venir que de la volonté de résistance. C'est que le « libéralisme » refusait comme par instinct toute règle qui limiterait l'exploitation. Et par « instinct » également, il tend à supprimer les règles conquises contre lui pour retrouver le libre déploiement de ses esprits animaux. La dialectique ici porte ses fruits amers, quand l'histoire semble faire retour en deçà de ses propres acquisitions.

Il est cependant un domaine de l'histoire humaine où la métaphore hégélienne peut prendre une portée originale. C'est celui de l'aventure philosophique, comme plus généralement celui de la culture. La succession des systèmes de pensée, décrite de l'extérieur, dément de prime abord l'unité profonde de la démarche philosophique, tant les penseurs sem-

blent se contredire. Mais on ne peut s'en tenir à cette
approche superficielle, qui prend pour objet une collection
d'opinions, c'est-à-dire de pensées refroidies, réduites à leurs
produits réifiés, car séparés des démarches qui leur ont donné
naissance. Ce serait faire l'élision de l'essentiel. La pensée y
déploie en effet ses exigences renouvelées, s'y nourrissant à la
fois de sa propre histoire et des questions nouvelles que ne
manque pas de faire surgir une pratique humaine en devenir.

Certes, Aristote a « contredit » Platon, Spinoza a fait de
même avec Descartes, et Hegel avec Kant. Mais cette théâtrali-
sation de la pensée n'en dévoile pas vraiment le ressort intérieur. Elle laisse entendre que se succéderaient ainsi des
« visions du monde » réduites à des opinions dont on ne pourrait que remarquer, dans une approche purement extérieure,
qu'elles se contredisent. En réalité, une lecture philosophique
de l'histoire de la philosophie permet de souligner ce qui s'y
accomplit : un processus sans cesse reconduit de mise en
œuvre des exigences de la vérité. Chaque penseur pense son
époque selon un souci de vérité, et le fait qu'il se démarque de
ses prédécesseurs tient autant à la façon dont il pose les problèmes qu'il entend élucider qu'à un désaccord qu'il serait
trop tentant de définir en termes d'opposition d'opinions.

Hegel précise que dans le domaine de la philosophie, justement, il n'est pas question d'opinions, c'est-à-dire de représentations non distanciées. C'est la pensée rationnelle qui est en
jeu, avec l'exigence de vérité qui constitue sa raison d'être.
D'où la nécessité d'exclure toute approche doxographique et
unilatérale, qui se bornerait à prendre acte d'une opposition
nominale de thèses, sans considérer le mouvement même de
la pensée. Celui-ci peut être rapproché du processus qui va du
bouton à la fleur et de la fleur au fruit.

Il faut même observer que chaque grande philosophie peut
en quelque sorte valoir comme fruit, mais aussi comme
bouton, dans le cheminement à la fois continu et discontinu
de la culture. Du grand Platon est sorti le grand Aristote. Ce
dernier le confesse : « nous fûmes tous platoniciens ». Le fruit
dépassa-t-il la « promesse des fleurs » ? La question n'a guère
de sens en philosophie, même si la tentation de comprendre
chaque système philosophique comme moment d'un développement général conduit à la mettre en perspective, comme le
fait justement la conception hégélienne de l'histoire de la philosophie.

Pascal comparait la progression de l'humanité à la vie d'un seul homme qui se prolongerait au fil des siècles, enrichissant sa conscience des acquis successifs de la culture. Hegel entend ressaisir la vérité de chaque grande philosophie, tout en pensant la nécessité de son dépassement. Le sens vrai d'une œuvre se comprend alors par référence à un point de vue dynamique prenant en compte la totalité du réel qui est à élucider, tant dans son devenir d'ensemble que dans les moments qui le scandent.

Aristote, Descartes, Kant, sont ainsi mis en perspective sans que soit nié l'ancrage de leur pensée dans un moment de l'histoire, ni sa portée exemplaire au-delà de ce moment. L'activité de la pensée, comme la sève de la vie, est toujours immanente à ses produits, et il suffit de l'y faire revivre pour s'en nourrir. Il n'y a nulle nécessité d'opter pour une vision manichéenne qui disant oui à un système se doit de dire non à un autre. Tous les fruits sont du fruit, comme le faisait remarquer Hegel, qui tourne en dérision le refus d'étudier une philosophie sous prétexte qu'étant particulière elle ne serait pas la philosophie. Cette attitude ressemble à celle d'un « malade pédantesque auquel le médecin conseille de manger du fruit, et auquel on sert des cerises, des prunes ou des raisins : son pédantisme fait qu'il n'en prend point parce que aucun de ces fruits n'est du fruit, mais que ce sont des cerises, des prunes ou des raisins » (*Leçons sur l'histoire de la philosophie*).

8

Le ciel et la terre

À l'encontre de la philosophie allemande qui descend du ciel sur la terre, c'est de la terre au ciel que l'on monte ici. Autrement dit, on ne part pas seulement de ce que les hommes disent, s'imaginent, se représentent, ni non plus de ce qu'ils sont dans les paroles, la pensée, l'imagination, et la représentation d'autrui, pour aboutir ensuite aux hommes en chair et en os ; on part des hommes dans leur activité réelle ; c'est à partir de leur processus de vie réel que l'on représente aussi le développement des reflets et des échos idéologiques de ce processus vital.

Marx et Engels, *L'Idéologie allemande*,
première partie, Éditions Sociales, p. 5.

Est-il vrai qu'à l'époque féodale l'honneur et la fidélité faisaient agir les hommes ? C'est du moins ce que croyaient, selon une certaine histoire, les nobles qui se disaient avoir mission de combattre et de protéger. De même les serfs assujettis au seigneur devaient-ils être mus, selon la même conception, par une résignation soumise en même temps que par l'endurance à la tâche. La conscience du rôle semble ici dicter la façon dont un homme se représente sa vie et norme sa conduite. Mais quel crédit accorder à ce que les hommes disent d'eux-mêmes, à leur conscience de soi réelle ou imaginaire, et finalement à la reconstruction mentale qu'une époque effectue d'elle-même ?

Les représentations des hommes, souvent liées aux illusions du moment et aux préjugés qu'une époque nourrit sur elle-même, ne peuvent servir de repères que si on remonte aux conditions objectives de leur activité première. La production de l'existence est ici décisive. Comme l'est la réalité des rapports de force concrets, en deçà des figures de la représentation et du discours. La démarche matérialiste, en l'occurrence, consiste à rappeler cette réalité première. Elle ne conduit pas à récuser le rôle des idées, mais à en resituer le sens et le contexte effectif.

L'esprit critique ne doit pas ignorer la part de leurre et d'idéalisation, de justification, ou tout simplement de bonne conscience, qui intervient souvent. On ne peut connaître ni juger un homme, ou un moment de l'histoire, en prenant pour seule référence l'idée qu'il se fait de lui-même. Du ciel des idées ou des représentations humaines à la terre des pratiques réelles, la conséquence n'est pas toujours bonne, si du moins l'on veut comprendre le ressort effectif des actions au lieu de leur supposer d'emblée des sources imaginaires.

Ainsi une certaine façon de philosopher peut conduire à oublier la réalité, voire à l'évoquer sans tenir compte de ce qu'elle est effectivement. C'est le cas lorsque les représentations des hommes, et notamment leurs idées, sont prises comme points de départ de la théorie. Devenues références plus ou moins arbitraires, elles acquièrent une valeur explicative alors même qu'il conviendrait de rendre compte de leur existence à partir des pratiques humaines qui les font naître. Une telle inversion est typique de la démarche idéaliste. L'idée, seconde au regard d'une réalité qu'elle s'efforce d'élucider, se convertit en une sorte d'abstraction personnifiée, qui existerait avant les données concrètes qu'elle aurait engendrées. L'habitude est prise de juger de toutes choses par rapport à de tels principes tenus pour évidents, mais soustraits eux-mêmes à l'analyse concrète.

Les concepts n'existent pas à la façon de réalités objectives, en dehors de l'esprit qui pense et les forme en lui. Et le travail de la pensée qu'ils nécessitent interdit de les confondre avec des représentations spontanées. Le fait qu'ils permettent de comprendre la réalité en en dévoilant les structures et les lois causales ne signifie pas qu'ils agissent en elle, comme de mystérieuses puissances productrices. Ni qu'ils président au processus concret de l'histoire, considéré comme leur manifestation temporelle. Il importe donc de rompre avec la confusion des registres : ce qui permet d'expliquer est distinct de ce qui existe et nul principe explicatif ne peut sans abus être tenu pour une source de ce qui est.

Cet étrange retournement du pouvoir libérateur de la pensée a pu alerter Marx dans sa critique d'un certain idéalisme. Platon lui-même, réputé idéaliste selon une tradition controversée, ne manque pas de faire des *Idées*, avec une majuscule tout à fait ambiguë, les principes d'intelligibilité ultimes de la réalité sensible. A-t-il vraiment conçu ces principes comme des réalités premières dont dériveraient les choses ? Certains interprètes le pensent, mais il est difficile de prendre à la lettre une telle formulation.

Les choses concrètes semblent toujours imparfaites si on les confronte aux formes idéales qui rendent manifeste leur structure. Ainsi, l'assiette ronde ne dessine peut-être pas un cercle parfait, comme celui que trace la rotation imaginaire d'un segment de droite. Mais le céramiste qui a voulu cette assiette circulaire l'a d'une certaine façon fabriquée à partir de la forme ronde idéale. L'essence du cercle, forme parfaite, n'a-t-elle pas engendré de ce point de vue l'objet rencontré dans l'expérience quotidienne ? Le ciel des idées habite la terre des choses sensibles. Et connaître le spectacle bariolé du monde, c'est s'élever de la terre au ciel, par l'envol des idées qui éclairent.

Il n'y a pas lieu pour autant de renoncer à transcender le donné concret, car ce serait prendre le risque de s'enfermer dans ses limites. S'il n'est pas possible de descendre du ciel sur la terre, il le sera cependant de monter de la terre au ciel. Ou de faire en sorte que la terre devienne à elle-même son propre ciel en s'élevant à la dignité d'un séjour authentiquement humain.

Dans le domaine de l'action éthique et politique, une telle approche prend une portée singulière. Le législateur qui veut donner à la cité des hommes une constitution aussi parfaite que possible doit bien s'en former une idée, qu'il s'efforce de concevoir en s'affranchissant des limites d'une situation particulière. L'idéal se construit alors comme critique et dépassement, non comme idéalisation et apologie de ce qui est. L'ambiguïté de sa fonction – mystificatrice ou libératrice – se trouve ainsi dénouée.

Si la terre peut monter au ciel, ou le ciel descendre sur la terre, c'est à partir de la terre elle-même. L'exigence de lucidité récuse d'abord toute idéalisation illégitime, et produit un idéal qui permet de dépasser des limites d'abord connues et comprises par rapport à une exigence. Les esclaves ne pouvaient se satisfaire de leur statut dans la cité antique. Les paysans taillables et corvéables à merci ne pouvaient non plus se dire éternellement que Dieu avait voulu leur situation. Les prolétaires n'ont pu tenir leur condition comme naturelle, malgré l'idéologie qui s'attachait à les en convaincre.

Le « mensonge de l'idéal » que dénonce Nietzsche ne peut résister au soupçon qui le met en évidence, et il doit céder la place à la construction effective d'un monde meilleur, encouragée par l'aspiration à une justice authentique. Celle-ci peut se concevoir et s'imaginer par dépassement des bornes présentes, et sa dimension idéale vaut repère émancipateur, orientation régulatrice comme dirait Kant. L'idéal, alors, ne ment pas. Il révèle la réalité à un de ses accomplissements possibles, et délivre de la servitude qui fatalise la situation du moment.

Lorsqu'elle fixe à l'action humaine le repère d'une exigence idéale, comme c'est le cas exemplaire pour la justice, l'*idée* est bien un principe fécond, mais en ce qu'il finalise et donne sens, non en ce qu'il constitue la réalité. Elle se rapporte alors au possible, qui dépend de l'action humaine, et non à un principe source du donné. Et ce possible lui-même se conçoit par l'étude concrète des situations concrètes. Seule l'exigence critique peut radicaliser une telle étude, en l'incitant à pousser l'explication assez loin pour que rien ne reste dissimulé. Ainsi, nul travestissement idéologique ne peut déjouer l'exigence de lucidité. Les limites de toute situation historique sont alors saisissables.

Est-il possible d'éradiquer la faim dans le monde à une époque où les richesses produites le permettent virtuellement, mais ne le font pas actuellement, du fait de leur répartition ? Ainsi posée, la question suggère évidemment la réponse, car elle mobilise simultanément un paradoxe et une solution. Paradoxe : la juxtaposition d'une richesse sans précédent et d'une misère moderne. Solution : le bouleversement des principes de répartition pour faire cesser un tel contraste. Mais la perspective ainsi ouverte ne fait qu'esquisser un programme de recherche et d'action. Elle ne peut valoir comme solution toute faite, définie et imposée de façon simpliste.

Les communards de Paris, en 1871, « sont montés à l'assaut du ciel ». Bonheur rêvé sur terre, pour ceux qui subissent et souffrent ici-bas. Mais le réalisme a fait défaut dans la lutte entreprise. Fallait-il laisser l'or de la Banque de France, un des nerfs de la lutte, entre les mains des exploiteurs ? Tout occupés à faire advenir l'idéal, les révolutionnaires ne s'en soucièrent pas. Tragique méprise, qui signe la pureté et l'irréalisme d'un désir de justice où l'opprimé s'affranchit de l'argent et vit sa propre élévation à hauteur d'homme. Idéalisme, dont le sens naïf tue le sens noble. On s'affairait à faire émerger le monde des douves de sa misère, à faire descendre les cieux sur terre. Pendant ce temps-là, les Versaillais faisaient alliance avec les ennemis d'hier et fourbissaient leurs armes pour tuer bientôt le rêve éveillé des damnés de la terre.

Le mot *idéalisme* n'a cessé d'osciller entre deux acceptions : la référence libératrice à l'idéal et l'illusion qui substitue l'idée au réel sous prétexte de récuser ses limites. La première ne peut être disqualifiée sous prétexte que la seconde est irrecevable. Sauf à effectuer un glissement dommageable à l'esprit critique, en confondant réalisme et conformisme. Être réaliste, c'est tenir compte de la réalité telle qu'elle est. Être conformiste, c'est s'en satisfaire. L'aspiration au changement est réputée irréaliste ou utopique par ceux qu'elle dérange : le qualificatif polémique prétend impossible ce qui n'est pas souhaité. Le conformisme réduit la réalité à sa configuration momentanée, qu'il feint de croire indépassable.

Réalisme et idéalisme critique sont parfaitement conciliables, dans la mesure où ils ne relèvent pas des mêmes registres. L'un concerne la connaissance de ce qui est comme il est, avec le discernement requis et le refus de tout jugement de valeur. L'autre s'applique à l'approche critique des insuffisances de ce qui est au regard de ce qui devrait être. Les risques liés à l'idéalisme irréaliste ne sauraient donc justifier le conformisme. Celui-ci invoque le réalisme, mais se méprend sur ce qui est en ne voulant en saisir que ce qu'il comporte à ses yeux de satisfaisant. Il requiert donc un traitement critique dans le double sens du terme.

En politique, une revendication fondée sur le droit ou l'éthique peut être réputée « irréaliste » dans une certaine situation pour deux motifs très différents. Dans le premier motif, l'invocation d'une impossibilité effective est légitime. Dans le second, elle est illégitime et relève du seul souci de préserver une situation qui consacre des intérêts particuliers.

Ainsi de la lutte historique pour la baisse de la durée du travail à l'époque du capitalisme. Rendue possible par les gains de productivité liés au progrès technique, cette baisse relève également d'un souci de répartition différent de la richesse produite ; elle implique un partage du travail permettant d'éviter le chômage, qui n'a rien d'une fatalité. Proclamée « irréaliste » par ceux dont elle tend à modérer les profits, elle a pourtant débouché, sans que l'économie s'effondre, sur une réduction sensible de l'horaire hebdomadaire légal de travail, ramené de soixante-treize heures au XIXᵉ siècle à quarante, voire trente-cinq heures au XXᵉ siècle. Elle s'est toujours heurtée au même type d'argument et de chantage à l'apocalypse : la réduction voulue pour humaniser la vie des travailleurs a régulièrement été tenue par ses adversaires pour chimérique, dangereuse… et impossible économiquement.

C'est dire qu'à chaque moment de l'histoire, une situation donnée, caractérisée par un certain rapport de forces, a été posée par l'idéologie dominante comme norme indépassable, disqualifiant toute contestation. L'aspiration à une égalité reconnue semble irréaliste dans une société traditionnellement fondée sur l'esclavage, le servage, ou toute forme d'exploitation : les droits de l'homme, en leur temps, furent tenus pour « irréalistes » par leurs adversaires.

Un autre glissement peut se produire, à partir d'une démarche critique cette fois-ci, mais dévoyée. À force de lire le monde réel en en mesurant le déficit par rapport au monde idéal qui cristallise en lui l'aspiration à la justice, on peut en arriver à concevoir l'idéal comme plus véritable car plus digne d'estime que la réalité existante. Le risque alors est de nier celle-ci, et dans le pire des cas de transposer cette négation en projet d'anéantissement aveugle. Cette dérive totalitaire, représente la perversion de la révolution et non son accomplissement. On croit devoir tout bouleverser à partir d'une représentation de ce que le monde doit être, et l'on sombre ainsi dans l'arbitraire de la violence.

Marx récusait une telle démarche et refusait de concevoir le communisme comme le projet de substituer une société idéale toute faite à la société existante. Il y voyait plutôt un mouvement de transformation sociale et politique selon une exigence articulée à la connaissance lucide de ce qui est. Les lubies idéalistes, au mauvais sens du terme selon lui, sont aussi dangereuses qu'arbitraires. Sous prétexte de faire descendre le ciel sur la terre, elles ouvrent la voie aux dérives totalitaires. Staline et Pol Pot n'ont pas bien lu Marx, ou ne l'ont guère compris. L'idolâtrie politique a pris la place de l'exigence critique, au nom de l'idéal.

Nietzsche, dans une perspective critique féconde, mettait en garde contre un certain usage de la référence à l'idéal, compris comme une forme de désistement à l'égard de la vie

réelle. L'idéal peut sonner creux, comme une effigie trompeuse. D'où, en écho, l'image de la statue creuse, qui réifie le
mensonge et lui donne figure quasi divine. Il faut alors abattre
le marteau sur l'idole :

« Une autre cure [...] consiste à ausculter les idoles... Il y a
dans le monde plus d'idoles que de réalités : c'est ce que
m'apprend le "mauvais œil" que je jette sur le monde, et aussi
la "méchante oreille" que je lui prête... Là aussi, questionner
à coup de marteau, et, qui sait, percevoir pour toute réponse
ce fameux "son creux" qui indique des entrailles pleines de
vent – quelle jouissance pour qui, derrière ses oreilles, a
d'autres oreilles encore, pour moi, vieux psychologue char-
meur de serpents, qui sais forcer à parler haut ce qui voudrait
se taire [...]. Quant aux idoles qu'il s'agit d'ausculter, ce ne
sont cette fois pas des idoles de l'époque, mais des idoles éternelles, que l'on frappe ici du marteau comme d'un diapason –
il n'est pas d'idoles plus anciennes, plus sûres de leur fait, plus
enflées de leur importance... Pas non plus de plus creuses...
Cela ne les empêche pas d'être celles auxquelles on croit le
plus. Aussi, surtout dans le cas de la plus distinguée d'entre
elles, ne les appelle-t-on jamais des idoles... » (Nietzsche, *Le
Crépuscule des idoles*, avant-propos, Gallimard).

9

Le chameau, le lion et l'enfant

Je vais vous dire les trois métamorphoses de l'esprit : comment l'esprit se change en chameau, le chameau en lion, et le lion en enfant, pour finir.

Il y a bien des choses qui semblent pesantes à l'esprit, à l'esprit robuste et patient, et tout imbu de respect ; sa force réclame de lourds fardeaux, les plus lourds qui soient au monde.

« Qu'y a-t-il de lourd à porter ? » dit l'esprit devenu bête de somme, et il s'agenouille, tel le chameau qui demande à être bien chargé. [...]

...l'esprit docile prend sur lui tous ces lourds fardeaux ; pareil au chameau chargé qui se hâte de gagner le désert, il se hâte lui aussi de gagner son désert.

Et là, dans cette solitude extrême, se produit la deuxième métamorphose : l'esprit devient lion. Il entend conquérir sa liberté et être le roi de son propre désert.

Il se cherche un dernier maître ; il sera l'ennemi de ce maître, et de son dernier Dieu ; il veut se mesurer avec le grand dragon, et le vaincre.

Quel est ce grand dragon que l'esprit refuse désormais d'appeler son seigneur et son dieu ? Le nom du grand dragon, c'est « Tu dois ». Mais l'âme du lion dit : « Je veux ! » [...]

Mais dites-moi, mes frères, que peut encore l'enfant dont le lion lui-même eût été incapable ? Pourquoi le lion féroce doit-il encore devenir enfant ?

C'est que l'enfance est innocence et oubli, commencement nouveau, jeu, roue qui tourne sur elle-même, premier mobile, affirmation sacrée.

> Nietzsche, *Ainsi parlait Zarathoustra*,
> trad. G. Bianquis modifiée, GF-Flammarion.

Trois métamorphoses se succèdent quand l'homme prend la mesure de sa condition et décide d'en assumer le poids, d'en briser la servitude, d'en accueillir le beau risque. L'homme est tour à tour chameau, lion, et enfant. Tel est le cycle de l'humanité qui souffre et endure, se révolte pour briser les carcans et redécouvre la joie native d'accueillir la vie délivrée.

Le premier moment est celui de l'endurance muette à la peine, au fardeau qu'il faut porter patiemment. Il y a du cha-

meau dans l'homme, si l'on veut comprendre ainsi l'aptitude
à porter, à supporter, longtemps et fermement. Ce courage est
ambigu, qui peut être relève d'une simple résignation, autant
que du risque assumé par l'audace d'être soi. Il ne s'agit pas de
percevoir la vie comme un fardeau du fait des souffrances qui
la marquent, mais d'assumer sa condition réelle. Le bonheur
de vivre est tragique, car il frôle sans cesse la mort : la vie ne
serait pas vie si elle ne défaisait pas ce qu'elle a fait, pour
renaître de ses souffrances mêmes. Le plaisir de la présence à
soi et au monde enveloppe le savoir tragique des déchirures et
des morts à venir. Cependant, sans la refuser pour autant, il ne
fait pas vertu de la souffrance et requiert la lucidité.

Le dénigrement de la force joyeuse et des jouissances éphémères, la superstition de l'abstinence et l'insistance sur la finitude conduisent à voir dans la vie comme telle un fardeau. La
souffrance est alors supposée vertueuse, alors qu'elle n'a
aucun rapport avec le registre des dispositions morales.
Calomnier la vie en soulignant ses blessures, c'est en asservir la
valeur à une fiction de béatitude sans mouvement, d'existence
invulnérable, érigées en normes implicites pour disqualifier ce
qui est et devient.

Mais toute souffrance n'est pas fatale, car toute souffrance
n'est pas l'écho de la fragilité native d'un être destiné à
mourir. Les maux endurés par injustice, imposés par habitude
de soumission, inscrits sournoisement en servitudes quotidiennes, apparaissent un jour pour ce qu'ils sont. Ils atro-
phient le bonheur de vivre, et produisent une lente corruption
de l'espoir. La faiblesse passagère devient étrangement une
valeur, une référence de la façon d'être la plus souhaitable.
Bref, la vie s'anesthésie elle-même en faisant de renoncement
nécessité, et de nécessité vertu. La soumission se convertit en
devoir et l'on se prend à croire qu'après tout elle a ses avantages. Tel est le risque, quand on en vient à porter et supporter
par lassitude. La tentation de se convaincre d'impuissance survient insensiblement et enclenche le cycle de l'échec. La servitude ordinaire peut se faire ainsi volontaire, devenir triste rou-
tine, sans qu'on n'y prenne vraiment garde. La longue
patience du chameau dans les sillages flous du désert doit
connaître un terme.

Métaphore du malheur prosaïque accepté en silence, le
désert de la vie ne peut transmettre plus longtemps son aridité
à la conscience. La puissance de révolte doit resurgir. Il faut

alors être lion, pour briser non l'endurance, mais son dévoiement dans la résignation à l'inacceptable. La révolte sourde se fait puissance rageuse qui déchire et lacère, afin de rappeler à soi le désir de vivre, la force de créer ou de perdre, l'affirmation première de ce qui est et n'a pas à s'en excuser. Le passage du « tu dois » au « je veux » n'est pas disparition du devoir. Il atteste bien plutôt son statut d'ordre extérieur, auquel on se plie. Pour se conquérir comme maître de sa conduite, l'être agissant doit se donner à lui-même sa propre loi, et cette loi ne peut être le relais d'une servitude. Assumé en première personne, réconcilié avec le désir de vivre et les désirs de la vie, le devoir n'est pas l'autre nom de l'ascétisme, ni un pari sur l'au-delà. « Je veux » et « je dois » déclinent le geste de liberté qui pose et qui assume sa loi.

L'ébranlement libérateur est d'abord blessant, comme la lumière trop vive à la sortie d'une caverne. Il fait souffrir, car les paysages familiers se trouvent bouleversés. Le déchirement intérieur répond à la révolution extérieure et une mélancolie peut s'y cacher parfois, quand fait retour la mémoire des courages passés. Mais la rage de détruire est à la mesure de l'endurance à supporter de naguère. Elle prend sa source dans la transfiguration singulière de la patience en impatience, du repli en conquête.

La longue pression de la vie retenue se libère dans l'instant. Lutte et résistances, destruction et survivances, hésitations et ruptures abruptes, se mêlent dans la tourmente. Le combat laisse des traces et des blessures et la victoire même semble amère. C'est qu'elle ne peut se goûter sans que l'embrume la hantise des souffrances qui en furent la rançon.

La vie s'annonce légère et libérée. Mais elle est lourde encore de ce qui l'obsède : la mémoire des luttes encore proches. Le risque est d'amertume à l'égard du passé, mais aussi d'une condition qui rend possibles de tels déchirements. Telle est alors la résistible tentation de dénigrer la vie. La menace réitérée du ressentiment manifeste l'incapacité à s'affirmer simplement, sans posture réactive, d'une façon directe car délivrée de tout complexe.

Après le chameau qui supporte patiemment, le lion qui affranchit par sa révolte destructrice, il faut désormais que l'humanité de l'homme fasse retour à soi, dans la figure native de l'ouverture innocente à la vie, pure de tout ressentiment car libre de tout contentieux. Le premier sourire s'esquisse, en amont d'une aventure nouvelle. Alors la vie peut s'affirmer, joyeuse et douce, triste et blessante, tragique et belle, mais déliée de toute rancœur. Elle jaillit, source matinale où la lumière se prend dans ses propres reflets et s'y étonne. En son désir sans tourment toutes les choses sont disponibles. Voilà l'enfant.

Les trois métamorphoses décrivent un cycle idéal d'émancipation métaphysique et historique. Nietzsche leur associe le thème de la mort de Dieu : « "Je te reconnais, dit-il d'une voix d'airain : *tu es le meurtrier de Dieu*. Laisse-moi passer.

Tu n'as pas supporté qu'il te vît, toi, qu'il t'eût constamment sous les yeux et te perçât à jour, ô le plus hideux des hommes ! Tu t'es vengé de ce témoin !"

Ainsi parlait Zarathoustra et il voulut poursuivre sa route, mais l'être innommable le saisit par un pan de son manteau et se remit à gargouiller en cherchant ses mots. [...]

– Quand tu enseignes : 'Tous les créateurs sont durs, tout grand amour triomphe de sa propre pitié' : – ô Zarathoustra, je pense que tu as bien compris les signes du temps !

Mais toi-même, prends garde *à ta propre* pitié ! Car il y a une foule de gens qui se sont mis en route pour venir te trouver, tous les souffrants, les douteurs, les désespérés, ceux qui sont en péril de se noyer et de mourir congelés.

Contre moi aussi je te mets en garde. Tu as deviné le meilleur et le pire de cette énigme que je suis. Je connais la hache qui peut t'abattre."

Mais Lui – *il a bien fallu* qu'il mourût. De ses yeux qui voyaient *tout*, il voyait le fond et l'arrière-fond de l'homme, toute sa honte et sa laideur cachées.

Sa pitié était sans pudeur ; il s'insinuait dans les replis les plus immondes, ce curieux, cet indiscret, ce miséricordieux. Il a bien fallu qu'il mourût.

Il *me* regardait sans cesse ; j'ai voulu me venger d'un tel témoin – ou cesser de vivre.

Le Dieu qui voyait tout, *et même l'homme*, il a fallu qu'il mourût ! L'homme ne *souffre* pas de laisser vivre un pareil témoin » (Nietzsche, *Ainsi parlait Zarathoustra*, GF-Flammarion, p. 321-324).

Chapitre dix

L'idéal de sagesse

1

La chouette de Minerve

Pour dire encore un mot sur la prétention d'enseigner comment le monde doit être, la philosophie vient, en tout cas, toujours trop tard. En tant que pensée du monde, elle n'apparaît qu'à l'époque où la réalité a achevé le processus de sa formation et s'est accomplie. Ce que nous enseigne le concept, l'histoire le montre avec la même nécessité : il faut attendre que la réalité ait atteint sa maturité pour que l'idéal apparaisse en face du réel, saisisse le monde dans sa substance et le reconstruise sous la forme d'un empire intellectuel. Lorsque la philosophie peint son gris sur du gris, une forme de la vie a vieilli et elle ne se laisse pas rajeunir avec du gris sur du gris, mais seulement connaître. La chouette de Minerve ne prend son vol qu'à la tombée de la nuit.

Hegel, *Principes de la philosophie du droit*,
Préface, trad. R. Derathé, Vrin.

La nuit tombe. Une époque s'achève. Les soleils révolus glissent dans l'écho sourd des lumières de jadis. Vient la mélancolie de l'homme qui découvre avec surprise que la vie a passé, que le temps chavire et se dérobe. L'existence personnelle s'offre au verdict du sens, comme le fait aussi l'histoire collective des hommes. La fin de ce monde approche : elle habite déjà la vie.

Minerve, déesse du savoir qui éclaire la vie, veille auprès des hommes. À son oiseau, elle ne permet de déployer ses ailes qu'au crépuscule, quand est venu le moment de méditer sur le cours du monde et les choses graduellement gagnées par l'ombre. La pensée remplit alors sa promesse, mais il faut le courage d'assumer ses exigences. Après la nuit du monde révolu, la force jaillissante de la vie recomposera une lumière nouvelle.

L'image de l'envol à la tombée de la nuit nous vient du fond des âges. Un frisson traverse le silence. L'énigme des choses,

cachée par la vivacité première de leur présence sensible, ne
résiste pas au désir de savoir, si celui-ci attend son heure. Le
crépuscule permet de comprendre toute réalité dans la
lumière apaisée de ce qui la fit naître et désormais la situe. La
chouette s'élève au-dessus du monde accompli, pour le pénétrer de son regard. Image légendaire de la philosophie,
l'oiseau de Minerve couronne la patience propre à la pensée.

S'il faut vraiment attendre que la réalité se développe et
s'accomplisse pour la connaître, la lucidité ne viendra-t-elle
pas toujours trop tard ? Que reste-t-il à entreprendre quand le
chemin semble toucher à son terme ? On entrevoit la dérision
d'une sagesse rétrospective qui peut-être ne trouvera pas à
s'employer. « La philosophie commence avec la fin d'un monde
réel. Quand elle apparaît, en répandant ses abstractions, en les
peignant en grisaille, la fraîche couleur de la jeunesse, sa vitalité est passée » (*Leçons sur l'histoire de la philosophie*, 137).

Le « temps saisi par la pensée » ne livre pas d'emblée tous
ses secrets. La vie est jaillissement qui se découvre en sa nouveauté native, et que rien ne semble pouvoir maîtriser : nulle
prévision, nulle recette. L'invention de l'action n'y rencontre
d'abord aucun repère assuré, et l'expérience y ressemble à un
chemin de nuit imprévisible. La succession des plaisirs et des
douleurs ne paraît répondre que rarement aux attentes de
l'action. Comme si le mouvement de la réalité devait d'abord
s'accomplir dans l'opacité. Ce n'est qu'après coup qu'il se laisse
comprendre. D'où la conscience tragique d'avoir su trop tard
ce qui aurait permis d'agir. Labyrinthe, où les fils se mêlent et
se nouent indéfiniment.

La lucidité sera-t-elle trop tardive ? L'âge se fait lassitude,
contemple les jours passés, les jours perdus peut-être, dans
leur suite désormais constituée en récit. On connaît presque la
fin. Le sens émerge seulement, comme si la vivacité du soleil
avait jusqu'à maintenant aveuglé le regard, déjà troublé par
l'énigme d'un scénario qui lui échappait. « *Si jeunesse savait et
si vieillesse pouvait.* » L'adage est triste, qui dit l'angoisse d'une
sagesse sans enjeu peut-être.

Les couleurs de la vie sont fanées. Le paysage se noie graduellement dans l'ombre. Le mouvement du monde et sa
rumeur s'apaisent : la théorie de ce qui a été peut enfin
advenir. Ainsi la pensée n'intervient qu'après coup et n'est
plus que bilan. Constat sans cruauté ni vain regret. Il a donc
fallu attendre ce crépuscule où s'estompent les formes, où le

bois vert noircit sous le ciel sans éclat, pour que la pensée s'affranchisse enfin des mirages et des limites de l'urgence. Le temps, dit-on, a fait son œuvre. Révélation, ou dévoilement à mesure que les choses s'accomplissent et deviennent ce qu'elles devaient être. La vérité de ce mouvement n'apparaît qu'au dernier moment, comme le tableau du peintre, achevé enfin, éclaire de son harmonie ultime la patience des gestes multiples, et donne sens à chacun.

L'idéal n'est donc pas à chercher dans un au-delà exilé hors du réel. Il en est la forme accomplie, en tant que terme d'un processus, et n'arrête en principe son élan que par sa réalisation. Le monde d'hier n'est plus, car il devait finir, et celui qui lui a succédé vivait déjà en lui, même au temps de son apogée. Il faut lire le devenir comme une lente affirmation qui engendre et dissout, qui absorbe et dépasse. « Il n'y a rien dans le Ciel et sur la Terre qui ne contienne à la fois l'être et le néant » (Hegel, *Science de la logique*, I).

Ce mouvement ressemble-t-il à une croissance naturelle, où le stade de plein épanouissement est à la fois fin et norme ? Si l'arbre à maturité atteint son envergure optimale, on peut apprécier les phases de son développement antérieur selon le degré de réalisation relatif de sa croissance. À tout moment, la référence est donc le progrès accompli, que met en perspective l'idée d'un accomplissement futur. La notion de maturité fait ici pleinement sens.

Mais l'histoire humaine, en son ouverture indéfinie, ne saurait connaître de terme, c'est-à-dire de réalisation définitive. Et elle dépend de décisions, que celles-ci soient des médiations du sens ou qu'elles en constituent l'invention radicale. D'où la difficulté de lui appliquer un modèle d'explication tiré de l'élan vital des plantes ou des êtres vivants en général. Les époques se succèdent et les mélancolies changent d'univers familier. Le nouveau sera l'ancien bientôt – toujours trop tôt pour qui s'installe dans les premiers rêves et ne peut s'en déprendre.

Tchekhov raconte l'histoire de ces nobles russes ruinés qui n'ont pas vu venir les temps nouveaux et doivent renoncer à la Cerisaie familiale. La vie de générations entières y avait sédimenté ses plus belles heures, dans l'évidence muette d'une atmosphère qui pourtant finirait un jour. Il faut maintenant consentir à lotir le domaine. Dans l'époque finissante, dont les commerces du jour consacrent l'élision, la cerisaie vit ses der-

niers moments, et les hommes qui lui doivent leurs rêves
d'enfance repartent vers l'horizon de la mort.

La chouette ne peut discerner que les formes déjà baignées
d'ombre. Elle est l'oiseau nocturne, en phase avec le moment
lunaire. Son envol, au crépuscule, est celui de la raison qui ressaisit le monde et l'élucide. Minerve, ou Athéna, dispense ainsi
la sagesse dont elle est riche : le travail de raison s'exercera sur
l'époque révolue. Son oiseau monte dans le ciel quand les couleurs de la vie s'estompent et se fondent. La chouette diffère
de l'aigle, qui regarde le soleil en face et vole au grand midi,
quand étincellent les formes nouvelles. À elle, la connaissance
discursive, la patience de la raison, qui diffère des intuitions
spontanées, reçues dans l'émotion sensible.

La nuit du monde garde le souvenir des paysages gagnés par
la grisaille du jour finissant : elle dessine alors les formes révolues par le trait sombre qui subsiste d'elles quand reflue la
lumière. Attente. L'oiseau de Minerve prend seulement son
vol. L'idéal se redécouvre un statut troublant. Il n'était que la
forme accomplie d'une époque, sa destination secrète, et ne se
ressaisit que rétrospectivement. La philosophie assume la
pensée d'un monde qui s'évanouit, pour aller au-delà. Il faut
redire ce qui fut par un discours qui en redouble l'effacement,
comme la photographie pâlie évoque un lointain passé.
« Grise, cher ami, est toute théorie, Et vert l'arbre d'or de la
vie » (Goethe, *Faust*, vers 2037-2038).

Il y a pourtant l'impatience d'agir et de croire. Peut-on vivre
sans une idée de ce qui doit être ? La possibilité d'espérer, tout
simplement, semble justifier la question. Faut-il deviner l'idéal
dans les esquisses incertaines de l'histoire ou de l'aventure
personnelle ? Ceux qui font la révolution entrevoient dans le
monde présent ce qui permet de l'accomplir en le refondant.
Politique de justice et de raison, qui transforme certes, mais
permet à la vie de reverdir en déployant d'autres possibles.
Hegel a d'ailleurs salué la Révolution française comme un
« *superbe lever de soleil* » (*Leçons sur la philosophie de l'histoire*).
Dans le même texte, il précise ainsi la portée de l'événement :
« Depuis que le soleil se trouve au firmament, et que les pla-
nètes tournent autour de lui, on n'avait pas vu l'homme se
placer la tête en bas, c'est-à-dire, se fonder sur l'idée et construire d'après elle la réalité. » Certes, il nuance cet enthousiasme en notant la dérive de l'abstraction volontariste qui, au
lieu de transformer le monde à partir de ce qu'il est, croit pou-

voir s'en inventer un autre qui n'aurait rien à lui devoir et fait ainsi violence aux hommes.

Tout ce qui est réel, c'est-à-dire effectivement agissant, est rationnel : rien n'advient qui ne se puisse comprendre dans l'enchaînement logique d'un processus d'accomplissement. Et tout ce qui est rationnel doit prendre un jour les couleurs de la vie. L'idéal n'est pas l'autre de la réalité, mais la figure de son accomplissement ultime. À ce titre, il est en fin de compte plus réel que l'état toujours provisoire du mouvement des sociétés. Comprendre pour agir, c'est connaître l'ordre des choses et y discerner le mouvement qui peut s'y accomplir. La volonté peut-elle vouloir autre chose ? C'est toute la question. Hegel ne refuse que l'abstraction volontariste, celle qui consiste à s'inventer un idéal totalement étranger à la dynamique de la vie et de sa traduction concrète. Il ne s'agit donc pas de prophétiser, mais de connaître ce qui est destiné à finir, et de le comprendre comme tel. Ni mélancolie ni mimétisme fébrile à l'égard du nouveau, car la précipitation peut conduire à la méprise, en invalidant ce qui reste actuel et en croyant inédit ce qui persiste, sous d'autres formes, des préjugés anciens.

2

La pensée de derrière

Pour entrer dans la véritable connaissance de votre condition, considérez-la dans cette image.

Un homme est jeté par la tempête dans une île inconnue, dont les habitants étaient en peine de trouver leur roi, qui s'était perdu ; et, ayant beaucoup de ressemblance de corps et de visage avec ce roi, il est pris pour lui, et reconnu en cette qualité par tout ce peuple. D'abord il ne savait quel parti prendre ; mais il se résolut enfin de se prêter à sa bonne fortune. Il reçut tous les respects qu'on lui voulut rendre, et se laissa traiter de roi.

Mais, comme il ne pouvait oublier sa condition naturelle, il songeait, en même temps qu'il recevait ces respects, qu'il n'était pas ce roi que ce peuple cherchait et que ce royaume ne lui appartenait pas. Ainsi il avait une double pensée : l'une par laquelle il agissait en roi, l'autre par laquelle il reconnaissait son état véritable, et que ce n'était que le hasard qui l'avait mis en place où il était. C'était par la première qu'il traitait avec le peuple, et par la dernière qu'il traitait avec soi-même.

Pascal, *Discours sur la condition des Grands*, I,
Œuvres complètes, Gallimard, Bibliothèque de la Pléiade.

Du naufrage à la gloire. Et un jour prochain, peut-être, de la gloire au naufrage. Telle est la condition des « grands », et peut-être de tout homme. Peut-elle s'oublier ? La question concerne d'abord ceux qui se croient supérieurs et dont l'ordinaire est celui des fastes du pouvoir.

La communauté politique se pense comme une île. Le naufragé qui lui vient ne peut être que le monarque regretté. D'ailleurs, il lui ressemble à s'y méprendre. Un peuple orphelin de son roi, prêt à tout pour déjouer l'angoisse d'un tel vide, guette les signes. Les hasards se rencontrent pour répondre à l'attente.

La conjonction d'une tempête et d'une ressemblance fait donc monter sur le trône. Ascension fortuite, qui ne devrait engendrer aucune illusion. Un peuple ne pouvait rester long-temps sans roi. Et il suffit que se conjuguent les hasards pour que soit couronné un homme que rien n'appelait particulière-ment à ce rôle. La fiction imagée, en forme d'apologue, plonge d'emblée les grands de ce monde dans la mémoire de leur condition d'homme. Ainsi se déchire cette belle unité qu'ils croyaient d'emblée constituée entre leur être et leur pouvoir. Le duc futur, à qui s'adresse Pascal, doit faire retour à la conscience de cette condition qu'il partage avec tous les hommes, quelles que soient les occultations de la vanité.

Comment vivre le pouvoir que l'on détient ? La question reconduit aux origines, et, indissociablement, au statut d'un tel pouvoir. Il faut en effet remonter aux sources, lorsque l'habitude prise de l'exercer, d'en tirer mille avantages, de se croire naturellement fait pour lui, débouche sur une façon d'être. La modestie qui sied à tout homme disparaît bien vite sous la pompe de la considération sociale. « *Grandeur d'établissement* », dira Pascal, pour rappeler à qui l'oublierait que la convention humaine institue des grandeurs qui ne cor-respondent pas nécessairement aux qualités naturelles de la personne. Et ce rappel sera intraitable : « Il n'est pas néces-saire, parce que vous êtes duc, que je vous estime ; mais il est nécessaire que je vous salue. Si vous êtes duc et honnête homme, je rendrai ce que je dois à l'une et à l'autre de ces qua-lités. Je ne vous refuserai point les cérémonies que mérite votre qualité de duc, ni l'estime que mérite celle d'honnête homme. Mais si vous étiez duc sans être honnête homme, je vous ferais encore justice ; car en vous rendant les devoirs exté-rieurs que l'ordre des hommes a attachés à votre naissance, je ne manquerais pas d'avoir pour vous le mépris intérieur que mériterait la bassesse de votre esprit » (Deuxième *Discours sur la condition des Grands*).

La morgue de ceux qui se croient grands parce qu'ils occu-pent le sommet de la hiérarchie sociale tranche avec la fragi-lité de tout homme. Le roi lui-même, que Bossuet a cru pou-voir dire « *ministre de Dieu sur la terre* », tend à s'oublier quand il se glisse dans les apparats de sa fonction. L'habit fait le moine ; la robe de pourpre et d'or fait la majesté – que la cou-ronne sacre au-delà de la mesure humaine.

À quoi tient le choix des dirigeants politiques ? Le doute pascalien est plus qu'un pessimisme. Une dérision à l'égard de ce qui se joue dans les tourments de l'histoire. À l'arrière-fond

se joue la tragédie comique des pouvoirs temporels et des
conventions humaines, si relatives et si changeantes qu'il
semble difficile de leur accorder foi. Dans leurs errances, les
hommes perdus doivent bien organiser l'exil perpétuel. Ils ne
tardent pas à s'accommoder de tout ce qui révèle leur incertitude, jusqu'au cœur même des choses. Les coutumes surgissent du hasard, mais à la longue se croient naturelles. Les pouvoirs attribués aux personnes mettent aussi en jeu le hasard,
mais l'habitude, qui est une « seconde nature », le fait oublier.
L'obéissance s'organise dans la mise en scène d'une infériorité
supposée de certains hommes.

Devant ses sujets agenouillés, transis et tremblants, l'homme-
roi peut-il se croire d'une autre nature qu'eux ? Il les surplombe et reçoit des marques de déférence sans mesure commune avec les égards ordinaires du respect qui doit lier tous
les hommes. Les « cordes d'imagination », cependant, ne lient
d'abord que les sujets prosternés devant lui. Si soucieux fût-il
de son image dans les autres, si captif fût-il de la pompe qui le
hausse et l'exalte, si orgueilleux fût-il d'une reconnaissance
aussi solennelle, peut-il vraiment se mentir à lui-même lorsque
se rappelle à lui sa fragilité d'homme ? Une simple douleur
physique, faisant tressaillir le corps sous le faste, mais aussi un
tourment moral – angoisse sourde ou soudaine tristesse – vaut
rappel.

Le comédien revient dans les coulisses. En quelques mouvements, il se déshabille. Couronne, lourd costume, brodequins
d'apparat, gisent dans la loge. Il n'était pas ce roi auréolé de
lumière, là-bas, dans le décor déployé sur la scène. L'homme
nu fait retour à lui-même, loin déjà des honneurs et des scénarios de la gloire. Voilà l'homme. Et voici le roi. Pouvoir
reconnu et révéré, personne symbolique où se concentrent les
projections et les soumissions.

Les *deux corps du roi* se séparent dans la conscience intime.
L'artifice des décors et des protocoles, des toiles qui rutilent et
des cartons qui brillent, y est vu de derrière, comme dans les
coulisses. Il fallait bien que s'anime la scène, et que le visage de
l'homme se fasse familier aux apparats pour incarner la fonction. La fiction a pris fin, pour renaître bientôt et mourir un
jour à jamais. Alors se creuse cette distance intérieure, salutaire, qui ramène toute chose à sa juste mesure.

Pascal poursuit sa leçon à l'intention du Grand de ce
monde, pareil au naufragé devenu roi : « ... vous devez avoir,

comme cet homme, dont nous avons parlé, une double pensée ; si vous agissez extérieurement avec les hommes selon votre
rang, vous devez reconnaître, par une pensée plus cachée mais
plus véritable, que vous n'avez rien naturellement au-dessus
d'eux. Si la pensée publique vous élève au-dessus du commun
des hommes, que l'autre vous abaisse et vous tienne dans une
parfaite égalité avec tous les hommes ; car c'est votre état
naturel » (Premier *Discours*).

Un retour lucide à ce qu'est la logique de l'ordre établi s'impose. Comment les hommes en viennent-ils à reconnaître des
pouvoirs, à installer des hiérarchies, à planter les décors de la
soumission solennelle ? La condition des grands, telle que
l'établit le consentement volontaire ou extorqué, réfère à la
fonction qu'ils remplissent. Le besoin d'ordre des sociétés
humaines peut être assumé de diverses manières mais le rôle
du hasard est tel qu'on ne peut se faire d'illusion sur la valeur
absolue des solutions adoptées. Celles-ci n'acquièrent de
valeur qu'en raison de l'ordre qu'elles permettent, et dont le
maintien, à la longue, vaut finalement mieux pour Pascal que
l'aventure d'un bouleversement.

Une révolution, pour se justifier, devrait en effet se fonder
sur des principes incontestables, et Pascal doute que cela soit
possible. D'où une étrange alliance, chez lui, entre la
démarche subversive qui assigne la relativité des pouvoirs et le
conservatisme final, qui ne veut voir que l'ordre et non sa légitimité au regard d'une exigence de justice. Celle-ci, pour le
chrétien tragique, semble d'ailleurs illusoire dans un monde
qui n'en finit pas de dériver depuis le péché originel.

La *pensée de derrière* délivre la conscience des conventions
sociales ou politiques, en en prenant l'exacte mesure. Elle
pourrait valoir comme principe de contestation et de démysti-
fication. Mais Pascal, en fin de compte, la rallie à l'acceptation
pragmatiste d'un ordre pourtant délégitimé en ce qu'il est dis-
socié des « grandeurs naturelles ». D'où l'étonnant commentaire sur le critère ultime de jugement que doit retenir une
telle pensée : « Le peuple honore les personnages de grande
naissance. Les demi-habiles les méprisent, disent que la naissance n'est pas un avantage de la personne, mais du hasard.
Les habiles les honorent, non par la pensée du peuple, mais
par la pensée de derrière » (*Pensées*, Brunschvicg 337).

3

La cithare et la lumière de sagesse

À l'évidence on ne saurait proposer au même homme l'apprentissage simultané de tous les arts, et au contraire celui qui n'en cultive qu'un seul devient plus aisément un excellent artiste ; en effet, ce ne sont pas les mêmes mains qui peuvent s'habituer à cultiver les champs et à jouer de la cithare, ou à remplir différents offices de ce genre, aussi facilement qu'à pratiquer un seul d'entre eux ; on a donc cru qu'il en était de même pour les sciences, et, en les distinguant l'une de l'autre en raison de la diversité de leurs objets, on a pensé qu'il fallait les étudier chacune à part, en laissant les autres de côté. En quoi l'on s'est assurément trompé. Toutes les sciences ne sont rien en effet d'autre que l'humaine sagesse, qui demeure toujours une et identique à elle-même, quelque différents que soient les objets auxquels elle s'applique, et qui ne reçoit pas d'eux plus de diversité que n'en reçoit la lumière du soleil de la variété des choses qu'elle éclaire... Il n'y a donc pas lieu de contenir l'esprit en quelques bornes que ce soit ; loin en effet que la connaissance d'une seule vérité, à l'exemple de la pratique d'un seul art, nous empêche d'en découvrir une autre, elle nous y aide bien plutôt. Aussi me semble-t-il vraiment étrange que tant de gens étudient avec un si grand soin les mœurs humaines, les propriétés des plantes, les mouvements des astres, les transmutations des métaux et autres objets d'étude de ce genre, tandis que presque personne ne songe au bon sens (*bona mens*), c'est-à-dire à cette sagesse universelle, alors pourtant que toutes les autres disciplines se doivent estimer moins pour elles-mêmes que par la contribution qu'elles lui apportent.

> Descartes, *Règles pour la direction de l'esprit*,
> première règle, trad. J. Brunschwig modifiée,
> *Œuvres philosophiques*, Classiques Garnier.

La vie a ses urgences. Mais elle a aussi son horizon. L'humanité serait-elle elle-même sans la pensée qui l'accomplit et lui donne cette conscience d'exister, en chaque homme, autrement que toute chose ? La façon d'être ainsi révélée concerne l'existence la plus essentielle, définie par le mouvement qui la porte et la fin qui l'appelle. Les tâches quotidiennes et les habiletés particulières auront beau singulariser la vie et la personne de chaque homme, elles ne pourront jamais faire oublier cette destination commune. La sagesse est lumière unique, partageable par tout homme, et appropriée à toute connaissance, en deçà de la diversité des objets. Elle ne peut pas plus se diviser que l'intelligence même et la faculté qui la rend possible.

Le cultivateur ne définit pas l'homme, parce qu'il n'en épuise aucunement l'humanité. Ses mains sont devenues ce que les travaux des champs ont à la longue fait d'elles. Mais son esprit n'a pas subi un tel modelage, même si les habitudes l'ont orienté vers un genre de préoccupation particulier.

Il en est de même du cithariste, dont la virtuosité a dû inscrire sa propre possibilité dans le corps, sculptant la main par l'exercice répété. Agiles et fines, les mains du virtuose ont toute la légèreté de la musique. Comme si celle-ci s'était faite chair, le temps d'un souffle, pour advenir et s'évanouir. Le son ténu s'envole, vibration de l'instant qui déjà n'est plus. Et la magie reprend, qui fait chanter la matière. Qui n'a désiré être le magicien de cette magie-là ? Mais le rêve finit – ou commence – dans la patience des gammes et des arpèges. Jour après jour, la main se forme à la magie réglée. Le mouvement des notes doit donner vie à l'ordre, faire naître et renaître la mélodie de l'harmonie. À la cithare, il s'accoutume et se reforme lui-même.

L'exercice fait l'habitude et l'habitude s'inscrit dans le corps par la disposition neuve qu'elle y révèle. Il en est de même de l'artisan habile. Héphaistos, dieu des forgerons, façonne le nouveau bouclier d'Achille avec une spontanéité naturelle, comme si son art se trouvait caché dans son corps. Ses gestes lui sont si familiers que tout son être semble avoir été fait pour eux.

Art et production artisanale. Le corps se conforme et se forme aux tâches qui l'accoutument aux postures et aux gestes d'usage. L'humanité prend-elle ainsi figure différente en chacun, selon la tâche qui le spécialise, au point de l'y enfermer ? Toute réalisation particulière se ferait alors au prix d'une mutilation des différentes possibilités d'accomplissement. L'homme de peine aux mains noueuses, le cultivateur qui depuis longtemps creuse la terre et serre l'outil ardu, ne peuvent-ils jouer de la cithare ? Et la division du travail assigne-t-elle ceux qu'elle spécialise à la tâche unique pour laquelle ils acquièrent une habileté exclusive ?

Marx, méditant sur le développement de la productivité du travail, rêvait d'un homme total, capable de développer simul-

tanément ses potentialités, sans avoir à en sacrifier aucune.
Poète, pâtre ou critique d'art, tel pourrait être cet homme plu-
ridimensionnel dès lors qu'il ne serait plus asservi à des tâches
productives aliénantes. La cithare et la pensée, la culture libre
des champs et des talents. Mais la maîtrise sociale des gains de
productivité lui semblait nécessaire, sauf à engendrer de nouvelles servitudes.

Pour Descartes, la question prend sens dans la recherche de
ce qui signe l'unité de l'humanité, par-delà la différence des arts
et des métiers, et des spécialisations qui en relèvent. Et l'unité
de référence, celle en laquelle tous les hommes se retrouvent,
est aussi bien celle de la sagesse à construire que celle de l'esprit
humain. La première consiste à penser le sens de toute chose, à
la comprendre dans la totalité qui la situe. La seconde, raison
naturelle dont disposent tous les hommes, éclaire ses divers
objets sans jamais se différencier intérieurement. Ainsi l'unité
intérieure du genre humain répond-elle à l'universalité d'une
puissance de jugement que rien en principe ne peut altérer.

La lumière du soleil ne se différencie pas en fonction des
« choses qu'elle éclaire », alors que les arts façonnent le geste et
l'organe qui l'accomplit. C'est dire aussi que la vertu propre de
l'intelligence ne saurait s'aliéner à la captation exclusive par
une tâche unique. Elle a pour raison d'être de comprendre
toute chose sans avoir à s'enfermer dans un savoir spécialisé.

Une connaissance n'est elle-même pleinement fondée qu'au
regard de la sagesse à laquelle elle contribue, si du moins sa
portée est lucidement comprise. Loin de tout scientisme, Descartes n'affirme l'unité de la science véritable que sur la base de
la démarche philosophique, quête de vérité par l'attention aux
fondements et aux fins. La recherche de la sagesse s'accomplit
ainsi par la compréhension des principes ultimes de la connaissance et de l'action qu'elle éclaire, et la fondation d'un art de
vivre.

L'illusion selon laquelle des connaissances particulières, sans
réflexion critique sur leur sens, pourraient suffire à étancher la
soif humaine de lucidité est donc récusée. Auguste Comte s'en
souviendra, lorsqu'il soulignera, dans le même esprit, l'importance de la philosophie générale. Bref, la division sociale du travail ne peut affecter l'unité de l'humanité lorsque l'on considère celle-ci par ce qu'elle a d'essentiel : la raison, faculté de
distinguer le vrai et le faux en toute chose.

Il en est de même de toute différence extérieure entre les hommes. Récusant l'idée raciste selon laquelle ils pourraient différer fondamentalement les uns des autres du fait d'attributs physiques, Leibniz rappelait que l'humanité se découvre la même en tous les hommes dès lors qu'on reconnaît la raison qui se trouve en chacun. Cette « vérité de l'intérieur » relativise tout critère de différenciation par lequel on prétendrait trouver entre les hommes des différences essentielles. « Dans l'homme on pourrait aussi distinguer les espèces logiquement parlant, et si on s'arrêtait à l'extérieur, on trouverait encore, en parlant physiquement, des différences qui pourraient passer pour spécifiques. Aussi se trouva-t-il un voyageur qui crut que les Nègres, les Chinois, et enfin les Américains n'étaient pas d'une même race entre eux ni avec les peuples qui nous ressemblent. Mais comme on connaît l'intérieur essentiel de l'homme, c'est-à-dire la raison, qui demeure dans le même homme, et se trouve dans tous les hommes, et qu'on ne remarque rien de fixe et d'interne parmi nous qui forme une sous-division, nous n'avons aucun sujet de juger qu'il y ait parmi les hommes, selon la vérité de l'intérieur, une différence spécifique essentielle... » (*Nouveaux Essais sur l'entendement humain*, III, 6).

Une telle raison ne peut en fin de compte se reconnaître pleinement que dans l'unité d'une sagesse à construire. Celle-ci, sans doute, est davantage un idéal dont la réalisation est indéfinie qu'un bien susceptible d'être possédé pleinement. Mais ce constat n'en invalide aucunement la portée. Le devenir des pratiques humaines appelle à chaque moment décisif de son histoire une remise en chantier de la réflexion sur ce qui est et sur ce qui peut être.

Comme le fait remarquer Sartre, l'élucidation rationnelle de chaque époque engage dans une démarche originale : la réflexion cherche à saisir ce qui unit tous les aspects de la vie au sein d'une configuration réelle. Elle en dessine ainsi une totalisation critique, c'est-à-dire attentive aux tensions et aux contradictions, mais aussi aux résistances et aux solidités. La validité explicative de cette explication totalisante ne dure qu'autant que dure la réalité qui lui correspond. La tâche de la philosophie ne laisse prévoir aucune fin qui en consacrerait la mort certaine. C'est qu'elle est, comme le rappelait Husserl, aussi durable que l'existence des hommes elle-même.

4

Thalès dans le puits

Sa pensée [...] partout déploie son vol, géomètre dans les « profondeurs de la terre », comme dit Pindare, et aussi sur ses étendues, astronome « sur la voûte du ciel », explorant enfin sous tous ses aspects la nature entière de chacun des êtres en général, sans s'abaisser elle-même vers rien de ce qui l'environne [...]. Thalès, occupé à mesurer le cours des astres, et regardant en l'air, était tombé dans un puits. Une servante thrace fit cette plaisanterie, parfaitement dans la note et bien tournée, que dans son ardeur à savoir ce qu'il y a dans le ciel, il ignorait ce qu'il y avait devant lui, même à ses pieds. Et la même plaisanterie continue d'être bonne, pour tous ceux qui passent leur vie à philosopher.

Platon, *Théétète*, 173e-174a,
traduction M. Narcy modifiée, GF-Flammarion.

La tête dans les étoiles... L'image vient de loin, qui fait du penseur un égaré en ce monde, incapable d'esprit pratique. Faut-il donc choisir entre les choses du ciel et celles la terre ? Étrange et gauche, le géomètre astronome et philosophe donnera sa légende repoussoir au pragmatisme ordinaire. Un puits légendaire absorbe en son eau profonde l'ascension vers l'azur.

La pensée qui élève s'inscrit-elle dans les limites quotidiennes ? Elle les dépasse d'abord, pour y revenir et en prendre la mesure. Il faut rêver, pour penser patiemment les choses et apprendre à les voir. On les retrouve alors non comme un spectacle ordinaire où s'organise la nécessité habituelle et auquel, à la longue, on ne prête qu'une attention machinale. Mais comme un spectacle étrange, extraordinaire, dont on s'étonne. Le regard se détourne des occupations ordinaires de la vie. Et il s'attarde aussi loin qu'il peut se porter. Il scrute le ciel, l'horizon, la secrète disposition de ce qui est. Il invente les géométries célestes, découvre les lignes qui relient les étoiles. L'ordre du monde, son harmonie, que l'on appela *cosmos*, s'offrent à l'intelligence attentive.

Speculatio, en latin, est comme *theoria* en grec, le mot qui dit la vision libre, attentive et pénétrante, délivrée de tout autre intérêt que celui de savoir pour savoir. La spéculation ainsi comprise n'a rien d'arbitraire. Elle n'est pas l'indice de quelque perversion du penseur solitaire que son souci d'indépendance fait passer pour méprisant et hautain. Contempler le ciel, c'est chercher le bel ordre qui régit le tout. Dans la nuit, les étoiles composent la trame immémoriale de leurs figures multiples et les yeux se surprennent immobiles. Le souci du vrai fixe les repères. Une sagesse nouvelle, à hauteur d'homme, esquisse ici son programme. Le ciel descend sur la terre, et celle-ci monte vers lui.

Mais Thalès tombe dans le puits, car le spectacle céleste retient toute son attention. « *Ne pas garder les pieds sur terre* » et avoir la tête dans les étoiles, c'est semble-t-il la même chose pour l'opinion courante. L'esprit qui se croit pratique rit de l'accident, qu'il s'attache à trouver exemplaire. L'infirmité semble attestée : l'homme qui pense et se détache ne peut que tomber car les choses sensibles sont têtues.

La dérision semble consacrer le divorce du proche et du lointain, de l'évidence quotidienne et de la spéculation arbitraire. D'une maladresse du penseur, on conclut bien vite à l'absurdité de sa démarche, comme au caractère général de son aveuglement. Au nom du pragmatisme, on vante les mérites supposés d'une pratique d'autant plus efficace qu'elle rejette toute spéculation comme étrangère à son ordre propre. Étrange est l'homme qui semble négliger le quotidien, mais en fait ne lui porte que l'attention minimale pour vivre.

Le travail théorique requiert du temps et de la distance. Il paraît mettre hors jeu le tracas ordinaire et ses fixations. Conduit-il pour autant à congédier le plus élémentaire réalisme ? On ne peut confondre la maladresse résultant d'un certain choix de vie et un parti pris d'indifférence absolue à toute nécessité pratique. La servante moqueuse annonce une vision stéréotypée du philosophe dont les pensées sont tenues pour des spéculations arbitraires, dès lors qu'elles semblent indifférentes au souci qui absorbe et envahit l'existence quotidienne.

La théorie, réputée inutile pour la vie, ne tardera pas à prendre sa revanche. On dit que Thalès, soucieux de montrer qu'il pouvait s'enrichir s'il s'en donnait la peine, résolut un jour de faire usage de ses connaissances à cette fin, inhabituelle pour lui. De la spéculation entendue comme recherche théorique pure et désintéressée, il passa donc à la spéculation financière. Aristote raconte :

« Prenons l'exemple de Thalès de Milet. Il est en effet l'auteur d'un stratagème spéculatif qu'on l'attribue du fait de sa science, mais qui a néanmoins une portée générale. Comme, voyant sa pauvreté, certains lui faisaient reproche de l'inutilité de la philosophie, on dit que grâce à l'astronomie il prévit une récolte abondante d'olives. Alors qu'on entrait en hiver, il parvint, avec le peu de biens qu'il avait, à verser des arrhes pour disposer de tous les pressoirs à huile de Milet et de Chios, ce qui lui coûta peu puisque personne ne surenchérit. Puis vint le moment favorable : comme on cherchait beaucoup de pressoirs en même temps et sans délai, il les sous-loua aux conditions qu'il voulut. En amassant ainsi une grande fortune il montra qu'il est facile aux philosophes de s'enrichir s'ils le veulent, mais que ce n'est pas ce dont ils se soucient » (*Les Politiques*, I, 11, 1259a).

L'épisode de la récolte d'olives est à mettre en balance avec celui de la chute dans le puits, dont il corrige le sens et l'interprétation généralement retenue. Il rappelle un paradoxe où se pense la fécondité inattendue de la théorie désintéressée car soucieuse de la seule vérité des choses. Au passage, Thalès invente le monopole, en même temps qu'il réunit les deux sens opposés de la spéculation. Il donnait là une belle leçon de sagacité, avant de retourner à ses chères études.

L'olive est en Grèce, à l'époque de Thalès, la richesse par excellence. La démonstration est donc optimale, qui réinstalle le philosophe au cœur des choses quotidiennes dont pensait devoir le chasser le préjugé ordinaire. Les années antérieures avaient été pauvres en olives, et sans doute les hommes étaient-ils enclins à penser qu'il en irait de même pour la récolte prochaine. Le pragmatisme à courte vue, prisonnier d'une analogie paresseuse, conduit aussi sûrement à l'aveuglement qu'il se méprend sur les vrais rapports entre recherche du vrai et visée de l'utile. C'est parce que Thalès n'est pas obnubilé par l'utile qu'il se révèle si réaliste le moment venu, car sa lucidité voit loin.

L'histoire des découvertes techniques a d'ailleurs montré que c'est une telle démarche de recherche pure, dite fonda-

mentale, qui permet bien souvent les avancées les plus déci-
sives de la « recherche appliquée ».

  Évoquant la haute stature intellectuelle mais aussi morale de
Thalès, Spinoza rappelle le sens profond de son désintéressement : « D'un mot, ce grand sage se faisait très riche par un
mépris généreux des richesses et non par leur quête sordide.
Il a toutefois montré ailleurs que si les sages ne sont pas riches,
c'est volontairement et non par nécessité. Des amis, en effet,
lui reprochant sa pauvreté, il répondait : voulez-vous que je
vous montre qu'il est en mon pouvoir d'acquérir ce que je juge
ne pas en valoir la peine, et qui est pour vous l'objet d'une
quête si laborieuse ? Oui, dirent-ils, et alors il loua tous les
pressoirs de la Grèce (il avait vu, en effet, en grand astronome
qu'il était, qu'il y aurait grande abondance d'olives alors que
les années précédentes la récolte s'était trouvée fort maigre),
et il sous-loua au prix qu'il voulut ce qu'il avait eu à très bas
prix. Il gagna ainsi en une seule année de très grandes
richesses dont il disposa ensuite avec autant de libéralité qu'il
avait employé d'industrie à les acquérir... » (Lettre à Jarig
Jelles du 17 février 1671).

5

Le printemps de l'hirondelle

Une hirondelle ne fait pas le printemps, non plus qu'un seul jour de soleil : ainsi la félicité et le bonheur ne sont pas davantage l'œuvre d'une seule journée, ni d'un bref espace de temps.

Aristote, Éthique à Nicomaque, I, 6, 1098a,
trad. J. Tricot modifiée, Vrin.

Le retour périodique d'oiseaux migrateurs scande les saisons. Dans ce temps cyclique et régulier l'homme inscrit sa destinée. Pourtant le vecteur de l'existence est irréversible. Il n'y a qu'une enfance, un seul âge adulte, une vieillesse. Nul retour. C'est la nature, et non l'homme, qui recommence son cycle. Mais on apprend à y lire ce qui advient comme des signes, où la mémoire prend ses repères. Le jugement s'esquisse dans cette lecture, mais la hâte du désir peut le fausser. À qui guette le soleil le premier rayon est une promesse, et la longue série des malheurs vécus peut se croire achevée quand surgit un moment de joie. Impatience. Le temps de vivre est là, que l'être a peur de perdre quand il se découvre en sa fragilité.

Le temps s'en va, le temps s'en va, ma Dame,
Las ! Le temps non, mais nous, nous en allons (Ronsard).

Un souvenir de givre éclaire encore les branches alourdies. Un signe un seul pour que prenne fin l'hiver. Un jour de soleil, une hirondelle surprise entre ciel et terre. Viendra un moment singulier, où tout semble arriver pour la première fois. Bientôt le sacre du printemps : l'universelle poussée de la nature annonce en quelque sorte une nouvelle vie. Le cycle naturel ne sera pas démenti, qui des prémisses furtives tirera la saison prochaine. Promesse tenue. La première hirondelle annonce les autres, et le printemps viendra.

Mais le bonheur, c'est autre chose. Un printemps intérieur, que l'hiver de l'âme ne fait pas naître tout seul. Le premier plaisir, la joie inédite, et c'est tout le bonheur qui se rêve. On s'habitue alors à l'attendre, et bientôt à en cultiver l'espoir. Rousseau, promeneur solitaire, enroule sa méditation sur un doute : « Peut-on vraiment les appeler bonheur, ces impressions si fugaces et si éphémères ? »

L'humanité apprend qu'elle peut s'élever à sa forme accomplie, et qu'il existe pour cela un art de vivre, de bien vivre. Elle s'y instruira de sa richesse propre. Il ne s'agit plus de déchiffrer des signes, mais d'inventer une façon d'être.

Le parallèle avec les saisons qui passent et reviennent se renverse. Un seul jour de soleil ne fait pas le printemps, et il sera des journées grises où l'on pourra le croire perdu. Mais l'art de vivre et la sagesse ont à se délier du spectacle céleste. Il y a ce qui dépend de nous, et ce qui n'est pas de notre ressort. Épictète délivre la volonté du cours des choses, et la reconduit à son vrai pouvoir. Le bonheur n'est pas de savoir se résigner, mais d'apprendre d'abord à ne pas dépendre. Cette discipline de soi définit le champ d'une liberté avant d'y accomplir sa tâche, qui est propre à l'homme. Aristote confirme : « nous posons que la fonction de l'homme consiste dans un certain genre de vie, c'est-à-dire dans une activité de l'âme et dans des actions accompagnées de raison ».

Savoir ce qui dépend de nous, et cultiver ce qui nous accomplit : une sorte d'habitude active, de disposition acquise, en devenant durable, délivre la vie de la hantise du hasard. Le bonheur ainsi compris ne résulte pas – ou plus – de la bonne fortune tout extérieure, mais d'une certaine réussite de l'homme qui apprend à donner aux choses le poids qu'elles méritent. Le jugement s'élève ainsi au-dessus de ce qui advient, sans indifférence, mais sans angoisse. Joie d'un nouveau genre : joie de la pensée, que nulle mauvaise fortune ne peut atteindre tout à fait. Une chance n'est qu'une chance et une déconvenue n'est qu'une déconvenue. Un exemple ne démontre rien d'essentiel, sinon qu'il était possible. Le contre-exemple fait de même, et dès lors le champ du possible s'affranchit du destin.

Nul signe isolé ou même répété ne peut clore l'espoir ou au contraire le confirmer à tout jamais. L'art de vivre n'est pas seulement une sagesse du possible. Il appelle cette liberté originale, qui est de se délier des conclusions hâtives, des généralisations sans rigueur, des passions tristes qui morfondent l'initiative. Et d'assumer le beau risque de l'avenir.

Un seul jour de bonheur, c'est déjà tout le bonheur : la plénitude est alors de l'instant, que rien n'effacera si la conscience, l'ayant goûté, en a fait sa substance. Mais que dire alors des jours de malheur qui déjà brouillent le regard ? Le souvenir heureux empêche au moins de leur abandonner la vie, ou le savoir intime qui en forme le récit intérieur. Souvenir d'hirondelle au fond du ciel désert. Hirondelle égayée au premier ciel d'avril. La symétrie inversée des signes suffit à délier la vie de chacun d'eux. L'existence continue alors à s'inventer. On se rend capable d'être heureux, par sagesse cultivée. Et l'on devient digne du bonheur, comme d'un accord toujours incertain entre l'intense désir d'être soi et l'ordre des choses sans cesse recomposé. Montaigne le faisait remarquer avec force : « Qu'il ne faut juger de notre [bon]heur qu'après la mort. »

Solon, dans un récit d'Hérodote, évoque l'homme qui se dit heureux trop hâtivement : « Il ignore les calamités, les maladies, le malheur, il a de beaux enfants, il est beau lui-même. Si à tous ces avantages, s'ajoute une belle fin de vie, voilà l'homme que tu cherches, l'homme qui mérite le nom d'heureux. Mais, avant sa mort, il faut attendre et ne pas le dire heureux, mais simplement chanceux […]. Nul être ne réunit tout en lui. Il faut en toute chose considérer la fin, car à bien des hommes le ciel a montré le bonheur, pour ensuite les anéantir tout entiers » (*Enquête*, I, 32).

6

Le chant des cigales

Voici ce qu'on raconte. Jadis, les cigales étaient des hommes, ceux qui existèrent
avant que ne naissent les Muses. Puis, quand les Muses furent nées et que leur
chant eut commencé de se faire entendre, certains des hommes de ce temps-là
furent, raconte-t-on, à ce point mis par le plaisir hors d'eux-mêmes que de chanter
leur fit négliger de manger et de boire, si bien qu'ils moururent sans s'en apercevoir. C'est de ces hommes que, par la suite, a surgi la race des cigales ; elle a reçu
des Muses le privilège de n'avoir, dès la naissance, besoin d'aucune nourriture, et
de se mettre à chanter tout de suite, sans manger ni boire, jusqu'à leur mort ; après
leur mort, elles vont trouver les Muses pour leur faire savoir qui les honore ici-bas
et à laquelle d'entre elles va cet hommage. Ainsi à Terpsichore, leur rapport
indique ceux qui l'ont honorée dans les chœurs et elles les lui rendent plus chers.
À Érato, elles parlent de ceux qui l'ont honorée dans les choses de l'amour. Et elles
font de même pour les autres, selon la formule de l'hommage qui est le sien. À
l'aînée, Calliope, et à sa cadette, Ourania, elles signalent ceux qui passent leur vie
à aspirer à la sagesse et qui honorent le type de « musique », auquel elles président.
Car, entre toutes les Muses, ce sont elles qui s'occupent du ciel et des discours pro-
férés aussi bien par les dieux que par les hommes, et qui font entendre les plus
beaux accents.

Platon, Phèdre, 259a-d, trad. L. Brisson, GF-Flammarion.

Midi. La vie est musique. Les cigales stridulent et leur chant
sans fin répété emplit la fièvre du solstice. Le temps s'assoupit.
Le paysage des travaux et des heures captives a reflué vers
l'horizon et s'y enveloppe d'une brume de chaleur. Une lente
poésie respire. Chaque objet se délivre dans l'acuité vive de ses
contours. Le moment est venu d'habiter le monde enfin, et de
rendre la conscience à l'émotion de sa présence. La contemplation apaise les corps… L'humanité se souvient à nouveau
des enchantements du ciel comme de la terre. Philosophie.
Les dessins qui relient les étoiles, l'équilibre des ombres au
fond de l'horizon, la justice qui établit sa belle proportion

dans les cités comme chez les hommes, suggèrent leur géomé-
trie idéale dans les choses réinventées.

Midi le juste. L'embrasement des lignes dans la lumière
décline l'ordre du monde. Justesse des formes, manifestées
par leur évidence sans ombre. C'est l'heure de vérité, qui partage le jour parfaitement. Une sorte d'absolu fige un moment
le regard étonné. Pourquoi les choses sont-elles comme elles
sont ? L'angle vif d'un silex, le rythme lointain de la mer, la
solitude sculptée d'un nuage en dérive, offrent leur réponse
muette. L'ordre du visible exalte le soleil sur la blancheur crue
des sables. La pensée déliée fait retour à soi, tout émue du souvenir des proportions et des équilibres, des harmonies secrètes
où se discerne la splendeur du vrai. « *C'est ainsi.* » La promesse
de sagesse est bientôt assumée. L'instant est nôtre. « Le temps
scintille et le songe est savoir » (Valéry).

On raconte que les cigales ont pris le relais des Muses, et se
font messagères d'un rêve dont leur existence même est la
mémoire. Jadis, des hommes ont oublié de boire et de manger,
absorbés qu'ils étaient par le chant des Muses, dont la grâce
épelait la beauté du monde. L'envoûtement est vital et peut-
être fatal. La vie peut-elle s'obséder de la survie au point de
s'oublier elle-même ? Le chant des Muses, c'est la pensée libre
et sans bornes, c'est l'art sans autre fin que lui-même, c'est la
joie de penser et de savoir, de connaître et de danser, de jouir
et de s'épancher. Et les neuf Muses ne captivent les hommes
que pour les restituer à leur vocation essentielle.

Calliope chante l'éloquence vive de la pensée et la poésie
épique. Uranie donne à la sagesse les repères de l'astronomie,
science du ciel et des rapports constants qu'y dessinent les
étoiles. Clio médite l'aventure de l'histoire, où l'homme
découvre la mémoire du sens. Érato dit la poésie douce et
forte de l'amour. Euterpe donne vie aux fêtes et à la flûte qui
fait danser. Polymnie prend soin du lyrisme et scande les
chants des Cités. Thalie inspire la comédie, Melpomène la tragédie. Terpsichore exalte les chœurs et la danse. Toutes rendent hommage à Mnémosyne, déesse de Mémoire, source inépuisable pour que nulle vie advenue et pensée ne soit sans
lendemain.

Socrate confie l'homme sage, amoureux du vrai et du juste
comme de la vie éclairée, à Calliope et à Uranie, déesses qui
tracent le champ de la philosophie. Calliope, muse de l'éloquence comme de la recherche de la sagesse, est attentive au

langage qui héberge la raison. Elle prend soin de la puissance de conviction propre au discours rationnel. Uranie trace la voie de la science, déliée de toute volonté d'emprise, en encourageant le découverte des mécanismes célestes. Le cœur même du libre accomplissement humain bat en elles, affranchi des tâches qui permettent de vivre mais dont la vie ne saurait être captive.

Pratiquer la recherche de la sagesse, c'est viser à la fois le vrai et le juste, pour donner à l'action ses repères propres. L'art des muses, la musique au sens large, en est proche. « La philosophie, dira Platon, est la plus belle musique » (*Phédon*, 61c). On peut entendre le propos littéralement, si l'on accorde que le musicien saisit et recrée les belles proportions, celles qui organisent les rapports numériques des sons. On peut l'entendre aussi au sens métaphorique. Le philosophe se soucie de l'harmonie de l'âme comme de celle de la Cité, de telle façon que la justice intérieure du citoyen, son équilibre, réponde à la justice qui ordonne la cité, et en assure la vigueur.

La mort légendaire des hommes-philosophes qui oublient le boire et le manger pour s'adonner à la musique de l'âme et du corps, qui prennent soin de leurs pensées, indique un idéal de vie presque impossible, mais qui trace la voie. De tels hommes, les cigales sont la métamorphose – et leur chant insistant rappelle le loisir essentiel de la vie déliée. Seuls les Dieux, qui se suffisent à eux-mêmes sans avoir à produire leurs moyens d'existence, peuvent jouir d'un tel loisir. Les mortels, quant à eux, ne peuvent que s'en approcher, et ils ne font que viser une sagesse désirée, qu'ils ne possèdent pas d'emblée.

Messagères des Dieux, les cigales observent maintenant les hommes. Elles font le lien avec les Muses, et tout particulièrement avec Calliope, muse philosophe par excellence. Ainsi, la philosophie, libre envol de la pensée, exprime le divin de l'homme, le meilleur de lui-même ; Aristote dira qu'elle est « la plus haute pratique », celle qui rappelle la vie à son accomplissement majeur.

La distance du loisir a délivré le temps et la conscience. Elle débouche sur l'expérience métaphysique des choses, quand il s'agit de les regarder en les laissant être ce qu'elles sont, dans l'horizon du monde où s'affirment leurs formes.

Hegel reprendra cette idée, en évoquant le « *dimanche de la vie* », moment qui délivre des urgences quotidiennes pour permettre un autre regard. « Certes, l'homme doit nécessairement se livrer au fini ; mais il existe une nécessité plus haute, qui consiste à pouvoir disposer d'un dimanche de la vie où nous nous élevons au-dessus des travaux de la semaine pour nous consacrer à ce qui est Vrai et le porter à la conscience » (*La Raison dans l'histoire*). Une telle distance, qui découvre et révèle, donne sens à la transfiguration artistique de l'anodin et du trivial. Elle fait du regard en recul la saisie la plus directe. Poésie et peinture, musique et philosophie. Hegel le note tout particulièrement à propos de la peinture hollandaise en son « exubérance insouciante », qui atteste le moment idéal de la distance à soi. On s'affranchit du souci de l'utile, de l'affairement ordinaire, pour délivrer les choses de leurs captations usuelles : « C'est le dimanche de la vie qui nivelle tout et qui éloigne tout ce qui est mauvais » (Hegel, *Esthétique*, « La peinture », chapitre III).

7

L'arbre de la philosophie

Toute la philosophie est comme un arbre, dont les racines sont la métaphysique, le tronc est la physique, et les branches qui sortent de ce tronc sont toutes les autres sciences, qui se réduisent à trois principales, à savoir la médecine, la mécanique et la morale ; j'entends la plus haute et la plus parfaite morale, qui présupposant une entière connaissance des autres sciences, est le dernier degré de la sagesse.

Descartes, Lettre Préface aux *Principes de la philosophie.*

La sagesse en toutes choses est aussi difficile que l'enferme-ment dans un savoir particulier est facile. L'unité de la philo-sophie se rapporte à la vie. Elle sera comme un arbre. La sève de la connaissance suit son chemin multiforme, du tronc aux branches, et des branches aux fruits nourriciers.

Il y a une vie étonnante de la pensée, tout à la fois distance et compréhension intime. La philosophie n'est pas le supplé-ment d'âme des sciences, ni la mosaïque des savoirs dispersés. L'unité de ce que l'homme découvre et comprend s'y esquisse comme un programme de sagesse, où chaque savoir prend place dans une réflexion sur son sens.

La philosophie est un arbre, la vie de la pensée dans sa spon-tanéité propre, dans son effort pour prendre forme et se cons-truire. L'arbre est racine, tronc et déploiement de branches. Terre natale du vrai, la vie elle-même fait retour sur soi par la pensée et donne essor à la culture accomplie. Cette sponta-néité de la pensée, en un sens, la curiosité de l'enfant l'annonce, comme son étonnement devant le fait que les choses soient comme elles sont. Au-delà, s'éprouve la patiente et difficile découverte de ses exigences, et du travail qu'elle requiert.

Y a-t-il savoir sans savoir de soi, remontée consciente aux
fondements ? En deçà de la connaissance des choses elles-
mêmes, cette remontée découvre les racines. D'où viennent
les savoirs ? Sur quels fondements reposent-ils ? Quels principes mettent-ils en œuvre ? Ce questionnement est à décliner
aussi pour les actions – qui n'ont de sens qu'au regard de fins
et d'inspirations fondatrices.

Connaissance et action, tout uniment, sont à fonder ou à
faire paraître en leurs fondements implicites. *Métaphysique,* si
l'on veut, peut se dire de ce qui est à rechercher au-delà des
savoirs effectifs, mais se découvre comme leurs fondements. La
recherche des principes premiers est décisive. Les racines sont
celles de la raison, pour s'assurer de ce qui valide un énoncé.
Il s'agit d'échapper à l'incertitude des opinions et des conjectures, pour libérer le vrai et sa reconnaissance des faux-semblants où tout d'abord se perd la conscience. Loin d'être éva-
sion dans un arrière-monde hypothétique, la métaphysique
ainsi entendue a une fonction critique et libératrice. Elle
apprend à reconnaître ce qui est réellement fondé, ce qui peut
prétendre à l'assentiment, comme à envisager l'absolu sans se
prendre au piège des illusions qui en sont la contrefaçon.

La *métaphysique* est bien philosophie première au sens strict :
pensée des racines et des fondements, elle l'est du même coup
des principes de toute chose, de toute action comme de toute
réflexion. Pensée de l'être véritable, si l'on veut. Remonter à
elle, c'est donc s'assurer de ce qui rend possible toute chose et
comprendre la façon dont la conscience atteint la lucidité sur
elle-même : distinguer *croire* et *savoir, penser* et *connaître,* et permettre cette distance à soi qui fait qu'on ne peut se méprendre
sur ce qu'on a dans l'esprit. Après Descartes, Kant radicalisera
cette démarche.

Ainsi enracinée, la connaissance de la nature, traditionnellement appelée *physique,* fait connaître le mode d'existence du
réel et les rapports constants qui l'organisent. L'homme lui-
même ne peut s'excepter de la nature. Il a donc à en connaître
les lois, ce qui est exactement comprendre la façon dont elle
produit ses effets. Mais il ne peut se réduire à ce que déterminent en lui les lois naturelles.

Prendre la mesure de ces lois, c'est ouvrir la voie à la lucidité
sur soi, à la culture de soi, comme à l'action sur le monde extérieur. Ainsi des passions, d'abord comprises par leurs causes
corporelles, et qu'une discipline patiente permet de maîtriser

pour le plus grand bien de cette vie, car ainsi assumées, elles procurent une vraie joie. Ainsi des travaux utiles à la vie, facilités par l'invention de dispositifs qui épargnent la peine et décuplent la puissance, pour peu qu'une authentique maîtrise en soit promue. Cette maîtrise de la maîtrise a pour nom sagesse, et elle implique la responsabilité, qui consiste à prévoir toute conséquence afin de la vouloir ou de la rejeter, ce qui est vraiment répondre de ses actes.

La connaissance est donc à comprendre non seulement en elle-même, pour chaque domaine d'objets élucidé, mais aussi pour les progrès de la lucidité qu'elle permet de façon plus générale, pour tous les objets auxquels la réflexion peut s'appliquer. Elle offre à l'homme une approche distanciée de lui-même et du monde où il se situe.

Une telle exigence parcourt et vivifie les trois branches qui rendent possible la sagesse d'un art de vivre authentique.

La *médecine* d'abord, parce que la santé est la condition non seulement de l'agrément de l'existence, mais aussi et surtout du libre arbitre, car elle fait que l'homme est pleinement à soi et dispose vraiment de ses pensées comme de ses actions, c'est-à-dire de lui-même. La liberté est essentielle au bonheur de vivre, qu'elle fait éprouver dans sa présence accomplie. Descartes y insiste dans une lettre à Elisabeth de Bohême, datée du 1er septembre 1645 : « Comme, lorsque j'ai parlé d'une béatitude qui dépend entièrement de notre libre arbitre et que tous les hommes peuvent acquérir sans aucune assistance d'ailleurs, vous remarquez fort bien qu'il y a des maladies qui, ôtant le pouvoir de raisonner, ôtent aussi celui de jouir d'une satisfaction d'esprit raisonnable [...]. Nous ne pouvons répondre absolument de nous-mêmes que pendant que nous sommes à nous, et c'est moins de perdre l'usage de la vie que de perdre l'usage de la raison » (*Correspondance avec Élisabeth*).

La *mécanique* peut alors s'affirmer aussi. S'appuyant sur la connaissance de la façon dont agissent les causes naturelles et dont elles produisent leurs effets elle permet à l'humanité de produire ceux des effets qui lui sont utiles. La montre, artifice naturel en ce qu'elle ne met pas en jeu d'autres lois que celles qui opèrent dans la nature, fournit ses précieux repérages, et l'eau de la rivière fait tourner la meule à blé. Mais comment choisir les effets à produire – et ceux-là seuls qui sont réellement souhaitables – si l'homme ne dispose pas d'un pouvoir de décision éclairé et n'a pas cette maîtrise morale qui le conditionne ?

La *morale* est donc essentielle, qui déploie la vertu pratique de la raison. Dans sa dimension éthique, cette raison n'est pas simple calcul d'intérêt. Raison soucieuse des fins autant que des moyens, elle se veut lucide et attentive aux effets produits ou prévisibles. Confrontée et reliée à la conscience que l'homme prend de son pouvoir d'agir, la morale est pleinement art de vivre, qui convoque la raison pour prendre la mesure de ce qui vaut. Ainsi peut s'éclairer la conduite. Ce « savoir-vivre » met en perspective tout savoir et rapporte aussi tout pouvoir à la question de son sens raisonnable. On touche ici le sens cosmique de la philosophie, qui se soucie du monde des hommes et de son horizon : comme Descartes, Kant y insistera également et prêtera toute son attention à la raison d'être de la pensée qui irrigue la vie et l'éclaire.

8

La statue d'Isis

Le procédé didactique consistant à rapporter la loi morale présente en nous, selon une méthode rationnelle, à des concepts clairs, est seul proprement philosophique ; en revanche, le procédé qui personnifie cette loi et qui fait de la raison ordonnant moralement, une déesse Isis voilée (bien qu'on ne lui attribue pas d'autres propriétés que celles qui ont été découvertes selon la première méthode), est une manière esthétique de représenter exactement le même objet. De ce mode de représentation, on peut certes se servir après coup, si du moins les principes ont déjà été par la première méthode conduits à leur pureté ; le but est alors de donner vie à ces idées par une présentation sensible, mais jouant seulement sur une analogie. Avec pourtant toujours quelque danger de tomber dans une vision exaltée, qui est la mort de toute philosophie.

Kant, *Sur un ton supérieur pris en philosophie*,
Œuvres complètes, trad. A. Renaut modifiée,
Gallimard, Bibliothèque de la Pléiade.

Isis, déesse de la nature féconde et de la vie, de la civilisation elle-même, l'est aussi de la renaissance et de l'au-delà. Son voile légendaire, croisé sur sa poitrine, la dérobe au regard du profane. Sa majesté hiératique semble habitée pour toujours par une force sereine, intraitable et muette. La vertu requise des hommes s'y reflète en un commandement silencieux, dont la pierre sculptée fige le sens hors du temps et des tourments passionnels. Invisible figure, sans voix et sans regard, où la conscience humaine ne peut trouver que sa limite : une part de nuit et de mystère borde ce qui est et ne sera plus bientôt.

Imaginée par la vague crainte qui n'ose fixer l'effigie, Isis reconduit à la secrète source de l'être, inépuisable en amont de toute forme vivante comme en aval des vies révolues. Son châle de nuit et d'étoiles, nul mortel ne peut le lever de sa main tremblante. L'initiation au culte d'Isis exprime alors le mystère d'une quête indéfinie. Elle accueille la tentation réitérée d'un dévoilement qui remonterait au principe de ce qui est, et de ce qui doit être. La déesse fait signe vers la conduite à tenir comme vers la profondeur des eaux lentes où sombre toute chair avant les naissances prochaines.

La nuit et le jour remontent à leur source commune. « *Cet affreux soleil noir d'où rayonne la nuit.* » La quête de la vie passe en deçà de la mort – et au-delà d'elle –, comme fait Isis recomposant le corps démembré d'Osiris, et lui rendant enfin sa fécondité. Déesse de la renaissance qui se love dans la nature éparse, Isis se dresse comme une mère universelle et mystérieuse. Comment la vie peut-elle renaître de la mort, sinon par une force cachée ? Celle-ci habite tous les hommes, lorsqu'ils prennent soin d'eux-mêmes et des autres en assumant leurs devoirs. La patience d'Isis fut aussi confiance et respect des êtres par-delà leur fragilité.

Flaubert : « Je suis toujours la grande Isis ! Nul n'a encore soulevé mon voile ! Mon fruit est le soleil » (*La Tentation de saint Antoine*). Isis ne peut pas plus être dévoilée que le pouvoir de vie ne peut être séparé des formes qu'il anime. Nulle initiation humaine n'atteint l'indéchiffrable et les rites antiques du culte d'Isis ne pouvaient qu'approcher le mystère sans le dévoiler.

L'objet de culte impose la majesté blanche de la pierre. Présence et absence à la fois, la statue ambiguë semble fixer tout homme qui se tient là, devant elle, dans l'attente d'un signe. Le poète exalté croit pouvoir saisir la secrète volonté de la déesse. Et le fidèle prosterné tremble déjà, comme s'il pressentait quelque sentence divine prête à surgir de l'effigie.

Enthousiasme ou prosternation transie : les deux attitudes font taire la raison, ou lui donnent à entendre qu'elle est vaine au regard de l'incommensurable domination divine. C'est contre une telle dérive irrationaliste que Kant entend repenser le culte, et plus généralement le sens des objets symboliques ou allégoriques qu'il se donne.

Veut-on voir dans la déesse voilée l'inflexibilité de la loi morale, et l'exigence de l'absolu désintéressement qui en est l'essence ? Il s'agit alors de la saisir comme l'incarnation, la présentation sensible, d'un principe à comprendre pour lui-même. Pour cela, une justification rationnelle est nécessaire. Kant revendique le droit pour la raison de « *parler la première* », car il voit dans la posture mystique comme dans l'invocation d'un mystérieux sens du vrai une sorte de refus de penser, d'obscurantisme lourd de servitude.

L'impératif moral peut bien prendre l'accent d'une « voix d'airain » qui viendrait de l'au-delà, il n'en reste pas moins une exigence que l'homme peut parfaitement comprendre par lui-même, sans tutelle ni bonne parole extérieure. Par analogie, cette voix exprime le commandement de la loi morale, en lutte avec les intérêts du moment et les passions vives du désir. Mais cette analogie ne fait que rendre sensible une exigence d'abord saisie par la pensée.

La loi morale sera-t-elle vécue comme l'écho en l'homme d'une puissance transcendante, ou éprouvée comme une ressource originale de l'humanité elle-même ? L'alternative met en jeu le registre propre de la croyance, avec ses incertitudes essentielles. Kant précise : « La déesse voilée devant laquelle, des deux côtés, nous fléchissons le genou, est la loi morale en nous dans sa majesté inviolable. Nous percevons certes sa voix et nous comprenons aussi très bien son ordre ; mais en l'écoutant nous doutons si c'est de l'homme qu'elle provient, de la toute-puissance de sa raison comme telle, ou si c'est de quelque autre instance, dont l'être lui est inconnu et qui parle à l'homme par l'intermédiaire de sa raison » (*ibid.*, p. 415.)

Ainsi, la puissance symbolique de la statue prend un sens différent lorsqu'elle est appréhendée à partir d'une compréhension rationnelle préalable de la loi morale qu'elle représente, et lorsqu'elle suscite une dévotion aveugle, mêlant la peur et le transport mystique. Allégorie sensible dans le premier cas ; opérateur de soumission dans le second. La symbolique remplit une fonction bien différente selon qu'elle reconduit à l'autonomie du sujet rationnel et libre, ou qu'elle intimide par l'auréole effarante du mystère. Dans le premier cas, raison et expression sensible s'accordent, dans l'harmonie de leurs exigences respectives.

On comprend, dans le même esprit, que Hegel, si soucieux de rendre compte des différents registres de la culture comme d'en penser le statut, se soit intéressé de près au rapport entre poésie et philosophie, image et concept, au sein d'une commune expression du vrai : « Il existe une forme de l'esprit qui par un certain côté occupe un niveau plus élevé que le monde de l'imagination, des sentiments et de l'intuition, puisqu'elle est capable de présenter à la conscience le contenu de ce monde en lui donnant un aspect d'universalité et une cohésion que l'art ne saurait jamais lui donner. Cette forme de l'esprit, à laquelle je fais allusion, n'est autre que la pensée philosophique. En revanche, cette forme est entachée d'abstraction, ce qui fait qu'elle ne peut évoluer que dans la sphère de la pensée, des généralités purement idéelles, si bien que l'homme concret peut se voir obligé d'exprimer le contenu et les résultats de sa conscience philosophique sous une forme également concrète, pénétrée d'imagination, d'intuition et de sentiment : expression totale de son intériorité totale » (*Esthétique*, « La Poésie »).

Hobbes mettait déjà en garde contre la dérive obscurantiste qui prête un pouvoir magique aux objets de culte et conduit à supposer qu'ils permettent une communication directe avec la divinité. « Les souverains chrétiens devraient briser les images auxquelles leurs sujets ont pris l'habitude de rendre un culte, afin d'ôter toute occasion à une telle idolâtrie. De nos jours, là où un culte est rendu aux images, le peuple ignorant croit vraiment qu'un pouvoir divin réside en elles ; ses pasteurs lui disent que certaines d'entre elles ont parlé et saigné, et que des miracles ont été opérés par elles » (*Léviathan*, XLV).

Le dispositif obscurantiste mis en évidence par Hobbes a souvent été entretenu à des fins de domination politique, comme dans la sacralisation religieuse des rois d'Ancien Régime. « *Oints du Seigneur* », ils étaient vénérés en leur personne même et toute contestation de leurs actes tenue pour sacrilège. Othon II est représenté en majesté, avec le doigt de Dieu sur sa tête, afin d'indiquer de qui il tient sa légitimité. Confusion liberticide de la politique et de la religion, la mise en scène et la sacralisation du roi ont longtemps constitué un mécanisme d'oppression. Allégories et symboles ne font alors qu'exprimer et exalter un pouvoir temporel, auréolé des vertus de l'autorité spirituelle.

Comment éviter cette dimension aliénante des symboliques traditionnelles, tout en rendant possible une présentation sensible des idées et des principes, compatible avec les exigences de la raison ? Kant considère que les commandements éthiques doivent d'abord être compris comme tels, et consciemment fondés sur la raison. Ils peuvent alors, ensuite, donner lieu à une expression sensible.

Il faut évoquer ici la longue histoire des images et des symboles. « *Tu ne feras aucune image sculptée* » (Ancien Testament, Exode, 204). Le refus biblique de toute représentation de la divinité relève du double souci de délivrer l'homme de la fascination des réalités sensibles et de rappeler que celles-ci sont incommensurables au regard du Dieu invoqué. L'enjeu en est connu : c'est le retour à soi de l'esprit enlisé dans la chair, et l'affirmation de la transcendance qui remonte au principe divin.

On sait que la collusion du pouvoir temporel et de la religion a eu raison de cet ascétisme primitif. Contre les iconoclastes qui voulaient briser toute statue à vocation sacrée, la réhabilitation des images pieuses – adoration des anges et Christ en majesté – a traduit une volonté d'emprise sur les consciences, par le biais des liens d'imagination. L'insistance théologique sur le thème du péché originel disqualifiait dans le même temps l'humanité entière et sa possibilité de se gouverner elle-même. Seuls les rois présentés comme « ministres de Dieu sur la terre », selon la *Politique tirée des paroles de l'Écriture sainte* du célèbre Bossuet, échappaient à cette malédiction et se voyaient investis d'une grâce qui rendait sacrée leur personne, en même temps qu'elle assurait à l'Église une position privilégiée dans l'ordre social et politique.

L'alliance du trône et de l'autel fut longtemps scellée sur la base de services réciproques : César et Dieu se liaient pour le meilleur et pour le pire. À genoux devant le « monarque de droit divin » comme à l'église, les sujets ne discernent plus l'assujettissement spirituel de l'asservissement temporel, les deux se répondant comme ressorts accordés de servitude.

D'où les fureurs iconoclastes de la Révolution française, qu'il faut comprendre avant de les juger en déplorant, à juste titre, qu'elles n'aient pas su distinguer l'art et l'oppression qu'il servait. C'est que l'art, enrôlé, pouvait difficilement être alors goûté pour lui-même. « Les images immobiles de l'ancienne autorité – statues du Christ, de la Vierge, des Saints, des rois de France – sont abattues ou décapitées par l'iconoclasme révolutionnaire ; l'on n'y reconnaît plus la présence du sacré : ces pierres sont châtiées comme les emblèmes de la vieille loi oppressive, de la loi stipulée d'en haut par les imposteurs et les tyrans. » (Starobinski, *1789. Les emblèmes de la raison*).

Réintériorisation en l'homme de toute autorité éthique ou politique, l'émancipation révolutionnaire devait changer radicalement le sens des symboliques peintes ou sculptées. Elles devenaient des allégories non d'un pouvoir dominateur extérieur, mais de la liberté intérieure. Elles s'accordaient avec l'autonomie spirituelle de chacun en tant qu'il se sait souverain et se découvre apte à se donner à lui-même ses propres lois. Rousseau pour la loi politique et Kant pour la loi morale ont parfaitement identifié le sens d'un tel avènement. La mise au point de Kant, notamment, est décisive : « le culte où la foi révélée doit précéder la religion se nomme le faux culte par lequel l'ordre moral est renversé et ce qui n'est que moyen ordonné d'une manière absolue. » Et Kant précise qu'on ne saurait saisir le caractère exemplaire du saint de l'Évangile qu'en confrontant sa façon d'être à l'exigence morale, d'abord comprise par la raison (*Fondements de la Métaphysique des mœurs,* deuxième section).

Là encore, l'homme est d'abord maître de lui-même et de ses principes d'action, avant de s'en former une représentation allégorique qui saura le toucher en exprimant de façon sensible une exigence de la raison. La sensibilité s'accorde alors librement à l'entendement. Ainsi se trouvent congédiés simultanément la dimension oppressive de l'effigie symbolique et l'obscurantisme qui en était le ressort.

9

Athènes et le monde

Il se tire une merveilleuse clarté, pour le jugement humain, de la fréquentation du monde. Nous sommes tous contraints et amoncelés en nous, et avons la vue raccourcie à la longueur de notre nez. On demandait à Socrate d'où il était. Il ne répondit pas : « d'Athènes » mais : « du monde »… Lui, qui avait son imagination plus pleine et plus étendue, embrassait l'univers comme sa ville, jetant ses connaissances, sa société et ses affections à tout le genre humain, non pas comme nous qui ne regardons que sous nous.

Montaigne, *Essais*, I, xxvi
« De l'institution des enfants ».

Athènes. L'horizon singulier d'une histoire trace une ligne familière. Les eaux de la Céphise et de l'Illyssos semblent couler depuis toujours entre les pierres blanches et les écorces tordues. Les collines de la Pnyx et de l'Aréopage sont captives du soleil, et l'abrupte montagne du Lycabette perce la lumière d'un ciel intense. L'air marin du Pirée s'est mêlé à la chaleur dorée de la ville. Ambiance unique d'une cité, dans la plaine légendaire d'Attique. Une polyphonie d'intuitions singulières répond à la répétition des usages lentement sédimentés. Entre terre et ciel, les repères habituels se dessinent. À l'intérieur de ce premier cercle s'organise la vie, par la décantation des souvenirs et des émotions dans l'harmonie unique d'un lieu. Combien de fois les yeux de Socrate ont-ils parcouru ce paysage, pour s'arrêter enfin sur la citadelle de l'Acropole ?

Ici la Cité est devenue communauté politique, avec ses usages et ses limites, avec ses vertus et ses exemples. La démocratie est née, mais elle avait ses esclaves, ses restrictions, et son ancrage singulier. Ici des hommes ont porté un idéal qui les dépassait. Comme si la sourde respiration du monde passait par leurs vies, élevant leur conscience à hauteur d'humanité. Épictète l'esclave, comme Marc Aurèle l'empereur, rappelle que tous les hommes sont citoyens d'un même monde. Il évoque l'exemple de Socrate dans des termes que reprendra Montaigne : « Il ne disait jamais qu'il était d'Athènes ou de Corinthe, mais qu'il était du monde. Pourquoi dire en effet que tu es d'Athènes et non pas plutôt de ce petit coin de la ville où ton pauvre corps a été jeté à ta naissance ? » (*Entretiens*, I, ix).

Nul ne choisit sa demeure natale. Mais nous ne sommes pas rivés pour toujours au pays d'enfance. Les voyages délivrent bientôt le regard : ils font varier l'horizon ordinaire. Un autre séjour est possible. Une autre façon d'habiter aussi, par l'aventure de la pensée, qui recueille la mémoire des autres hommes et va au-devant d'elle, qui sans cesse vise l'universel à partir d'un paysage irremplaçable.

Stefan Zweig dit la nostalgie du pays perdu par l'exil, qui porte en lui le *monde d'hier* comme une blessure muette du regard. Il faut, pour penser à l'échelle du monde, se sentir d'abord chez soi quelque part. Les vertus du voyage ne sont jamais si bien éprouvées qu'au moment du retour, quand l'âme se pose et se repose au fond des choses familières. Alors seulement, elle peut les mettre à distance, les saisir comme étranges, et les offrir à la réflexion critique. Les réprouvés d'un lieu, condamnés au déchirement de l'exil, ont peine cependant à s'élever à l'universalité. Ils vivent le voyage non comme affranchissement volontaire, mais comme déracinement brutal, subi dans l'impuissance. De fait, l'universel n'existe nulle part, sinon dans la pensée qui dépasse toute limite assignée. Et il n'y figure qu'à la façon d'un idéal, ou d'un horizon. C'est dire que la dimension libératrice de sa visée ne se comprend d'abord qu'au sein d'un paysage singulier, qui nourrit la conscience et lui fournit ses premiers repères.

Il faut éprouver la diversité des lieux et des coutumes, comme des opinions qui en sont les reflets immédiats. Une telle expérience émancipe le jugement. Mais elle peut aussi rester lettre morte si le voyageur, entièrement assujetti à ses marques familières, juge avant de comprendre et s'interdit ainsi d'accueillir le témoignage de la diversité. Tel est le mirage de l'idéologie, qui rive et enferme dans les illusions d'une société sur elle-même. « *Ne pas voir plus loin que le bout de son nez »* : l'expression populaire, évoquée par Montaigne, recouvre ces formes d'égocentrisme et d'ethnocentrisme qui érigent une civilisation en norme aveugle à sa particularité.

Il y a le voyage réel, ou le voyage imaginaire de la culture. Le jugement attend sa refondation critique par la mise à distance des normes d'abord admises. Pourquoi dépendraient-elles des hasards du lieu ou de l'époque ? L'humanité vient de loin, et elle semble veiller derrière l'horizon silencieux. Le nouveau lieu d'accueil refoule parfois l'origine et ne préserve que l'émotion du souvenir. Le dialogue avec les œuvres n'exige pas ce sacrifice. Il offre le monde entier à la conscience qui s'apprête à le faire sien, par-delà le moment présent ou les bornes d'un pays.

D'où sommes-nous ? D'où venons-nous ? La confusion des deux questions est tentante, comme l'est également la dangereuse réduction d'une personne à ses origines, à ses « racines ». La confusion est bien compréhensible d'un point de vue poétique et affectif, quand il s'agit d'évoquer la valeur irréductible d'une histoire personnelle et ses points d'ancrage natifs. Les remontées vers l'enfance et l'émotion singulière des premiers souvenirs s'attachent alors à un lieu, à un moment, à une ambiance. Mais cette évocation ne peut fonder sans péril l'affirmation de soi.

L'assignation crispée à une origine est source d'exclusion. Elle enchaîne l'identité à l'imaginaire de la souche authentique, de la pureté supposée, et prépare le rejet de l'autre, tout en fantasmant à propos de cette « altérité » comme elle le fait pour l'identité. Le registre de la vie personnelle, auquel on tient plus qu'on ne saurait dire, ne peut donc régler les jugements sans risque d'étroitesse. Si les pensées sont dictées par le lieu et l'époque, par les représentations spontanément liées à un vécu particulier, elles en intègrent aussitôt les limites. Sont-elles encore de vraies pensées, avec toute l'exigence de recul et de conscience active que cela implique ?

L'homme a-t-il des « racines » ? La métaphore est suggestive, mais elle pose problème si on en étend la portée au-delà de ce qui est légitime. Les hommes ne sont pas comparables à des plantes, susceptibles de croître seulement dans un lieu déterminé. Ils ne sont pas non plus des animaux, attachés à un milieu de vie spécifique dont ils ne peuvent être retirés sans péril pour leur survie. Bref, l'homme ne dépend pas exclusivement d'un « milieu », que celui-ci soit culturel ou climatique.

Antisthène ironisait sur les Athéniens qui se vantaient d'être nés de leur propre terre. Ne partageaient-ils pas ce singulier privilège avec les escargots qui rampent sur le sol ?

Si l'homme voyage par la pensée ou par le corps, c'est que le monde entier est en fin de compte sa vraie patrie. Il n'est attaché que par le sentiment aux paysages et aux souvenirs qui le marquèrent d'abord. Sa réflexion l'en délie, non par trahison ou ingratitude, mais par vocation naturelle à s'affranchir et à choisir, à libérer de toute étroitesse les références qui nourrissent le jugement. On ne peut transiger, sous prétexte de fidélité aux origines et aux racines, avec les exigences du vrai et de ce qui peut valoir pour tout homme. Ni confondre la fidélité à un lieu et le ralliement à un préjugé.

Leibniz dit avec force que la connaissance des vérités fait de chaque homme un peu plus qu'un miroir de l'univers : « un seul esprit vaut tout un monde, puisqu'il ne l'exprime pas seulement mais le connaît aussi, et s'y gouverne à la façon de Dieu » (*Discours de métaphysique*, 36).

Il arrive que les cadres familiers soient ainsi mis à l'épreuve. Sans doute est-ce nécessaire pour que se rompent les amarres de la conscience. On peut alors embrasser l'univers entier, par le cœur comme par la pensée. Et se savoir citoyen du monde.

Épilogue
Le panthéon de l'esprit

Muette est devenue la confiance dans les lois éternelles des dieux, aussi bien que la confiance dans les oracles qui devaient connaître le particulier. Les statues sont maintenant des cadavres dont l'âme animatrice s'est enfuie, les hymnes sont des mots que la foi a quittés. Les tables des dieux sont sans la nourriture et le breuvage spirituel, et les jeux et les fêtes ne restituent plus à la conscience la bienheureuse unité d'elle-même avec l'essence. Aux œuvres des Muses manque la force de l'esprit qui voyait jaillir de l'écrasement des dieux et des hommes la certitude de soi-même. Elles sont désormais ce qu'elles sont pour nous : de beaux fruits détachés de l'arbre ; un destin amical nous les a offertes, comme une jeune fille présente ces fruits ; il n'y a plus la vie effective de leur être-là, ni l'arbre qui les porta, ni la terre, ni les éléments qui constituaient leur substance... Notre opération, lorsque nous jouissons de ces œuvres, n'est donc plus celle du culte divin grâce à laquelle notre conscience atteindrait sa vérité parfaite qui la comblerait, mais elle est l'opération extérieure qui purifie ces fruits de quelques gouttes de pluie ou de quelques grains de poussière, et à la place des éléments de l'effectivité éthique qui les environnait, les engendrait et leur donnait l'esprit, établit l'armature interminable des éléments morts de leur existence extérieure, le langage, l'élément de l'histoire, etc., non pas pour pénétrer leur vie, mais seulement pour se les représenter en soi-même. Mais de même que la jeune fille qui offre les fruits de l'arbre est plus que leur nature qui les présentait immédiatement, la nature déployée dans ses conditions et dans ses éléments, l'arbre, l'air, la lumière, etc., parce qu'elle synthétise sous une forme supérieure toutes ces conditions dans l'éclat de son œil conscient de soi et dans le geste qui offre les fruits, de même l'esprit du destin qui nous présente ces œuvres d'art est plus que la vie éthique et l'effectivité de ce peuple, car il est la récollection et l'intériorisation de l'esprit autrefois dispersé et extériorisé encore en elles ; il est l'esprit du destin tragique qui recueille tous ces dieux individuels et tous ces attributs de la substance dans l'unique Panthéon, dans l'esprit conscient de soi-même comme esprit.

Hegel, *Phénoménologie de l'esprit*,
trad. J. Hyppolite, Aubier, II, p. 261-262.

Pour que s'invente l'horizon de toute l'humanité, la culture se fait mémoire des sources. En elle se réunissent les eaux vives des arts multiples, des savoirs et des sagesses, des symboles et des légendes. Les œuvres et les élans spirituels survivent alors aux ambiances qui les firent naître, mais selon une vie nouvelle, d'un autre genre. Le panthéon de l'esprit s'élève et s'ouvre à des visites indéfinies.

Les Grecs vénéraient Mnémosyne, muse et déesse de toutes les mémoires. Peut-être voyaient-ils en elle ce rapport à soi d'une humanité qui s'instruit en se ressouvenant du meilleur d'elle-même. La patience de vivre est aussi création, autocréation de la vie humaine. Si Auguste Comte rappelle que « l'humanité est faite de plus de morts que de vivants », ce n'est pas pour la figer dans une célébration stérile, mais pour dire le sens vrai de la culture, celle qui élève et nourrit. Culture à la fois une et diverse, qui définit l'aventure silencieuse des hommes, leur façon d'habiter le monde. Aucune vie ne reste sans lendemain, dès lors que se prolonge son écho dans un avenir qu'elle ne peut connaître, mais qu'elle fonde à sa manière.

« Nous autres, civilisations, nous savons maintenant que nous sommes mortelles. » Valéry, tenant ce propos célèbre, entendait rappeler la condition native de toute façon de vivre collective, quelle que soit la force de son génie propre. Mais il ne confondait pas culture et civilisation. La culture, c'est ce qui reste quand vient de mourir une civilisation, mais que ses œuvres marquantes sont soustraites à l'oubli. C'est donc, en un sens décisif, la conscience de soi de l'esprit humain, la remémoration active de ce qu'il a créé en certaines circonstances. Et c'est à ce titre qu'elle peut fonder l'éducation du regard comme celle de l'initiative.

Comment nous rapporter aux œuvres des époques révolues ? Deux tentations existent : celle d'une relativisation historique, prompte à tout réduire au document mort, et celle d'une vénération idéaliste, aveugle aux contextes. Aucune de ces voies ne semble cependant recevable, car dans un cas comme dans l'autre, c'est une approche unilatérale, et finalement abstraite, qui prévaut.

La statue est là, saisissante immobilité du mouvement. La déesse ne nous regarde pas vraiment, mais ses yeux nous appellent. Blancheur vide du marbre dans le dessin parfait des deux arcades. On imagine la vie qui habitait l'effigie et qui avait pris forme en un temps révolu, en un lieu aujourd'hui recouvert. On imagine cette façon d'être – que les Grecs appelaient *ethos* – devenue familière aux hommes qui s'y mouvaient comme en leur élément naturel. Paysage des cités antiques, croyances vives nouées aux gestes quotidiens. Les statues et les hymnes habitaient la plénitude de leur sens, au présent, et faisaient partie des mouvements ordinaires.

Le monde se vivait alors à la lumière de ses repères quotidiens ; l'art en figurait les formes, et la religion y était pouvoir de relier dans l'admiration nourricière. Ce qui comptait pour l'humanité de l'homme – vertus et craintes, espoirs et patiences – s'exprimait dans le souci du divin. Et le divin, peut-être, n'était que l'image la plus haute de l'humanité, dont les hommes vénéraient la grandeur pour mieux mesurer la portée de leurs efforts et le sens qu'ils pouvaient prendre dans le cadre idéal de leur histoire. En ce sens, l'homme se savait accordé avec l'essence divine, et cette unité fut le bonheur du peuple grec. Tout le panthéisme de jadis en témoigne, qui se sait explicitement humain et apprivoise la transcendance sans l'abolir.

L'humour des Grecs et des Romains à l'égard de leurs dieux n'a rien de dérisoire : il exprime la conscience de soi d'une représentation qui élève l'homme sans l'humilier devant une force mystérieuse et redoutable. L'anthropomorphisme superstitieux est le mauvais côté de cette religion, comme l'a bien vu Épicure. Mais son humanité rayonne dans les œuvres d'art qu'elle inspire : le divin fait retour vers l'humain, comme le montrent les tragédies d'Eschyle et de Sophocle, les poèmes d'Homère, les comédies d'Aristophane.

Cette vie-là n'est plus, ce monde-là est mort, et ceux qui lui donnèrent chair ont disparu. Demeurent désormais les formes de pierre blanche, la froideur des mots figés comme des traces fossiles. Ou les livres légués par les morts aux vivants de demain, et de toujours. Beauté vidée de vie, et dont on serait tenté de faire l'historique, en restituant par la mémoire les éléments qui composaient le paysage où elle s'inscrivait jadis. Mais ce traitement ne peut avoir de sens. Car la conscience ne reste pas extérieure à ce qui se représente ainsi et se donne à saisir.

Évoquer le contexte, le langage, les croyances et les usages, ce n'est pas seulement décrire la forme et la couleur d'une chose morte en ce paysage où elle figure au milieu de tout ce qui lui donnait sens. C'est revivre pour soi le geste humain qui se dessina, non bien sûr en l'habitant des mêmes sentiments, mais en éprouvant de l'intérieur cette présence à soi de l'humanité qui vit et qui souffre, qui pense et qui jouit, et dont les créations disent à tout jamais la condition vécue devenue consciente d'elle-même.

L'esprit, c'est en fin de compte cette conscience de soi de l'humanité, qui transite d'un monde à l'autre, d'une époque à l'autre, par l'univers des signes. Et que rappelle l'émotion d'un geste simple, qui la fait revivre et vivre en la représentant. Tout à la fois expression immédiate et mémoire distanciée, la culture peut se dire panthéon de l'esprit. Ses dieux ne régissent l'aventure humaine qu'en l'élevant à la manifestation exemplaire de ce qu'elle crée. Au bord du chemin, ses œuvres témoignent. Œuvres fortes, si belles de retenir au-delà des morts la mémoire du sens. La culture des hommes est bien ce culte de l'humanité qui fait qu'en chaque individu la conscience émue se remémore ses matins et ses crépuscules trop vite oubliés, en les faisant revivre par la pensée.

Il faut concevoir la pensée comme le phénix qui renaît de ses cendres, et constitue le grand panthéon de l'esprit par ses images comme par ses personnages légendaires, par ses symboles comme par ses exemples. On lui rendra ainsi le seul hommage qui soit digne d'elle : la faire vivre au présent par l'élucidation d'un monde à naître.

L'admiration est pour cela nourricière, quand elle sait distinguer ce qui mérite de l'être. C'est dire qu'elle va de pair avec l'esprit critique, vigilance de la raison qui ne peut ni ne doit s'en laisser compter. Ni vénération aveugle ni dénigrement systématique. On croit par l'une devoir rester fidèle à un passé largement mystifié ; on s'imagine par l'autre donner des preuves de modernité. Les deux aliènent et enferment. Le sens du vrai, du beau et du juste s'y trouve effacé par la servitude de mimétismes naïfs.

La culture est distance à soi du moment présent. Elle porte en elle l'exigence de comprendre le sens des constructions de jadis, comme d'en éprouver la portée, voire la grandeur. Elle déploie son florilège de légendes, où la pensée sut se dire et se rendre sensible, y compris dans l'étrangeté de formes qui n'eurent qu'un temps.

On fait retour à l'histoire, aux conditions qui virent naître et firent vivre les œuvres et les hommes. L'image aux couleurs passées – carte postale d'antan, sépia d'une vie révolue – n'est donc pas un simple document, abandonné un jour par ce qui a cessé d'exister et ne sera plus jamais. Le geste de la redécouvrir, de remonter à la source vive de son sens, atteste déjà qu'elle peut continuer son existence au-delà d'elle-même, en ce regard que les hommes lui portent et dont ils nourrissent leur façon de voir aujourd'hui. La pensée ne revit ses aventures que pour se réinventer toujours.

Répertoire des légendes philosophiques

Répertoire des personnages évoqués

Androgyne : dans la mythologie grecque, forme première des êtres humains, relevant des deux sexes (*andro* : homme et *gyné* : femme). Ils auraient tenté d'escalader le ciel pour s'en prendre aux dieux (cf. Platon, *Le Banquet*, 190c). Zeus, prenant ombrage de leur ambition servie par leur puissance, les aurait fendus en deux pour créer l'homme et la femme comme êtres séparés. L'amour qui les porte l'un vers l'autre, désir d'union, exprimerait ainsi la nostalgie de l'unité perdue et de la puissance qu'elle conférait.

Antisthène : (Athènes, né vers 444 av. J.-C. ; mort en 365 av. J.-C.), philosophe grec, admirateur de Socrate. On dit qu'il fut l'un des fondateurs de l'école cynique.

Ariane : fille de Minos et de Pasiphaé, sœur de Phèdre. Elle fournit à Thésée le fil légendaire qui lui permet de sortir du Labyrinthe où il a tué le Minotaure. Partie avec Thésée dont elle est amoureuse, elle est abandonnée par lui sur l'île déserte de Naxos. Elle y est séduite par Dionysos (en latin, Bacchus). Ovide l'évoque dans *Les Métamorphoses* (VIII) ainsi que Plutarque dans *Les Vies parallèles*. Chez Nietzsche, elle forme avec Dionysos le couple à la fois tragique et joyeux de l'affirmation innocente de la vie.

Athéna : déesse grecque de la Sagesse, des Sciences et des Arts, assimilée par les Romains à Minerve. Sortie tout armée du cerveau de Zeus, elle est aussi une déesse guerrière. Athènes porte son nom.

Atropos : l'une des trois Moires (Parques) qui président aux destinées humaines. C'est elle qui coupe le fil de la vie.

Buridan (Jean) (né à Béthune, vers 1300 – ? ; mort en 1358) : philosophe influencé par la scolastique d'inspiration aristotélicienne. Recteur de l'Université de Paris en 1328, il adopte la conception nominaliste de Guillaume d'Occam. On lui attribue la célèbre fiction de l'âne paralysé par deux impulsions contradictoires d'égale force : un âne aussi affamé qu'assoiffé, se trouvant à égale distance d'un seau d'eau et d'un picotin d'avoine, ne peut choisir ni partant se mouvoir pour se nourrir ou boire ; il se laisse mourir de faim et de soif. L'âne de Buridan est une fiction destinée à illustrer les difficultés de la liberté de choix.

César : Caius Julius Caesar (né à Rome en 100 ; mort en 44, av. J.-C., aux ides de mars). D'abord général puis homme politique romain. Né dans une famille patricienne célèbre, il gravit tous les échelons du *cursus honorum*. Son ascension le conduit à former en 60 un triumvirat avec Pompée et Crassus. Élu consul en 59, il exerce le gouvernement de l'Illyrie, de la Gaule Cisalpine et de la Narbonnaise. Il conquiert la Gaule de 58 à 51. En 49, il reçoit de Pompée, nommé unique consul par le Sénat, l'ordre de rentrer à Rome sans son armée. C'est alors que César franchit le Rubicon et occupe l'Italie de janvier à février 49. César l'emporte sur Pompée à Pharsale (48), puis il le poursuit en Égypte (48). Il y installe Cléopâtre sur le trône. Il devient *imperator*, dictateur et censeur à vie (44). Auteur, entre autres, de la *Guerre des Gaules*. Il fut poignardé par Cassius et son fils adoptif Brutus au Sénat. Cf. Suétone (*Vies des douze Césars*), Plutarque (*Vies des hommes illustres*). Son nom est devenu le nom allégorique de la puissance politique, depuis la fameuse distinction des deux royaumes attribuée à Jésus (rendre à César ce qui est à César, et à Dieu ce qui est à Dieu).

Cléopâtre : Cléopâtre VII (Alexandrie, 69 ; morte en 30 av. J.-C.), reine d'Égypte, célèbre par sa beauté, qu'elle met au service de son sens politique. Maîtresse de César, puis d'Antoine, qui l'aident à préserver son trône. Après la défaite d'Antoine devant Octave à Actium (31 av. J.-C.), elle prend la fuite avec lui en Égypte. Tous deux se suicident. Selon la légende, elle aurait porté un aspic à son sein.

Clotho : une des trois Moires (en latin, les Parques), déesses préposées aux destinées humaines.

Dédale : architecte et inventeur grec, devenu légendaire. En Crète, il conçoit et fait construire le Labyrinthe, où le roi Minos emprisonne le Minotaure. Enfermé lui-même dans le Labyrinthe, il s'en échappe en fabriquant des ailes avec des plumes collées à la cire. Son fils Icare l'accompagne, mais s'approche trop du soleil, dont la chaleur fait fondre la cire. La chute d'Icare dans la mer Egée est devenue légendaire.

Dionysos : fils de Zeus et de Sémélé. Identifié avec Bacchus dans la mythologie romaine. Dieu du vin et de l'ivresse, fait l'objet d'un culte qui célèbre l'art et la poésie. Référence constante pour la naissance et l'apogée du théâtre grec. Nietzsche en fait l'allégorie de la vie jaillissante en son affirmation à la fois joyeuse et tragique. Le principe dionysiaque, c'est celui de l'inscription de toute réalité dans le devenir qui la crée puis l'absorbe. Individuation apollinienne des formes et retour dionysiaque de celles-ci à l'indifférenciation originelle définissent une sorte de métaphysique tragique de l'affirmation vitale.

Don Quichotte (de la Manche) : héros de Cervantès, et titre du roman qui raconte ses aventures (sous-titré « L'ingénieux Hidalgo »), parabole aux multiples aspects, en deux parties (1605 et 1615), qui parodie les livres de chevalerie. Le chevalier errant reste rivé à son rêve comme à ses idéaux, dans un monde qu'il doit sans cesse transfigurer pour en faire le théâtre des exploits imaginaires qu'il s'invente. À la fin, le retour au domicile est celui d'un homme désabusé, qui ne peut que mourir dès lors que nulle aventure ne vient plus confirmer sa raison d'être.

Épiméthée : frère de Prométhée. Imprévoyant, il répartit entre les êtres vivants toutes les ressources et ne dispose plus de rien lorsque vient le tour des hommes. Prométhée compense en remettant aux hommes le feu et la maîtrise des techniques. Épiméthée épouse Pandore, la première femme, dont le nom signifie qu'elle est parée de tous les dons. Pandore possède une jarre où se trouvent tous les maux, et l'ouvre. Ceux-ci se répandent partout.

Érato : muse de la poésie lyrique.

Eurydice : épouse d'Orphée. Cf. ce nom ci-dessous.

Euterpe : muse de la Musique.

Faust : humaniste allemand de la fin du XVᵉ et du début du XVIᵉ s. On en connaît peu de chose, sinon des épisodes légendaires. Il se serait voué au principe du mal. Autrement dit, en termes mythiques, il aurait vendu son âme au diable. Cette légende inspira nombre d'œuvres, dont celle de Goethe, qui écrivit un drame (*Urfaust*) en 1774, qu'il reprit en 1808. Le thème en est classique. La soif éperdue de jouissance et de savoir, mais aussi de puissance, y est dépeinte comme une perte radicale de l'âme, symboliquement vendue à Méphistophélès.

Frankenstein : héros d'un roman Mary Shelley (1818) (*Frankenstein ou le Prométhée moderne*). Un savant, le Docteur Frankenstein, crée un homme à partir de cadavres. Repoussant et sans cesse rejeté, le monstre ainsi créé voudrait qu'on l'aime. Devenu conscient de sa nature monstrueuse il utilise sa force pour se venger du monde qui l'exclut.

Icare : fils de Dédale. Enfermé avec son père dans le Labyrinthe construit pour le roi de Crète, il s'en échappe avec lui grâce à des ailes collées par de la cire. Oubliant les conseils de Dédale, il s'approche du Soleil, qui fait fondre la cire. La chute d'Icare illustre les dangers du rêve technique dès lors qu'il se fait oublieux des limites premières.

Iphigénie : fille d'Agamemnon et de Clytemnestre, sacrifiée par son père à Artémis (Diane) pour qu'un vent favorable se lève à Aulis, là où se trouve réunie la flotte des Grecs, en attente d'une expédition guerrière pour Troie. La pièce d'Euripide Iphigénie à Aulis (405 av. J.-C.) évoque le sacrifice, Iphigénie étant remplacée au dernier moment par une biche.

Iseut (ou Iseult) la Blonde : héroïne des textes qui racontent la légende de Tristan et Iseut (XIIᵉ s.). Épouse du roi Marc de Cornouaille, elle partage avec Tristan un philtre qui les rend éperdument amoureux l'un de l'autre. Écartelée entre le devoir de fidélité et la passion dont elle est prisonnière, Iseut trouve sa délivrance dans la mort.

Isis : divinité de l'Égypte ancienne. Déesse de la fécondité, du mariage et du foyer familial, elle est la mère d'Horus. Elle ressuscite son époux Osiris, dont elle recompose le corps.

Jekill : héros malheureux d'un roman de Stevenson (*Docteur Jekyll et Monsieur Hyde*, 1886). Un médecin londonien, l'honorable Docteur Jekill, met au point une drogue qui lui permet de se métamorphoser en un être repoussant et cruel, Mister Hyde. Cette métamorphose, d'abord réversible, devient à la longue irréversible. Parabole du dédoublement en chacun du principe du mal et de celui du bien, le roman invite également à réfléchir sur la transformation de la personne par les habitudes qu'elle prend d'agir d'une certaine façon, comme sur les dangers d'un défaut de maîtrise de la science.

Jésus ou Jésus-Christ : Jésus, forme grecque du nom hébreu Josué, dont le sens est Dieu salvateur ; Christ, issu du mot grec *Khristos*, signifie « oint ». Personnage dont l'historicité a longtemps été controversée, et qui est donné comme le fondateur de la religion chrétienne. Du point de vue historique, on pense que Jésus est né à Bethléem, vers 5 ou 4 avant le début de l'ère chrétienne. Les textes des Évangiles rapportent ce qu'aurait été sa prédication, longue de trois ans. Il fut probablement condamné à mort et crucifié à Jérusalem le vendredi 7 avril de l'année 30, ou le 3 avril 33. Les Évangiles présentent Jésus comme le Sauveur, fils de Dieu. Ils le donnent comme le Messie annoncé par les prophètes. Selon la croyance qui les anime, il aurait été conçu par une opération du Saint-Esprit dans le corps de Marie, épouse de Joseph, et constituerait la deuxième personne de la Trinité (avec le Père, et le Saint-Esprit). La doctrine qu'il prêche en Galilée et en Judée, selon les Évangiles, a pour centre la maxime éthique « Aimez-vous les uns les autres », à laquelle il entend donner une portée universelle. L'idée du Dieu-Amour est annoncée comme la « bonne nouvelle » (en grec *evaggelion*, d'où le terme évangile). Douze disciples, dont Pierre, se réunissent autour de lui et deviendront ses apôtres. À Jérusalem, Jésus est dénoncé par les princes des prêtres, et trahi par l'un de ses apôtres, Judas. Condamné à mort comme blasphémateur pour s'être dit fils de Dieu, il est abandonné par Ponce Pilate, procurateur romain de Judée, hostile dans un premier temps à la sentence. Jésus est crucifié sur le mont Calvaire (Golgotha).

Job : personnage de la Bible, accablé de malheurs de plus en plus terribles. C'est par la volonté de Dieu que lui sont infligées ces épreuves. Il se révolte dans un premier temps, mais ne remet jamais en cause l'inconditionnalité de sa foi. L'accumulation des épreuves selon une gradation qui affecte d'abord les biens, puis les êtres chers, puis la santé et l'intégrité de la personne même, n'ébranle pas cette foi. Si Job maudit le jour de sa naissance et gémit amèrement, il ne s'en prend à aucun moment à Dieu, dont il renonce à comprendre les décisions. Sa résignation est acceptation soumise : elle lui vaudra de recouvrer, augmentée, la prospérité de sa condition antérieure. Le Livre de Job (vᵉ siècle av. J.-C.) a été lu, par Kant notamment, comme un livre de sagesse éthique, illustrant l'inconditionnalité de la foi et le désintéressement moral.

Judas Iscariote : apôtre qui aurait trahi Jésus par un baiser permettant de le faire reconnaître par ses adversaires. Le « baiser de Judas » désigne un geste de trahison. Selon la légende, le remords conduisit Judas à se pendre.

Lachésis : une des trois Moires qui président à la destinée humaine.

Léviathan : Monstre marin de la mythologie phénicienne, repris dans la Bible, et symbole de la puissance maléfique par excellence. Titre d'un ouvrage de Hobbes (1651) : Léviathan ou la Matière, la forme et la naissance d'un État ecclésiastique et civil. Hobbes y pense les fondements et la genèse de l'État comme communauté politique permettant d'échapper aux violences de l'état de nature.

Minerve ou Athéna : dans la mythologie romaine et grecque, déesse de la Sagesse. Patronne de Rome, comme Athéna le fut d'Athènes, elle protège la ville de sa puissance. Un de ses symboles est la chouette, dont le regard ne voit les choses qu'à la tombée de la nuit. C'est ainsi la connaissance rationnelle et discursive, différente de l'appréhension sensible en pleine lumière, qui est désignée comme un de ses attributs décisifs.

Mnémosyne : dans la mythologie grecque, déesse de la Mémoire. Fille d'Ouranos et de Gaia, elle est la mère des Muses.

Moires : divinités qui présidaient à la destinée, symbolisée par un fil se dévidant et coupé au moment fatidique (Clotho, Lachésis et Atropos). En latin, Parques.

Narcisse : selon Ovide, jeune homme d'une grande beauté, devenu amoureux de son image, reflétée un jour dans les eaux, et incapable d'aimer désormais une autre personne. Il devait mourir de langueur en contemplant son visage dans l'eau d'une fontaine. La légende dit qu'il fut changé en une fleur, celle qui porte son nom.

Œdipe : héros tragique. Fils de Laïos, roi de Thèbes, et de Jocaste. L'oracle de Delphes ayant prédit qu'il tuerait son père et épouserait sa mère, Œdipe est abandonné par ses parents dès sa naissance, de telle façon qu'il ne puisse survivre. Recueilli par Polybos, roi de Corinthe, il entend connaître son identité véritable et consulte l'oracle de Delphes ; celui-ci lui révèle son histoire, et la prédiction qui l'accable. Dès lors, Œdipe fuit Corinthe, croyant fuir ainsi son affreuse destinée. Mais tout ce qu'il accomplit dans ce sens contribue en fait, par des médiations qui lui échappent, à réaliser ce destin. Ainsi, sur le chemin, une querelle avec un étranger, qui n'est autre que Laïos, tourne à l'affrontement. Œdipe s'emporte et tue son père sans le savoir. Aux portes de Thèbes, il rencontre le Sphinx dont il résout la fameuse énigme. Il délivre ainsi Thèbes du monstre, qui ne survit pas à l'énigme. Créon avait promis le royaume de Thèbes et la main de Jocaste au vainqueur du Sphynx. La sombre prédiction se réalise ainsi, toujours à l'insu d'Œdipe, qui devient roi de Thèbes et mari de sa mère, conjuguant l'inceste et le parricide. La vérité sera découverte. Jocaste se pendra ; Œdipe se crèvera les yeux, puis il s'exilera, accompagné de sa fille Antigone. Deux tragédies de Sophocle restituent l'histoire d'Œdipe en insistant sur la rigueur du destin. *Œdipe Roi*, vers 430 av. J.-C., montre Œdipe cherchant à savoir pourquoi la peste ravage Thèbes ; il découvre sa destinée et partant son identité, et se crève les yeux. *Œdipe à Colone*, vers 401 av. J.-C., évoque l'exil puis la mort d'Œdipe aveugle, guidé par Antigone, et témoin accablé d'une lutte fratricide entre ses fils Étéocle et Polynice. La tragédie d'*Antigone* donnant une sépulture à son frère malgré l'interdit de Créon bouclera la trilogie. Freud a nommé « complexe d'Œdipe » le nœud psychique formé par la fixation affective au parent du sexe opposé et l'ambivalence à l'égard du parent du même sexe, qu'il dit avoir constaté en lui-même, et qu'il tient pour un moment clef de la psychogenèse.

Orphée : aède légendaire de Thrace, fils d'Œagre et de la muse Calliope. Célèbre par son chant et sa lyre, il parvient à obtenir de descendre aux Enfers pour en ramener son épouse Eurydice. Hadès le lui a permis à condition qu'il ne se retourne pas vers elle avant de sortir du royaume des Morts. Orphée ne peut surmonter son impatience, et au moment où il se retourne vers sa bien-aimée, il la perd à nouveau. C'est Virgile qui rapporte le mythe d'Orphée dans cinq vers des *Géorgiques* (29 av. J.-C.).

Pandore : la boîte de Pandore est ce qui, malgré une beauté toute apparente, peut provoquer les maux les plus divers. Femme d'Épiméthée (cf. ce nom).

Phénix : oiseau mythique, capable de renaissances fabuleuses. Il vit plusieurs siècles, et se brûle lui-même avant de renaître spontanément de ses cendres.

Prométhée : fils du Titan Japet, frère d'Atlas et d'Épiméthée, père de Deucalion.
Le mythe de Prométhée concerne la création de l'homme comme tel, par la
culture et la civilisation. D'après certaines légendes, l'homme serait en effet
l'œuvre de ce héros, qui aurait également dérobé le feu du Ciel pour l'apporter
sur la Terre, permettant aux hommes de compenser les insuffisances de sa
nature. Dans sa colère, Zeus afflige l'humanité des maux contenus dans la boîte
de Pandore et fait attacher Prométhée par Héphaïstos sur la plus haute cime du
Caucase, où un aigle lui dévore le foie, qui ne cesse de se reconstituer ;
cf. Hésiode (*Les Travaux et les Jours*) et Eschyle (*Prométhée enchaîné*) (467 av. J.-C.).

Robinson Crusoé (*La Vie et les étranges aventures de*) : roman de Defoe (1719) :
Robinson, seul survivant d'un naufrage, se retrouve sur une île déserte où il
reconstitue toute une organisation de la vie économique. Il ne se contente pas
de survivre, mais il réinvente, en quelque sorte, la civilisation. Robinson sort de
sa solitude en sauvant un jeune Noir, Vendredi, que des anthropophages
s'apprêtaient à sacrifier sur son île. Au bout de vingt-huit ans il pourra regagner
sa patrie. Rousseau fait de Robinson le roman exemplaire de toute genèse idéale
de l'homme, notamment dans son éducation générale (cf. l'*Émile*). Michel Tour-
nier, auteur de *Vendredi ou les limbes du pacifique*, a librement interprété le personnage en méditant sur le rôle de la présence d'autrui dans la vie intérieure de
chaque homme.

Salomon : roi d'Israël de 970 à 931 av. J.-C., fils de David et de Bethsabée. Il bâtit
le Temple et le palais royal de Jérusalem, et fit exploiter les mines du Néguev. Sa
réputation de sagesse est illustrée par l'épisode biblique d'un célèbre jugement
(I Rois, III, 16) au terme duquel il attribua un enfant revendiqué par deux
femmes à celle qui refusa que son fils soit coupé en deux. La tradition religieuse
attribue à Salomon des psaumes et des maximes de sagesse.

Sisyphe : roi de Corinthe, fils d'Éole, condamné dans les Enfers à rouler éternellement jusqu'au sommet d'une montagne un rocher qui tout aussitôt dévalait la
pente. L'absurdité d'une tâche aussi répétitive et dépourvue de tout sens inspira
les philosophies de l'absurde, dont celle d'Albert Camus (cf. *Le Mythe de Sisyphe.*)

Socrate (Alôpekè, Attique, v. 470 ; Athènes, 399 av. J.-C.) : philosophe grec. Fils
de Sôphroniskos, un tailleur de pierre, et de Phainaretê, une sage-femme. Il
vécut de peu, consacrant son temps à dialoguer et à interroger dans les gym-
nases et les lieux publics. De ses nombreux disciples (Xénophon, Platon, Alcibiade...), Platon est celui qui semble avoir le mieux restitué ses enseignements.
Accusé d'impiété et de corruption de la jeunesse, Socrate fut condamné à mort
par l'Héliée (tribunal d'Athènes). Pour exécuter la sentence, il absorba une
décoction de ciguë. Trois dialogues de Platon relatent cette mort et les derniers
entretiens philosophiques de Socrate. Le *Phédon* le présente s'entretenant de
l'immortalité de l'âme avec ses disciples ; l'*Apologie de Socrate* et le *Criton* évoquent la raison d'être de la démarche socratique, et la posture civique qui le
conduit à refuser de s'enfuir. Xénophon (*Les Mémorables*), Aristophane (qui le
tourne en dérision dans les Nuées) et surtout Platon donnent à connaître ses
idées et sa méthode. Fondée sur le dialogue, sa maïeutique (art d'accoucher les
esprits) conduit l'interlocuteur à découvrir la vérité qu'il porte en lui (théorie
de la réminiscence). L'ironie socratique crédite toujours celui auquel elle
s'adresse d'une distance réflexive qui lui permet justement de se situer sur le
même plan que Socrate. Elle permet une autoréfutation dès lors que l'interlocuteur prend lui-même conscience des contradictions dans lesquelles il
s'enferme. Le « Connais-toi toi-même » de Socrate inaugure une démarche de

lucidité intellectuelle, et pas seulement psychologique, fondatrice de toute une tradition réflexive et critique, constitutive de la philosophie.

Thalès (Milet, fin du VIIᵉ s. av. J.-C. ; déb. du VIᵉ s. av. J.-C.) : mathématicien et philosophe grec de l'école ionienne. Un des Sept Sages de la Grèce. On lui attribue, entre autres, le théorème qui porte son nom : « Toute parallèle à l'un des côtés d'un triangle divise les deux autres côtés en segments proportionnels. » Il proposa une explication cosmologique rationnelle, excluant tout recours au mythe, et se fondant sur l'idée du caractère essentiel d'un élément matériel dans la genèse des êtres et non mythologique : l'eau était tenue par lui pour l'élément premier. Des légendes tenaces font de lui le philosophe distrait qui tombe dans les puits, mais aussi celui qui peut s'enrichir en prévoyant une abondante récolte d'olives (cf. Platon et Aristote pour ces deux anecdotes).

Spartacus (mort en 71 av. J.-C., en **Lucanie**) : chef devenu légendaire d'une révolte d'esclaves. Berger d'origine thrace, il déserte l'armée. Fait prisonnier, il est vendu comme esclave et incorporé à une école de gladiateurs de Capoue. Il s'en évade avec d'autres esclaves dont il prend la tête. La révolte s'amplifie, et une armée se forme, qui réunit bientôt 100 000 esclaves. Les troupes romaines sont d'abord mises en difficulté et battues plusieurs fois. Spartacus finit par être battu par Crassus, en Lucanie du Nord, dans une bataille où lui-même trouve la mort. La répression fut sanglante : plus de 6 000 prisonniers furent crucifiés sur le bord de la route qui conduit de Capoue à Rome. Spartacus a donné son nom à un mouvement révolutionnaire allemand, dirigé par Rosa Luxembourg, et dont le soulèvement fut noyé dans le sang à la fin de la Première Guerre mondiale.

Thémistocle (Athènes, v. 524 ; Magnésie du Méandre, v. 459 av. J.-C.) : homme d'État et général athénien. Archonte vers 483-482 av. J.-C., il fut stratège en 480. Il décida les Athéniens à construire une flotte de 200 trières pour lutter contre les Perses. Il remporta une bataille navale décisive dans la seconde guerre médique : la victoire de Salamine (480). Thémistocle s'efforça ensuite d'assurer la sécurité d'Athènes, par la construction d'une nouvelle enceinte, et des ouvrages de fortification du Pirée.

Tristan : héros de la légende et des romans de Tristan et Iseut (XIIᵉ s.) ainsi que de l'opéra de Wagner *Tristan et Ysolde* (1857-1859). Ayant bu avec Iseut la Blonde, femme du roi Marc, un philtre qui déclenche une irrésistible passion amoureuse, il mourra avec elle. Héros illustrant l'amour fou, il forme avec Iseut un couple tragique, comparable en un sens à celui d'Orphée et Eurydice.

Ulysse (en grec *Odusseus*) : héros mythique central de l'*Odyssée* d'Homère. Roi d'Ithaque, époux de Pénélope et père de Télémaque. Vaillant guerrier, doté d'un esprit rusé et retors, « Ulysse aux mille tours » est notamment l'auteur du stratagème qui permet aux Grecs de prendre Troie : il imagine le « cheval de Troie » dans lequel se dissimulent des guerriers, et qu'il fait entrer dans la ville par ruse. Il est surtout le héros emblématique d'un long périple de retour à Ithaque, errance de dix années. Lorsqu'il retrouve son royaume, sa femme et son fils, il doit massacrer les prétendants à sa succession, qui ne le reconnaissent pas. Il est à la fois lui-même et un autre, si l'on tient son personnage pour indissociable de son périple. Cette *Odyssée* est devenue un véritable symbole de la quête de soi et de l'aventure existentielle, qui tout à la fois révèle et fait un homme. Hegel parlera de l'odyssée de la conscience humaine.

Zeus : dieu suprême de la Grèce antique, fils de Cronos et de Rhéa. Il domine la Voûte lumineuse du ciel, les pluies et le soleil, et tient dans ses mains la Foudre. Il règne sur tous les dieux de l'Olympe, comme sur tous les hommes. Il consulte la balance des destinées et représente le dieu justicier, aussi « bienveillant » que capable de colère foudroyante. Sa femme légitime est Héra, qu'il ne manque pas de tromper par de multiples aventures. Diverses légendes évoquent ses amours avec des déesses ou des mortelles. Les Romains l'appellent Jupiter. La foudre est son attribut majeur.

Zeuxis : peintre grec, né à Héraclée de Lucanie, ayant vécu pendant la seconde moitié du Ve s. av. J.-C.. Ses œuvres ne sont connues que par des descriptions (cf. notamment Pline). Transportées à Rome puis à Byzance, elles auraient été perdues vers le IIe siècle. Elles auraient été marquées par un grand talent d'imitation et de restitution réaliste propre à donner l'illusion de la présence de la chose même. Peintre évoqué par Hegel dans sa critique de l'art comme simple imitation-reproduction.

Index des notions et des thèmes

Index des principaux auteurs cités

Table des matières